Larousse
les vins

Docteur Gérard Debuigne

Larousse
les vins

17 RUE DU MONTPARNASSE 75298 PARIS CEDEX 06

*Corne à boire
(Allemagne, XVe s.).
Musée de Cluny.
Phot. M.*

avant-propos

Depuis la Genèse, le vin a toujours accompagné le destin de l'homme et les événements de sa terrestre existence : vin de messe, vin de sacre, vin d'honneur...

L'histoire du vin et l'histoire de l'humanité sont étroitement mêlées, et, bien qu'on ignore l'époque exacte où l'homme connut et apprécia le vin, on peut dire que c'est avec le vin que commença la civilisation, comme le prouvent tablettes, papyrus et tombeaux.

Au début du IIIe millénaire av. J.-C., l'Egypte plantait déjà des vignes et la Chine, de son côté, connaissait le vin. Il est vraisemblable que les Grecs, premiers pionniers viticulteurs d'Europe, apprirent de l'Orient et de l'Egypte l'art de faire du vin et l'introduisirent, environ un millénaire avant notre ère, en Italie, en Sicile, en Afrique du Nord, en Andalousie, en Provence. Les Romains, de leur côté, contribuèrent à une large extension de la viticulture : la culture de la vigne suivit les légions romaines au cours de leurs conquêtes guerrières.

Les Egyptiens attribuaient le vin à Osiris, les Grecs à Dionysos, et, accepté comme un don des dieux, le vin fut d'abord élevé à la dignité d'un symbole religieux offert en hommage à la divinité, qui, en échange, grâce à lui, procurait aux hommes vigueur, inspiration, euphorie.

Olivier de Serres, dans son *Théâtre d'agriculture,* écrivait en 1600 : «Après le pain vient le vin, second aliment donné par le Créateur à l'entretien de cette vie et le premier par son excellence. » Cadeau du ciel, certes, mais d'un ciel qui est loin d'être toujours clément! Œuvre d'art, le vin est aussi — et avant tout — une œuvre d'homme, et, ainsi qu'aux diverses disciplines humaines, il était normal de lui consacrer un ouvrage aussi complet que possible.

A notre époque, l'art des vignerons n'est plus seulement l'héritier du bon enseignement de jadis : il est devenu une véritable science, tempérée d'instinct par un empirisme intelligent. Ecole de sagesse, de volonté et de sens de l'effort, la viticulture d'aujourd'hui ne se contente pas d'être l'héritière d'un glorieux passé en profitant tranquillement d'une succession : elle prépare l'avenir par un effort continu de création. Le *Nouveau Larousse des vins* permet à l'homme actuel, toujours pressé par le temps, de connaître rapidement, sans longues recherches, les phases successives de la naissance et de la vie du vin, les différentes régions viticoles du monde et les «races» de vins, les détails techniques indispensables sur la vinification et sur la législation se rapportant aux vins, ainsi que le vocabulaire utilisé par les amateurs.

Le *Nouveau Larousse des vins* ne se contente pas de se pencher sur les vignobles français et européens : il traite aussi des vignobles du monde entier : d'Amérique, d'Afrique, et même d'Asie et d'Océanie.

Depuis sa parution en 1970, le *Larousse des vins* a été traduit en langues néerlandaise, anglaise et japonaise. Bien des changements sont intervenus depuis cette première édition, preuve de la vitalité et de l'éternelle jeunesse de la viticulture ; de nouvelles appellations ont vu le jour, certaines ont changé de catégorie, d'autres ont disparu, de nouveaux règlements européens et internationaux sont intervenus. Il s'est donc avéré nécessaire de revoir entièrement le texte primitif, tout en le complétant et en l'enrichissant de mots nouveaux. De nouvelles rubriques (Durée de conservation des vins de France, Accord des vins et des mets) sont venues étoffer la partie réservée aux Annexes de ce *Nouveau Larousse des vins.*

De nos jours, hélas! l'homme ne trouve guère le temps de lire beaucoup pour retenir un peu. Le voudrait-il qu'il n'y parviendrait pas : la somme des connaissances actuelles est tellement gigantesque que «tout savoir sur toute chose» n'est plus qu'un rêve impossible.

Le vin, personnage vivant, ne se laisse d'ailleurs pas facilement circonscrire. Ce volume n'a donc pas la prétention de traiter à fond un sujet aussi vaste et aussi passionnant. Mais, en mettant à la portée de tous des connaissances essentielles, il donnera, nous en sommes persuadé, l'amour et le respect de cette noble et mystérieuse matière qu'est le vin.

Dans le texte qui suit, les mots exprimant un terme technique sont suivis d'un astérisque (*). Les noms de cépages ou de vins, leurs qualités, les pays et régions viticoles sont classés à leur ordre alphabétique.

abondance. C'est par une note d'humour que nous ouvrirons ce dictionnaire consacré à « Monseigneur le vin ». L'abondance, en effet, est un vin généreusement baptisé (d'eau bien sûr!), qu'on donne à boire aux jeunes dans les collèges.

abstème, personne qui ne boit pas de vin. — Les pythagoriciens, J.-J. Rousseau, Renan furent des abstèmes.

acerbe. Un vin acerbe donne au palais une sensation très désagréable; il est à la fois acide, astringent, âpre comme une pomme pas mûre.

acescence, maladie, dite aussi *piqûre,* occasionnée par des bactéries acétiques, qui attaque tout liquide fermenté, notamment le vin, et tend à le rendre acide.

acide ascorbique. De nombreux travaux ont été effectués sur cet antioxydant. La réglementation de la C.E.E. limite son addition à 150 mg par litre de vin.
Cette addition ne peut se faire que lorsque le vin est complètement terminé, et, pour éviter les réactions secondaires nuisibles lors de l'oxydation de l'acide ascorbique, le vin doit contenir une quantité suffisamment grande d'anhydride* sulfureux, sous forme de « SO_2 libre » (environ de 15 à 20 mg par litre). Jusqu'à présent, l'addition d'acide ascorbique ne modifie pas les conditions d'utilisation de l'anhydride sulfureux.

acide citrique. Cet acide est présent non seulement dans les raisins verts, mais aussi dans les raisins mûrs. La quantité normale est moins élevée dans les vins rouges que dans les vins blancs, et, normalement, sa teneur varie de 1 à 10 g par hectolitre. Les raisins atteints par la pourriture* noble contiennent jusqu'à 1 g d'acide citrique par litre, car l'action du champignon qui la provoque, *Botrytis cinerea,* en augmente la quantité.
L'adjonction d'acide citrique au vin est tolérée par la loi française et par la réglementation communautaire, mais cette acidification* n'est autorisée que sous certaines conditions.

acide lactique, acide né lors de la fermentation* malo-lactique du vin. — Sous l'influence de cette fermentation, l'acide malique contenu dans le vin se transforme en acide lactique et en gaz carbonique. On ne trouve normalement l'acide lactique qu'en très faible quantité dans le vin, comme, d'ailleurs, les autres acides produits par la fermentation (acide succinique, acide acétique). On ne doit pas percevoir sa saveur à la dégustation.

acide malique. Il est surtout abondant dans le fruit vert et communique à ce dernier un goût acerbe caractéristique. Il disparaît ensuite, en partie, pendant la maturation, car il est utilisé dans les phénomènes respiratoires. Ces phénomènes augmentent quand la température s'élève. Cela explique que l'acide malique diminue lorsque l'année est chaude, alors qu'il reste en excès dans le raisin lorsque le temps a été froid.
Sous l'action de certaines bactéries, l'acide malique du vin se décompose lors de la fermentation* malo-lactique, qui aboutit à la désacidification* biologique.

acide sorbique. Son emploi sous forme de sorbate de potasse est autorisé à la dose maximale de 200 mg par litre. Il permet de remplacer en partie l'anhydride* sulfureux, employé comme antiseptique et antioxydant. L'acide sorbique est surtout intéressant dans le cas des vins blancs doux, où l'anhydride sulfureux doit être employé de façon à éviter les risques de refermentation* secondaire : l'odeur et le goût de soufre sont alors parfois perçus par le consommateur. L'emploi d'acide sorbique permet de diminuer la quantité d'anhydride sulfureux nécessaire. Mais cet acide agit seulement comme fongicide et inhibiteur des levures, et est sans effet contre les bactéries : il doit donc toujours être associé à l'anhydride sulfureux. Il a aussi de graves inconvénients : les solutions trop vieilles donnent des faux goûts; attaqué par les bactéries, il se décompose en donnant un goût très désagréable, comparable à celui de la tige de géranium, et, enfin, des levures résistantes peuvent se développer au fond des bouteilles, donnant des amas grumeleux peu appétissants. Il ne faut donc l'employer qu'au moment de la mise en bouteilles, sur des vins stabilisés et ne contenant aucune bactérie.
Bien qu'il ne soit pas autorisé dans tous les pays, l'acide sorbique continue à être autorisé en France. Sa toxicité est très faible, puisque la « dose quotidienne admissible sans réserve » de ce produit, retenue par l'O. M. S., est une des plus élevées parmi tous les additifs alimentaires. L'addition de 200 mg d'acide sorbique par litre permet d'économiser 75 mg d'anhydride sulfureux dans le traitement des vins blancs liquoreux. L'acide sorbique est donc un additif précieux, surtout pour la conservation de ces vins blancs, où il est nécessaire d'utiliser une dose élevée d'anhydride sulfureux. Il ne reste qu'à résoudre le problème des mauvais goûts observés parfois après addition de ce produit, généralement après oxydation ou attaque bactérienne, mais dans des conditions, malheureusement, difficiles à cerner.

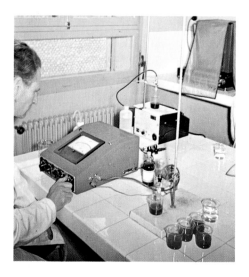

pH-mètre électrique pour mesurer l'acidité du vin (École nationale d'agriculture de Montpellier). Phot. M.

acide tartrique. On ne le trouve guère, dans la nature, ailleurs que dans le raisin, et c'est le plus important des acides fixes du vin, avec l'acide* malique. La quantité d'acide tartrique contenue dans le raisin diminue quand l'été est chaud. Il est alors parfois nécessaire d'en ajouter au moût* : cette acidification* par l'acide tartrique est désormais limitée et codifiée par la réglementation communautaire. Les grands vins, rouges ou blancs, n'ont qu'une assez faible teneur en acide tartrique, car une trop forte proportion de cet acide donne un vin astringent et dur.

acidification, action d'ajouter au moût* de l'acide tartrique ou au vin de l'acide citrique lorsque les vendanges manquent d'acidité à la suite d'une année très chaude et ensoleillée. — Sans ce correctif, les vins sont déséquilibrés, sans fraîcheur et se conservent mal. L'acidification n'a rien de chimique, puisqu'il s'agit de restituer au vin des substances lui faisant défaut et entrant normalement dans sa composition. D'ailleurs, les acides tartriques et citriques sont issus de produits naturels.
La réglementation française autorisait l'acidification par l'*acide* tartrique* — des moûts* seulement — sans limitation de la quantité de ce produit et sans établir à ce sujet de différenciations régionales. La réglementation communautaire étend cette possibilité d'acidification par l'acide tartrique aux raisins frais, au moût partiellement fermenté et au vin nouveau encore en fermentation. Elle prévoit des régimes différents suivant les zones viticoles et pose des limites quantitatives à cette pratique.
L'acidification par adjonction d'*acide* citrique* était permise par la législation française, dans la limite de 0,5 g par litre de vin. La réglementation communautaire confirme cette dose limite, mais sous réserve que la teneur finale du vin en cet élément ne dépasse pas 1 g par litre.

acidité fixe, ensemble des acides organiques normalement contenus dans le fruit et qu'on retrouve dans le vin : acides* malique, tartrique, lactique, etc.

acidité réelle. Les chimistes l'expriment par le pH. Sans entrer dans les détails techniques, disons qu'elle représente l'intensité de l'acidité. Certains acides ont une acidité plus effective que d'autres, ce qui explique que des vins ayant la même acidité totale ont cependant un pH différent. Dans les solutions acides, le pH s'exprime de 7 à 0, le chiffre 7 représentant la neutralité absolue et le chiffre 0 l'acidité absolue. Plus le pH d'un vin est bas, plus son acidité est grande. D'après Jaulmes, le pH des vins est compris entre 2,7 et 3,9; le premier chiffre donne donc un vin très acide, le second un vin extrêmement neutre et plat.

acidité totale. Elle désigne l'ensemble des substances acides, libres ou combinées, existant dans le vin. Elle est la somme de l'acidité* volatile et de l'acidité* fixe. La santé et la longue vie d'un vin dépendent de son acidité. C'est l'acidité aussi qui donne au vin les qualités que l'on désigne par «fraîcheur» et «nervosité». Or, cette acidité est très variable. Les raisins insuffisamment mûrs donnent des vins trop acides (cas des années froides, par exemple) : les vins sont alors aigrelets, verts, acerbes. La loi permet, dans certains cas, de remédier à l'acidité excessive par la désacidification*. Au contraire, les années chaudes donnent des vendanges trop mûres qui manquent d'acidité : l'acidification* est alors nécessaire.
On estime que l'acidité totale d'un vin équilibré, qui se conserve bien, doit être de 4 à 5 g par litre (évaluée en acide sulfurique).
Deux vins ayant la même acidité titrée peuvent donner au palais des sensations totalement différentes, puisque l'acidité totale est la somme d'acidités de natures différentes : ainsi, si l'acide tartrique domine, le vin aura une saveur rude, mais qui s'estompera vite, puisque les premiers froids précipiteront l'acide tartrique en bitartrate de potassium, insoluble.

acidité volatile. Elle représente les acides volatils, c'est-à-dire ceux qu'il est possible de séparer du vin par distillation. Ces acides existent normalement dans le vin à dose faible : de 0,30 à 0,40 g par litre. L'augmentation de ce taux est toujours l'indice d'une altération microbienne. C'est pourquoi la loi interdit formellement la vente des vins qui accusent 0,9 g d'acidité volatile à la production et 1 g au commerce de détail.

L'acidité volatile est constituée par plusieurs substances, dont la principale est l'acide acétique (ou acide du vinaigre*). C'est dire que le vin qui en contient n'est plus guère consommable. Sa saveur devient d'abord piquante, puis résolument aigre.

L'acidité volatile augmente toujours avec le vieillissement : un vin « piqué » n'est donc pas récupérable, d'autant que la loi interdit strictement le dépiquage des vins. Lorsque l'acidité volatile d'un vin mal soigné se perçoit à la dégustation (vers 0,70 g), les spécialistes disent ce vin « fiévreux », puis « aigre » et « piqué ».

Afrique. La vigne ne peut pousser qu'en climat tempéré. Aussi, ce continent si vaste ne produit-il de vin que dans les zones tempérées du Nord (Maroc, Algérie, Tunisie) et dans celles du Sud (république d'Afrique du Sud).

Afrique du Sud. Dès le début de la colonisation hollandaise, la vigne a été plantée dans ce pays, où elle jouit d'un climat favorable, rappelant le type méditerranéen. Le vignoble le plus célèbre, le Groot-Constantia, qui produit le vin de Constance, jadis si fameux, a été planté en 1684.

Les vignobles sont groupés dans la province du Cap et se divisent en deux parties distinctes.

La *première* comprend les régions de Stellenbosch, de Paarl, de Wellington, puis celle qui va de Malmesbury à Tulbagh et, enfin, la péninsule du Cap; c'est le secteur côtier. La *seconde* est une région d'altitude, connue sous le nom de Little Karoo et qui s'étend de Ladismith à Oudtshoorn, entre le Drakenstein et le Swartberg, en embrassant Worcester, Robertson, Bonnievale et Swellendam. Elle produit surtout des vins de dessert, de type Xérès et Porto, alors que la région côtière, au climat plus tempéré et humide, et qui possède une grande variété de sols et de reliefs, produit à la fois des vins secs, rouges et blancs, et des vins de dessert.

Le cépage rouge principal est le Cinsault (qui a donné avec le Pinot noir un hybride appelé « Pinotage »); mais on trouve aussi le Pinot noir et, de plus en plus, le Cabernet. Les vins blancs proviennent surtout du Stein (issu de notre Chenin blanc de la Loire), du Sémillon, de la Clairette et du Riesling.

Le vignoble de Paarl Valley, immédiatement à l'est du Cap, donne des vins considérés comme étant parmi les meil-

leurs. Les vignobles du Cap se trouvent exactement à la même latitude Sud que les meilleurs vignobles du Chili et d'Australie. Les années mauvaises ne sont pratiquement pas à craindre. La chaleur du climat élève la teneur en sucre et diminue l'acidité. Depuis l'introduction du contrôle de la température dans les caves, les vignerons peuvent désormais reproduire le climat frais de l'Europe, afin de donner des vins blancs fins : ces vins frais et fruités

Vendanges près du Cap (Afrique du Sud). Phot. Rapho.

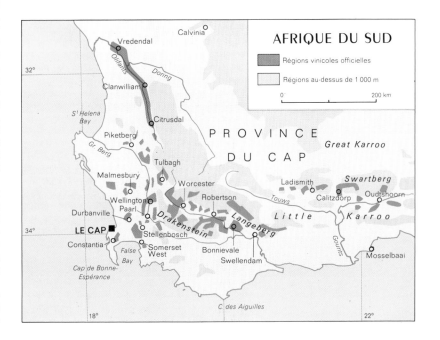

ont cependant tendance à être plus corsés et moins secs que les vins européens (le Riesling et le Stein sont sans doute les meilleurs, mais ceux qui sont issus de la Clairette blanche sont plus délicats). Les vins rouges du Cap se rapprochent davantage des vins européens. Certains, cultivés dans les régions de Paarl, Stellenbosch et Durbanville, sont corsés et plutôt de type « Bourgogne ». D'autres, provenant de la région de Somerset-West, sont plus légers et se rapprochent du type « Bordeaux ». Les rosés, quoique assez astringents et manquant parfois de corps, sont plus légers : leur fraîcheur, très prisée sous le soleil africain, leur assure une popularité grandissante.

La plupart des vins du Cap sont, de nos jours, bons et bien vinifiés. Ils peuvent toutefois paraître aux Européens trop doux ou trop lourds.

En ce qui concerne les vins liquoreux, l'Afrique du Sud en produit d'excellents. Leur gamme, très étendue, donne surtout des vins de type « Porto » et de type « Xérès » très appréciés. Les Xérès sud-africains sont, comme l'authentique Xérès, des vins de « fleur » savamment assemblés et vieillis en « solera ».

Mais les vins du Cap n'ont jamais retrouvé l'engouement dont ils jouirent au XIXe siècle, même en France. Ils sont vendus aujourd'hui presque uniquement sur place. Depuis 1972, le gouvernement a adopté un système de contrôle des vins d'origine : quatorze régions de production ont été ainsi délimitées dont la vaste région d'Olifants River. Ce contrôle surveille strictement l'emploi du mot « domaine » (réservé à 40 crus qui ne pratiquent que leur propre embouteillage), l'indication du millésime, l'indication du cépage. Une grande coopérative d'État, la K. W. V., a été créée pour contrôler les prix et absorber les surplus (Paarl est le siège de cette coopérative nationale, qui possède, en outre, cinq entreprises de vinification). Le plus gros client de la K. W. V., dont presque tout le vin est exporté, est la Grande-Bretagne.

âge de la vigne. Il a une influence extrême sur la qualité du vin. Il faut trois ans pour qu'un cep produise ses premiers raisins et de dix à douze ans pour qu'il donne un vin convenable. Les grands vins proviennent toujours de vignes adultes, ayant entre vingt et quarante ans. Comme disent les vignerons : « Il faut de vieilles vignes pour faire de grands vins. »

agressif. Un vin agressif est un vin qui attaque nos papilles. Ce défaut est dû soit à un excès d'acidité*, par maturité insuffisante du raisin, soit à un excès de tanin*, par cuvaison trop prolongée.

Ahr, petite rivière de l'ouest de l'Allemagne, affluent de la rive gauche du Rhin et qui se jette dans celui-ci au nord de Coblence. — Les vignobles qui s'accrochent aux pentes abruptes de la vallée sont presque entièrement plantés en Pinot noir de Bourgogne, qu'on appelle ici « Spätburgunder ». Ce sont les vignobles les plus septentrionaux d'Europe. Les vins rouges, assez pâles, délicieux, avec un fin bouquet, sont les meilleurs vins rouges d'Allemagne (qui en produit fort peu). Rarement exportés, il faut les boire frais, dans le pays, autour des villes d'Ahrweiler, Neuenahr et Walporzheim.

aigre, maladie redoutable, causée par l'introduction de *Mycoderma* * *aceti,* qui transforme le vin en vinaigre*. — Elle se produit dans les fûts mal remplis, qui ne sont pas ouillés (V. OUILLAGE) avec le soin et la fréquence nécessaires (la bactérie a besoin d'air pour se développer). A partir de 30 °C, les bactéries acétiques se développent encore plus facilement, d'où la fréquence de la maladie en été. La saveur aigre se perçoit très vite dans un vin. Le goût de « piqué », plus désagréable encore, apparaît lorsqu'une partie de l'acide acétique se combine avec l'alcool. La loi interdit le dépiquage des vins malades et, évidemment, leur vente.

aigu. Cet adjectif s'applique à un vin qui accuse un déséquilibre entre l'alcool* et l'acidité*. L'acidité domine nettement et pique très brusquement et fortement la langue. Ce caractère désagréable se rencontre lorsque le vin provient de raisins récoltés en année froide, après une maturation difficile.

Aïn-Bessem-Bouira, vins d'Algérie, récoltés au sud-est d'Alger, sur des terrains calcaires ou schisteux, à une altitude moyenne de 500 m. — Les rouges sont très corsés (13° au moins), colorés, souples, avec une agréable rondeur. Les rosés, assez alcoolisés eux aussi, sont d'une jolie teinte rose vif, tirant sur le cerise; ils sont fruités et coulants. Ces vins étaient jadis classés V. D. Q. S.*.

Aïn-el-Hadjar. Les vins de ce petit vignoble d'Algérie, de l'ancien département d'Oran, avaient droit autrefois au label V.D.Q.S.* Produits sur les hauts plateaux, entre 600 et 1 200 m d'altitude, les vins rouges, rosés et blancs sont de qualité et se conservent fort bien en bouteille.

Les rouges, très corsés (13,8°), bien équilibrés, ont un bouquet délicat, de la finesse et du moelleux. Les rosés et les blancs, très corsés également, sont parfumés et fruités.

Aix-en-Provence (Coteaux d'). Les vins produits autour de la vieille cité d'Aix ont droit au label V.D.Q.S.*. Ils sont récoltés sur le terroir de quarante-huit communes du département des Bouches-du-Rhône et de deux communes du Var (Artigues et Rians). Les vins rouges et rosés proviennent des cépages principaux Cinsault, Counoise, Grenache noir, Mourvèdre, Syrah et Cabernet-Sauvignon (celui-ci étant limité à 60 p. 100 au maximum), et des cépages secondaires Carignan et Tibouren. Les vins blancs sont issus des cépages principaux Bourboulenc et Clairette, et des cépages secondaires Grenache blanc, Sauvignon, Sémillon, Ugni blanc. L'ensemble des cépages secondaires, pour les vins rouges et rosés comme pour les vins blancs, ne pouvait dépasser 40 p. 100 jusqu'en 1981 (30 p. 100 au-delà de cette date).

Les vendanges blanches sont admises dans les cuvées de vins rouges et rosés, mais dans les limites de 20 p. 100 du volume au maximum. Les vins titrent 11⁰ avec un rendement de 50 hl à l'hectare.

Les Coteaux d'Aix-en-Provence sont des vins corsés et fruités très plaisants : les rouges chaleureux et les rosés bouquetés sont très appréciés. Le meilleur cru est « Château Vignelaure », situé à Rians, dans un site dont la vocation viticole remonte à l'époque romaine. Le sol caillouteux, admirablement exposé, est planté surtout en Cabernet-Sauvignon, avec, en proportions moindres, Syrah et Grenache.

Jadis, on plantait un buisson épineux au bout de chaque rang de vigne pour empêcher le cheval d'abîmer le dernier cep en tournant trop court ; à Vignelaure, c'est un rosier qui termine chaque rang de vigne... Le vin rouge du Château Vignelaure tranche sur les autres vins de l'appellation : il évoque les vins du Médoc, avec sa belle robe de velours sombre, sa plénitude et son arôme de cassis et de truffe.

Alameda, comté du nord de la Californie, situé à l'est de la baie de San Francisco. — Les principaux vignobles se trouvent dans la *Livermore Valley,* autour de la ville de Livermore. Le sol de graviers roulés semble convenir parfaitement aux fins cépages blancs européens tels que le Sauvignon, le Sémillon, le Pinot blanc, le Chardonnay. Cette région produit presque uniquement des vins blancs, qui sont parmi les meilleurs de Californie.

Les vignobles renommés sont Concannon, Cresta Blanca, Wente Bros.

alcool. L'alcool contenu dans le vin se forme lors de la fermentation du moût*. Sous l'action des levures*, le sucre naturel de raisin contenu dans le jus se décompose en quantité à peu près égale d'alcool

et de gaz* carbonique. Les vins titrent de 8 à 14⁰, parfois 15⁰. Le degré alcoolique résultant d'une fermentation normale ne peut dépasser 15. Par conséquent, un vin titrant plus de 15⁰ a forcément été « viné », c'est-à-dire qu'il a été additionné d'alcool étranger. Ainsi les vins mutés (V. MUTAGE) titrent parfois de 18 à 22⁰.

Pour obtenir 1⁰ d'alcool, il faut environ 17 g de sucre par litre pour les vins blancs et 18 g pour les vins rouges; donc, un vin titrant 10⁰ provient de jus ayant contenu 170 g de sucre pour les vins blancs et 180 g pour les vins rouges.

L'alcool du vin est le support des autres constituants du vin. C'est aussi l'élément de conservation. Un vin riche en alcool flatte souvent davantage le palais, en même temps qu'il fatigue plus vite le dégustateur. Malheureusement, le degré alcoolique était parfois, dans l'esprit du public, synonyme de qualité, et on avait pris l'habitude de considérer le degré-alcool comme critère de la qualité. Le consommateur actuel est arrivé à une conception plus juste et préfère les vins légers et peu corsés.

Beaucoup de facteurs interviennent dans la teneur alcoolique d'un vin : le cépage, la nature du sol (le calcaire, par exemple, donne généralement des vins plus riches en alcool que les cailloux siliceux), le climat (les vins sont plus corsés sous un climat sec et chaud) et enfin le millésime* (les années chaudes donnent des vins à haute teneur alcoolique). En aucun cas, le goût de l'alcool ne doit dominer à la dégustation. Il doit toujours être parfaitement fondu parmi les sensations gustatives. C'est pourquoi la chaptalisation* est une arme à double tranchant : en ajoutant du sucre au jus de raisin afin d'augmenter le degré alcoolique du vin, on déséquilibre les rapports naturels entre les constituants du vin et l'on risque de donner un vin médiocre, heurté, sans harmonie.

Les mots *vineux, spiritueux, capiteux, corsé, généreux,* etc., caractérisent les vins riches en alcool.

alcool total. Les expressions *alcool total, alcool acquis, alcool en puissance* sont parfois employées lorsqu'il s'agit de vins blancs liquoreux. L'alcool total représente la somme de l'alcool acquis et de l'alcool en puissance. Ainsi, un vin de Sauternes doit titrer au minimum 13⁰ d'alcool total, dont 12,5⁰ d'alcool acquis au moins. Cela veut dire que le Sauternes doit obligatoirement avoir au moins 12,5⁰ d'alcool réel, le reste, soit 0,5⁰, étant de l'alcool « en puissance », c'est-à-dire du sucre. Sachant qu'il faut 17 g de sucre pour obtenir un degré d'alcool, ce 0,5⁰ correspond à 8,5 g de sucre par litre, quantité en réalité bien souvent dépassée.

La récolte Château Vignelaure 1980 est présentée par l'écrivain Anthony Burgess avec une de ses créations musicales.

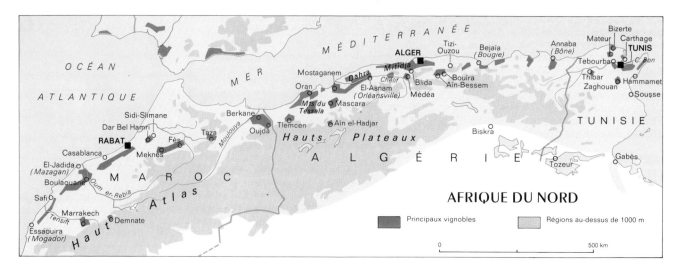

AFRIQUE DU NORD

Principaux vignobles   Régions au-dessus de 1000 m

0   500 km

Le nouveau règlement de la C.E.E. a remplacé le degré* alcoolique par le « titre alcoométrique volumique », indiqué par le symbole %Vol. On doit donc distinguer, désormais, le titre alcoométrique volumique en puissance et le titre alcoométrique volumique total, mais on continue à employer les anciennes expressions, bien plus simples (alcool total, etc.).

Aleatico, cépage italien qui produit un vin du même nom, rouge et généralement doux. — L'Aleatico est de la famille des Muscats, et son vin a un bouquet et une saveur muscatés très prononcés. On le cultive en Ombrie (Gradoli et environs), partout en Apulie et aussi dans l'île d'Elbe, autour de Portoferraio. C'est un vin de dessert suave, de renommée mondiale, avec peut-être autant de classe qu'un Porto, mais avec plus de légèreté et un arôme exquis de Muscat.

Algérie. Le vignoble de cette ancienne colonie française a été entièrement planté après 1842 par les colons français. Au moment où le phylloxéra* ravageait le vignoble de notre Midi, on se mit à planter massivement en Algérie, à la fois les coteaux et les plaines. Aujourd'hui, les principaux cépages d'Algérie sont, pour les vins rouges : Carignan, Cinsault, Grenache, Cabernet, Morastel, Mourvèdre, Pinot; pour les vins blancs : Faranah, Clairette, Ugni blanc et Aligoté.
Les vins algériens fournissaient, jusqu'à ces derniers temps, la base des vins français de coupage*. Issus de cépages à grand rendement, ils n'ont été, pendant longtemps, que des vins ordinaires, dont la vinification était industrialisée. Certains, pourtant, provenant de régions montagneuses, avaient fait peu à peu des progrès remarquables et avaient accédé au label envié V.D.Q.S.* : ceci était l'œuvre de pionniers venus du Languedoc, du Jura et de Bourgogne, qui avaient travaillé, depuis plus d'un siècle, à adapter les cépages et leurs méthodes de vinification au sol et au climat africains. Les vins rouges, toujours généreux, révélaient parfois une qualité surprenante, un bouquet développé et une certaine finesse; ils avaient l'avantage d'être très vite prêts à la consommation. Certains vins blancs, assez peu connus il est vrai, présentaient de la finesse et du fruit sans trop de puissance.
Les vins d'Algérie n'ont plus droit, depuis l'indépendance, au label V.D.Q.S., puisque les contrôles métropolitains ne peuvent plus être exercés. C'est donc l'Algérie qui doit désormais définir elle-même la qualité de ses vins, en accord avec les réglementations fixées par les accords internationaux.
A côté des vins de table, l'Algérie produisait, depuis 1880, des mistelles* servant à la préparation des apéritifs : elle en était, depuis 1910, le principal fournisseur des fabricants français d'apéritifs. Elle élaborait aussi elle-même des vins de liqueur, dont certains excellents, comme ceux des coteaux de l'Harrach et du domaine de la Trappe de Staouéli, issus du Muscat.
Il semble que, depuis son indépendance, le jeune État algérien ait maintenu partiellement son vignoble, qui couvrait 350 000 ha en 1962 et 219 750 en 1978. Comme par le passé, l'altitude du vignoble joue un rôle particulièrement important et définit les types distincts de vins algériens : vins de coteaux, fins et délicatement bouquetés; vins de montagne, corsés et lourds; vins de plaine, légers et de conservation courte.
Dans la région d'Alger et de Tizi-Ouzou, l'essentiel du vignoble colonial est toujours en place, dans un état de semi-abandon, les arrachages de vignes ayant porté, entre 1964 et 1977, sur 150 000 ha

environ. La Mitidja donne des vins rouges bien équilibrés, souvent coulants et fruités. La région d'El-Asnam (Orléansville), dont les vignes se situent dans le Sahel d'Oran, donne des vins de coteaux solides, nerveux, bien colorés, les plus réputés restant ceux des Côtes du Zaccar. La région de Médéa produit des vins renommés autour de cette ville et, plus à l'est, les vins d'Aïn-Bessem-Bouïra, dont la réputation est fort grande.

L'ancien département d'Oran, qui, à lui seul, produisait plus des deux tiers de la récolte, donne sans doute des vins qui sont parmi les meilleurs d'Algérie. La région de Mostaganem produit, sur les versants marneux du haut Dahra, des vins de coteaux fins et fruités, mais aussi, au sud de l'oued Chélif, des vins de plaine et de coteaux francs et robustes. Au sud des monts des Béni-Chougran, Mascara et Coteaux de Mascara sont des appellations connues de tous. Citons encore les vignobles d'Aïn-el-Hadjar, les plus méridionaux de l'Algérie, et ceux des monts du Tessala. Enfin, autour de Tlemcen, des vins fins et réputés sont produits, surtout ceux des coteaux de Tlemcen.

Toute la viticulture algérienne est incontestablement l'œuvre de la colonisation, mais la conversion du vignoble pose de graves problèmes économiques et humains au nouveau gouvernement, qui doit à la fois assurer la formation professionnelle de la main-d'œuvre indigène et enrayer l'exode des campagnes.

L'Algérie a trouvé de nouveaux marchés pour écouler sa production : U.R.S.S. et anciennes colonies françaises d'Afrique (Côte-d'Ivoire, Sénégal, Madagascar), mais la perte du marché français rend néanmoins l'avenir incertain. La bonne solution consisterait à ne faire que des vins de coteaux (vins de qualité, puisque douze furent classés V.D.Q.S. en France, avant 1962), en abandonnant les immenses vignobles des plaines, dont les vins, trop riches en alcool et manquant d'acidité, ne sont guère bons qu'aux coupages. L'évolution actuelle permet d'envisager la production de 2 millions d'hectolitres par an. Seule l'exportation offre un débouché à la production, puisque la population musulmane ne consomme pas de vin (90 p. 100 du vin algérien a toujours été exporté, en majorité vers la France).

Aligoté, cépage blanc, très ancien, cultivé surtout en Bourgogne. — C'est lui qui produit le Bourgogne Aligoté, vin plaisant et aimable, léger et désaltérant, mais sans caractéristiques particulières ni qualités exceptionnelles. On consomme ce vin jeune, dans les trois ans, car il a tendance à s'oxyder.

Le Bourgogne Aligoté est la base du célèbre apéritif nommé familièrement « Kir », du nom du chanoine Kir, maire de Dijon, qui en fit le vin d'honneur de toutes les réceptions de la mairie. Le « Kir » se compose de Bourgogne Aligoté additionné de cassis de Dijon : bien dosé, servi frais, c'est un apéritif exquis.

Allemagne. La vigne est depuis bien longtemps cultivée en Allemagne : les légions romaines l'amenèrent sur les bords du Rhin et de la Moselle. Pourtant, on ne peut pas dire que l'Allemagne soit vraiment un pays à vocation viticole, sauf en Rhénanie et dans les régions traversées par les affluents du Rhin. Les vignobles allemands sont très défavorisés par leur latitude septentrionale : ils occupent, pour cette raison, les pentes bien exposées le long des

Vignes au pied du « burg » Katz, aux environs de Sant Goar.
Phot. Bavaria-Vloo.

Vignobles en terrasses au fil du Rhin ; vue prise du rocher de la Lorelei en direction du bourg de Boppard.
Phot. Lauros-Candelier.

rivières, la vallée du Rhin et ses affluents, notamment. Seules quelques variétés de cépages aguerries peuvent être cultivées : l'excellent Riesling, le Sylvaner, le Müller-Thurgau, le Gewurztraminer et le Ruländer (Pinot gris), ces deux derniers étant assez rares, et quelques autres peu nombreux. Le nom du cépage est généralement notifié sur la bouteille; s'il ne l'est pas, on peut se rappeler que, dans l'ensemble, les vins de la Moselle et du Rheingau sont issus du Riesling, mais que ceux de la Hesse rhénane, du Palatinat et de la Franconie proviennent du prolifique Sylvaner. C'est vers l'exportation que la viticulture allemande d'aujourd'hui porte ses efforts : la récolte moyenne annuelle est de 4 à 5 millions d'hectolitres environ.

Les vins blancs représentent quelque 80 p. 100 de la production allemande. Les vins *courants* sont sans grands mérites, mais les *bons* vins allemands sont excellents. Leur popularité n'a rien d'étonnant, car l'Allemagne possède bien l'art d'élaborer les vins blancs, secs ou liquoreux.

Généralement peu alcoolisés, ils titrent normalement de 8 à 11°; légers, rafraîchissants, fruités, avec une agréable acidité, ils ont un charme tout particulier. D'une limpidité remarquable, ils ont un arôme très fin et beaucoup de distinction. On y trouve parfois une trace de plaisante douceur.

Les vins blancs allemands se prêtent, de façon très valable, à leur transformation en mousseux. L'industrie du mousseux allemand, le fameux « Sekt », connaît un très grand développement depuis la fin de la Seconde Guerre mondiale.

Il convient de remarquer que le « Deutscher Sekt » est agréable à condition d'être bien préparé, avec des vins de qualité, et qu'il garde le type du vin dont il provient.

Les très grands vins allemands du Rheingau et de la Hesse rhénane, qui proviennent, en année exceptionnelle, du Riesling atteint par la pourriture* noble dans des situations privilégiées, sont de précieux vins liquoreux qui se vendent souvent aux enchères.

Les vins du Rhin sont produits dans différentes régions de la vallée du Rhin, qui leur improlument un caractère particulier. Le vignoble du Rheingau, sur la rive droite, entre Wiesbaden et Rüdesheim, est connu comme donnant les meilleurs vins, dont le fameux Johannisberg. Il bénéficie d'une excellente exposition, plein sud, face au Rhin. La Hesse rhénane (Rheinhessen), sur la rive gauche, au sud du Rheingau, se flatte d'être le berceau du « Liebfraumilch »; elle est suivie de très près par le Palatinat (Rhénanie-Palatinat ou Rheinpfalz), situé encore plus au sud, sur la rive gauche, à la frontière alsacienne. Signalons encore une région viticole au nord du Rheingau, entre Rüdesheim et Coblence (Rhin moyen ou Mittelrhein); une autre, face à la Hesse rhénane, sur la rive droite du Rhin : la Bergstrasse de Hesse (Hessische Bergstrasse), et, au pied de la Forêt-Noire, face à l'Alsace : le vignoble de Bade (Baden).

Les vins de Moselle sont produits dans la vallée de cette rivière et de ses affluents : la Sarre (Saar) et la Ruwer. Le nom de cette région viticole est d'ailleurs Mosel-Saar-Ruwer. Les vins de Moselle égalent en qualité les vins du Rhin, tout en étant de caractère différent.

Sur les rives d'autres affluents du Rhin sont récoltés des vins possédant aussi leur caractère particulier : les vins de la vallée de la Nahe, sur la rive gauche, qui se jette dans le Rhin à Bingen; les vins de Franconie (Franken), produits dans la vallée du Main; les vins de la vallée de l'Ahr, qui, par exception, sont presque uniquement des rouges issus du Pinot noir. N'oublions pas non plus les vins du Wurtemberg récoltés dans la région du Neckar.

Les vins allemands sont généralement vendus en bouteilles élancées spéciales (vertes pour les vins de Moselle, brunjaune pour les vins du Rhin). Certains, comme le Würzburger, le Steinwein de Franconie, le Mauerwein de Bade, sont logés en flacons trapus, à flancs plats, appelés *Bocksbeutel*.

Il n'est pas toujours facile de s'y retrouver dans les appellations des vins allemands! S'il s'agit de vins fins, le système est à peu près comparable au système français. Les vins prennent le nom de la ville d'où ils proviennent (par exemple Johannisberg, Rüdesheim). S'ils sont de qualité supérieure, le nom de leur terroir particulier est ajouté (par exemple Johannisberger Klaus, Rüdesheimer Berg Bronnen). Il y a quelques exceptions pour certains vins très renommés, connus seulement sous le nom du vignoble (ainsi le Steinberger, de la commune de Hattenheim; le Schloss Vollrads, de la commune de Winkel).

Le millésime* a, en Allemagne, une très grande importance, comme dans tous les vignobles septentrionaux : il a une valeur

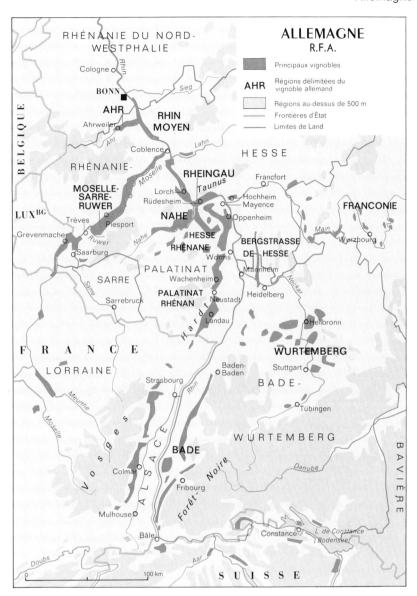

aussi grande, sinon plus, qu'en France. Depuis la nouvelle législation de 1971, les vins allemands sont classés en trois qualités, quelle que soit leur origine.

Deutscher Tafelwein est le vin de table ordinaire. Son étiquette peut porter parfois le nom d'une région viticole ou d'une agglomération, mais jamais celui d'un cru (le vin de table avec indication géographique est un *Landwein*). Le nom du cépage peut être adjoint, à condition que le Tafelwein contienne au moins 85 p. 100 de vin issu de la variété.

Qualitätswein bestimmte Anbaugebiete (Q. b. A.) est un vin de qualité, soumis à un contrôle officiel et portant un numéro. Il doit provenir d'une région (Gebiet) déterminée (par exemple Palatinat ou Mosel-

Dans la vallée de l'Ahr, des « gourmets » goûtant l'un des rares vins rouges allemands. Phot. Office du Tourisme allemand.

Saar-Ruwer) et de certaines variétés de raisins. Il peut aussi porter un nom de cru (si 85 p. 100 des raisins ayant servi à le faire proviennent de ce cru) et un millésime.

Qualitätswein mit Prädikat (Q. M. P.) est l'appellation des meilleurs vins, similaire à notre appellation* contrôlée française (*mit Prädikat* = aux attributs particuliers). Les vins sont strictement contrôlés, ne sont jamais chaptalisés et représentent l'aristocratie du vignoble.

A côté de ces trois classifications essentielles, la classification traditionnelle des meilleurs vins allemands selon leur teneur en sucre subsiste avec des normes précisées :

Kabinett est le vin le plus léger et le plus sec; *Spätlese,* plus corsé et généralement plus doux, est fait avec des raisins cueillis tardivement, donc très mûrs; *Auslese,* plus riche que le Spätlese, est élaboré à partir des grappes les plus mûres, cueillies au fur et à mesure de leur maturation; *Beerenauslese* est fait avec les raisins triés à surmaturation grain par grain; *Trockenbeerenauslese,* liquoreux et merveilleusement riche, provient des raisins passerillés (V. PASSERILLAGE) ou atteints par la pourriture* noble.

En outre subsistent des mentions spécifiques traditionnelles complémentaires,

comme *Eiswein,* vin rare, souvent très doux, fait avec des raisins gelés pendant la vendange, *Weissherbst,* vin rosé fait avec des raisins rouges, *Schillerwein,* vin rosé fait avec un mélange de raisins rouges et blancs.

Cette loi de 1971 a aussi simplifié considérablement le classement des vins allemands en réduisant le nombre de crus de 20 000 à 3 000.

La mention *Erzeugerabfüllung* signifie « mis en bouteilles par le producteur ».

allemande (méthode), procédé de fabrication de vins mousseux, plus économique que notre traditionnelle méthode champenoise*, car il supprime les opérations délicates du remuage* et du dégorgement*. — Il diffère néanmoins du procédé dit « de cuve* close », car la seconde fermentation a lieu en bouteille, comme dans la méthode champenoise, et non en cuve hermétique. Lorsque la prise de mousse est réalisée, les bouteilles sont transvasées dans une cuve d'acier inoxydable sous contre-pression d'azote. Le vin est alors stabilisé par le froid, puis on lui ajoute une liqueur plus ou moins sucrée (en somme, la liqueur* d'expédition de la classique méthode champenoise). Le vin est alors filtré et mis en bouteilles à la sortie du filtre. Ce procédé n'est pas interdit en France pour les mousseux sans appellation. Mais il n'est pas autorisé pour les vins à appellation d'origine. Le transvasement en cuve et la filtration remplacent dans ce procédé le dégorgement, mais les vins délicats ne se tirent certainement pas sans mal de cette épreuve, qui exige des manipulations fatigantes pour eux. On est loin du patient et savant travail que les remueurs hautement qualifiés réalisent dans le mystère ouaté et profond des caves champenoises.

alliacé. L'odeur et la saveur alliacées se rencontrent parfois dans un vin. Il arrive, en effet, que l'anhydride* sulfureux, employé comme antiseptique, se combine dans certaines circonstances avec l'alcool du vin. Le vin prend alors le très désagréable goût de « mercaptan », connu des spécialistes. A l'extrême, il peut prendre une odeur et une saveur rappelant celles de l'ail, lorsqu'il y a formation de sulfure d'éthyle.

Aloxe-Corton. C'est dans cette commune, au pied de ce que l'on nomme dans le pays « la Montagne », que commencent les très grands crus de la Côte de Beaune (notons que certains vignobles, situés sur les communes de Ladoix-Serrigny et de Pernand-Vergelesses, sont légalement inclus dans l'appellation « Aloxe-Corton »). Chose rare, les vins rouges et les vins blancs jouissent d'une égale célébrité.

Les vins rouges des grandes années sont pour beaucoup d'amateurs les meilleurs de la Côte de Beaune et, certainement, ceux qui vieillissent le mieux. Ce sont des Bourgognes magnifiques, merveilleusement fermes, bien équilibrés et puissants avec un bouquet ample qui évoque un peu le kirsch. Les vins blancs, très corsés, pleins de sève, d'une belle couleur dorée, ont un parfum qui rappelle la cannelle. Ils sont les égaux des meilleurs Meursault et, pour beaucoup d'amateurs, leur sont même supérieurs.

Les grands crus ne portent pas le nom d'Aloxe, mais seulement celui de *Corton* (vins rouges surtout et vins blancs) ou de *Corton-Charlemagne* (blanc seulement), ou même de *Charlemagne* (rarement utilisé, car les vins blancs de l'appellation « Charlemagne » ont droit également à celle de « Corton-Charlemagne », qu'on lui préfère). Corton et Corton-Charlemagne sont parfois suivis du nom du vignoble de production : exemples « Corton-Bressandes », « Corton-Renardes », «Corton-Clos-du-Roi». Les vins portant l'appellation communale « Aloxe-Corton », bien qu'excellents, ont moins de classe et de corps, se font plus vite, mais vieillissent aussi plus rapidement. (V. Annexes.)

Alsace. Le vignoble alsacien s'étage sur des coteaux entre les Vosges et la vallée du Rhin. S'étendant de Wasselonne (à la hauteur de Strasbourg), au nord, jusqu'à Thann (à la hauteur de Mulhouse), au sud, il n'a guère plus de 100 km de long sur une largeur qui varie de 1 à 5 km. Orienté à l'est, au sud et au sud-est, il s'accroche au flanc de pittoresques collines, à une altitude variant de 200 à 450 m, abrité des vents froids et humides du nord-ouest par les montagnes vosgiennes. Il occupe une centaine de communes et se répartit entre le Haut-Rhin, pour les deux tiers, et le Bas-Rhin, pour le tiers restant, les communes les plus célèbres étant Ammerschwihr, Barr, Eguisheim, Riquewihr, Kaysersberg, Mittelwihr, Ribeauvillé.

Ce qui distingue essentiellement ce prestigieux vignoble, c'est avant tout son originalité. La composition très variée des sols (gneiss et granit, grès rose, calcaires et marnes, limons, sables et graviers), la diversité des microclimats et la variété des cépages donnent à ce vignoble un caractère bien spécifique. Enfin, particularité presque unique dans le vignoble français, on reconnaît habituellement les appellations d'Alsace au nom du cépage* d'origine et non pas grâce au nom du cru*, comme ailleurs. N'est-ce pas là une merveilleuse illustration gourmande de la remarque d'Olivier de Serres : « Le génie du vin est dans le cépage »? Exceptions qui confirment la règle, il y a néanmoins

Grappe de Gewurz. Phot. M.

quelques crus en Alsace bénéficiant d'une très ancienne notoriété, comme, par exemple, le Rangen de Thann, le plus corsé du vignoble alsacien, si violent qu'une malédiction locale dit : «Que le Rangen te frappe!» L'I. N. A. O. vient, d'ailleurs, d'en promouvoir plusieurs, après avoir reconnu Schlossberg seul en 1975.

Il semble que la vigne fut introduite en Alsace un peu plus tardivement qu'ailleurs, mais, entre les années 650 et 890, on signalait déjà des vignobles dans 119 villages alsaciens. Les vins d'Alsace, alors aussi variés qu'à présent, connaissaient une grande célébrité au Moyen Age, surtout dans les pays nordiques, où ils s'exportaient par le Rhin. Malgré les incessantes destructions dues aux guerres, la persévérance de son peuple d'admirables vignerons a toujours fait renaître le vignoble d'Alsace. Après 1870, les occupants découragèrent la plantation des cépages nobles en faveur de celle des cépages médiocres et de forte production. Mais, depuis 1918, le vignoble alsacien a repris son orientation traditionnelle vers la grande qualité, et, actuellement, les cépages nobles représentent plus des trois quarts de l'encépagement.

Presque tous les vins d'Alsace sont blancs et presque tous sont des vins secs. Seuls les cépages nobles donnent droit désormais à l'appellation contrôlée; ils produisent

Le village d'Ammerschwihr (Haut-Rhin) et ses vignobles.
Phot. Candelier.

un éventail merveilleusement nuancé de vins blancs, absolument unique, allant des plus secs aux presque liquoreux, des frais et légers aux capiteux : Sylvaner, Riesling, Gewurztraminer, Pinot blanc ou Klevner, Pinot* gris ou Tokay d'Alsace, Muscat, Chasselas ou Gutedel, Klevner de Heiligenstein. Les vins peuvent également provenir de coupages de cépages nobles, tel le Edelzwicker.

Enfin, si les vins rouges sont assez rares en Alsace, ils sont toujours excellents, provenant, en effet, du Pinot noir fin, le cépage des grands Bourgognes (appelé d'ailleurs, en Alsace, Burgunder). Est-il besoin d'autres preuves pour établir leur haute lignée ?

Les vins rosés ou clairets (Schillerwein), frais et secs, très agréablement fruités, proviennent eux aussi du Pinot noir, le Pinot meunier n'étant plus admis.

Citons enfin, pour le souvenir, le somptueux vin de paille* préparé autrefois dans la région de Colmar, mais qui n'appartient plus, hélas! qu'au passé.

L'Alsace affirme de plus en plus sa vocation exportatrice avec une progression soutenue, durant les dix dernières années,

du volume d'exportation à l'étranger de ses vins blancs secs et fruités. Actuellement, une bouteille sur quatre de vin d'Alsace est destinée à l'étranger : entre septembre 1982 et la fin d'août 1983, les exportations ont atteint le chiffre de 33 millions de bouteilles (233 000 hl). Le premier client des vins d'Alsace demeure, de loin, l'Allemagne fédérale, suivie par la Belgique, les Pays-Bas, la Grande-Bretagne, les États-Unis, la Suisse, le Canada, le Danemark (et les vins d'Alsace sont prisés dans une centaine d'autres pays importateurs...).

Alsace : appellation d'origine contrôlée.
L'appellation officielle est « Alsace » ou « Vin d'Alsace », et seuls y ont droit les vins qui ont obtenu un certificat de l'I.N.A.O.* sur avis d'une commission de dégustation. Leur rendement annuel est de 100 hl à l'hectare. Ils doivent être contenus dans la bouteille classique du type « Vin du Rhin ». L'appellation « Alsace » ou « Vin d'Alsace » peut être suivie du nom du cépage (puisque, nous l'avons vu, c'est le cépage qui, en Alsace, joue le rôle le plus important) ou de la dénomination « Edelzwicker ».

La dénomination « Alsace grand cru » ne peut être employée que sous certaines conditions fixées par le décret du 20 novembre 1975. Les vins doivent provenir de l'aire de production délimitée, avec un rendement de 70 hl à l'hectare et de certains cépages seulement : Riesling, Gewurztraminer, Pinot gris, Muscat.

Cette dénomination « grand cru », toujours accompagnée du millésime, peut être suivie du nom du lieu-dit d'origine. Depuis 1975, seul Schlossberg (sur les communes de Kaysersberg et de Kientzheim) avait été autorisé à le faire. L'I.N.A.O. vient de permettre à de nouveaux terroirs d'utiliser des noms de lieux-dits (répartis sur vingt-cinq communes).

Il s'agit des lieux-dits suivants : Kastelberg-Moenchberg-Wibelsberg (commune Andlau), Kirchberg (Barr), Altenberg (Bergbieten), Moenchberg (Eichhoffen) dans le département du Bas-Rhin; Sonnenglanz (commune de Beblenheim), Altenberg-Kantzlerberg (Bergheim), Spiegel (Bergholtz), Goldert (Gueberschwihr), Eichberg (Eguisheim), Kessler-Kitterlé, Saering et Spiegel (Guebwiller), Hatschbourg (Hattstatt), Rosacker (Hunawihr), Sommerberg (Katzenthal et Niedermorschwirhr), Geisberg-Kirchberg (Ribeauvillé), Gloeckelberg (Rodern et Saint-Hyppolite), Rangen (Thann et Vieux-Thann), Brand (Turckheim), Hatschbourg . (Voegtlinshoffen), Hengst (Wintzenheim), Ollwiller (Wuenheim), sans oublier, évidemment, Schlossberg (Kaysersberg et Kientzheim), dans le département du Haut-Rhin.

L'appellation contrôlée « Crémant d'Alsace » ne peut s'appliquer qu'à des vins mousseux, blancs ou rosés, provenant de vins tranquilles de base déclarés comme « vins destinés à l'élaboration du Crémant d'Alsace ». Ces vins doivent provenir des cépages Riesling, Pinot blanc, Pinot noir, Pinot gris, Auxerrois et Chardonnay. Les Crémants blancs peuvent provenir d'un ou de plusieurs de ces cépages, mais le Crémant rosé ne peut provenir que du Pinot noir.

Cette dénomination « Crémant d'Alsace » doit répondre aussi, bien entendu, aux conditions habituelles (richesse minimale des moûts* en sucre, maturité de la vendange, rendement à l'hectare, etc.). Ces vins doivent être élaborés par seconde fermentation* en bouteille sur l'aire délimitée Alsace, et la durée de conservation en bouteille sur lies* ne peut être inférieure à neuf mois.

amaigri. Ce terme a le même sens que chez les humains : un vin amaigri a moins de chair, moins de corps. Ici, ce n'est pas la maladie qui est en cause, mais les soutirages* répétés.

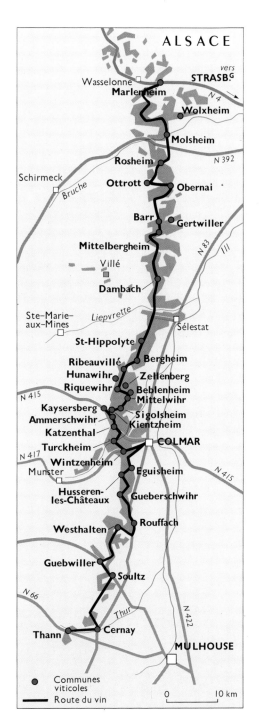

Amboise. Les vignobles de Vouvray et de Montlouis se prolongent par quelques communes viticoles groupées autour d'Amboise et de son célèbre château. Les vins blancs, rouges ou rosés proviennent du territoire délimité des communes d'Amboise, de Chargé, Cangey, Limeray, Mosnes, Nazelles, Pocé-sur-Cisse et Saint-Ouen-les-Vignes, et ont droit à l'appellation

«Touraine» suivie du nom d'«Amboise».
Les vins blancs produits par les communes de Nazelles et de Pocé-sur-Cisse sont excellents : ces communes sont juste à la limite de l'aire d'appellation du Vouvray, et, autrefois, leurs vins étaient d'ailleurs vendus sous le nom de «Vouvray». Les autres vins blancs, tous récoltés sur le tuffeau de Touraine, sont aussi de très bonne qualité, fruités et fins. Les communes de Limeray et de Cangey produisent surtout des vins rosés et rouges. Les rosés, provenant du Cot associé au Gamay et au Cabernet, sont spécialement délectables. Les vins blancs doivent titrer 10,5⁰, les rosés 10⁰, les rouges 9,5⁰. La production, assez faible, est pratiquement absorbée par la clientèle locale.

ambré. Ce terme qualifie la couleur dorée, rappelant celle de l'ambre, de certains vieux vins blancs. Cette couleur ne doit pas s'accompagner de madérisation à la dégustation. La teinte ambrée est due, en effet, à l'oxydation de la matière colorante* du vin (cette matière colorante n'apparaît guère dans les vins blancs jeunes, mais elle existe en fait). La teinte ambrée est un défaut lorsqu'il s'agit d'un vin jeune.

amer. La maladie de l'amer (ou amertume) altère parfois les vins en bouteilles et, particulièrement, les vins rouges de Bourgogne. Leur saveur, fade au début, devient ensuite nettement amère. La matière colo-

Vue aérienne du château d'Amboise et de la vallée de la Loire.
Phot. Beaujard-Lauros.

rante* est alors insolubilisée. L'amertume atteint des vins peu acides, dont elle attaque la glycérine et l'acide tartrique.
On peut essayer de traiter le vin dès le début de la maladie par pasteurisation*.

Amérique du Sud. Ce n'est qu'au sud du tropique du Capricorne qu'on y rencontre la vigne, puisque celle-ci exige, pour vivre, un climat tempéré : on ne trouve donc de vignobles que sur un tiers environ de ce vaste continent. L'Argentine est, de loin, le premier producteur; puis vient le Chili, dont les vins sont les meilleurs d'Amérique du Sud. On rencontre aussi la vigne en Uruguay, dont le vignoble est en pleine extension, et dans les régions du Brésil situées tout à fait au sud du pays (Rio Grande do Sul). Le Pérou, bien que situé au nord du tropique du Capricorne, possède aussi, par exception, quelques vignobles, grâce à l'altitude très élevée, qui compense la latitude défavorable.

amertume. A la suite de maladies microbiennes, le vin peut prendre un goût d'amertume très désagréable et contre lequel il n'existe aucun remède. Toutefois, certains cépages ont une légère amertume spécifique qui, loin d'être offensante pour le goût, apporte au vin un caractère particulier très prisé. C'est le cas du cépage Mauzac (Gaillac, Blanquette de Limoux), du cépage Clairette (la Clairette du Languedoc, précisément à cause de son arrière-goût d'amertume, est recherchée pour les vermouths de qualité).

amoroso, Xérès «oloroso» doux et destiné au marché britannique. — Créé pour complaire au goût anglais, ce type de vin est inconnu en Espagne.
L'*East India* est un «amoroso» charnu dont l'appellation remonte au temps de la navigation à voile. On envoyait alors les fûts de Xérès faire le voyage aller et retour aux Indes orientales : l'air marin, le roulis rendaient, paraît-il, le Xérès bien meilleur (en tout cas, il coûtait plus cher!).
Le *Brown sherry* est un «amoroso» très foncé et très doux.

ample. Un vin dit «ample» procure des sensations étendues, larges et complètes, rappelant un somptueux manteau de cour. L'arôme, le bouquet, la saveur sont très riches et complets, avec une harmonie et un équilibre parfaits.

Ancenis (Coteaux d'). Ce vignoble occupe les coteaux de la rive droite de la Loire autour de la ville d'Ancenis et s'étend sur 27 communes de la Loire-Atlantique et de Maine-et-Loire. Il n'est pas uniquement planté en Muscadet et en Gros-Plant.

*Vignobles de la Loire,
à Oudon, près d'Ancenis.
Phot. M.*

Il produit aussi des vins blancs, issus du Chenin blanc (ou Pineau de la Loire) et du Pinot gris, ou Beurot (nommé « Malvoisie » dans le pays), qui se révèlent souples et frais, avec un agréable bouquet.

On y rencontre aussi le Gamay du Beaujolais, le Cabernet franc et le Cabernet-Sauvignon, dont les vins rouges et rosés, très appréciés, souples et légers, doivent être bus dans leur jeunesse.

Tous ces vins ont droit au label V.D.Q.S.*, suivi obligatoirement du nom du cépage.

Angleterre. Il semble qu'on ait fait du vin en Angleterre dès l'Antiquité, au moment de l'occupation romaine et durant le haut Moyen Age autour des monastères.

On cessa sans doute d'en faire dès que les Anglais connurent les vins du Rhin et les vins de Bordeaux (ces derniers après le mariage d'Éléonore d'Aquitaine et d'Henri II Plantagenêt, en 1152).

Après un abandon quasi absolu de la viticulture, il semble qu'on essaie de s'adonner de nouveau à la culture de la vigne depuis quelques années. La station de recherches viticoles d'Oxted, dans le Surrey, donne des conseils aux amateurs qui désirent la pratiquer, et, de nos jours, à peu près 200 ha sont consacrés à la vigne en Angleterre et au pays de Galles, en général dans le Sud. Presque tous les cépages cultivés sont blancs et choisis parce que leurs grappes mûrissent tôt (Müller-Thurgau; un hybride français, le Seyval blanc; un allemand, le Reichensteiner...). Parmi les « vignerons » d'Angleterre, sir Guy Salisbury-Jones produit, sur son vignoble de Hambledon (Hampshire), en moyenne 12 000 bouteilles par an.

Le vignoble de Carr Taylor, planté de cépages allemands, qui couvre plus de 6 ha près de Hastings dans le Sussex, a produit 60 000 bouteilles de vin blanc en 1982. D'autres plantations laissent espérer du vin rouge pour 1985 (200 000 bouteilles envisagées).

anhydride sulfureux SO$_2$, auxiliaire précieux et fidèle des vignerons de tous les pays, indispensable depuis la cuve* jusqu'à la mise* en bouteilles. — L'emploi de cet antiseptique est vieux comme le monde : les Romains, les vignerons du Moyen Age l'utilisaient déjà, et, de nos jours, il est le seul autorisé par la loi. Son emploi s'est généralisé dans tous les pays viticoles du monde depuis les travaux de Pasteur* et les découvertes modernes, et l'on n'a encore rien trouvé de mieux. Son action est multiple. Il tue les bactéries et les germes des maladies du vin. Qualité appréciable, il permet, en cas de vendanges modérément atteintes par la pourriture* grise, de détruire les oxydases du champignon, agent de la casse* brune du vin. On a découvert, aussi, qu'il avait une action dissolvante bénéfique sur le moût* : le moût traité est plus riche en alcool, en acidité* fixe, en extrait sec, en saveur et en couleur. L'anhydride sulfureux est donc utilisé à la fois pour ses propriétés antiseptiques, ses propriétés antilevures (qui en font un protecteur des vins contre la refermentation* secondaire en bouteille) et ses propriétés antioxydantes.

Mais il est surtout extrêmement précieux dans le cas des vins blancs liquoreux, toujours à la merci d'une refermentation* secondaire en bouteille, à cause du sucre

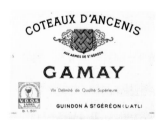

résiduel qu'ils contiennent. Son emploi pour ces vins est systématique. Le « soufre », comme on l'appelle communément, est utilisé sous des formes différentes : méchage*, décomposition du métabisulfite de potasse et, surtout, solution sulfureuse résultant du barbotage de l'anhydride sulfureux dans l'eau.

Une certaine proportion de l'anhydride sulfureux se combine aux sucres du vin (ce soufre combiné contribue d'ailleurs au bouquet). A côté de cette partie de SO_2 qui se combine chimiquement au vin, il ne reste qu'un faible pourcentage de « SO_2 libre » pouvant être actif. En effet, seule une nouvelle fraction de ce SO_2 libre est inhibitrice des micro-organismes : c'est le « SO_2 actif », qui représente de 1 à 10 p. 100 du SO_2 libre. Pour maintenir dans les vins quelques milligrammes par litre de SO_2 « actif », il faut avoir quelques dizaines de milligrammes de SO_2 « libre » et quelques centaines de milligrammes de SO_2 « total ». C'est généralement au moment de la mise en bouteilles que le vigneron a la main un peu lourde. Dans son désir de protéger son vin contre l'oxydation ou la refermentation, il force parfois un peu la dose d'anhydride sulfureux. Le soufre libre en excès se perçoit désagréablement au nez et au palais, est responsable de maux de tête et donne même parfois naissance à cet abominable goût d'œufs* pourris ou au goût alliacé*.

C'est pour cette raison que diverses solutions sont continuellement à l'étude pour remplacer cet irremplaçable SO_2, dont la faible toxicité et l'efficacité sont reconnues depuis des millénaires.

D'importants travaux, depuis 1960 en particulier, ont visé à améliorer l'efficacité du SO_2 total et à réduire les doses de SO_2 libre. On a essayé, d'autre part, de trouver des produits de remplacement de l'anhydride sulfureux qui jouiraient, comme lui, de propriétés à la fois antifongiques, antibactériennes, antioxydantes, antidiastasiques et seraient, en même temps, des améliorants gustatifs.

La pimaricine, antifongique déjà utilisé en charcuterie, la vitamine K5, qui possède une activité antilevure notable, toutes deux sans toxicité, sont actuellement à l'étude, mais, jusqu'à présent, seuls l'acide* sorbique et l'acide* ascorbique sont autorisés en France.

Jusqu'à ces derniers temps, la réglementation française tolérait une teneur maximale en SO_2 total de 350 mg par litre pour les vins de moins de 12,5⁰ d'alcool acquis et de 400 mg pour les autres. La réglementation communautaire fixe désormais de façon extrêmement précise les teneurs maximales des différents vins en SO_2 total (réglementation applicable à dater du 1er septembre 1978).

Teneur maximale des vins en SO₂ total.
1° Vins autres que les vins mousseux et les vins de liqueur :
a) Ayant une teneur en sucre résiduel inférieure à 5 g par litre : vins rouges, *175 mg par litre* de SO_2 total; vins blancs, *225 mg par litre*.
b) Ayant une teneur en sucre résiduel égale ou supérieure à 5 g par litre : vins rouges, *225 mg par litre*; vins blancs, *275 mg par litre*.
c) Peuvent contenir *300 mg par litre* de SO_2 total les vins ayant droit à la dénomination « Spätlese » (V. ALLEMAGNE) et les vins blancs français à appellation d'origine contrôlée suivants : Premières Côtes-de-Bordeaux, Sainte-Foy-Bordeaux, Bordeaux supérieur, Graves-de-Vayres, Côtes-de-Bordeaux-Saint-Macaire.
d) Peuvent *contenir 350 mg par litre* de SO_2 total les vins ayant droit à la mention « Auslese » (V. ALLEMAGNE) et les vins blancs de Roumanie ayant droit à la dénomination « Vins supérieurs à appellation d'origine » : Murfatlar, Cotnari, Valea Călugărească, Tirnave, Pietroasell.
e) Peuvent contenir *400 mg par litre* de SO_2 total les vins ayant droit aux mentions « Beerenauslese », « Trokenbeerenauslese » (V. ALLEMAGNE) et les vins blancs français à appellation d'origine contrôlée : Sauternes, Barsac, Cadillac, Cérons, Loupiac, Sainte-Croix-du-Mont, Monbazillac, Bonnezeaux, Quarts-de-Chaume, Coteaux-du-Layon, Coteaux-de-l'Aubance, Graves supérieurs, Jurançon.
2° Vins mousseux.
Les vins mousseux ordinaires ne peuvent contenir plus de *250 mg par litre* de SO_2 total, les vins mousseux de qualité *200 mg par litre* et les vins mousseux de « qualité produits dans des régions déterminées » *200 mg par litre*.

Anjou. Cette ancienne province française, que « Bacchus a comblée de ses dons », correspond à peu près aux limites actuelles du département de Maine-et-Loire et prolonge vers l'ouest, le long de la Loire, la région viticole de Touraine. Le vignoble, moins étendu qu'autrefois, occupe les coteaux bordant la Loire et ses affluents, et il bénéficie de la douceur d'un climat réputé. Les vins d'Anjou ont toujours joui d'une grande notoriété : dès 1199, ils étaient exportés en abondance vers l'Angleterre, à en croire un édit de Jean sans Terre ; en France, depuis bien longtemps, leur excellence était reconnue. Les vins blancs sont les plus célèbres. Mais, pour notre grand plaisir, l'Anjou nous offre une variété de vins, ayant chacun un caractère particulier : vins blancs secs, demi-secs ou liquoreux, vins pétillants, vins mousseux, vins rouges, vins rosés.

On divise généralement la région vinicole de l'Anjou en sous-régions, qui sont : Saumur, Coteaux de la Loire, Coteaux du Layon, Coteaux de l'Aubance.

Anjou : appellation d'origine contrôlée.

Pour avoir droit à l'appellation «Anjou», suivie ou non par les mots «Val de Loire», les vins blancs, les vins rouges ou les vins rosés doivent être produits sur l'ensemble de l'aire délimitée s'étendant sur les départements de Maine-et-Loire, des Deux-Sèvres et de la Vienne.

Pour les vins blancs, le cépage principal (80 p. 100 au moins) doit être le Chenin blanc, ou Pineau de la Loire, et le Sauvignon et le Chardonnay (pour 20 p. 100 au plus). Pour les vins rouges, les cépages autorisés sont le Cabernet franc, le Cabernet-Sauvignon et le Pineau d'Aunis; pour les vins rosés, le Cabernet franc, le Cabernet-Sauvignon, le Pineau d'Aunis, le Gamay, le Côt, le Groslot. Le cépage Gamay employé seul est également admis pour la production des vins rouges, mais avec des conditions restrictives : son aire de production est obligatoirement celle de l'appellation «Anjou», à l'exclusion de l'aire d'appellation «Saumur», et le mot «Gamay» doit obligatoirement figurer après le nom de l'appellation «Anjou».

On commence à parler beaucoup de l'Anjou rouge, l'Anjou étant devenu, ces dernières années, à côté de ses traditionnels vins blancs et rosés si renommés, une région productrice de vins rouges de qualité, aux environs de Brissac surtout. Un décret devrait consacrer prochainement les efforts persévérants des producteurs en leur attribuant l'appellation «Anjou-Villages-Brissac».

Anjou (rosés d').

L'Anjou produit, sous l'appellation «rosé d'Anjou», une grande quantité de vins rosés qui répondent bien à l'engouement actuel du public pour ces vins souples, fruités et frais. Les rosés sont produits un peu partout en Anjou, mais spécialement en un point des Coteaux de l'Aubance, aux environs de Brissac, dans la partie moyenne des Coteaux du Layon, autour de Tigné et, enfin, dans la région de Saumur.

Le rosé d'Anjou est un bon vin de carafe, bien équilibré, fruité et léger, parfois légèrement moelleux et qu'il faut boire dans l'année qui suit la récolte.

L'appellation «rosé d'Anjou» (suivie ou non par les mots «Val de Loire») ne peut jamais être suivie du nom du cépage (Cabernet, Cabernet-Sauvignon ou Cabernet franc).

Anjou (Cabernet d').

Cette appellation est plus strictement réglementée que celle de

Les coteaux du Layon, en Anjou. Phot. M. -

«rosé d'Anjou» et, évidemment, les vins ne peuvent provenir que du Cabernet-Sauvignon et du Cabernet franc, à l'exclusion de tous les autres cépages.

Ce n'est qu'en 1905 qu'un viticulteur du Saumurois fit du rosé avec du Cabernet. Ce rosé conquit d'emblée le Paris de la Belle Époque et sa renommée ne fit que s'étendre depuis. Sa belle couleur rose se nuance différemment suivant les zones de production, comme son goût, plus ou moins corsé ou fruité, mais toujours fin et moelleux.

Le Cabernet d'Anjou doit titrer au moins 10^0, et présenter une teneur en sucre résiduel au moins égale à 10 g par litre. Il vaut mieux le boire jeune pour apprécier sa vivacité et son fruit.

Pour le Cabernet, originaire de la zone de Saumur, voir SAUMUR.

Anjou mousseux.

Les vins qui bénéficient de cette appellation contrôlée (complétée ou non par les mots «Val de Loire») peuvent être blancs ou rosés.

Les blancs doivent provenir du Pineau de la Loire, mais les cépages rouges (Cabernets, Gamay, Cot, Groslot, Pineau d'Aunis) peuvent également être employés, vinifiés en blanc, jusqu'à concurrence de 60 p. 100 de l'ensemble au maximum.

Les rosés doivent provenir des Cabernets, du Cot, du Gamay, du Groslot et du Pineau d'Aunis.

Les vins doivent titrer $9,5^0$ avant qu'on leur ajoute la liqueur* de tirage et $10,5^0$ avant l'adjonction de la liqueur* d'expédition.

Les appellations «Anjou pétillant» et

CABERNET D'ANJOU

APPELLATION CONTRÔLÉE   NICOLAS

« rosé d'Anjou pétillant » peuvent être utilisées pour des vins blancs ou rosés présentant une fermentation* secondaire en bouteille, mais l'habillage de ces vins ne doit prêter à aucune confusion avec celui des vins « mousseux ». Ils doivent se présenter sous le même habillage que les vins tranquilles, une agrafe retenant le bouchon.

appellation d'origine. Les vins à appellation d'origine sont toujours désignés par un terme géographique précis, qui ne laisse aucun doute sur leur lieu d'origine. Il peut s'agir d'une région tout entière (Bourgogne), d'une commune (Volnay), d'un château* en Bordelais (Château d'Yquem), d'un climat* en Bourgogne (Le Puits).
Il existe trois catégories parmi les vins d'origine. L'aristocratie est représentée par les « appellations* d'origine controlées » (A.O.C.), où se classent pratiquement tous les grands vins de France. Puis viennent les « vins* délimités de qualité supérieure » (V.D.Q.S.), excellents vins régionaux.
Enfin, les « vins de pays* », longtemps connus seulement des seuls initiés, sont des vins de table provenant d'un terroir déterminé. Ils commencent à faire parler d'eux et à partir à l'assaut du marché.

appellation d'origine contrôlée (A.O.C.). L'I.N.A.O.* a codifié pour tous les grands vins les règles sévères auxquelles ils sont soumis pour avoir droit à cette mention si enviée : aire délimitée de production, encépagement, teneurs minimales en sucre du moût et en alcool du vin, rendement maximal à l'hectare, taille de la vigne, méthodes de culture et de vinification. Les vignes dont sont issus ces vins doivent avoir trois ans au minimum selon le décret du 27 juillet 1979.
Fondées sur le respect des « usages locaux, loyaux et constants », ces règles ne sont pas néanmoins opposées aux progrès scientifiques modernes, dès lors qu'ils apportent une amélioration éclairée de la qualité. Elles sont strictement contrôlées par les agents de l'I.N.A.O. et de la Répression des fraudes. Tous nos crus renommés font partie de la noble famille des appellations d'origine contrôlées, et leur étiquette arbore obligatoirement et très lisiblement ce titre de gloire : « Appellation contrôlée » (une exception toutefois est admise pour le Champagne). Ces vins doivent circuler avec des titres de mouvement spéciaux (acquits ou congés verts), et la mention doit aussi figurer sur les déclarations de récoltes, les prospectus, les factures, les récipients.
La France compte un nombre considérable d'appellations contrôlées (plus de 250), ce qui prouve l'extraordinaire diversité et l'admirable richesse de notre palette vineuse.

appellation d'origine simple (A.O.S.). Cette appellation a été supprimée en novembre 1973. Elle créait, en effet, une certaine confusion dans l'esprit des consommateurs, surtout étrangers, avec l'appellation* d'origine contrôlée. Les vins à appellation d'origine simple ne répondaient pas toujours aux critères de la qualité et l'on doit reconnaître que certains producteurs et négociants en profitaient pour tirer parti de la confusion. Leur définition était peu rigoureuse et portait sur le lieu de production, mais il n'y avait pas de contrainte qualitative : on avait assisté, par exemple, sous le couvert de l'A.O.S., à un développement excessif d'appellations fantaisistes se référant à des « Clos » ou à des « Châteaux » plus ou moins fictifs.
Cette catégorie de vins à appellation d'origine simple comprenait, d'ailleurs, assez peu de représentants : les vins d'Alsace, par exemple, longtemps A.O.S., avaient accédé à l'appellation d'origine contrôlée. Désormais, les anciens vins à appellation d'origine simple pourront être reclassés, selon leurs qualités, dans une des trois catégories légales : les bons pourront devenir « vins de pays* »; les meilleurs pourront accéder, sous de multiples et sévères conditions de qualité, à l'appellation « vins* délimités de qualité supérieure » (V.D.Q.S.) ou même à l'appellation* d'origine contrôlée (A.O.C.); ainsi, en 1974, les « vins nature de la Champagne » devinrent A.O.C. sous le nom de « Coteaux champenois ».

âpre. Un vin âpre est désagréable à la dégustation. Il est à la fois rude, donnant l'impression de râper la langue au passage, et très astringent, comme s'il crispait l'ensemble des muqueuses. Les tanins* en excès sont responsables de cette sensation. Les vins âpres proviennent de cépages grossiers ou résultent d'une mauvaise vinification (cuvage* trop prolongé). Les tanins précipitent à la longue, et le vin s'améliore un peu avec le temps.
On emploie aussi le terme *anguleux* pour caractériser les vins ayant un excès désagréable de tanin, ou le terme *épais* lorsque le tanin semble donner au vin une consistance épaisse et importune.

Arbois. Ce vignoble du Jura, doté d'une appellation contrôlée communale, est, avec Château-Chalon, le plus célèbre de la région. Plusieurs communes se partagent cette appellation enviée, et les plus réputées sont, avec Arbois, Pupillin, Montigny-les-Arsures, Mesnay, Les Arsures. Renommés dès l'Antiquité, les vins d'Arbois ont été illustrés par Pasteur*, qui entreprit à Arbois ses recherches sur les fermentations et les maladies du vin, exposées par la suite dans les *Études sur le vin*.

Vue générale de l'Arbois.
Phot. Beaujard-Lauros.

Arbois produit des vins rouges fins et généreux, des vins blancs secs et délicats, dotés d'un bouquet très personnel, des vins mousseux obtenus par la méthode champenoise*, des vins de paille* et des vins jaunes* qui égalent presque l'admirable Château-Chalon. Mais le plus connu de ces vins de qualité est peut-être le rosé d'Arbois, excellent, sec et fruité, d'une jolie teinte rubis clair, tirant sur la pelure d'oignon. N'était-il pas déjà signalé sur la table des rois de France en 1298?
Les délicieux vins d'Arbois, dès qu'ils sont dans les verres, donnent toujours envie d'éprouver le dicton local : «Plus on en boit, plus on va droit. »

Arbois : appellation d'origine contrôlée.
Pour avoir droit à l'appellation, les vins blancs doivent provenir des cépages Naturé (ou Savagnin), Melon d'Arbois (ou Chardonnay), Pinot blanc; les vins rouges doivent être issus du Poulsard, du Trousseau, du Gros Noirin (ou Pinot noir). Les vins rosés peuvent provenir des raisins des cépages rouges ou blancs.

L'*Arbois mousseux* doit être préparé par la méthode de seconde fermentation* en bouteille.
Le nom de «Pupillin» peut être adjoint au nom de l'appellation contrôlée «Arbois» pour les vins obtenus sur le territoire délimité de la commune de Pupillin.

Argenteuil. De nos jours, c'est par ses asperges de réputation mondiale que cette ville du Val-d'Oise est connue. Pourtant, elle eut droit, jadis, à sa part de gloire vineuse. Le vignoble fut donné en 1003 au monastère de l'Humilité de Notre-Dame d'Argenteuil par le roi de France Robert Ier. Par la suite, très morcelé, il s'étendit jusqu'à la hauteur de Cormeilles et de Sannois, sur des coteaux bien exposés au sud et abrités des vents du nord et du nord-ouest par la forêt de Saint-Germain. Il fut un temps, au XIIIe siècle par exemple, où le vin d'Argenteuil se vendait plus cher à Londres que le vin d'Anjou.
Le «Piccolo» d'Argenteuil, issu du Gamay, donnait un vin léger qui ne titrait pas plus que 10 à 11⁰ : d'une jolie couleur rubis, il

25

n'était pas sans évoquer, par sa fraîcheur et son fruit, en bonnes années, son cousin le Beaujolais, mais il était toujours un peu acerbe, aigrelet comme le son de la flûte du même nom. Le phylloxéra*, qui ravagea les ceps en 1900, faillit porter le coup de grâce au Piccolo d'Argenteuil, mais quelques courageux vignerons, amoureux du folklore local, entreprirent la reconstitution du vignoble avec de nouveaux plants de Baco et de Seibel. Actuellement, les 4 à 5 hectares de vignoble produisent toujours le rouge désaltérant, un rosé agréable et même un Argenteuil blanc, d'une belle couleur dorée, fruité, mais, lui aussi, assez aigrelet. C'est évidemment sur place qu'il est encore possible de déguster le petit vin d'Argenteuil.

Argentine. Le vignoble argentin, depuis une quarantaine d'années, est en pleine expansion. L'Argentine est le plus gros producteur, mais aussi le plus gros consommateur de vin de l'Amérique du Sud; elle occupe même la quatrième place au monde parmi les pays consommateurs de vin. Elle boit entièrement sa production et n'exporte, pour ainsi dire, pas de vin; elle en importe d'ailleurs aussi fort peu. Elle ne produit que des vins ordinaires, bon marché, et corsés. Ces vins sont récoltés dans les régions de Mendoza et de San Juan, non loin de la frontière chilienne, au pied de la cordillère des Andes et à l'ouest de Buenos Aires.

Les vins rouges sont meilleurs que les rosés et les blancs.

L'Argentine peut rivaliser avec l'U.R.S.S. pour le volume de la production vinicole (quatrième rang mondial), mais le rendement des vignes argentines est trois fois supérieur à celui des vignes russes. Le cépage le plus cultivé est le Malbec de la région bordelaise, mais les plantations de Pinot noir et de Cabernet sont en augmentation, l'emportant sur le traditionnel Criolla, tout à fait en déclin. Les vins blancs ont tendance à vite madériser, et, dans l'ensemble, les vins rouges sont meilleurs que les blancs.

Arménie. Les principaux centres viticoles de cette république de l'U.R.S.S. sont Etchmiadzine, Artachat et Erevan. Le vignoble principal entoure Erevan et s'étend au nord jusqu'à Anipemza et au sud jusqu'à Artachat.

On a réussi à implanter des cépages résistant au gel dans la zone montagneuse (Lori, Chirak, Zangezour) sur du terrain volcanique irrigué. L'Arménie soviétique produit surtout des vins secs. Elle est renommée pour son vin de type Porto, appelé «Portveïn» en U.R.S.S.

aromatique. Un vin aromatique est un vin qui laisse s'exhaler, quand on le respire, des arômes pénétrants. Les vins fruités sont les seuls à être aromatiques, puisque les arômes proviennent surtout du raisin.

arôme, principe odorant qu'exhale un vin et que l'on appelle encore *fruit,* ou *parfum,* ou *bouquet primaire,* ou *bouquet originel.* — L'arôme, en effet, provient essentiellement du raisin lui-même : c'est dans la pellicule du grain que se forment les substances qui le composent. Il est donc spécifique à chaque cépage, mais se perçoit plus ou moins nettement selon les terroirs et les millésimes. Les vins blancs et rouges de Bourgogne, eux, n'ont pas d'arôme au sens technique du mot, car, en fait, sauf exception, le jus de raisin frais n'a qu'un parfum assez léger. L'exemple d'arôme le plus caractéristique est fourni par le Muscat; mais le Cabernet, le Traminer, la Syrah, la Malvoisie possèdent aussi des arômes spéciaux. Une grande partie de l'arôme disparaît durant la fermentation, et les vins «secs» ont rarement autant d'arôme que ceux qui ont conservé une certaine quantité de leur sucre naturel. L'arôme tend aussi à s'estomper avec le temps : il se combine d'abord avec le bouquet naissant, puis s'efface devant celui-ci.

Vendanges motorisées à Mendoza, en Argentine.
Phot. Aarons.

artificiels (vins). Différents breuvages qui osaient prendre le nom de *vin* ont été « inventés » et répandus dans le public, surtout à la fin du siècle dernier, au moment de la pénurie de vin provoquée par les trois fléaux qui ravagèrent notre vignoble : l'oïdium*, le phylloxéra* et le mildiou*.
Certains étaient fabriqués avec des raisins secs provenant de Grèce et de Turquie. D'autres étaient purement et simplement des vins de sucre*, qui ignoraient totalement le raisin. D'autres encore étaient des vins de sucre « améliorés » : on tirait deux ou trois ou même quatre « cuvées* » de la même vendange, en versant sur les marcs* et les lies*, après avoir décuvé le premier vin, du sucre, de l'eau et d'autres ingrédients qu'on remettait à fermenter.
Enfin, on fabriquait aussi du vin blanc avec du gros rouge de mauvaise qualité qu'on décolorait grâce à de hautes doses d'acide sulfureux. Une fameuse affaire de falsification de vins défraya la chronique récemment à Limoges. Le faussaire fabriquait un vin (qui n'avait de vin que le nom) à partir de produits chimiques. Découvert, il fut sévèrement condamné.

assemblage, opération qui consiste à mélanger et à rassembler des vins dans une cuve. — On additionne ainsi le vin de goutte* et le vin de presse* provenant d'une même cuvée. On assemble aussi les vins provenant des différentes cuves, afin d'obtenir un produit homogène.
Mais l'assemblage est aussi une technique de correction* des vins, qui consiste à mélanger des vins de même provenance, mais d'un autre millésime*, afin d'obtenir une qualité suivie et supérieure. Cette technique est de règle en Champagne. Mais elle exige des stockages coûteux et non rentables, des locaux et du matériel onéreux, toutes choses qui ne sont pas à la portée de la plupart des vignerons.

Asti, important centre de production de vins d'Italie, situé au sud de Turin, dans la région du Piémont. — Connue surtout à l'étranger pour son vin mousseux, l'« Asti spumante », la région d'Asti produit aussi des vins rouges de qualité, tels le Barbera*, le Barolo*.
L'appellation contrôlée (D. O. C.) « Moscato naturale d'Asti », récemment accordée, est réservée à des vins moelleux et fruités, à la robe jaune d'or, provenant uniquement du Muscat blanc et titrant 10,5⁰.

Asti spumante, vin mousseux très populaire, préparé à Asti (*spumante* veut dire « mousseux », « écumant »). — Contrairement aux divers procédés généralement utilisés en France pour l'obtention de vins mousseux, la matière première, ici, n'est pas du vin, mais du moût, c'est-à-dire du jus de raisin non fermenté. Autre différence : le gaz carbonique qui fait naître la mousse est obtenu, dans le procédé d'Asti, lors de la première fermentation. Or, les autres procédés provoquent la prise de mousse lors de la seconde fermentation, tantôt en bouteille (méthode champenoise*, méthode allemande*), tantôt en cuve* close (procédé Charmat).
Le moût de raisin Muscat est conservé dans une galerie réfrigérée, où il se décante sans que la fermentation soit possible. Il est ensuite mis dans une cuve close, où il va fermenter. C'est le gaz carbonique résultant de cette première fermentation alcoolique qui donne la mousse de l'Asti spumante.
Ce procédé donne de très bons résultats, car il permet au Muscat de conserver son goût et son parfum caractéristiques. Or, il est délicat de rendre les Muscats mousseux. Si on les vinifie à sec, en épuisant leur sucre lors de la première fermentation, ils perdent leur arôme si typique quand on les fait refermenter par une addition de sucre.
La législation récente distingue deux appellations contrôlées (D. O. C.) pour ce vin mousseux qui doit être cultivé, vinifié et embouteillé dans les zones délimitées :
- le « Moscato d'Asti spumante », ou « Moscato d'Asti », couleur jaune d'or, titrant 11,5⁰ ;
- l'« Asti spumante », ou « Asti », d'un jaune plus pâle, à la mousse fine et persistante, titrant 12⁰ au moins.

astringent, mot synonyme de *tannique* en dégustation. — Le tanin* est une substance qui provoque un resserrement des tissus et des muqueuses. Un vin astringent ou tannique provoque un resserrement des gencives, de la langue, du palais, de l'ensemble de la bouche. Le dégustateur réagit alors en exécutant des mouvements de la bouche pour détendre ses muqueuses : il semble mâcher son vin, comme si celui-ci avait une consistance solide. (On dit parfois d'un vin astringent qu'« il a de la mâche »). Les vins trop astringents sont dits « âpres », « durs », « anguleux », « épais ».

Aubance (Coteaux de l'), vignoble d'Anjou qui s'étend entre la Loire et le Layon, le long de l'Aubance, affluent de la Loire. — Il n'a plus actuellement la même réputation que son voisin des Coteaux du Layon. Pourtant, jusqu'au XVIe siècle, les vins de cette région étaient plus prisés que ceux du Layon; c'est peu à peu que ceux-ci furent préférés des amateurs. Les sols schisteux rappellent ceux du Layon, et le cépage est aussi le Pineau de la Loire. Les vins blancs qui ont droit à l'appellation sont généralement demi-secs, fruités et fins, avec un agréable goût de terroir. Moins puissants et moins séveux que ceux du Layon, ils sont aussi moins charpentés, mais ils ont un caractère bien personnel.

L'appellation « Coteaux-de-l'Aubance » (complétée ou non par les mots « Val de Loire ») s'applique à des vins récoltés sur les communes de Brissac, Denée, Juigné-sur-Loire, Mozé, Murs, Saint-Jean-des-Mauvrets, Saint-Melaine, Saint-Saturnin, Soulaines et Vauchrétien; mais les domaines les plus renommés se trouvent à Murs, Saint-Melaine, Soulaines, Vauchrétien.

Dans l'ensemble, la production des Coteaux de l'Aubance est peu abondante et n'a qu'un débouché local.

Par ailleurs, la commune de Brissac, bien que située dans les Coteaux de l'Aubance, est une grosse productrice de vins rosés et de Cabernet rosé vendus sous l'appellation « Anjou ».

Ausone (Château), premier grand cru classé de Saint-Émilion. — Bien qu'il ne s'agisse sans doute que d'une légende, la tradition assure que le Château Ausone occupe l'emplacement de la propriété que le poète latin Ausone possédait à Lucaniac (Saint-Émilion) au IVe siècle.

Le Château-Ausone est un très beau vin, généreux et élégant.

austère. Un vin austère est un vin qui est loin de manquer de qualités, mais dont la teneur trop abondante en tanin* ne permet pas de goûter convenablement le bouquet.

Le vin austère a encore un peu trop de rudesse pour être glissant et plaire à tous les dégustateurs. Les Médocs trop jeunes ont souvent ce visage. On dit aussi d'un tel vin qu'il est « sévère »; mais, sous cette sévérité, se cache souvent la bonté.

Australie. La vigne ne poussait pas en Australie à l'état indigène; les premiers vignobles furent plantés aux environs de Sydney, en Nouvelle-Galles du Sud, vers 1788, avec les ceps de vigne amenés dans les cales par les premiers immigrants.

Par sa situation géographique, l'Australie produisait surtout des vins très corsés, très sucrés et manquant d'acidité. Mais l'évolution des nouvelles techniques œnologiques lui permet désormais de produire de bons vins de table.

Actuellement, plus que la région mère de la Nouvelle-Galles du Sud, les États de Victoria et de l'Australie-Méridionale surtout se consacrent à la viticulture; 50 p. 100 de la production consiste en raisins de table frais et secs.

Le vignoble a été dévasté par le phylloxéra* et regreffé sur porte-greffes américains. Il est à signaler que de grands progrès techniques ont été réalisés durant ces dernières années dans les méthodes de vinification, spécialement en ce qui concerne le « Sherry » d'Australie, vin de fleur* produit comme l'authentique Sherry, fort populaire en Angleterre.

Les vins qui correspondent à peu près aux produits européens de même nom sont désignés sous les appellations Claret, Bourgogne, Bordeaux, Moselle, etc. Mais, remplaçant ces appellations traditionnelles, les étiquettes indiquent souvent les cépages et les régions viticoles.

Actuellement, les principaux vignobles se trouvent dans les régions suivantes :

Hunter Valley. Si la Nouvelle-Galles du Sud, région mère de la viticulture australienne, a été supplantée par l'Australie-Méridionale, il reste néanmoins ce secteur célèbre de Hunter Valley, dont les premières vignes (les plus septentrionales de l'Australie) furent plantées, dès 1828, sur les coteaux et au pied des collines. Jadis, les vins blancs produits par cette région étaient tellement dorés et généreux qu'on les appelait « Miel de l'Hunter ». On n'y produit plus que des vins de table de type Bourgogne, d'un arôme caractéristique, s'améliorant et se conservant longtemps en bouteille. Les cépages sont l'Hermitage (ou Chīrāz) rouge, le Pinot noir, le Cabernet, le Sémillon blanc, le Chardonnay.

PENFOLD, LINDEMAN, MAC WILLIAM sont les plus importantes entreprises vinicoles;

Centre et nord-est de la province de Victoria. Jadis célèbre pour ses gisements aurifères, cette région devint, vers 1900, la plus grande région viticole d'Australie jusqu'aux destructions dues au phylloxéra. Elle produit de savoureux vins de dessert de type Muscat, Madère et Porto, quelques vins blancs légers et de bons vins rouges corsés. Rutherglen-Corowa, à la frontière de la Nouvelle-Galles, et Wangaratta, un peu plus au sud, sont renommés pour leurs vins de dessert, dont un Muscat remarquable;

Ouest de la province de Victoria. Créés par des colons suisses en 1853, les vignobles s'étendent au pied des monts Grampians. Ils produisent des vins blancs légers, de type Riesling et Champagne, des vins blancs plus robustes et de bons vins rouges vigoureux et bouquetés. Le Great Western, région aride au sol calcaire, produit le meilleur vin mousseux d'Australie : le « Champagne Great Western »;

Adélaïde. Cette région côtière, fraîche et humide, donne des vins rouges bouquetés rappelant les Bordeaux, des vins blancs délicats et des vins de dessert de type Xérès (vintage et Tawny). Adélaïde, capitale de l'Australie-Méridionale, est sertie dans les vignobles qui s'étendent au nord

jusqu'à Clare et au sud jusqu'à Coonawarra. Sur son territoire même, on trouve encore des vignes, dont l'une produit un des vins rouges les plus renommés d'Australie : le «Grange-Hermitage».
Le petit secteur isolé de Coonawarra, le plus méridional de l'Australie-Méridionale, donne d'excellents vins rouges et un Claret qui fait penser aux Bordeaux;
Barossa Valley, Clare. Située au nord-est d'Adélaïde, la région viticole de Barossa, célèbre par sa fête des vendanges, est une des plus étendues du vignoble australien. Elle produisit d'abord quelques-uns des meilleurs «Porto» et «Xérès» d'Australie. Mais les colons allemands qui s'implantèrent à Barossa y introduisirent le Riesling. Ce cépage donne ici des vins remarquables, les meilleurs d'Australie, délicats et fruités. Mais les vins rouges de Barossa, corsés et bouquetés, issus du Cabernet et du Chīrāz, ne manquent pas non plus d'élégance. Le petit vignoble de Clare Watervale, encore plus au nord d'Adélaïde, produit des vins plus mous, plus ordinaires, le climat étant plus chaud. Le «Clare Riesling», contrairement à son appellation, est du Sémillon;
Swan Valley. On trouve dans cette ancienne région viticole, située à l'est de Perth, en Australie-Occidentale, beaucoup de petits producteurs, mais seulement quatre ou cinq grands vignobles. Les vins produits, de type Bourgogne, sont vigoureux et corsés, et possèdent, comme ceux de Hunter Valley, un arôme très caractéristique;
Murray Valley. On produit tout le long du parcours de la Murray des vins liquoreux et des Muscats, des vins blancs secs, moelleux et doux, de type Moselle et Sauternes, des vins de type Xérès, mais aussi une grande quantité de vins de table légers, rosés ou rouges. Ces dernières années, des cépages plus nobles ont été plantés dans de nombreux districts (ceux de Cadell, Mildura, Nildottie, Loxton, Langhorne Creek notamment);
District de Riverina. C'est en 1912 que fut créé ce vignoble autour de Griffith, lorsqu'on aménagea un système de canaux d'irrigation de la Murrumbidgee depuis Narrandera pour arroser les terres. Les vins de table sont de qualité grâce à l'irrigation contrôlée du vignoble. Quatorze entreprises vinicoles produisent du vin rouge, des vins blancs secs et liquoreux, des vins de dessert, des vins de type Xérès.

Autriche. Le vignoble autrichien a beaucoup pâti des événements politiques. Ce qui reste du vieil Empire austro-hongrois a été amputé des bonnes régions viticoles (tel le Tyrol, devenu en partie italien). Actuellement, le vignoble autrichien satis-

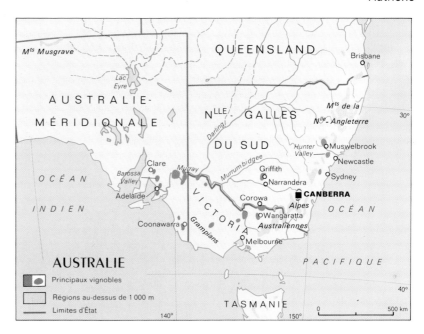

fait à peu près la demande nationale, et, depuis une dizaine d'années, l'Autriche commence même à exporter ses vins.
Depuis 1973, elle a adopté un classement de «qualitätswein» analogue à celui de l'Allemagne, et certaines étiquettes autrichiennes sont aussi très détaillées; elles précisent le cépage, le cru, la localité de provenance; mais, dans l'ensemble, cet aimable pays se soucie peu des appellations! C'est ainsi qu'on trouve un très bon vin sous le simple nom d'«Edelfraülein» (noble demoiselle), sans autre précision.
Les bons vins autrichiens sont blancs; les vins rouges, issus du Spätburgunder (Pinot noir) et d'autres cépages locaux, n'offrent guère d'attrait et servent uniquement à la consommation locale. Les vins blancs sont d'une tout autre qualité : issus du Riesling, du Müller-Thurgau, du Sylvaner, du Gewurztraminer et de quelques cépages locaux, comme le Rotgipfler, le Grüner Veltliner, ils évoquent leurs voisins du sud de l'Allemagne ou du Tyrol italien. Ce sont des vins légers et secs, fruités, frais, qu'il faut boire jeunes.
Le vignoble se situe à l'est du pays, divisé en cinq régions vinicoles : Vienne, Wachau, Burgenland, Weinviertel et le sud de la Styrie, Wachau et Vienne étant les plus florissantes.
Le vignoble de *Weinviertel* (quartier du vin), situé au nord-est de la capitale, produit des vins légers et secs. Le cépage le plus utilisé est le Grüner Veltliner (qui ressemble au Traminer avec moins d'arôme et de saveur), qui donne des vins frais, à la fois fruités et épicés, les plus connus et les plus exportés.

Autriche : vignes de Wolkersdorf,
près de la frontière tchèque.
Phot. Ségalat.

Le *Burgenland,* situé à la frontière hongroise, s'étend autour du lac Neusiedler, ce qui lui confère en automne un climat chaud et brumeux, favorable à l'éclosion de la pourriture* noble.

Le plus célèbre des vins de cette région est le « Ruster Ausbruch », récolté autour de Rust, qu'on comparait jadis au Tokay de Hongrie, ce qui n'est pas un mince compliment. Les deux versants du lac continuent à produire de nos jours des vins blancs liquoreux de grande qualité pouvant rivaliser avec les *Auslese* et *Beerenauslese* allemands (V. ALLEMAGNE).

Vienne, la capitale, niche littéralement dans les vignes : la vigne pousse au cœur des quartiers résidentiels et, au sud, elle se propage même le long du chemin de fer du Sud (Südbahn). Cette vigne exubérante donne naissance à un vin adorable, plein de vivacité et de charme, le « Heurige » (mot intraduisible désignant à la fois le vin nouveau et la taverne où on le sert). Tous les anciens villages viticoles, aujourd'hui absorbés par la capitale, produisent des vins de carafe, qu'on boit dans des guinguettes sympathiques : Neustift, Sievering, Nussdorf, Kahlenberg et surtout Grinzing, dont le meilleur vin est parfois exporté en bouteilles, pour donner sans doute aux amoureux de Vienne la nostalgie de cette « ville de rêve ».

Le « Gumpoldskirchener », produit au sud de Vienne, le long du Südbahn, est peut-être actuellement le plus connu des vins autrichiens à l'étranger. Clair et limpide, parfumé et fruité, jamais grand vin mais charmant toujours, il fut adoré par des

AUTRICHE

- - - - WACHAU   Principales régions de vignobles

——— Frontières d'État
——— Limites de province

0   100 km

Patron de taverne contemplant le vin nouveau de Gumpoldskirche, près de Vienne. Phot. Rapho.

générations de Viennois. C'est un vin qui donne envie de valser sur l'air du *Beau Danube bleu*.

La région possède deux centres d'intérêt vinicoles : les caves du monastère et l'école d'œnologie de Klosterneuburg.

Le *Wachau*, à l'ouest de Vienne, est la région viticole la plus connue d'Autriche. Le vignoble, planté sur les rives abruptes et rocheuses du Danube, est très morcelé, et ses petits vignerons produisent une grande variété de bons vins.

La coopérative de Dürnstein règne sur toute la viticulture de la région, groupant un millier de vignerons. Le Grüner Veltliner donne des vins exquis, mais le Riesling, plus rare, donne de très grands vins dans cette région grâce aux automnes chauds et secs. C'est le « Schluck », vin sec provenant surtout du Sylvaner, qui est principalement exporté. C'est à l'est du Wachau, à Rohrendorf, que le plus célèbre vigneron d'Autriche, Lenz Moser, possède ses caves. C'est lui qui a été l'inventeur du système de « haute culture », méthode de taille et de palissage donnant à la vigne le double de sa hauteur habituelle, et qui a été adoptée par de nombreux vignerons.

Vendanges familiales en Auvergne. Phot. Arcis-Rapho.

Auvergne (Côtes d'). Ce vignoble, classé dans ceux du Val de Loire, fait depuis quelques années des efforts méritoires pour améliorer la qualité, mais il n'occupe plus que le tiers des communes où il régnait autrefois. Il s'étend, assez dispersé, entre Châtelguyon et Issoire, mais c'est surtout au sud et au sud-est de Clermont-Ferrand qu'il est le plus dense. Bien que de réputation fort ancienne, ce n'est plus qu'un vignoble assez restreint, dont les crus de Chanturgues, de Châteaugay et de Corent furent jadis célèbres. On prétend que le vignoble des côtes de Clermont recouvre le site historique du plateau de Gergovie, où Vercingétorix repoussa les légions romaines de Jules César en 52 av. J.-C.
L'arrêté du 10 avril 1977 a fixé les conditions d'attribution du label v.d.q.s.* « Côtes-d'Auvergne » (l'appellation « Vins d'Auvergne » a été supprimée).

L'appellation « Côtes-d'Auvergne » s'applique à trente-sept communes de l'arrondissement de Clermont-Ferrand, onze communes de l'arrondissement de Riom et cinq communes de l'arrondissement d'Issoire. Les vins doivent titrer 9° pour les rouges et 9,5° pour les blancs et les rosés, et provenir des cépages Chardonnay pour les blancs, Gamay noir à jus blanc et Pinot noir pour les rouges et les rosés.
L'appellation « Côtes-d'Auvergne » peut, sous certaines conditions, être suivie des appellations locales Boudes, Chanturgues, Châteaugay, Corent, Madargues.
L'appellation « Côtes-d'Auvergne-Boudes » ne peut s'appliquer qu'aux vins provenant de Boudes, Chalus et Saint-Hérent.
L'appellation « Côtes-d'Auvergne-Madargues » concerne les vins du terroir de Riom.
L'appellation « Côtes-d'Auvergne-Chanturgues » s'applique aux vins récoltés sur le terroir de Clermont-Ferrand et Cébazat. Le Chanturgues jouit d'une très ancienne réputation, mais il se faisait si rare ces derniers temps qu'on pouvait se demander s'il n'était pas déjà entré dans la légende. Pour les Auvergnats disséminés à travers les continents, c'était le meilleur vin du monde. En vérité, c'est un agréable vin de Gamay, rouge cerise, léger et fruité, qui se conserve bien. Les années fastes, il prend du corps et de l'étoffe, avec du velouté et un bouquet de violette tellement net qu'il semble parfois violent. C'est lui qui donne tout son caractère à une de nos grandes recettes de cuisine régionale : le coq au vin de Chanturgues.
L'appellation « Côtes-d'Auvergne-Châteaugay » s'applique aux vins de Châteaugay, Cébazat et Ménétrol. Le Châteaugay jouit, lui aussi, d'une ancienne réputation : fruité, léger, facile à boire, il a du caractère et un goût de terroir.
L'appellation « Côtes-d'Auvergne-Corent » s'applique aux vins de Corent, des Martres-de-Veyre, de La Sauvetat et de Veyre-Monton. Issu, comme le Chanturgues, du Gamay noir à jus blanc — et aussi rare que lui —, le Corent est un vin de teinte très pâle, qui se présente toujours en vin gris. Il a beaucoup de charme, avec un parfum séduisant, un goût sec et net, et le caractère particulier que les vins d'Auvergne puisent sans doute dans le sol volcanique. Les vins de l'appellation « Côtes d'Auvergne » suivie d'une appellation locale doivent titrer 9,5° en rouges, comme en rosés et en blancs.
Les vins d'Auvergne sont de bonne qualité et trouvent un débouché local facile, surtout avec les touristes et les curistes des villes d'eaux, qui, comme chacun sait, n'en dédaignent pas pour autant le vin. Frais et aimables, bouquetés, ils se boivent jeunes.

Le château d'Azay-le-Rideau.
Phot. Lauros-Geay.

Auxey-Duresses. Avant la loi sur les appellations, le vin de ce petit village, bâti au pied de Monthélie, était parfois vendu comme Volnay ou comme Pommard. Les vins agréables qu'on y récolte, blancs et rouges, ces derniers ne manquant ni de couleur, ni de bouquet, ni de corps, sont cependant vendus à un prix raisonnable. Certains vins rouges d'Auxey-Duresses peuvent faire suivre le nom de leur commune par les mots « Côte de Beaune ». Les meilleurs vignobles peuvent ajouter leur nom à celui de la commune. La liste définitive n'en a pas encore été arrêtée, mais les crus considérés comme les meilleurs sont les Duresses, les Bas-des-Duresses, Reugne, les Grands-Champs, Climat du Val (ou Clos du Val), les Écusseaux, les Bretterins (le vignoble de la Chapelle est désormais partagé entre les Bretterins et Reugne).

Azay-le-Rideau. Non loin de Tours, dans la vallée de l'Indre, Azay-le-Rideau produit, dans les silex de ses coteaux calcaires, un vin blanc qui fut toujours renommé. Le décret du 1er septembre 1977 a élargi l'appellation aux vins rosés produits sur le territoire des mêmes communes : Azay-le-Rideau, Artannes, Cheillé, Lignières, Rivarennes, Saché, Thilouze et Vallères.

Les vins blancs doivent, comme par le passé, provenir uniquement du Chenin blanc, ou Pineau de la Loire : Saché, où Balzac écrivit *le Lys dans la vallée*, en produit de très réputés. La production, malheureusement, est très faible. Regrettons-le, car les vins d'Azay-le-Rideau, secs, frais et fruités, comptent parmi les meilleurs blancs secs de Touraine.

Les vins rosés doivent provenir principalement du Groslot, dans la proportion minimale de 60 p. 100 de l'encépagement, ainsi que du Gamay, du Cot, des Cabernets, dans la proportion maximale de 40 p. 100, les Cabernets (franc et Sauvignon) ne devant pas dépasser 20 p. 100 de ces cépages secondaires. Les vins blancs doivent titrer 10^0 et les rosés 9^0. Les rosés sont des vins secs dont la teneur en sucre résiduel doit être inférieure à 3 g par litre. Ils doivent, en outre, être élaborés par la technique de pressurage direct précédant la fermentation, avec ou sans foulage préalable.

L'appellation « Azay-le-Rideau » ne peut être employée seule; elle doit toujours suivre l'appellation « Touraine ».

Azerbaïdjan. Dans cette république d'U.R.S.S., la vigne est cultivée depuis bien longtemps, puisqu'on la signalait déjà à l'époque du géographe grec Strabon, né en 58 av. J.-C.

Au Moyen Age, les méthodes de culture pratiquées par les Azerbaïdjanais montrent une science certaine de la viticulture : les sarments étaient conduits sur tuteurs vivants (arbres), ou soutenus par un faisceau formé de trois branches de roseau, ou encore étendus sur un sol sablonneux. On les recouvrait de terre pour l'hiver dans les régions froides. Au printemps, on ameublissait soigneusement la terre, et il semble même qu'on pratiquait le greffage*. Tout le raisin obtenu était destiné à faire du vin (qui devait être de grande qualité, étant donné les connaissances avancées des Azerbaïdjanais en matière viticole).

Mais vint l'islām, qui interdit la consommation du vin. Ce n'est guère qu'au siècle dernier que, sur la viticulture en déclin, souffla un vent de renouveau.

De nos jours, quarante variétés de raisin sont cultivées, dont les meilleures, récoltées dans la presqu'île sablonneuse d'Apchéron, sont l'Ag Chany et le Gara Chany. Les centres viticoles importants sont, dans l'ordre : Chamkhor, Chemakha, Kirovabad, Taouz et Agsou (près de Chemakha). Dans le Nagorno-Karabagh, on produit du vin partout, entre Norachen-Chakhbouz et Paragatchaï.

La production essentielle de cette région est celle du « Porto » soviétique : le « Portveïn ». Toutefois, les vins blancs ordinaires sont plaisants et légers, surtout le Bayan Chireï. Il existe aussi un vin rouge très velouté : le Matrassa.

Azay-le-Rideau :
premier festival du vin (1968).
Phot. Léah Lourié.

Badacsony, célèbre vignoble de Hongrie, situé sur la rive occidentale du lac Balaton. — Ancienne propriété des Moines gris, divisée au XVIIᵉ siècle en parcelles, Badacsony est une colline en forme de sarcophage, haute de 400 m. La vigne est en terrasses, ce qui donne au paysage un air méditerranéen. Les paysans affirment que seule la vigne « qui se regarde dans le miroir du Balaton » peut donner du bon vin ; l'envers des feuilles a besoin aussi de lumière, et celle-ci lui est dispensée par les eaux du lac, étincelantes de soleil.

Le vin de Badacsony est célèbre depuis des siècles. On dit souvent que dans ce vin brûle le feu des anciens volcans, et, déjà, les Romains connaissaient et appréciaient sa saveur. Des autels élevés en l'honneur du dieu romain du Vin, le Liber Pater, ont été mis au jour au cours des fouilles. Les vieux pressoirs* sont construits sur des fondations romaines, et même le couteau de vendangeur, qui se transmet de génération en génération, rappelle aujourd'hui encore celui des Romains.

Dans la commune de Badacsonylabdi se trouve la plus grande cave de Hongrie, qui contient plus d'un million et demi de litres. Les vins les plus connus de Badacsony sont le « Badacsonyi Kéknyelu », vin blanc issu du cépage Kéknyelu (dont le nom signifie « manche bleu »), et le « Szürkebarat » (« moine gris »). Mais la région produit aussi d'autres vins blancs, qui sont parmi les plus fins de Hongrie (avec les cépages Rizling [Riesling], Furmint, etc.) et de remarquables vins de dessert.

Le vin courant de la région porte le nom de « Balatoni » suivi du nom du cépage. L'appellation « Badacsonyi », elle, implique un vin à la fois plus corsé et plus doux, préféré par les Hongrois.

Bade (Baden), province vinicole du sud-ouest de l'Allemagne, située entre la Suisse au sud et l'Alsace à l'ouest. — Les vignobles, extrêmement variés et nombreux, sont surtout plantés au pied de la Forêt-Noire, face à la vallée du Rhin. Un effort considérable a été poursuivi, depuis la dernière guerre, en ce qui concerne le remembrement et l'encépagement du vignoble. Les cépages dominants sont le Müller-Thurgau, le Gutedel (Chasselas), le Pinot noir, représentant chacun environ le cinquième de l'encépagement ; Pinot gris et Pinot blanc, Riesling et Sylvaner se partagent le reste (il y a très peu de Riesling dans cette région, où il ne se plaît guère). La presque totalité du vin est vinifiée dans des caves coopératives modernes ; les vins badois, très variés, autrefois consommés localement, ont maintenant conquis le marché allemand et se lancent à l'étranger. Citons : le « Seeweine » du lac de Cons-

Maison du XVIIIᵉ s., à Badacsony. Ce type de bâtiment comprenait cellier, cave et pressoir, et servait uniquement durant la période des vendanges.
Phot. J.-L. Charmet.

tance ; le bon cru de « Kaiserstuhl », produit sur une sorte d'îlot volcanique à l'ouest de Fribourg ; le « Markgräfler », récolté entre Fribourg et la Suisse, et issu du Gutedel ; les « Mauerweine », produits autour de Baden-Baden et vendus en *Bocksbeutel* comme les vins de Franconie.

ban des vendanges, proclamation qui avertissait autrefois les vignerons de l'ouverture des vendanges. — Non seulement elle les prévenait, mais elle les obligeait même à ne vendanger qu'à partir de ce moment-là. Cette contrainte visait à obtenir des vins de qualité, en imposant aux vignerons trop pressés de ne pas cueillir avant maturité. Pour proclamer les vendanges ouvertes, on se fondait empiriquement sur l'aspect et la dégustation des raisins (nos modernes contrôles de maturation* n'existaient pas encore), mais on se conformait aussi aux coutumes locales : ainsi, en Bourgogne, on considérait que les vendanges pouvaient commencer cent jours après la floraison des lys. De nos jours, il est émouvant d'entendre le président de la Jurade de Saint-Émilion lancer du haut de la tour du Roi la formule de jadis : « Peuple de Saint-Émilion et des sept communes, la Jurade proclame le ban des vendanges. Ouvrez les lourdes portes des cuviers, commencez la cueillette. »

Bandol. Entre La Ciotat et Toulon, sur les collines cultivées en terrasses (appelées « restanques »), se trouve la région des vins de Bandol, une des quatre seules appellations* contrôlées de Provence (avant l'accession des anciens V.D.Q.S.* Côtes-de-Provence à l'appellation contrôlée).

Le vignoble occupe quatre communes principales : Bandol, La Cadière-d'Azur, Sanary, Le Castellet; il déborde sur Le Beausset, Saint-Cyr, Ollioules et Évenos. Au nord, il est abrité des vents froids par des collines boisées; de plus, la mer, toute proche, atténue les écarts de température : ni gelées, ni chaleur cuisante à Bandol. La vigne est la richesse du sol aride, silico-calcaire, qui, sans elle, serait livré à la garrigue et aux pins, et elle a été implantée, nous dit l'histoire, dès 600 av. J.-C., quand les Phocéens fondèrent Marseille. Les Romains trouvèrent à Bandol, en s'y installant vers 125 av. J.-C., des vignobles en pleine prospérité, et les amphores trouvées au large de Bandol sont là pour prouver que l'exportation des vins renommés de Bandol se pratiquait déjà.

Le vin rouge de Bandol a toujours eu grande réputation et fut prisé même dans les pays lointains. En effet, le transport par mer lui réussissait merveilleusement bien et lui conférait un velouté et un bouquet très recherchés (souvent embarqués comme lest sur les bateaux, les tonneaux de Bandol bénéficiaient du droit d'être réimportés en franchise).

Inaltérable sous tous les climats, le vin de Bandol vit son marché s'étendre jusqu'aux Indes et au Brésil dans la première moitié du XIXe siècle. Jusqu'à la fin du XVIIIe siècle, on jetait d'ailleurs les futailles pleines à la mer, pour les repêcher à quelques centaines de mètres de la côte, car le port de Bandol n'était pas encore aménagé en eau profonde.

C'est le cépage Mourvèdre qui donnait au Bandol rouge de jadis ses brillantes qualités. Aussi les décrets de contrôle ont-ils imposé une proportion de plus en plus élevée de ce cépage (fixée à 30 p. 100 en 1977, elle a atteint par paliers 50 p. 100 en 1980). Le Mourvèdre, qui donne bouquet, corps et robe, est associé au Cinsault pour la finesse et au Grenache pour la vigueur. Les cépages secondaires Pécoui-Touar, Carignan, Syrah et Tibouren (et, en outre, Mourvaison, toléré jusqu'en 1986) ne peuvent dépasser 20 p. 100 de l'encépagement.

Après un vieillissement légal obligatoire d'au moins dix-huit mois, le rouge de Bandol devient un très beau vin, franc, robuste, harmonieux, avec une très belle robe rouge foncé, un velouté remarquable et un parfum exquis de violette, d'autant plus prononcé que la proportion de Mourvèdre est plus importante. Il vieillit fort bien, en prenant un bouquet particulier. C'est sûrement un des meilleurs vins rouges de Provence.

Les vins blancs de Bandol, produits surtout autour de Sanary, sont aussi de grande qualité : secs, sans acidité, avec beaucoup de corps et de fraîcheur. Ils doivent provenir de la Clairette, de l'Ugni blanc et du Bourboulenc pour 60 p. 100 de l'encépagement et du Sauvignon comme cépage secondaire pour 40 p. 100 au maximum.

Les rosés, d'une belle couleur ambrée, sont recherchés depuis quelques années pour leur fruité, leur souplesse, leur fraîcheur et leur saveur légèrement épicée. Ils proviennent des mêmes cépages que les Bandols rouges. Les vins blancs, rouges ou rosés doivent titrer 11⁰ avec un rendement de base de 40 hl à l'hectare. Le « Domaine Tempier », situé au cœur du vignoble, existait déjà sous Louis XV et produit un des meilleurs vins de Bandol.

banvin (droit de), droit qu'avait le seigneur de vendre son vin personnel avant celui de ses vassaux jusqu'à une certaine époque de l'année, généralement déterminée par la coutume. — Le temps pendant lequel la vente des vins autres que ceux du seigneur était frappée d'interdiction variait beaucoup d'un fief à l'autre. Le seigneur possédait le four, le moulin, le pressoir, dont usaient ses sujets contre paiement d'une redevance de banalité. Il s'occupait aussi de vendre les vins à l'extérieur et de trouver des débouchés lorsque la production locale était importante. C'est en échange de ce dernier service qu'il s'est octroyé ce droit de banvin, qui date de l'époque carolingienne.

On appelait aussi « banvin » l'avis public autorisant la vente du vin des sujets sur le territoire de la seigneurie.

Banyuls. Ce fils du Roussillon est le plus renommé et sans doute le meilleur de nos vins doux naturels d'appellation* contrôlée. Son domaine, situé à l'extrême sud de la France, à la frontière espagnole, est limité de toutes parts par les montagnes, sauf à l'est, où les montagnes se jettent littéralement dans la Méditerranée, le long de la partie la plus pittoresque de la Côte vermeille, appelée « Côte rocheuse ». Quatre communes se partagent l'honneur de porter le prestigieux vignoble : Banyuls, Cerbère, Port-Vendres et Collioure. Ce vignoble est un des plus ingrats à cultiver : il occupe des pentes très prononcées, grimpant à 300 m d'altitude et jusqu'aux falaises dominant la mer. Il doit obligatoirement être aménagé en terrasses, afin de résister, tant bien que mal, aux pluies violentes et à la tramontane. Un curieux système de ruissellement des eaux, appelé

« pied de coq », est utilisé. Le sol lui-même est terriblement dur à travailler : roche de schiste, recouverte d'un peu de terre arable qu'il faut remonter tous les ans au sommet du vignoble. Le cépage traditionnel du Banyuls est le Grenache noir. Comme tous les vins doux naturels, le Banyuls est un vin muté à l'alcool, qui conserve, grâce à ce procédé, tout son goût de raisin. Pour obtenir un vin « doux », on procède au mutage* avant que le sucre naturel du raisin ne soit entièrement transformé en alcool. On attend plus longtemps pour procéder au mutage si l'on désire obtenir un vin « sec », afin que le sucre naturel du raisin soit transformé en alcool par la fermentation.

Le Banyuls n'est pas seulement un vin d'apéritif et de dessert de grande classe qui peut s'aligner avec les célèbres vins étrangers de sa catégorie. Il peut aussi se déguster sur certains plats avec bonheur. Il est chaud et puissant comme le soleil qui l'a vu naître, racé, harmonieux et élégant. Curnonsky a dit de lui qu'il avait la « cambrure et la chaleur sarrasines ».

Banyuls : appellation d'origine contrôlée.

Ne peuvent avoir droit à l'appellation que des vins issus de cépages principaux (Grenache, Maccabéo, Muscats, Malvoisie du Roussillon) pour 90 p. 100 de l'encépagement et de cépages secondaires (Carignan, Cinsault et Syrah) pour 10 p. 100 seulement. Le pourcentage de Grenache noir doit être de 50 p. 100 au minimum. La seule taille autorisée est la taille courte, et l'irrigation des vignobles est interdite.

Les opérations de mutage* doivent être effectuées avant le 31 décembre et le vin fait doit avoir une richesse minimale de 15^0 d'alcool acquis. Le Banyuls ne peut sortir de la propriété avant le 1er septembre de l'année qui suit celle de son élaboration.

Banyuls rancio. Cette appellation est réservée aux vins d'appellation « Banyuls » qui, en raison de leur âge et de conditions particulières au terroir, ont pris le goût de « rancio* ».

Banyuls grand cru. Il est soumis à des règles plus rigoureuses encore que le Banyuls : encépagement très strict (75 p. 100 au moins de Grenache noir), égrappage* obligatoire, macération d'au moins cinq jours avant le mutage et, surtout, vieillissement « sous bois » d'au moins trente mois. Le rendement, comme pour l'appellation « Banyuls », est de 30 hl à l'hectare. Au début, le vieillissement s'opère à l'air dans de petits fûts. Puis l'affinement définitif du vin se fait à l'abri de l'air dans de grands foudres de bois. Comme le Banyuls, le Banyuls grand cru est soumis, avant sa mise en bouteilles, à l'appréciation d'une commission de dégus-

Vendanges près de Banyuls, sur les coteaux dominant la mer. Phot. Rapho.

tation désignée par l'I. N. A. O.*. Contrairement au Banyuls, qui peut être vinifié en rouge, rosé ou blanc, il est toujours vinifié en rouge.

Les dénominations « dry », « sec » ou « brut » peuvent être adjointes à l'appellation « Banyuls grand cru » pour les vins qui ne contiennent plus que 54 g de sucre naturel par litre après leur élaboration.

La dénomination « rancio » peut être ajoutée à l'appellation « Banyuls grand cru » dans les mêmes conditions que pour le Banyuls.

Barbaresco, célèbre vin rouge du Piémont, provenant du cépage Nebbiolo et produit autour de Barbaresco, Neive, Treiso et des parcelles d'Alba. — Bien que la zone de production soit assez voisine de celle du Barolo* et qu'il soit issu du même cépage, le Barbaresco est très différent du Barolo. Plus léger, il est beaucoup plus rapidement

Les Baux-de-Provence : vue aérienne. Phot. Lauros-Geay.

prêt à la dégustation et prend, après deux ou trois ans de bouteille, une teinte pelure d'oignon. C'est un excellent vin, qui possède beaucoup de distinction et se classe parmi les meilleurs vins d'Italie.

Pour avoir droit à l'appellation contrôlée (D.O.C.), le Barbaresco doit titrer $12,5^0$ au moins et ne peut être livré avant deux ans. Les vins âgés de trois ans ont droit à la mention « riserva », ceux de quatre ans à celle de « riserva speciale ».

Barbera. Issu du cépage du même nom, ce vin rouge du Piémont a droit à l'appellation contrôlée (D.O.C.). Il est produit sur trois aires délimitées; on distingue le « Barbera d'Asti », le « Barbera d'Alba » et le « Barbera del Monferrato ». Les Barbera d'Asti et d'Alba, titrant $12,5^0$, ont au moins deux ans d'âge : ils ont droit à la mention « superiore » lorsqu'ils ont au moins trois ans et titrent 13^0. Le Barbera del Monferrato n'a jamais droit à la mention « superiore ». Il titre 12^0 et admet 20 p. 100 de cépages autres que le Barbera. Il est acidulé et parfois légèrement pétillant.

Bardolino, très bon vin d'Italie, d'appellation contrôlée (D.O.C.), produit à l'est du lac de Garde. — La mention « classico » est autorisée pour les vins issus des plus anciens vignobles. Rubis clair, fruité et léger, titrant $10,5^0$, il est parfois légèrement pétillant. La mention « superiore » est autorisée si le vin a plus d'un an et titre $11,5^0$ au moins; celle de « chiaretto » est autorisée pour les vins rosés.

Barolo, vin rouge d'Italie, peut-être le meilleur, issu du cépage Nebbiolo et qui vient d'obtenir l'appellation contrôlée (D.O.C.). — Il est produit dans le Piémont, au sud de Turin, autour du village de Barolo, sur le territoire de huit communes. Il est conservé trois ans en fût avant la mise en bouteilles « bourguignonnes » et il gagne encore après quelque temps d'attente. Puissant, corsé (13^0 au moins), d'un beau rouge sombre, le Barolo est un grand vin, au parfum de framboise et de truffe, d'où émane, quand il vieillit, un bouquet caractéristique de goudron. Les vins âgés de quatre ans ont le droit d'ajouter la mention « riserva », ceux de plus de cinq ans, celle de « riserva speciale ». Ces vieux vins évoquent parfois l'Hermitage ou le Côte-Rôtie.

barrique. La capacité de la barrique varie d'une région vinicole à une autre, et il est souvent utile, pour l'acheteur, qu'elle soit précisée. Elle est en général de 228 litres (pays nantais, Côte-d'or). Dans le bordelais, elle est de 225 litres — tel était l'usage ancien, qui fut d'ailleurs confirmé par une loi de 1866 —, le « tonneau* » bordelais valant 900 litres, soit 4 barriques. Elle est de 232 litres en Touraine et en Anjou. Dans le Languedoc, elle vaut le tiers du muid*. On l'appelle aussi « pièce* » dans certaines régions (Bourgogne par exemple).

Barsac, commune du Sauternais, qui bénéficie des deux appellations « Barsac » et « Sauternes », selon des usages anciens, consacrés par le législateur. — Le vin de Barsac est d'une qualité tout aussi exceptionnelle que le Sauternes, et les mêmes soins jaloux procèdent à sa naissance. Il ne se distingue de ce dernier que par quelques nuances : il est moins « gras », moins liquoreux, mais il est plus fruité et plus parfumé en primeur.

Les premiers crus, classés en 1855, sont les Châteaux Climens et Coutet, mais les seconds crus sont aussi excellents : Châteaux Myrat, Doisy-Daëne, Doisy-Védrines. (V. Annexes.)

Baux-de-Provence (Coteaux-des-). L'appellation légale de ce V.D.Q.S.* est « Coteaux-d'Aix-en-Provence, Coteaux-des-Baux-de-Provence ». Les vins doivent répondre aux mêmes conditions que ceux qui bénéficient de l'appellation « Côteaux-d'Aix-en-Provence », mais ne peuvent provenir que d'une région délimitée, comprenant les communes suivantes : Baux-de-Provence, Fontvieille, Maussane-les-Alpilles, Mouriès, Le Paradou, Saint-Étienne-du-Grès, Saint-Rémy-de-Provence.

Les vins rouges, rosés et blancs, provenant des mêmes cépages que les Côteaux-d'Aix, sont racés et élégants.

Le plus important domaine viticole est le

Vignobles du Beaujolais.
Phot. Atlas-Photo.

« Mas de la Dame », qui fournit à peu près la moitié de la production de l'appellation. S'étendant autour d'un vieux mas provençal dont les bâtiments remontent au XVᵉ siècle, il donne des vins remarquables, qui jouissent depuis longtemps d'une excellente réputation.

Béarn. Cette ancienne province française occupe à peu près les limites de l'actuel département des Pyrénées-Atlantiques.
Le Béarn viticole, classé dans la région du Sud-Ouest, s'étend, jusqu'à 300 m d'altitude, sur les côteaux pittoresques situés entre les gaves de Pau et d'Oloron, et occupe de nombreuses communes.
Au nord-est, le vignoble déborde sur le département des Hautes-Pyrénées et s'incline vers la vallée de l'Adour.
Le Béarn viticole s'honorait jusqu'en 1975 de trois appellations* contrôlées, qui assuraient et assurent toujours sa renommée : le Jurançon, son presque rival le Pacherenc-du-Vic-Bihl et le rouge Madiran. Depuis le décret du 17 octobre 1975, les « vins de Béarn », jadis V.D.Q.S*., ont accédé eux aussi à l'appellation contrôlée. L'appellation « Béarn » s'étend à soixante-quatorze communes des Pyrénées-Atlantiques, à six communes des Hautes-Pyrénées et à trois communes du Gers.
Les vins rouges et rosés sont issus principalement du Tannat (60 p. 100 au maximum de l'encépagement pour les rouges), accompagné du Cabernet franc (Bouchy), du Cabernet-Sauvignon, du Fer (Pinenc), du Manseng noir et du Courbu noir. Les vins blancs proviennent du Petit et du Gros Manseng, du Courbu, du Lauzet, du Camaralet, du Raffiat et du Sauvignon. Tous les vins de l'appellation doivent titrer 10,5⁰. Une grande partie d'entre eux est vinifiée en caves coopératives.
Les vins rouges et rosés sont très appréciés dans la région et réclamés par les touristes. Les vins blancs secs sont très agréables; leur volume ne représente que 15 p. 100 environ de celui des rosés et des rouges.

Beaujolais. Ce vignoble, le plus méridional de la Bourgogne, est aussi le plus vaste, puisqu'il s'étend sur environ 15 000 ha. Il est situé dans le département du Rhône, sauf pour le canton de la Chapelle-de-Guinchay, situé en Saône-et-Loire. Les pittoresques coteaux, où le vignoble s'étend jusqu'à 500 et même 600 m d'altitude, dominent la vallée de la Saône.
Ici règne le cépage Gamay noir à jus blanc. Bien qu'on le trouve aussi en Auvergne et dans la Loire, c'est en Beaujolais qu'il épanouit au maximum tout son charme et son fruité. C'est le sol granitique du Beaujolais qui lui permet d'exprimer ses qualités si caractéristiques, car, dans d'autres terrains argilo-calcaires de Bourgogne, le Gamay ne donne qu'un vin beaucoup plus ordinaire.
Il existe aussi une faible production de Beaujolais blanc, provenant du Chardonnay, comme tous les blancs de Bourgogne. Le Beaujolais est le type parfait du vin de carafe, aimable, glissant, désaltérant. Il doit toujours être servi frais, ce qui est un privilège exceptionnel pour un vin rouge.

Double page suivante :
célébration du ban des
vendanges à Saint-Émilion.
Phot. René-Jacques.

*L'hôtel-Dieu de Beaune
(vue de la cour).
Phot. Aarons-L.S.P.*

Autrefois exclusivité des seuls Lyonnais, il séduit maintenant le monde entier par son charme, celui de la jeunesse et de la fraîcheur.

Il y a neuf crus en Beaujolais, neuf comme les Muses! Ce sont, du nord au sud : Saint-Amour, Juliénas, Chénas, Moulin-à-Vent, Fleurie, Chiroubles, Morgon, Brouilly et Côte de Brouilly. Les autres appellations beaujolaises sont « Beaujolais », « Beaujolais supérieur » et « Beaujolais-Villages ».

Beaujolais et **Beaujolais supérieur.** Ces appellations s'appliquent à des vins rouges, rosés et blancs récoltés sur l'ensemble du Beaujolais. Pour le Beaujolais, le degré minimal doit être de 9^0 pour les vins rouges et de $9,5^0$ pour les blancs; pour le Beaujolais supérieur, il doit être de 10^0 pour les rouges, les rosés et les blancs. Le rendement maximal à l'hectare ne peut dépasser 50 hl. La taille de la vigne est la taille Guyot (taille longue en « hautain »), alors que la taille courte, en gobelet, est exigée pour les Beaujolais-Villages et les Beaujolais de crus.

Beaujolais-Villages. Certains vins, provenant des meilleurs terrains, ont droit à l'appellation « Beaujolais-Villages » ou à l'appellation « Beaujolais » suivie du nom de la commune de production : Jullié, Émeringes, Leynes, Bellevue, etc. (V. Annexes.) Ils doivent titrer 10^0.

L'essentiel du charme de ces Beaujolais sans prétention, fruités et « gouleyants » tient à leur jeunesse. Il faut donc les boire

jeunes, dans l'année, toujours frais (jamais chambrés!) afin d'en apprécier le goût de « fruit ».

Beaumes-de-Venise, commune située un peu au sud de Rasteau, en Vaucluse, et produisant un excellent Muscat d'appellation contrôlée, préparé comme les autres vins doux naturels, par mutage* des moûts à l'alcool. — Mais, alors que le Rasteau est issu presque exclusivement du Grenache, le Muscat de Beaumes-de-Venise ne peut provenir que du seul cépage Muscat à petits grains (qu'on appelle aussi « Muscat de Frontignan »).

Le vignoble, qu'on rattache à la région vinicole des Côtes du Rhône méridionales, s'étend sur Beaumes-de-Venise et Aubignan.

Trop peu connu — car de production restreinte —, le Muscat de Beaumes-de-Venise est pourtant un de nos meilleurs vins doux naturels. D'une belle couleur dorée, liquoreux, mais moins que le Frontignan, il est surtout d'une finesse exquise et merveilleusement parfumé. Il vieillit bien, en gardant sa finesse et son parfum. Très apprécié au temps des papes, il a subi par la suite une éclipse due aux difficultés de sa culture, mais une poignée de valeureux vignerons l'ont ressuscité (la production n'est que de 30 hl à l'hectare ; décret du 14 janvier 1980).

A côté de ses vins doux naturels, Beaumes-de-Venise produit aussi d'excellents vins à appellation* contrôlée « Côtes-du-Rhône » simple, suivie de Beaumes-de-Venise, pour lesquels une bouteille spéciale, la vénitienne, vient d'être créée.

Beaune. Cette pittoresque petite cité, capitale historique, spirituelle et commerciale des vins de Bourgogne, est fière de son admirable hôtel-Dieu, entretenu depuis 1443 grâce à la fameuse vente annuelle des vins des Hospices. En 1443, le chancelier du duc de Bourgogne, Nicolas Rolin, et sa femme, Guigone de Salin, créèrent un hôpital où les pauvres seraient soignés gratuitement.

Au cours des siècles, de généreuses donations ont contribué à l'amélioration constante de cette œuvre charitable. Le domaine des grands crus s'est ainsi enrichi peu à peu de précieuses parcelles : il comprend actuellement 43 ha répartis dans les villages d'Aloxe-Corton, Savigny-lès-Beaune, Beaune, Pommard, Monthélie, Auxey-Duresses, Meursault. Maurice Drouhin fut l'un des généreux donateurs.

Les vins des Hospices de Beaune sont vendus chaque année aux enchères, au cours de la plus grande vente de charité du monde, le troisième dimanche de novembre, dans la cuverie de l'hôtel-Dieu.

Beaune est fière, et à juste titre, de ses vins de renommée fort ancienne. Elle produit principalement des vins rouges (95 p. 100). Tous ses vins, rouges ou blancs, ont une grande distinction, de la grâce et de l'équilibre. Les blancs sont très bouquetés. Les rouges offrent une gamme très variée, qui correspond à la diversité des climats* : ils sont tantôt puissants et bien charpentés, tantôt d'une finesse veloutée, ou encore allient à la finesse une saveur chaude et vigoureuse.

Le grand humaniste Érasme, qui dut un regain de santé aux vins de Beaune, a fait de ceux-ci le plus bel éloge en s'exclamant avec enthousiasme : « Heureuse Bourgogne! tu mérites le nom de mère des hommes, puisque tu leur donnes un pareil lait! »

Beaune compte une trentaine de premiers crus qui ont le droit d'ajouter leur nom sur l'étiquette à côté de celui de Beaune. Les plus renommés sont les Grèves, les Fèves, les Marconnets, les Bressandes, les Cras, Clos de la Mousse, Clos du Roi, Clos des Mouches (dont le vin blanc est remarquable), etc. (V. Annexes.)

Belgique. La vigne fut introduite en Belgique par les Romains, le long de la Meuse et de l'Escaut surtout. Il semble que les vignobles les plus étendus se soient situés, au IXe siècle, aux environs de Liège et de Huy. On signale la vigne à Namur et à

Tournai au Xe siècle, à Bruxelles, à Bruges et à Malines au XIe siècle. De nos jours, à Torgny, village le plus méridional du pays, est produit le dernier vin à partir de raisins ayant mûri « à l'air libre ». A cette exception près du « clos de la Zolette », le vin belge actuel provient de raisins cultivés en serre et vinifiés par des coopératives de propriétaires de serres.

La culture en serre est apparue en 1865, aux environs de Bruxelles (Hoeilaart, Overijsse), et la récolte était consommée comme raisins de table. Mais c'est aux environs de 1954, à la suite d'un excédent de production, qu'un « serriste » eut l'idée de faire du vin.

Les cépages utilisés sont le Frankenthal, le Royal, le Colman (inconnus en France), le Chasselas en petite quantité. Le vin belge est blanc, parfois rosé ou mousseux. Il provient de 95 p. 100 de cépages rouges, contre 5 p. 100 de cépages blancs (on peut donc dire du vin blanc belge qu'il est un « blanc de noirs »). Le millésime* n'a guère d'importance, puisque le raisin, toujours produit en serre, est à l'abri des vicissitudes du climat.

Le vin belge doit se consommer vite, ne se conservant pas.

La culture en serre du raisin en Belgique était protégée par des taxes intérieures qui interdisaient pratiquement l'entrée des raisins européens. Depuis la mise en place du Marché commun européen, les taxes sont

Culture du raisin en serre, près de Bruxelles. Le vin se fait à partir du cépage « royal ».
Phot. Actualit.

supprimées et les raisins italiens et français s'imposent sur le marché belge. Le gouvernement subventionne la reconversion des cultures en serre et l'arrachage des vignes. Le vin belge est donc une fantaisie condamnée par l'évolution économique et politique.

Bellet, minuscule vignoble de Provence, bénéficiant d'une appellation contrôlée. — Il est situé parmi les cultures de fleurs et d'œillets, dans le périmètre de la commune de Nice, sur des collines dominant la vallée du Var de 250 à 300 m. Les pentes des collines sont abruptes, ce qui exige, comme autrefois, le travail manuel de l'homme. La production du Bellet est très limitée. La reconstitution du vignoble est récente, répartie entre quelques propriétaires. La production déclinait lorsque l'un d'eux s'équipa pour vinifier l'ensemble de la récolte et commercialiser un vin de qualité. Les rouges, rosés et blancs, tous excellents, ont beaucoup d'originalité. Ils proviennent essentiellement de cépages particuliers à ce vignoble : Folle-Noire, Braquet et Cinsault pour les rouges et les rosés (avec toutefois, pour les rosés, une variété plus grande de cépages d'appoint autorisés); Rolle, Roussan, Spagnol ou Mayorquin pour les blancs; la proportion de cépages d'appoint autorisés ne peut dépasser 40 p. 100 pour les vins rouges, rosés et blancs.

Des expériences de vinifications séparées, pratiquées par les propriétaires du Château de Crémat, ont prouvé que la Folle noire (ou Fuella) est le cépage qui donne aux vins rouges leur originalité et leur personnalité.

Les vins rouges sont légers, fins et délicats, avec une robe rubis fort séduisante. Les rosés sont légers, également très élégants, avec un arôme rappelant la racine d'iris — mais ils se boivent trop facilement! Les blancs ont beaucoup de personnalité : nerveux, élégants, ils ont un parfum très fin et une fraîcheur étonnante pour des vins de soleil. Cela tient sans doute aux vents froids venus des Alpes et à l'altitude du vignoble : de 200 à 300 m.

bentonite, argile spéciale (silicate d'aluminium), provenant du gisement américain du Fort Benton. — Elle a le pouvoir de faire floculer les protéines en solution dans le vin, responsables des dépôts dans les bouteilles.

Elle donne de très bons résultats à doses élevées et réussit à remédier aux surcollages rebelles. Malheureusement, elle appauvrit le vin en d'autres substances qui contribuent à sa rondeur et elle apporte parfois un léger goût terreux lorsqu'elle est utilisée sans discernement.

Bergerac, vignoble du Sud-Ouest, qui occupe une grande partie de l'arrondissement de Bergerac, en Dordogne. — Il est célèbre depuis le haut Moyen Age mais produit des vins rouges assez peu connus, sauf dans le pays même. Ceux qui proviennent des coteaux de la rive droite de la Dordogne sont les plus fins et les plus souples (le Pécharmant est le plus renommé). Ceux qui proviennent des coteaux de la rive gauche sont plus corsés, plus colorés, plus riches en tanin*. Ils sont issus du Cabernet, du Merlot et du Malbec, cépages du Bordelais, et titrent de 9 à 12⁰.

Les vins blancs proviennent du Sémillon, du Sauvignon et de la Muscadelle. Ils sont fins et moelleux, très rarement secs, sauf le Panisseau. Le cru Rosette est un des plus réputés. Mais n'oublions pas toutefois le Monbazillac, gloire de la région, qui a droit à une appellation contrôlée spéciale. Bergerac produit aussi quelques vins rosés.

Bergerac : appellation contrôlée (décret du 22 février 1983). L'appellation « Bergerac » s'applique à des vins rouges et rosés provenant de l'aire déterminée et titrant au moins 10⁰.

L'appellation « Bergerac sec » s'applique à des vins blancs titrant entre 10 et 13⁰, et contenant moins de 4 g de sucre par litre. L'appellation « Côtes-de-Bergerac » s'applique à des vins rouges de Bergerac titrant au moins 11⁰ et à des vins blancs titrant 12⁰ au moins, avec une richesse en sucre résiduel comprise entre 5 et 17 g par litre.

L'appellation « Côtes-de-Bergerac moelleux » s'applique à des vins blancs titrant au moins 12⁰ et présentant une teneur en sucre résiduel comprise entre 18 et 54 g par litre.

Le nom de « Côtes-de-Saussignac » peut être adjoint à celui de « Côtes-de-Bergerac » pour des vins blancs obtenus sur les communes de Saussignac, Gageac, Rouillac, Monestier, Razac-de-Saussignac et titrant au moins 12,5⁰.

Bergstrasse de Hesse (Hessische Bergstrasse). Dans cette région viticole d'Allemagne, située sur la rive droite du Rhin, entre le Neckar et le Main, le Riesling est le cépage le plus cultivé (53 p. 100 environ de l'encépagement). On y rencontre aussi à peu près également le Sylvaner et le Müller-Thurgau. Les vins produits sont fruités, élégants, parfumés et tendres. En automne, Bersheim attire beaucoup de monde pour la fête des vignerons de la Bergstrasse.

Berry. L'ancienne province du Berry, qui, avec Bourges, sa capitale, est au cœur même de la France, a formé les modernes départements du Cher et de l'Indre. La renommée des vins du Berry a toujours été grande. Grégoire de Tours signale ces vins dès 582. Nicolas de Nicolay, en 1567, déclare, dans sa *Description générale des païs et duché de Berry,* que la région de la province « pierreuse et sèche est copieuse en très bon vin qui se garde longuement ». Actuellement, parmi les vins du Berry, quatre bénéficient de l'appellation d'origine contrôlée : le Sancerre, le Ménetou-Salon, le Quincy et le Reuilly, et un seul possède le label V. D. Q. S.* : le Châteaumeillant. Les vins rouges et rosés de ces appellations proviennent du Pinot et du Gamay, et les vins blancs de l'illustre Sauvignon.

Bikavér, fameux vin rouge de Hongrie, produit sur les collines du village d'Eger, à une centaine de kilomètres au nord-est de Budapest. — Il est issu de l'excellent cépage hongrois Kadarka et de quelques cépages d'origine française, dont le Cabernet et le Gamay. Le vignoble a été durement touché par le phylloxéra* vers 1880, mais, heureusement, n'a pas été complètement détruit. Ce vin rouge, dont le nom signifie « sang de taureau », est superbe, d'un beau rouge profond, corsé et généreux, avec un bouquet très particulier. Il est considéré comme le meilleur vin rouge de Hongrie.

Blagny, hameau de la Côte de Beaune, situé à cheval sur les terroirs de Meursault et de Puligny-Montrachet. — Il en résulte une situation un peu particulière.
Les vins blancs récoltés sur Blagny ressemblent aux Meursaults, avec une élégance et une délicatesse qui, déjà, annoncent les Pulignys. Ils sont vendus sous l'appellation « Meursault premier cru » ou « Meursault-Blagny ».
L'appellation « Blagny » s'applique seulement aux vins rouges : ceux-ci, fins et délicats, ne sont pas sans rappeler les Volnays.

blanc (vin). La vinification des vins blancs diffère beaucoup de celle des vins rouges. Elle est aussi beaucoup plus difficile et plus capricieuse. La vendange doit se faire avec plus de précautions et être transportée au cellier sans être écrasée. Là, le raisin est obligatoirement foulé sans égrappage* (car les rafles* facilitent le pressurage). Le moût de goutte* obtenu est envoyé dans les récipients de débourbage*. Ensuite on presse le reste du raisin, opération plus longue que pour le raisin rouge, car la masse a une tendance à l'élasticité. Et pourtant, il faut aller vite, très vite, pour éviter le contact de l'air, cause de jaunissement et de madérisation. Le moût de presse* va rejoindre le moût de goutte dans les cuves de débourbage : additionné de l'indispensable anhydride* sulfureux, le mélange est laissé de six à douze heures au repos. Là, le moût se sépare de ses bourbes, c'est-à-dire des matières insolubles en suspension. Le jus clair est ensuite versé dans des fûts neufs en chêne (qui donneront au vin le tanin nécessaire), où il va subir la fermentation* alcoolique. Celle-ci est toujours plus laborieuse et plus délicate que pour les vins rouges : les levures*, en effet, ont besoin d'éléments vitaux, qui se trouvent surtout dans les parties grossières de la vendange, que le débourbage a éliminées. La fermentation dure au moins de deux à trois semaines et doit se faire à basse température (de 15 à 18⁰). Parfois, elle s'arrête complètement jusqu'au printemps.
On imagine les affres du vigneron, qui se demande avec inquiétude si de méchantes bactéries ne vont pas se développer dans son vin incomplètement fermenté et qui contient donc encore du sucre. Chaque jour, le vin doit être surveillé, aéré, analysé, et les fûts roulés, afin de remuer les lies* et de stimuler l'activité des levures. Les vins blancs liquoreux sont encore plus difficiles à vinifier en raison de leur richesse en sucre.
Lorsqu'il a terminé sa fermentation, le vin blanc subit alors les traitements habituels appliqués à tous les vins : remise en fûts, soutirages, etc. (v. ÉLEVAGE).
En résumé, la vinification du vin blanc comporte, en général, les opérations suivantes : foulage, égouttage, pressurage, débourbage, mise en fûts de chêne.

Blanc de Blancs, expression qui signifie simplement « vin blanc fait avec des raisins blancs », mais qui, littéralement, ne veut rien dire, puisqu'elle peut s'appliquer à tous les vins blancs provenant de raisins blancs. — Elle trouve par contre sa justification en Champagne, puisqu'elle permet de distinguer les vins provenant uniquement du cépage blanc Chardonnay des autres Champagnes issus du Pinot noir (Blanc de Noirs) ou d'un mélange des deux cépages. Elle est d'ailleurs originaire de la Champagne. Le Champagne Blanc de Blancs est produit surtout dans la Côte des Blancs (au sud d'Épernay), à Cramant, au Mesnil et à Avize. Il est remarquablement délicat, fin, léger et d'une pâle couleur d'or vert très distinguée.
Depuis quelques années, on a pris l'habitude — mais sans raison valable — d'utiliser parfois l'expression « Blanc de Blancs » en d'autres régions viticoles que la Champagne.

Blanc de Noirs, expression qui signifie « vin blanc fait avec des raisins noirs ». — En effet, cela est possible puisque les

raisins noirs ont presque toujours un jus non coloré, la matière colorante* étant contenue dans les cellules de la peau (les cépages donnant des raisins à jus coloré sont dits «teinturiers»). Cette expression est utilisée en Champagne. En réalité, il y a peu de Blancs de Noirs purs. En Champagne, on estime que le volume du Pinot (raisins noirs) est le quadruple du Chardonnay (raisins blancs). On peut se demander pourquoi les Champenois plantent des vignes à raisins noirs. D'abord parce que les plants noirs sont plus résistants aux gelées printanières et que leurs raisins sont moins sensibles à la pourriture; or, la Champagne connaît parfois des années humides, pendant lesquelles les raisins courent de gros risques avant et pendant les vendanges. Ensuite parce que les Blancs de Noirs sont plus corsés, plus riches en alcool et plus séveux que les Blancs de Blancs, et qu'ils conservent mieux leur blancheur. En général, on mélange au Blanc de Noirs de un quart à un huitième de Blanc de Blancs, qui apporte à l'ensemble légèreté, finesse et grande facilité à prendre la mousse. Mais on fait également du Champagne contenant de 75 à 80 p. 100 de vin de raisins blancs, de même que des Blancs de Blancs purs.

blanc liquoreux (vin). La fermentation des vins blancs est toujours plus lente et plus difficultueuse que celle des vins rouges*. Le problème se complique encore lorsqu'il s'agit des vins blancs liquoreux, qui exigent du viticulteur des soins extrêmes. Les moûts* provenant de raisins ayant subi la pourriture* noble atteignent une grande richesse en sucre. Tout ce sucre ne peut se transformer en alcool : quand le milieu atteint 14 ou 15⁰ d'alcool, la levure*, intoxiquée, cesse de travailler, et la fermentation* alcoolique s'arrête. Une quantité importante de sucre naturel demeure donc dans le vin : certains vins liquoreux titrant 19⁰ d'alcool* total titrent 14⁰ d'alcool acquis et conservent ainsi près de 90 g de sucre par litre. On est donc obligé d'ajouter des doses massives d'anhydride* sulfureux pour éviter une refermentation* secondaire.

Avant la dernière guerre mondiale, l'engouement pour les vins liquoreux était fort grand. Pour les obtenir à tout prix, malgré des moûts insuffisamment riches en sucre, certains viticulteurs stoppaient la fermentation à 12⁰, par exemple, afin de garder du sucre résiduel. Ils étaient obligés, pour obtenir l'arrêt de la fermentation, d'employer des doses de soufre bien plus fortes encore.

Les vins blancs liquoreux, à côté du sucre, contiennent aussi des gommes et beaucoup de glycérine* naturelle, qui leur donne une consistance spéciale : ils sont gras, onctueux.

Les principaux vins blancs liquoreux sont ceux du Bordelais (Sauternes, Barsac, Cérons, Sainte-Croix-du-Mont, Loupiac), le Monbazillac, certains vins d'Anjou et de Touraine, les fameux et rares *Trockenbeerenauslese* des coteaux allemands du Rhin et de la Moselle.

Blancs (Côte des), vignoble de Champagne, un des plus renommés, situé au sud-est d'Épernay, perpendiculairement à la Montagne de Reims. — On l'appelle ainsi parce qu'on y cultive presque uniquement des raisins blancs : le Chardonnay. Les vins sont remarquables par leur finesse et leur délicatesse. Ce vignoble compte des crus fameux : Cramant, Avize, Oger, Le Mesnil-sur-Oger, Vertus, etc. Mais Cramant et Avize sont les plus réputés. Ils donnent des Blancs de Blancs extraordinairement fins, délicats, ayant beaucoup de classe. Cramant est un des rares crus qui vende sous son propre nom des vins récoltés uniquement sur son terroir, sans être mélangés à ceux qui proviennent d'autres crus comme il est habituellement pratiqué, pour constituer la cuvée*.

Blanquette de Limoux, célèbre vin blanc mousseux du Sud-Ouest, doté d'une appellation* contrôlée et provenant du cépage Mauzac. — Autrefois, le Mauzac était appelé «Blanquette» à cause du duvet blanc et fin qui couvre le dessous des feuilles : c'est de là qu'est venu le nom de la délicieuse Blanquette de Limoux. Les vignes de Mauzac se trouvent généralement en haut des pentes sur des sols maigres et peu profonds, calcaires et caillouteux. Coulard dans les bonnes terres, le Mauzac s'est parfaitement adapté aux sols pauvres de la région de Limoux; les vignerons lui associent désormais un faible pourcentage de Chenin et de Chardonnay, qui apportent respectivement aux cuvées fraîcheur et parfum léger.

Trois centres principaux produisent la Blanquette : le plus important autour de Limoux, un autre autour de Saint-Hilaire, le troisième plus au sud, soit en tout quarante-deux villages disséminés dans les vallées perpendiculaires à la Haute Vallée de l'Aude.

Dès le XVIᵉ siècle, les moines de l'abbaye de Saint-Hilaire avaient découvert que le vin de Blanquette, mis en cruchons au mois d'avril, devenait naturellement pétillant, et, déjà sous Louis XIII, on l'appréciait fort. Actuellement, à la coopérative qui vinifie une partie importante des vendanges, la prise de mousse se fait par la méthode rurale* de seconde fermentation en bouteille : le sucre naturel demeuré dans le vin

Vignobles de la région de Limoux. (Aude). Phot. M.

après la première fermentation provoque la formation spontanée de la mousse. On obtient alors un vin mousseux élégant, léger et doré, moelleux et fruité, avec un parfum particulier très plaisant.

Blanquette de Limoux : appellation d'origine contrôlée. Trois appellations contrôlées avaient été délimitées dans l'aire de production de la Blanquette depuis le décret du 9 septembre 1975 : « Blanquette de Limoux », « Limoux nature », « Vins de Blanquette ».
Tous ces vins doivent être issus du Mauzac, avec un maximum de 20 p. 100 de Chardonnay et de Chenin blanc comme cépages accessoires. Les vins doivent titrer au minimum 10^0, avec un rendement de 50 hl par hectare de vigne. Ils doivent être obtenus par foulage* et pressurage* modérés, de façon à tirer 1 hl de vin de 150 kg de vendange.
Depuis le décret du 13 avril 1981, l'appellation « Blanquette de Limoux » est réservée aux vins élaborés par la méthode champenoise, à partir de vins déclarés comme « vins destinés à l'élaboration de la Blanquette de Limoux » et comportant au moins 70 p. 100 de vin issu du cépage Mauzac. Cette Blanquette, après dégorgement, doit présenter une surpression au moins égale à 3,5 atmosphères à la température de 20 ^{0}C.
L'appellation « Vin de Blanquette » est réservée aux vins incomplètement fermentés et aux vins mousseux provenant uni-quement du Mauzac, préparés par fermentation spontanée en bouteille, du sucre restant dans le vin et sans dégorgeage.
L'appellation « Limoux » concerne les vins secs, tranquilles, provenant uniquement du Mauzac.
Ces trois appellations sont soumises à un certificat d'agrément obligatoire.

Blayais, vignoble situé sur la rive droite de l'estuaire de la Gironde, en face du Médoc.
— Les vins de cette région sont vendus sous les appellations* contrôlées suivantes : « Blaye » ou « Blayais » (rouge et blanc), « Côtes-de-Blaye » (blanc), « Premières Côtes-de-Blaye » (rouge et blanc).
Les vins blancs, secs en général, sont agréables. Ceux des Côtes de Blaye sont corsés, parfois moelleux, nerveux et fins; ceux des Premières Côtes de Blaye sont plutôt moelleux.
Les vins rouges ont une jolie robe, sont moelleux, fruités, souples et peuvent être rapidement mis en bouteilles.
Les vins de ces trois appellations sont récoltés sur les cantons de Blaye, Saint-Savin-de-Blaye et Saint-Ciers-sur-Gironde. Ils proviennent du Cabernet franc et du Cabernet-Sauvignon (25 p. 100), du Merlot (50 à 60 p. 100) et du Malbec (10 à 15 p. 100) pour les rouges; du Sémillon, du Sauvignon, de la Muscadelle et du Colombard pour les blancs. Ils titrent 10^0 pour l'appellation « Blaye » ou « Blayais », $10,5^0$ pour les appellations « Côtes-de-Blaye » et « Premières Côtes-de-Blaye ».

Le vignoble bordelais.
Phot. Atlas-Photo.

Bolivie. C'est à peine si la superficie des vignes à vin atteint 2 000 ha en Bolivie : la production, étant négligeable, est donc uniquement consommée sur place. Il semble que les ceps implantés soient originaires des îles Canaries, et le vignoble actuel est concentré dans la province de La Paz. Les vins produits, rouges ou blancs, titrant de 13 à 15⁰, sont généralement lourds; on prépare aussi un peu de vin de liqueur.

Bonnezeaux, grand cru des Coteaux du Layon, situé sur le territoire de la commune de Thouarcé, sur la rive droite du Layon, et doté de sa propre appellation contrôlée, comme le Quarts-de-Chaume. — Ce vignoble, au sol schisteux, qui grimpe en pente raide jusqu'au sommet des coteaux, n'a guère que 3 km de long sur, à peine, 500 m de large. Le suave Bonnezeaux possède, dans son genre, la même classe que son rival le Quarts-de-Chaume. Aussi tendre et parfumé, aussi onctueux et vigoureux, il se distingue de celui-ci par son fruité très particulier. Il vieillit en beauté. Les principaux domaines sont la Montagne, Château de Fesles et Château des Gauliers.
L'appellation « Bonnezeaux » peut être complétée ou non par les mots « Val de Loire ». Elle ne s'applique qu'à des vins provenant uniquement du Chenin blanc,

ou Pineau de la Loire. Les raisins sont récoltés par tries successives, et le rendement ne dépasse pas 25 hl par hectare.

Bordeaux. Déjà, à l'époque gallo-romaine, le vin de Bordeaux était fort apprécié des césars et des riches Romains : les écrivains latins Columelle, Pline, Ausone en ont laissé le témoignage. Plus tard, à l'époque du Moyen Age, les Anglais faisaient grand cas des Bordeaux (la Guyenne était alors possession de la Couronne d'Angleterre). Le nombre des amateurs ne fit que croître avec le temps, et les XVIIIe et XIXe siècles virent le prestige éclatant des vins de Bordeaux s'établir à travers le monde.
Le vignoble bordelais, inscrit entièrement dans le département de la Gironde, suit les rives de la Garonne et de la Dordogne, et celles de leur estuaire commun, la Gironde. Il occupe surtout les croupes caillouteuses, les terrains d'alluvions (ou palus*) proches des fleuves n'étant guère favorables à une production de qualité.
Le Bordelais se divise en plusieurs régions viticoles : Médoc, Graves, Sauternais sur la rive gauche de la Garonne et de la Gironde; Blayais, Bourgeais, Fronsac, Pomerol, Saint-Emilion sur la rive droite de la Dordogne et de la Gironde.
L'Entre-deux-Mers se trouve au centre, dans le triangle formé par la Garonne et la Dordogne.
Citons encore : les Premières Côtes de Bordeaux, les Côtes de Bordeaux-Saint-Macaire, les Graves de Vayres, Sainte-Foy-Bordeaux, Cadillac. Les cépages du Bordelais sont : le Cabernet, le Malbec et le Merlot pour les rouges; le Sauvignon, le Sémillon et la Muscadelle pour les blancs.

Bordeaux : les appellations d'origine contrôlées. Elles sont nombreuses, mais leur nombre n'a rien d'excessif quand on considère la diversité des vins fins du Bordelais. On distingue trois catégories d'appellations :
● les *appellations générales :* Bordeaux ou Bordeaux supérieur (rouge, blanc, rosé ou clairet) avec parfois la possibilité d'ajouter le nom de la commune d'origine;
● les *appellations régionales,* qui correspondent à la région géographique du vignoble : Médoc (rouge), Graves (rouge et blanc), Entre-deux-Mers (blanc), etc.;
● les *appellations communales,* qui, plus restreintes, sont forcément plus réputées : Margaux (rouge), Pauillac (rouge), Sauternes (blanc), etc.

Bordeaux et ***Bordeaux supérieur.*** Les vins rangés sous ces appellations, blancs ou rouges, sont de qualité moyenne, parfois variable, et constituent de bons vins courants. Ils doivent provenir, pour les vins rouges, des cépages Cabernet-Sauvignon, Cabernet franc, Carmenère, Merlot rouge, Malbec, Petit Verdot et, pour les vins blancs, des cépages Sémillon, Sauvignon, Muscadelle et de cépages accessoires (Merlot blanc, Colombard, Mauzac, Ondenc, Saint-Emilion), dont le pourcentage ne peut dépasser 30 p. 100. Pour les Bordeaux supérieurs blancs, la proportion de Merlot blanc ne peut dépasser 15 p. 100 de l'encépagement. Les vins rouges de l'appellation «Bordeaux» doivent titrer 10⁰, et ceux de l'appellation «Bordeaux supérieur» 10,5⁰.

Le décret du 14 décembre 1977 a réglementé de façon très précise l'appellation des Bordeaux blancs. Les vins blancs titrant 10,5⁰ et présentant une richesse en sucre résiduel supérieure à 4 g par litre ont droit à l'appellation «Bordeaux». Les vins blancs présentant un titre alcoométrique acquis compris entre 10 et 13⁰ ainsi qu'une richesse en sucre résiduel inférieure à 4 g par litre doivent obligatoirement accompagner l'appellation «Bordeaux» de la mention «sec».

Les vins de l'appellation «Bordeaux» ou «Bordeaux supérieur» proviennent de régions du Bordelais qui ne bénéficient pas d'appellation particulière (par exemple, cantons de Coutras, de Guitres, etc.).

Les propriétaires de vignobles utilisent aussi ces appellations comme «appellations de repli» lorsqu'ils estiment que leur vin n'a pas la qualité suffisante pour mériter son appellation particulière (cas d'une mauvaise année) ou bien pour la partie de leur récolte qui dépasse le rendement à l'hectare prévu par la loi.

Bordeaux rosé. Le décret du 1ᵉʳ septembre 1977 a fixé clairement les conditions d'obtention des appellations «Bordeaux rosé» et «Bordeaux clairet». Le Bordeaux rosé doit répondre aux mêmes exigences que celles qui sont prévues pour le Bordeaux rouge. Il doit titrer au moins 11⁰ et n'a jamais droit, désormais, à l'appellation «Bordeaux clairet», comme le lui permettait le décret du 21 janvier 1956.

Enfin, il y a les mêmes différences entre l'appellation «Bordeaux supérieur rosé» et l'appellation «Bordeaux rosé» qu'entre l'appellation «Bordeaux supérieur» et l'appellation «Bordeaux simple».

Bordeaux clairet. Le clairet, vin rouge clair et pâle, fut longtemps à peu près le seul type de vin. Le rouge et le blanc, relativement récents, découlent de méthodes de vinification plus perfectionnées qu'elles ne l'étaient autrefois. C'est d'ailleurs sous le nom de «Claret» que les Anglais continuent d'appeler le vin de Bordeaux.

Actuellement, le Bordelais essaie de faire

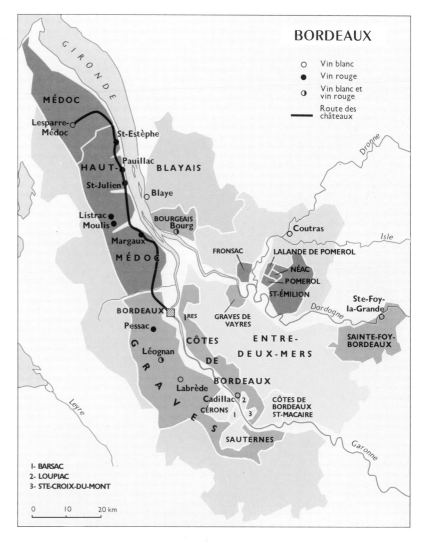

Grappe de Malbec, ou Cot, cépage entrant en grande partie dans l'élaboration des vins de Bordeaux. Phot. M.

renaître l'antique clairet, qu'il ne faut pas confondre avec un vin rosé. Il s'agit d'un vin rouge obtenu par une cuvaison* très courte, au cours de laquelle la plus grande partie du tanin* n'a pas le temps de se dissoudre dans le moût*. Il en résulte un vin souple, rond, bouqueté dès les écoulages (puisque privé de l'astringence due au tanin, peu prisée des consommateurs dans le vin nouveau). Le clairet, qui plaît aux amateurs de vins jeunes, frais et fruités, peut et doit se boire dès sa première

le monde entier boit du **BORDEAUX**

vous aussi

Affiche d'Hervé Morvan (1957). Bibl. de l'Arsenal. Phot. Giraudon.

CHÂTEAU D'AIGUILHE
COMMANDERIE DU TEMPLE

APPELLATION
BORDEAUX SUPÉRIEUR-CÔTES DE CASTILLON
CONTRÔLÉE

1970

JACQUES SZTARK
Propriétaire à St Philippe d'Aiguilhe (Gironde)
France

VINIFICATION TRADITIONNELLE
VIEILLISSEMENT DE CINQ ANS EN FOUDRES DE CHÊNE

Le port vinicole de Bordeaux. Phot. Lauros-Geay.

année, étant peu propre au vieillissement. Le décret du 1er septembre 1977 réserve désormais l'appellation contrôlée « Bordeaux clairet » aux vins rouges légers et peu colorés, répondant par ailleurs à toutes les autres conditions de production des Bordeaux rouges. L'appellation « Bordeaux supérieur clairet » respecte les mêmes différences qu'entre l'appellation « Bordeaux » et l'appellation « Bordeaux supérieur ».

Bordeaux mousseux. Il s'agit de vins blancs, parfois rosés, traités par la méthode champenoise de seconde fermentation en bouteille. Ces vins sont très agréables et fruités, à condition de provenir de cépages sélectionnés et d'être préparés avec soin. Les vins de l'appellation contrôlée « Bordeaux mousseux » doivent répondre aux critères de l'appellation contrôlée « Bordeaux ». Ils doivent être obtenus par seconde fermentation en bouteille, présenter 10⁰ avant l'adjonction de la liqueur* de tirage et 11⁰ avant celle de la liqueur* d'expédition. Ils doivent être manipulés à l'intérieur de l'aire de production de l'appellation « Bordeaux ».

Bordeaux - Côtes-de-Castillon. On groupe sous cette appellation — et celle de « Bordeaux supérieur Côtes-de-Castillon » — les vins rouges provenant de Castillon-la-Bataille, de Saint-Magne-de-Castillon et de Blèves-Castillon, sur la rive droite de la Dordogne. C'est dans cette région historique que se déroula en 1453 la fameuse bataille contre les Anglais, dernier combat de la guerre de Cent Ans, qui attacha définitivement Bordeaux à la France. Le vieux général Talbot et son fils y périrent avec la majeure partie de l'armée anglaise. Les vignes pacifiques ont recouvert aujourd'hui les champs de bataille, donnant des vins riches en couleur, généreux et corsés, excellents en primeur, mais qui vieillissent avec bonheur. Le Château d'Aiguilhe, ancienne commanderie du Temple, donne un vin rouge remarquable, vinifié selon la tradition, dont la qualité était déjà reconnue dès 1530 par les pays nordiques.

Bordeaux - Côtes-des-Francs. Depuis le décret de 1967, le nom de « Côtes-des-Francs » peut être adjoint à celui de « Bordeaux » pour des vins rouges et blancs récoltés sur le territoire délimité de Francs, Saint-Cibard, Salles-de-Castillon et Tayac, au nord des Côtes de Castillon. Les vins rouges titrent 11⁰ au minimum. Les vins blancs ne peuvent provenir que des cépages Sémillon, Sauvignon et Muscadelle. Ils peuvent être vinifiés en sec, titrant 11,5⁰, et en liquoreux, titrant aussi 11,5⁰ au minimum, mais avec 27 g de sucre résiduel au moins par litre.

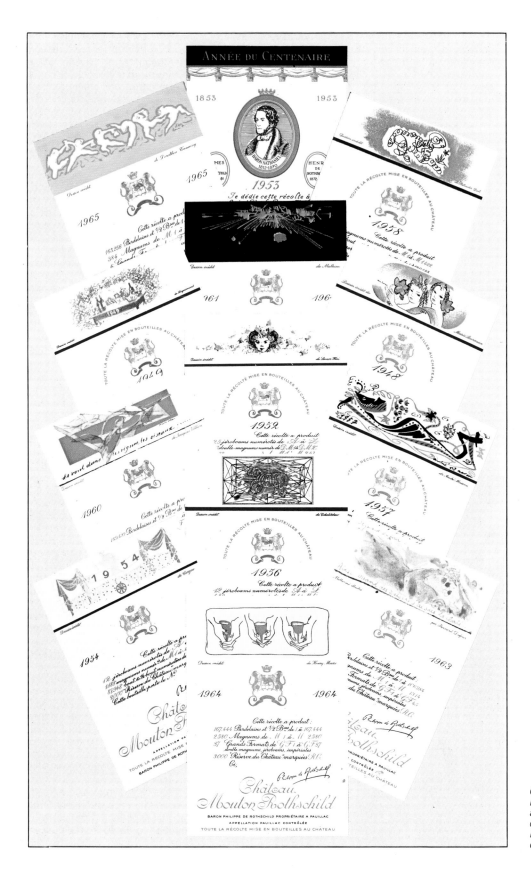

Chaque année, Château Mouton-Rothschild demande à un artiste célèbre de donner libre cours à son inspiration sur le thème du vin.

Les vins des Côtes des Francs sont légers, bouquetés et possèdent beaucoup de charme.

Bordeaux-Haut-Bénauge. Cette appellation s'applique à neuf communes de l'Entre-deux-Mers, qui représentent une petite partie de l'ancien comté de Bénauge, célèbre autrefois par ses sombres forêts (on disait, jadis, « la noire Bénauge »).
Aujourd'hui, la vigne civilisatrice a chassé en partie la forêt profonde, couvrant les flancs des coteaux. Les vins, se distinguant nettement de ceux de l'Entre-deux-Mers, bénéficient depuis 1955 d'une appellation spécifique. Ce sont des vins blancs agréables, secs ou moelleux, titrant au minimum 11,5⁰.

bouchon. Rien ne vaut le liège! Aucun autre matériau, naturel ou fabriqué, ne remplit les conditions exigées pour le bouchage idéal du vin : les essais de bouchons en matière plastique, en ce qui concerne les vins fins, ont lamentablement échoué. Il faut, en effet, que le bouchon permette au vin de respirer (sans excès ni insuf-

Démasclage du liège au Portugal. Phot. Loirat.

fisance), afin que celui-ci puisse se conserver, mais aussi continuer à vivre et à s'épanouir. Le liège, seul, répond à ces impérieuses conditions : étant élastique et souple, il adhère remarquablement au goulot et, surtout, il est parfaitement imputrescible. Les spécialistes emploient même, selon les vins, des qualités différentes de liège : liège souple, par exemple, pour les vins à boire jeunes, liège plus ferme pour les vins de garde et spécialement pour les vins blancs exposés à la madérisation.
Il semble bien que l'idée du bouchage au liège soit due à dom Pérignon*. On prétend que celui-ci fut inspiré par les pèlerins espagnols, qui employaient des morceaux de liège grossièrement taillés au couteau pour boucher leur gourde.
Auparavant, on se contentait de verser sur le vin une couche d'huile qui surnageait ou on employait des chevilles de bois entourées de bon chanvre imprégné d'huile et toujours net, comme le prescrivait, en 1659, le statut des verriers-bouteilleurs.
Économiser sur la qualité du bouchon est une mesquinerie dangereuse. Les bouchons doivent avoir au moins de 4 à 4,5 cm de long; le liège doit être de la meilleure qualité, et le bouchon lui-même très bien taillé, avec une tranche parfaite du côté vin. Les bouchons ne doivent jamais, avant l'emploi, tremper dans de l'eau chaude, qui leur ferait perdre leur élasticité, mais ils doivent être mis une douzaine d'heures dans de l'eau fraîche, puis dans du vin.

bouchonné, terme caractérisant un vin qui a pris le « goût de bouchon ». — Ce goût est trop désagréable et trop perceptible pour qu'il soit nécessaire de le décrire! Un vin bouchonné n'est pas toujours le résultat d'une faute. Nul vin n'est à l'abri de cet accident imprévisible et souvent inexplicable, alors que les soins les plus éclairés lui ont été dispensés. Parfois, évidemment, le liège employé est de mauvaise qualité (cette économie de bout... de bouchon est véritablement ridicule lorsqu'il s'agit d'une matière aussi précieuse que le vin). Le goût de bouchon provient surtout du liège lui-même et est dû à des parasites vivant dans l'écorce des chênes-lièges. Les meilleurs lièges, ayant rarement le goût de bouchon, proviennent d'Espagne (Estramadure et Catalogne) et du Portugal (région d'Alentejo, voisine de l'Estramadure).
Parfois, il s'agit non plus seulement du goût de bouchon, mais du goût de liège moisi, ce qui est encore plus grave. Ce goût provient des moisissures qui se sont développées dans les alvéoles du liège, peut-être à la faveur de manipulations intempestives : les bouteilles doivent toujours être couchées pour éviter la dessication du bouchon; il est très mauvais de

laisser successivement et à plusieurs reprises les bouteilles debout, puis couchées. Des chercheurs suisses auraient récemment découvert les causes provoquant le « goût de bouchon » : le responsable serait le chlore utilisé pour blanchir le liège. Il arrive souvent que l'odeur du bouchon soit assez fugitive; il suffit alors de jeter les premiers centilitres de vin versés : le reste de la bouteille est indemne. Mais un vin véritablement bouchonné ne peut être consommé. Restaurateurs et amphitryons doivent veiller à préserver leurs hôtes de cette déception, en flairant toujours le bouchon avec discrétion avant de servir le vin.

bouquet, ensemble des sensations olfactives que procure un vin. — Le bouquet est un des plus grands charmes d'un vin fin et un des plaisirs les plus raffinés qu'il nous procure. Il résulte de la combinaison de l'arôme du raisin, du bouquet secondaire né pendant la fermentation et du bouquet tertiaire épanoui par le vieillissement.
Le bouquet secondaire, dû au travail des levures*, est floral ou fruité, ou les deux à la fois. Ainsi, on a pu caractériser le bouquet si plaisant des Beaujolais : Saint-Amour, pêche, réséda; Juliénas, pêche, framboise; Brouilly, pivoine, prune, etc.
Le bouquet tertiaire se développe d'abord par oxydation au cours du vieillissement des vins en fût, puis par réduction au cours du vieillissement en bouteille. Les corps produits par ces combinaisons engendrent des substances odorantes extrêmement fines, complexes, délicates : c'est pour les percevoir et les retrouver séparément, et non globalement, que le gourmet fait tourner adroitement le verre dans sa main et qu'il hume son vin à plusieurs reprises.
Les types d'odeurs les plus souvent perçues ont été classés en séries, formant le « spectre odorant », selon le jargon professionnel.
Les odeurs végétales, apanage souvent des vins jeunes, sont florales (rose, jasmin, jacinthe, lilas, fleur d'oranger, violette, pivoine, réséda, œillet, tilleul, etc.) ou fruitées (pêche, abricot, pomme, amande, framboise, banane, cassis, cerise). Toutefois, des odeurs végétales de « dégradation » apparaissent dans les bouquets des vins vieux : champignon, truffe, sous-bois, humus, etc. Les vins vieux parvenus à leur apogée révèlent parfois des senteurs de la série animale : venaison, gibier faisandé, musc (comme certains admirables vieux Bourgognes).
La série des épices nous révèle le poivre, le santal, le girofle, la vanille; la série empyreumatique nous offre le tabac fin (certains Châteauneufs-du-Pape), la résine, le café et l'amande grillée (vieux Bourgognes blancs).

Les vins provenant des vignobles septentrionaux, à climat tempéré et à maturation lente, sans excessive chaleur, ont presque toujours plus de bouquet que les vins de faible acidité*, provenant des régions à fort ensoleillement. De même, les vins provenant des coteaux pierreux et crayeux (et, en général, des sols ingrats) sont plus bouquetés que les autres. En se fondant uniquement sur le bouquet, certains œnophiles peuvent déterminer l'origine et le cépage d'un vin fin, son âge approximatif, son état actuel et sa classe.
Lorsque la perception du bouquet est puissante et prolongée, on dit que le vin « a le nez long »; au contraire, si son bouquet est éteint ou s'évanouit vite, on dit qu'il « a le nez court ».

Bourgeais, vignoble qui occupe la rive droite de la Dordogne et de la Gironde, en face du Médoc. — Les vins de cette région sont vendus sous les appellations contrôlées suivantes : « Bourg » ou « Bourgeais » et « Côtes-de-Bourg ».
Les vins blancs de ces appellations doivent provenir des cépages suivants, à l'exclusion de tous autres : Sauvignon, Sémillon, Muscadelle, Merlot blanc et Colombard; toutefois, le Pineau de la Loire est encore toléré comme cépage accessoire dans la proportion de 10 p 100, mais tout remplacement de vigne par du Pineau de la Loire est désormais interdit. Ces vins blancs doivent titrer 11^0. Ils sont secs, demi-secs, ou moelleux.
Les vins rouges, titrant $10,5^0$ au minimum, ne peuvent provenir que des Cabernets de toutes variétés, du Merlot rouge et du Malbec. Ils sont corsés, bien équilibrés, de robuste constitution et vieillissent avec grâce. Ce sont d'excellents vins de table.
Les caves coopératives de Bourg, Gauriac, Lansac, Pugnac, Cars, Plassac, Générac, Tauriac et Saint-Vivien sont parfaitement équipées pour produire des vins de qualité. Pour donner une garantie supplémentaire au consommateur, le syndicat des Côtes-de-Bourg vient de créer un « certificat d'aptitude au vieillissement ».

bourgeois (crus). La grande diversité des vins du Médoc avait amené une classification naturelle, consacrée par l'usage, des différents crus, qu'on divisait, par ordre de mérite, en crus paysans, artisans, bourgeois ordinaires, bons bourgeois, bourgeois supérieurs et, enfin, en grands crus (ceux-ci sont les « crus classés » en 1855). Les crus bourgeois ne sont pas, malgré leurs mérites, des crus classés; plus petits et moins fameux que ces derniers, ils produisent souvent d'excellents vins, surtout depuis les progrès des techniques vinicoles.

PRODUCE OF FRANCE
GRAND VIN DE BORDEAUX
1975
Château du Bousquet
GRAND CRU
Côtes de Bourg
APPELLATION CÔTES DE BOURG CONTRÔLÉE
73 cl
SOCIÉTÉ DU CHÂTEAU DU BOUSQUET
PROPRIÉTAIRE A BOURG (GIRONDE)

Bourgogne : château de Vougeot. Phot. M.

Répertoriés d'abord en 1858, dans l'ouvrage de M. d'Armailhacq, puis en 1932 par les courtiers, il a fallu attendre 1962 pour que les crus bourgeois soient officieusement classés par leurs propriétaires, groupés en syndicat, bien décidés à défendre la promotion de leurs excellents vins (ce « palmarès » ne concerne, évidemment, que les membres adhérents du syndicat).

Le palmarès syndical de 1978 consacre 127 crus représentant 2 500 ha de vignes et 70 000 à 100 000 hl de production. Il distingue :
- les crus bourgeois (68 châteaux) : vignobles de 8 ha au moins, situés en Médoc; la cuverie est particulière au château et il est interdit de faire vinifier hors du château. Les vins obtenus sont soumis à dégustation ;
- les crus grands bourgeois (41 châteaux) : aux conditions précédentes s'ajoute l'obligation d'élever les vins en fût de chêne, selon la tradition médocaine;
- les crus grands bourgeois exceptionnels (18 châteaux) : ils répondent aux impératifs précédents avec, en plus, l'obligation d'être situés dans la délimitation géographique des terroirs des grands crus classés en 1855. La mise en bouteille au château est obligatoire.

Les dénominations « cru artisan » et « cru paysan », quant à elles, n'ont aucun caractère officiel. Il est difficile de préciser le nombre de ces crus, provenant généralement de petites exploitations désireuses de garder leur identité et leur individualité.

Bourgogne. La culture de la vigne a sans doute commencé en Bourgogne à l'époque gallo-romaine et peut-être même avant. Mais le vignoble bourguignon est surtout l'œuvre des monastères : dès le XIIᵉ siècle, grâce aux moines de Cîteaux, les vins de Bourgogne étaient déjà célèbres. Le vignoble de la basse Bourgogne, avec Auxerre comme capitale, fut renommé avant celui de la haute Bourgogne : saint Germain, au IVᵉ siècle, possédait déjà, dans la vieille cité, des vignobles hérités de ses parents, dont une parcelle existe toujours (Clos de la Chaînette). De là vient l'origine du dicton d'autrefois « vins d'Auxerre, vins de roi ». C'est seulement vers le XIIIᵉ siècle que les vins des environs de Beaune commencèrent à être appréciés hors des limites de leur province, ce qui peut nous sembler pour le moins étonnant.

C'est Beaune qui lança, en quelque sorte, la renommée universelle des vins de Bourgogne, et, à la mort de Philippe Auguste, le vignoble beaunois était considéré comme « la grande richesse du duché de Bourgogne ». Au début du XVIIIᵉ siècle se fondaient à Beaune, puis à Nuits et à Dijon, les premières « maisons » de vins, dont les négociants* donnèrent au commerce une considérable extension et contribuèrent largement à la renommée des vins de Bourgogne.

La Bourgogne viticole actuelle s'étend sur quatre départements : Yonne, Côte-d'Or, Saône-et-Loire, Rhône. Elle se divise en cinq sous-régions : Chablis (département

de l'Yonne), Côte d'Or (département de la Côte-d'Or), comprenant la Côte de Nuits et la Côte de Beaune, Côte chalonnaise (département de Saône-et-Loire), Mâconnais (département de Saône-et-Loire) et Beaujolais (départements de Saône-et-Loire et du Rhône).

Il est très difficile de louer, après tant d'autres, la Bourgogne, terre prestigieuse dont le nom seul est, pour le monde entier, synonyme de « vins magnifiques ». Contentons-nous d'admirer cette région vinicole exceptionnelle, fierté de la France, qui offre aux amateurs les vins les plus somptueux comme aussi les plus aimables.

Bourgogne : les appellations d'origine contrôlées. De toutes les régions françaises productrices de vin, la Bourgogne est celle qui compte le plus grand nombre d'appellations contrôlées. Elle comprend en effet, surtout dans la Côte de Nuits et la Côte de Beaune, de multiples villages possédant eux-mêmes de nombreux crus, ou « climats* », chacun d'eux ayant une personnalité originale et distinctive. Le législateur n'a donc fait ici que consacrer « l'usage et la tradition ».

On distingue quatre catégories d'appellations.

● *Appellations génériques ou régionales.* Elles désignent des vins qui peuvent être récoltés sur l'ensemble du territoire bourguignon et qui ont droit, partout, à la même appellation : Bourgogne rouge et blanc, Bourgogne rosé ou clairet, Bourgogne aligoté (blanc), Bourgogne ordinaire et Bourgogne grand ordinaire (rouge et blanc), Bourgogne passe-tout-grain (rouge).

● *Appellations sous-régionales.* Elles s'appliquent aux vins produits uniquement dans l'ensemble d'une sous-région de Bourgogne : Côtes-de-Beaune-Villages (rouge), Mâcon et Mâcon supérieur (rouge ou blanc), Mâcon-Villages (blanc), Beaujolais et Beaujolais supérieur (rouge ou blanc), Beaujolais-Villages (rouge).

● *Appellations communales.* Beaucoup de villages de la Bourgogne viticole donnent légalement leur nom au vin récolté sur leur territoire : Fleurie, Beaune, Volnay, Nuits-Saint-Georges, Meursault, Chablis, etc.

● *Appellations de crus.* Le vignoble de chaque commune est divisé en crus, appelés « climats » en Bourgogne. Certains de ces crus, depuis longtemps renommés, font partie de la catégorie des « grands crus » classés en 1936 (il y en a trente et un pour toute la Bourgogne). Ils sont désignés par leur seul nom de cru, sans celui de la commune : Chambertin, Musigny, Clos-Vougeot, Corton, Montrachet, etc.

Les crus de la catégorie immédiatement inférieure sont les « premiers crus ». Ils

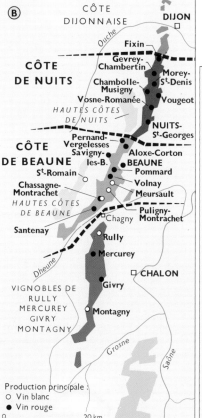

portent le nom de la commune accompagné de leur nom de cru ou encore de l'expression « premier cru » : Pommard-les-Rugiens, Chambolle-Musigny-les Amoureuses, Meursault-Genevrières, etc.

En résumé, plus l'appellation du vin est précise sur l'étiquette, meilleur est le vin (en Bourgogne, comme d'ailleurs pour tous les vignobles) : c'est ainsi qu'un Chambertin-Clos-de-Bèze (appellation de cru) est plus fin qu'un « Gevrey-Chambertin » (appellation communale), qu'un Gevrey-Chambertin est meilleur qu'un « Côtes-de-Nuits » (appellation sous-régionale), qu'un Côtes-de-Nuits est supérieur à un « Bourgogne » (appellation régionale).

Bourgogne : l'appellation « Bourgogne ». Elle s'applique à des vins rouges ou blancs produits sur tout le territoire de la Bourgogne. — Pour les vins rosés, l'appellation devient « Bourgogne clairet » ou « Bourgogne rosé ». Pour les vins rouges, les cépages autorisés sont le Pinot (Côte de Nuits et Côte de Beaune), le Gamay noir à jus blanc (Mâconnais et Beaujolais), le César et le Tressot (Yonne). Pour les vins blancs, les cépages sont le Chardonnay et le Pinot blanc.

Le degré minimal des Bourgognes est de 10^0 pour les rouges et les rosés, de $10,5^0$ pour les blancs. Le rendement maximal est de 50 hl à l'hectare.

Sous certaines conditions, les noms de Marsannay ou Marsannay-la-Côte, de Hautes-Côtes-de-Nuits et de Hautes-Côtes-de-Beaune peuvent être ajoutés à l'appellation « Bourgogne » (rouge, blanc et rosé).

Bourgogne aligoté. Le décret du 7 mars 1979 a précisé que la proportion de Chardonnay (admis à côté de l'Aligoté) ne peut dépasser 15 p. 100 (et pendant vingt ans seulement). Le degré minimal de ce vin blanc, récolté sur toute la Bourgogne, doit être de $9,5^0$, avec un rendement de 50 hl à l'hectare.

Le nom de « Bouzeron » peut être adjoint à celui de « Bourgogne aligoté » pour les vins récoltés sur ce terroir.

Bourgogne ordinaire et **Bourgogne grand ordinaire.** Ces appellations concernent les vins rouges, rosés ou blancs produits sur l'ensemble du territoire de la Bourgogne. Les vins rouges sont issus des Pinots fins, du Gamay noir à jus blanc (dans l'Yonne : le César et le Tressot). Les vins blancs sont issus du Chardonnay, du Pinot blanc, de l'Aligoté, du Melon de Bourgogne (dans l'Yonne : le Sacy).

Le degré minimal doit être de 9^0 pour les vins rouges et de $9,5^0$ pour les vins blancs, avec un rendement maximal de 50 hl à l'hectare.

Bourgogne passe-tout-grain. Cette appellation s'applique à des vins rouges et à des vins rosés provenant de tout le territoire de la Bourgogne et issus de deux tiers de Gamay noir à jus blanc et d'un tiers de Pinots fins (Pinot Noirien et Pinot Liébault). Le degré minimal doit être de $9,5^0$, et le rendement maximal à l'hectare de 50 hl.

Les vins rosés doivent être vinifiés par cuvaison* de raisins, foulés ou non foulés, sans pressurage* de la vendange avant fermentation.

Bourgogne (Crémant de). Depuis le 17 octobre 1975, seuls ont droit à l'appella-

tion contrôlée « Crémant de Bourgogne » les vins mousseux, blancs ou rosés, provenant de vins tranquilles déclarés sous la dénomination de « vins destinés à l'élaboration du Crémant de Bourgogne ».

Ceux-ci doivent provenir de cépages de première catégorie : Pinot noir, Pinot gris, Pinot blanc, Chardonnay, et de cépages de seconde catégorie : Gamay noir à jus blanc, Aligoté, Melon, Sacy. La proportion de Gamay est limitée à 20 p. 100 au maximum, et les cépages de première catégorie doivent représenter au moins 30 p. 100 de l'ensemble. Les vins doivent titrer $8,5^0$ et le rendement ne peut dépasser 50 hl à l'hectare, dans la limite de 100 l de vin pour 150 kg de vendange.

La tenue d'un carnet de pressoir* est obligatoire (indiquant date, heure des opérations, poids du raisin, etc.).

Les vins à appellation contrôlée « Crémant de Bourgogne » doivent être élaborés par seconde fermentation* en bouteille; le tirage en bouteille où s'effectue la prise de mousse ne peut avoir lieu avant le 1er janvier de l'année qui suit la récolte, et la durée de conservation en bouteille sur lies* ne peut être inférieure à neuf mois.

Bourgogne mousseux. Pour obtenir cette appellation, les vins blancs, rouges ou rosés doivent provenir des cépages suivants : dans l'Yonne, du Beaunois (nom local du Pinot blanc Chardonnay), du César et du Tressot; dans la Côte-d'Or, du Pinot Noirien, du Pinot Liébault, du Pinot Beurot et du Pinot blanc Chardonnay; en Saône-et-Loire et dans l'arrondissement de Villefranche-sur-Saône, de ces quatre derniers cépages et du Gamay noir à jus blanc. Les conditions de rendement sont les mêmes pour les Bourgognes mousseux que pour les Bourgognes ordinaires et grands ordinaires. Ces vins mousseux doivent être obtenus par la méthode champenoise à l'intérieur de l'aire de l'A.O.C. « Bourgogne ».

Le décret définissant l'appellation contrôlée « Crémant de Bourgogne » avait précisé que celle de « Bourgogne mousseux » devait être interdite dès 1980. Mais, grâce au décret du 9 février 1981, elle sera encore applicable jusqu'au 31 octobre 1985. Elle disparaîtra alors, pour les vins blancs et rosés, au profit de l'A.O.C. « Crémant de Bourgogne », mais restera valable pour les vins rouges; la suppression de l'appellation « Bourgogne mousseux » rouge aurait risqué, en effet, de porter préjudice au commerce fort prospère de ce vin avec les pays anglo-saxons.

Bourgueil. C'est à Bourgueil que Rabelais a situé son « abbaye de Thélème ». C'est à Bourgueil aussi que Ronsard rencontra Marie « la belle Angevine » : autrefois, en

effet, la presque totalité du pays de Bourgueil faisait partie de la province d'Anjou, alors qu'on le rattache dans le classement viticole moderne à la Touraine.

En gros, le vignoble s'étend sur une ligne d'une vingtaine de kilomètres entre Saint-Patrice et Saint-Nicolas-de-Bourgueil, et comprend aussi quelques vignobles au bord de la Loire (La Chapelle, Chouzé). Les sols sont de nature différente : du nord au sud, alluvions récentes de la Loire, puis terrasses de graviers et de sables grossiers, et enfin la côte, où le sol argilo-calcaire recouvre le tuffeau. Les vins de graviers sont plus légers, plus fins et plus bouquetés, et sont très vite prêts à la dégustation; les vins de côte sont plus corsés, plus durs dans leur jeunesse et demandent à être attendus. La plupart des communes produisent à la fois des vins de côte et des vins de graviers (le volume des vins de graviers étant plus important) : toutefois Ingrandes ne donne que des vins de graviers et Benais que des vins de côte. Le cépage est le Cabernet franc (le décret du 4 juin 1980 limite le Cabernet-Sauvignon, cépage accessoire, à 10 p. 100, mais tolère 25 p. 100 jusqu'à l'an 2000).

Il est bien difficile de séparer le vignoble de Bourgueil de celui de Chinon, tous deux situés au « royaume de Grandgousier » et dont les vins rouges présentent de telles ressemblances qu'il est parfois délicat de les distinguer pour un amateur non averti. Plus long à se faire que le Chinon, le Bourgueil est plus enveloppé, mais tout aussi frais et délicat. Il se caractérise surtout par un magnifique bouquet de framboise, très caractéristique (alors que le Chinon a un parfum de violette).

On compare souvent le Bourgueil aux bons crus bourgeois du Médoc. Le Bourgueil possède, en tout cas, une vertu toute personnelle si l'on en croit son prieur, qui déclarait en 1089 : « Ce vin réjouit les cœurs tristes! »

On distingue deux appellations d'origine contrôlées : « Bourgueil » et « Saint-Nicolas-de-Bourgueil ».

bourru. Un vin bourru est un vin qui n'a pas encore déposé ses levures* et ses impuretés au fond du tonneau, vin chargé encore, par conséquent, des matières insolubles nées de la fermentation. Lorsqu'il s'agit de vin blanc, le vin bourru (appelé encore « vin doux ») est le moût de raisin frais en cours de fermentation, donc contenant encore du sucre non fermenté et d'aspect trouble. Ce moût pétillant ou mousseux était autrefois fort apprécié et était la spécialité de certaines régions. Les vins bourrus sont encore l'objet d'un commerce spécial au moment des vendanges. Paris aimait beaucoup le « macadam », vin

Vendanges à Bourgueil dans le Val de Loire.
Phot. Phedon-Salou.

bourru de Bergerac, et, il n'y a pas si longtemps, le vin bourru de Gaillac « à emporter » était à l'honneur dans les débits parisiens. Récemment à Paris, en automne, du vin bourru d'Alsace, le « Neuer Susser », provenant chaque jour du vignoble, a été vendu en litres sommairement bouchés.

La réglementation communautaire admet, sur le territoire français, les expressions « vin bourru » ou « Bernache » pour désigner les moûts partiellement fermentés mis en vente.

La dénomination « vin bourru » doit être inscrite en caractères identiques très nettement lisibles dans l'ensemble des indications portées sur l'étiquette. Il convient d'observer que l'expression « vin doux » n'est pas reprise dans la réglementation communautaire.

bouteille. C'est au savant ouvrage de James Barrelet *la Verrerie en France de l'époque gallo-romaine à nos jours* (Librairie Larousse — collection « Arts, styles et techniques ») que nous emprunterons l'histoire de la fabrication et de l'utilisation de la bouteille.

On utilisa d'abord pour le transport des vins une outre en cuir, qu'il était facile d'attacher à la selle du cheval. Les gourdes de cuir étaient appelées « boutiaux » ou « boutilles » (d'où le nom de *bouteille*). A l'époque de la Renaissance, la France importa des bouteilles italiennes, en verre très mince, de forme plate, protégées par

Bourgueil
Appellation Contrôlée

DOMAINE DU GRAND CLOS
Georges AUDEBERT, propriétaire à BOURGUEIL   0,75 l.

une enveloppe d'osier et qui ne servaient qu'à la présentation du vin sur les tables. C'est au début du XVIIe siècle que l'on se mit à fabriquer en France des bouteilles de gros verre, dit « verre vert » ou « verre noir », qui permirent à la fois la présentation, le transport et la conservation. Ce fut pour l'avenir de nos vins, pour leur prestige, une invention extrêmement importante. La forme des bouteilles était alors la même pour tous les vins. D'abord basse, en forme d'oignon, elle s'élança peu à peu et devint cylindrique (type de bouteille de Bénédictine). Au cours de la première moitié du XIXe siècle, la bouteille traditionnelle continua à s'affiner (type Bourgogne) en même temps que des formes particulières à certains crus étaient créées. En 1800, on signalait déjà la forme « bordelaise » et la forme « champenoise ». Les premières bouteilles « mécaniques » furent employées à Cognac en 1894 : la voie de la standardisation des différents types de bouteille était ouverte.

Actuellement, les bouteilles les plus employées sont la bourguignonne, la bordelaise, la champenoise, la bouteille à vin du Rhin. Elles sont en verre blanc ou en verre teinté (vert, jaune ou feuille morte). Les viticulteurs ont de plus en plus tendance, actuellement, à utiliser une bouteille spécifique à leur vignoble : la « minervoise » (pour les grands vins millésimés du Minervois); la bouteille « flascon » (pour valoriser la production de la majorité des producteurs indépendants de Limoux); la « maury » qui personnalise les vins doux naturels d'appellation Maury; la « vénitienne » qui donne aux Côtes-du-Rhône-Villages produits par Beaumes-de-Venise leurs lettres de noblesse; la nouvelle bouteille « bordeaux » (portant gravés, en bas du col, le nom de Bordeaux ainsi que les armes de la ville — 3 croissants entrelacés —, l'ensemble répété trois fois) vient d'être créée pour identifier le vrai Bordeaux des autres vins qui utilisent la « bordelaise » en France comme à l'étranger.

bouteilles (contenance des). Elle varie un peu suivant les régions. La bourguignonne, la bordelaise, la bouteille d'Anjou et de Touraine contiennent 75 cl, alors que l'alsacienne (utilisée aussi pour le Jurançon et le rosé du Béarn) et celle des Côtes-de-Provence contiennent 72 cl, et la champenoise 80 cl. La fillette angevine est de 35 cl, le pot beaujolais de 45 cl et le clavelin du vin jaune du Jura de 62 cl.

En ce qui concerne les bouteilles de Champagne, les variations de contenance sont beaucoup plus grandes : le quart contient 20 cl, le demi 40 cl, le médium 60 cl, le magnum* 2 bouteilles normales, le jéroboam 4 bouteilles, le réhoboam 6 bou-

teilles, le mathusalem 8 bouteilles, le salmanazar 12 bouteilles, le balthazar 16 bouteilles, le nabuchodonosor 20 bouteilles. En Bordeaux, la demi-bouteille contient 37,5 cl, le magnum 1,5 l, le double magnum 3 l, le jéroboam 4 l, l'impériale 6 l.

bouteilles (lavage des). Malgré le soin apporté au rinçage, il reste souvent un peu de dépôt sur les parois des bouteilles qu'on désire réemployer. Comme en beaucoup de choses, le procédé le plus simple reste le meilleur. Le vieux procédé des plombs de chasse est fort efficace. On introduit ceux-ci dans les bouteilles avec un peu d'eau, on secoue vigoureusement de façon à détacher la lie et le tartre qui adhèrent aux parois. Il suffit de rincer ensuite les bouteilles à deux eaux, puis de les laisser sécher normalement, renversées, si possible, sur égouttoir.

bouteille (maladie de). Un vin ne doit jamais être consommé immédiatement après sa mise en bouteilles. Il faut le laisser reposer de un à trois mois, selon les vins, durant ce que les spécialistes appellent la « maladie de bouteille ». Toutes les opérations dont il est l'objet, aussi délicatement entreprises soient-elles, le rendent « boudeur et morose ». La mise en bouteilles est un choc pour lui; l'embouteilleuse la plus perfectionnée lui fait subir une aération intempestive qui atténue momentanément son bouquet et le prive de ses qualités. Lorsque l'effet oxydant de l'air a disparu, le vin retrouve d'abord son équilibre si précaire, puis, lorsqu'il est destiné au vieillissement, commence l'épanouissement de nouvelles qualités.

bouteilles (mise en). Certaines grandes maisons refusent de livrer leur vin en fût et de l'abandonner aux mains de particuliers (sauf cas spéciaux : lorsqu'un sommelier peut se charger du travail, par exemple), ce qui laisse à penser que la mise en bouteilles n'est pas une petite affaire et que, mal pratiquée ou faite en temps inopportun, elle peut anéantir à jamais les plus beaux vins et les plus beaux espoirs. Les analyses déterminent d'abord le degré optimal d'épanouissement du vin dans le fût, sa limpidité et son état de parfaite stabilité. On choisit alors le bon moment pour la mise en bouteilles, car cet état de grâce ne dure guère plus d'un mois à un mois et demi! Mars et septembre sont généralement des mois favorables. Encore faut-il que la température ambiante soit constante, que le temps soit sec, que la pression barométrique soit stable. Les vieux vignerons guettent le vent du nord, car ils savent bien qu'il contribue à la réussite. L'opération doit se faire rapi-

Bouteille ovale, en verre, avec scène de chasse. Allemagne, vers 1600. Musée des Arts décoratifs. Phot. Lauros-Giraudon.

dement, avec un matériel d'une méticuleuse propreté. On peut se servir d'une cannelle de bois ou d'un siphon (les grands vignobles possèdent évidemment des embouteilleuses perfectionnées). La cannelle de bois malmène le vin et le remue violemment à chaque fermeture du robinet. Le siphon, avec bec automatique en plastique, est bien préférable, d'autant qu'il permet de mieux remplir les bouteilles. Le bouchage, en effet, doit toujours être fait « à refus », c'est-à-dire en laissant le moins possible d'air entre le vin et la face inférieure du bouchon*. On laisse alors les bouteilles debout vingt-quatre heures afin que le bouchon adhère bien au goulot. Elles sont ensuite entreposées couchées, mais ne peuvent être débouchées avant un mois au moins, le temps que le vin fasse sa « maladie de bouteille ».

Pour les intrépides qui ne reculent pas devant l'aventure de la mise en bouteilles par eux-mêmes, voici les « coulisses de l'exploit » : il leur faut attendre sagement que le viticulteur juge le vin en état d'être mis dans sa prison de verre, car ce n'est pas le vin qui doit attendre que l'acheteur soit disponible, mais l'acheteur qui doit attendre le vin! Il leur faut encore éviter que le vin voyage par temps chaud à cause des risques de refermentation* possible et, évidemment, par temps très froid, où le vin risquerait de geler en route. Puis ils doivent laisser reposer les vins blancs de huit à dix jours et les vins rouges de dix à quinze jours. Et bon courage! — car c'est là une bien grosse responsabilité.

Bouzy, village de la Champagne, situé dans la Côte de Bouzy, à laquelle il a donné son nom et qui est le versant sud-est de la Montagne de Reims, rejoignant la vallée de la Marne. — C'est un grand cru de Champagne, qui donne, de plus, un vin rouge exquis, non mousseux évidemment. Produit en très faible quantité, le Bouzy est assez délicat et voyage assez mal, ce qui est bien dommage. Dans les bonnes années, c'est un vin magnifique qui nous fait entrevoir pourquoi il y eut la fameuse querelle entre Champagne et Bourgogne au XVIIe siècle, orchestrée par Fagon*, médecin du roi. D'une belle couleur grenat, il est fin et bouqueté, et se distingue par une remarquable saveur de pêche (que, déjà, le marquis de Saint-Évremond avait attribuée aux vins de la Champagne). Puissant, chaleureux, équilibré, il est difficile, après quelques années de bouteille, de le distinguer d'un excellent Bourgogne.

Depuis plus de quatre siècles, la famille Vesselle exploite à Bouzy un magnifique vignoble, exposé plein sud, et conserve la tradition des vins rouges de Bouzy malgré le succès des vins pétillants : les vins

produits sont d'une très grande qualité, mariant remarquablement corps et délicatesse.

L'appellation* contrôlée est « Coteaux-Champenois - Bouzy » depuis la création de l'appellation « Coteaux-Champenois » en 1974.

Brésil. Implantée lors de la conquête portugaise, la vigne prit son essor au Brésil au début de notre siècle, mais il fallut, en fait, attendre l'immigration des Italiens, après la Première Guerre mondiale, pour que le développement de la viticulture s'affirme. Peu consommé par les Brésiliens, le vin est exporté vers les États-Unis, l'Argentine et l'Allemagne.

La principale région viticole est située au sud du pays, dans l'État de Rio Grande do Sul : c'est celle qui jouit du climat le plus favorable à la vigne. Mais les régions de São Paulo, Santa Catarina, Rio de Janeiro, Minas Geraes pratiquent également la

Mise en bouteilles chez un particulier, à Savigny-lès-Beaune, en Bourgogne. Phot. M.

viticulture. Le cépage le plus répandu est l'Isabella, hybride* américain qui donne un vin ordinaire; les vins brésiliens sont, dans l'ensemble, des vins de table parfois de très bonne qualité; ils ne sont jamais de grands vins.

brillant, qualité très agréable à l'œil du dégustateur qui aime faire miroiter à la lumière un vin dont rien ne trouble la limpidité et qui paraît lui-même lumineux, surtout lorsqu'il s'agit d'un vin blanc ou rosé. — Toutefois, la limpidité et le brillant d'un vin ne sont pas toujours parfaits, et vouloir les obtenir absolument, avant toute chose, expose à une perte de l'arôme et du bouquet par les manipulations nécessaires (collage*, filtration*, froid).

Brouilly. C'est un des crus les plus fameux du Beaujolais. Cette appellation s'applique à des vins provenant des communes d'Odenas, de Saint-Lager, de Cercié, de Quincié et de Charentay, situées autour de la célèbre Montagne de Brouilly.
Le Brouilly est typiquement Beaujolais, fruité et tendre, avec un bouquet très développé. Ces qualités, qui font son charme, s'estompent en vieillissant. Il faut donc le boire dans toute son éclatante jeunesse.

Brouilly (Côte de). Tous les Brouillys sont d'excellents Beaujolais! Mais le vignoble qui occupe les pentes de la célèbre Montagne de Brouilly donne, sous l'appellation « Côte-de-Brouilly », un des meilleurs vins du Beaujolais. L'exposition du vignoble et surtout l'extraordinaire sol à vigne font du vin de la Côte de Brouilly un vin vraiment exceptionnel, produit sur les communes d'Odenas, de Saint-Lager, de Cercié et de Quincié.
D'une belle couleur pourpre foncé, alcoolisé et charnu, mais fruité et bouqueté, il peut paraître un peu ferme en primeur. Qu'il soit bu jeune ou qu'on l'attende quelques années, c'est un vin exquis : le temps lui fait perdre un peu de son fruité, mais, en échange, affine son bouquet.

Bucelas. Cette région viticole du Portugal, située au nord de Lisbonne, semble moins touchée par l'expansion immobilière que ses voisines Colarès et Carcavelos.
Le vin de Bucelas était fort connu il y a un siècle environ et exporté en grande quantité. Apprécié par l'armée de Wellington au moment des guerres napoléoniennes, il fut ensuite très en faveur en Angleterre.
Dickens le cite parmi ses crus préférés en compagnie du Sauternes et du Xérès, Byron en loue les qualités, et le roi Georges III d'Angleterre lui attribue le mérite de l'avoir guéri d'une affection rénale.
Issu du cépage Arinto, le Bucelas est un

vin sec, un peu astringent, couleur jaune paille, qui prend avec l'âge une riche teinte dorée.

Buena Vista, vignoble historique de Sonoma, en Californie, fondé juste après la ruée vers l'or par l'impétueux comte hongrois Agoston Haraszthy, qui préféra abandonner son titre pour devenir le « Colonel ». Celui qu'on surnomma le « Père de la viticulture moderne de Californie » ne manqua pas d'imprimer sa forte empreinte au vignoble qu'il créa. Dommage que ce grand amoureux du vin mourut, dit-on, par noyade dans une rivière, et, ce qui n'arrange rien, infestée d'alligators. La *winery* de Buena Vista subit des vicissitudes diverses, à l'image de la vie aventureuse de son créateur : destruction des caves au cours du tremblement de terre de San Francisco, notamment.
Actuellement, Buena Vista produit de nouveau des *Premium Wines* (vins fins). La plupart du temps, les vins portant l'étiquette de Buena Vista sont vendus sous le nom de la variété de cépage dont ils sont issus *(Varietal Wines),* mais il existe un peu de vin portant deux appellations spéciales : « Rose Brook » et « Vine Brook ».

Bugey. Le Bugey a le grand honneur d'être la patrie du célèbre Brillat-Savarin. Son petit vignoble s'étend dans le département de l'Ain, entre le Beaujolais et la Savoie, et était, ces derniers temps, en voie de disparition, ce qui était bien regrettable. Les vins du Bugey sont, en effet, fort agréables. Les blancs sont légers, bien désaltérants, avec une fraîcheur aimable qui les apparente aux vins de Savoie. Les rouges et les rosés, généralement légers eux aussi, bien fruités et glissants, évoquent pour certains les Beaujolais.
L'arrêté du 27 septembre 1963 a fixé les conditions d'attribution du label V.D.Q.S.* aux vins du Bugey et a classé ceux-ci en diverses catégories. La délivrance du label V.D.Q.S. est subordonnée à la dégustation* et à l'analyse préalables d'un échantillon de vin.
Appellation « Vin du Bugey », « Roussette du Bugey », « Mousseux ou Pétillant de Bugey » ou « Vin du Bugey mousseux ou pétillant ». Elle s'applique aux vins de soixante-cinq communes de l'Ain. Les vins rouges et rosés doivent provenir du Gamay, du Pinot noir, du Poulsard (Mescle), avec 20 p. 100 des cépages blancs admis comme cépages accessoires. Les vins blancs proviennent des cépages blancs : Chardonnay, Altesse, Aligoté, Mondeuse blanche (Dongine), Jacquère et Pinot gris.
La Roussette du Bugey ne peut provenir que des cépages Altesse et Chardonnay. Les communes de Corbonnod et Seyssel

ne peuvent donner que des vins rouges et rosés sous l'appellation « Vin du Bugey ». Le Vin du Bugey titre 9⁰ et la Roussette 10⁰. Le rendement est de 45 hl à l'hectare pour le Vin du Bugey et de 32 hl pour la Roussette. Le Vin du Bugey mousseux ou pétillant titre 9⁰ avant la seconde fermentation* en bouteille.

Appellation « Vin du Bugey » suivie d'un nom de cru. Elle ne peut s'appliquer qu'aux vins produits sur les territoires délimités des communes de Virieu-le-Grand, Montagnieu, Manicle, Machuraz et Cerdon. Ces vins titrent 9,5⁰, et le rendement est de 40 hl à l'hectare.

Le vin de Bugey-Cerdon mousseux ou pétillant titre 9⁰ d'alcool acquis et en puissance pour les vins obtenus par fermentation* spontanée en bouteille.

Appellation « Roussette du Bugey » suivie d'un nom de cru. Elle ne peut s'appliquer qu'aux vins produits sur les territoires délimités des communes d'Anglefort, Arbignieu, Chanay, Lagnieu, Montagnieu et Virieu-le-Grand. Cette Roussette doit titrer 10,5⁰.

Bulgarie. La viticulture représente un secteur important de l'économie bulgare, et un effort considérable est en cours de réalisation pour la moderniser. La Bulgarie est le second pays exportateur de raisin frais d'Europe, après l'Italie, et une quantité assez considérable de vin est exportée, surtout vers l'U.R.S.S., la Tchécoslovaquie et l'Allemagne de l'Est.

Les vignobles se trouvent jusqu'à 500 m d'altitude environ. On cultive soixante-trois variétés de raisin, dont les trois quarts servent à la production des vins de table. Les autres cépages permettent de préparer les nombreux vins de dessert : « Asenovgrad » (sorte de Malaga préparé dans la ville de même nom), « Madara », « Slavianka », « Tchirpan », « Tirnovo », « Melnik ».

Il y a six zones viticoles principales en Bulgarie :

La *Vallée des Roses* (région de Kazanlyk), avec les grands centres de Karlovo et de Troïan. Elle produit le « Rozentaler Riesling » (Riesling de la Vallée des Roses) et le « Karlovski Misket », Muscat couleur d'ambre, élaboré à Karlovo;

Le *Sud-Ouest* (région de Kjustendil), qui cultive la vigne autour de Sandanski et de Melnik. Il donne le « Melnik », vin très liquoreux, doux et agréable, contenant jusqu'à 35 p. 100 de sucre;

La *Thrace,* qui étire ses vignobles les plus importants le long de la Maritsa, entre Dimitrovgrad, à l'est, et Ihtiman, à l'ouest, avec, comme limite nord, la ligne Stara Zagora-Sliven. Aux confins de cette zone principale se trouvent deux régions de superficie restreinte, autour de Plovdiv et de Tchirpan. La région de Plovdiv donne le « Bolgar », le « Pamid » (vin rouge), le « Pirinsko » (vin rouge provenant de Pirine, près de Plovdiv), le « Trakia » (vin rouge). Tchirpan, grand centre vinicole, produit un vin de dessert qui porte son nom;

Les *rives du Danube,* qui possèdent de riches vignobles, dont les gros centres sont Vidin et Silistra. Vidin produit le « Gymza », vin rouge renommé;

Le *littoral de la mer Noire,* qui cultive la vigne autour de Varna et de Pomorié. Ces deux villes produisent un vin blanc appelé « Dimiat »;

Enfin, la *région de Tirnovo,* au nord de la Bulgarie, qui donne son nom à un vin de dessert renommé.

Dans l'ensemble, les vins blancs de Bulgarie, même les plus soignés, manquent toujours un peu de fraîcheur, étant donné la latitude du pays.

Les vins rouges, par contre, deviennent, depuis les progrès réalisés ces derniers temps, de remarquables vins de table, qui atteignent souvent le niveau de nos bons vins rouges V.D.Q.S.* et qui se classent, la plupart du temps, avant ceux de Roumanie et de Hongrie. Comme les vins de ces deux derniers pays, ils sont toujours assez astringents.

Buzet (Côtes de), petite région du Sud-Ouest, située à l'est d'Agen, sur la rive gauche de la Garonne. — La coopérative vinicole de Buzet-sur-Baïse, très bien équipée, vinifie la production de tous les viticulteurs locaux. La région produit surtout des vins rouges de bonne qualité (95 p. 100 de la récolte), bouquetés et agréables, qui sont issus du Merlot, du Cabernet franc, du Cabernet-Sauvignon et du Malbec. Ce dernier cépage s'efface de plus en plus devant le Merlot, plant jusqu'alors essentiellement bordelais, qui donne des vins plus fins et bouquetés. Il existe aussi une assez faible production de vins blancs, provenant des cépages bordelais : Sémillon, Sauvignon, Muscadelle. Le vignoble est en pleine expansion.

Les vins des Côtes de Buzet avaient déjà obtenu le label V.D.Q.S.* en 1953, mais le décret du 19 avril 1973 les a élevés au rang des appellations* d'origine contrôlées, récompense légitime de l'effort réalisé par ce vignoble (qui s'étend sur vingt-sept communes de Lot-et-Garonne).

Les vins rouges et rosés doivent présenter un titre alcoométrique acquis minimal de 10⁰. Les vins blancs doivent présenter un titre alcoométrique acquis compris entre 10 et 13⁰ et moins de 4 g de sucre résiduel par litre. Le rendement est de 40 hl à l'hectare pour les vins rouges et rosés et de 45 hl pour les vins blancs. Enfin, la seule taille admise pour les vignes est la taille Guyot simple.

Pour la carte de Bulgarie, v., p. 256, la carte *Europe centrale et Balkans.*

C

Cabardès ou **Côtes-du-Cabardès-et-de l'Orbiel.** Bénéficiant depuis 1948 de l'appellation* d'origine simple « Côtes-du-Cabardès-et-de-l'Orbiel », les vins de cette appellation ont été promus V. D. Q. S.* par l'arrêté du 21 septembre 1973 à condition de satisfaire à une dégustation et à une analyse préalable pour obtenir ce label.

L'appellation s'applique à des vins rouges et rosés provenant du département de l'Aude et récoltés sur le territoire de quatorze communes au nord-ouest de Carcassonne, dominées par les ruines prestigieuses des quatre châteaux de Cabaret, à Lastours, un des hauts lieux du catharisme. Le vignoble est, en quelque sorte, la continuation naturelle de celui du Minervois.

Malgré l'éloignement de la mer et l'ouverture partielle aux vents venus de l'Atlantique, le climat est de type méditerranéen, sec et chaud. Dans le Cabardès, région de transition, on rencontre à la fois des cépages d'origine méditerranéenne (Cinsault, Grenache noir, Carignan noir, Syrah, Mourvèdre, Picpoul noir, Terret noir, Counoise) et des cépages d'origine aquitaine (Cabernet-Sauvignon, Merlot, Cot, Fer). Le Carignan a été admis dans 50 p. 100 de l'encépagement jusqu'en 1978; la proportion doit tomber ensuite à 30 p. 100.

Les vins, rouges et rosés uniquement, se caractérisent par leur finesse; leur production ne dépasse guère 10 000 hl, répartis entre quelques coopératives et une quinzaine de domaines.

Les vins rouges, titrant de 11 à 12⁰, sont souples, bien équilibrés, nerveux et légers, bien colorés. Ils sont déjà très agréables dès l'été qui suit la récolte et mûrissent rapidement, tout en gardant de bonnes aptitudes de vieillissement.

Les vins rosés, titrant eux aussi de 11 à 12⁰, très fins, frais et fruités, possèdent le délicat arôme et le goût de « pierre à fusil » des vins de demi-montagne.

Toute la production de la région s'oriente vers l'obtention de vins de qualité.

Cabernet franc. Ce cépage a des noms différents selon les régions : c'est ainsi qu'appelé « Bouchet » ou « Gros-Bouchet » à Saint-Émilion et à Pomerol, il est nommé « Bouchy » à Madiran et « Breton » en Touraine et à Saumur. C'est un cépage assez vigoureux, à petites grappes et à petits grains noir bleuté, à peau fine. C'est un bon garçon peu difficile sur le choix de son sol — seuls les terrains marneux ne lui conviennent pas.

Son vin, de teinte vive, brillante, ressemble à celui du Cabernet-Sauvignon, avec toutefois moins de parfum. Par contre, il met moins longtemps à se dépouiller. Il est généralement associé à des vins d'autres cépages (en Gironde, dans le Sud-Ouest),

Grappe de Cabernet franc, cépage « noble » qu'on trouve en différentes régions de France.
Phot. M.

sauf dans la région de la Loire, qui produit des vins de pur Cabernet franc : Chinon, Bourgueil, Saint - Nicolas - de - Bourgueil, Saumur-Champigny, voilà son domaine, où on le vinifie en rouge ou en rosé.

Cabernet-Sauvignon, cépage typique du Bordelais, et principalement du Médoc et des Graves, où il représente de 50 à 70 p. 100 de l'encépagement des bons crus. — On l'appelle encore « Petit-Cabernet » (Médoc et Graves), « Petit-Bouchet » (Saint-Émilion et Pomerol). On l'associe au Cabernet franc, au Merlot, au Petit-Verdot, rarement au Malbec. Le Cabernet-Sauvi-

Grappe de Cabernet-Sauvignon, cépage typique du Bordelais, et plus particulièrement du Médoc.
Phot. M.

gnon est exigeant dans son ascétisme, car seuls les sols maigres et secs lui conviennent. Ses petites grappes ont des petits grains à la peau dure et épaisse, bleu-noir, à reflets blanchâtres. Il donne un vin foncé, chargé en tanin*, donc dur dans sa jeunesse, mais qui prend, avec le temps, du corps, de la souplesse et un très fin et délicat bouquet de violette. On a essayé de le planter un peu partout à l'étranger en vue de copier, mais en vain, nos Médocs. Il faut convenir, toutefois, que les vins californiens provenant de ce cépage ne manquent pas de qualités.

Cabrières, une des appellations des Coteaux du Languedoc, classée V. D. Q. S.*.
— Le vignoble, accroché aux pentes raides, donne péniblement 1 kg de raisin par pied de vigne, et la production moyenne se situe aux environs de 4 000 hl par an.
Le « vin vermeil » de Cabrières était connu à Montpellier dès 1357, et Louis XIV, déjà, l'appréciait. C'est un vin rosé, assez corsé, titrant 11⁰, fruité, excellent, dont la vinification est faite sans macération préalable, avec le vin de goutte* seulement. Il provient du Carignan (50 p. 100 au plus), du Cinsault (45 p. 100 au moins) et du Grenache.
Les vins rouges sont issus du Carignan, du Cinsault et d'autres cépages : Grenache et Lladoner Pelut (10 p. 100 au moins en 1985 et 20 p. 100 en 1990), Mourvèdre et Syrah (50 p. 100 au moins en 1985 et 10 p. 100 en 1990).
Les vins sont commercialisés sous le nom de « Cabrières » ou « Coteaux-du-Languedoc-Cabrières » et peuvent se replier, éventuellement, sous l'appellation « Coteaux-du-Languedoc » simple.

Cadillac. Le décret du 10 août 1973 a consacré l'existence de cette nouvelle appellation, qui fut longtemps fondue dans l'appellation « Premières Côtes-de-Bordeaux ». (En 1955, le mot « Cadillac » pouvait déjà être joint à Premières Côtes-de-Bordeaux.) Célèbre par son château du duc d'Épernon, « le plus beau château de la Loire construit sur les bords de la Garonne », Cadillac a donné aussi son nom aux luxueuses voitures américaines construites à Detroit (États-Unis) : c'est le chevalier de Lamothe-Cadillac, en effet, qui fonda la ville de Detroit.
Mais les vins blancs de Cadillac auraient suffi à consacrer sa renommée. Adoré par les Flamands et les Hollandais, le Cadillac est sans doute ce vin blanc qui scintille comme de l'or liquide dans les verres à pied représentés sur nombre de tableaux des petits maîtres du XVIIe siècle.
Élégant et aromatique, il ne peut provenir que des cépages Sémillon, Sauvignon et

Muscadelle. Il titre 12⁰ au minimum et garde au moins 18 g de sucre résiduel par litre. Les étiquettes doivent porter les mots « Vin de Bordeaux » au-dessus de la mention « Cadillac ».
L'appellation « Cadillac » s'applique à vingt et une communes voisines de Cadillac, parmi lesquelles Langoiran et Gabarnac se sont taillé depuis longtemps une belle réputation personnelle. Il y a une soixantaine d'années, il était fréquent d'entendre réclamer « un petit Langoiran » au comptoir des bars parisiens, et, au XVIIIe siècle, on était obligé de vendre sous le nom de « Langoiran » du vin des paroisses voisines, car les négociants n'arrivaient pas à satisfaire la demande venant des pays du nord de l'Europe. Il est vrai que le sol de ce vignoble, où dominent tour à tour rocher, calcaire et grave, sa bonne exposition et son encépagement en plants nobles ne peuvent que lui faire engendrer des vins de classe.
Le vignoble de Gabarnac, quant à lui, occupe une série d'éperons rocheux dont les pentes s'orientent vers Loupiac d'un côté et vers Sainte-Croix-du-Mont de l'autre; il donne des vins très fruités et séveux.

café (vins de), vins rouges légers et sans prétention, qui se boivent facilement au comptoir ou comme vins de table et de carafe. — Servis bien frais, ils sont fort agréables. On les obtient par une vinification courte, qui leur donne une aimable souplesse. On traite ainsi beaucoup de vins rouges provenant des Côtes du Rhône ou du Languedoc.
Ces vins sont appelés aussi « vins d'une nuit », parce que, précisément, leur temps de cuvaison* ne dure guère plus d'une nuit (de 12 à 14 heures). La commune de Saint-Saturnin, dans l'Hérault, et celle de Sainte-Cécile-les-Vignes, en Vaucluse, sont réputées pour leurs vins de café.

Cahors. Le vin rouge de Cahors est un vin absolument remarquable, un des plus dignes d'intérêt de la région du Sud-Ouest. Connu déjà à l'époque romaine, il eut à souffrir de la jalouse concurrence de Bordeaux jusqu'à l'édit promulgué en 1776 par Louis XVI, qui mit fin au « privilège* de Bordeaux ». Le phylloxéra*, puis les gelées en 1956 ont fait fondre le valeureux vignoble, qui renaît, de nouveau, de ses cendres.
Le Cahors est produit sur les deux rives du Lot par une quarantaine de communes, en amont et surtout en aval de Cahors, dans les cantons de Cahors, de Luzech, de Puy-l'Évêque, de Catus, de Montcuq et de Lalbenque. Le cépage principal est le Malbec, ou Cot, qu'on appelle ici « Auxerrois » : c'est lui qui donne au vin de Cahors toute sa personnalité. Il entre pour 70 p. 100 au minimum dans l'encépagement. Le

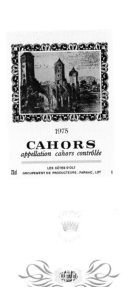

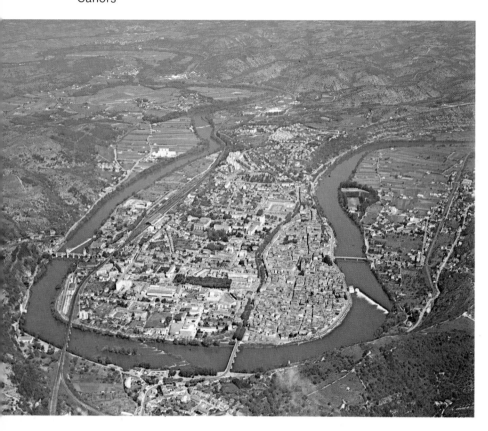

Autour de cette boucle du Lot qui enserre la ville s'étend le vignoble de Cahors.
Phot. Beaujard-Lauros.

ou « Kagor ») descendent sans doute de cépages importés du Quercy il y a bien longtemps, et le procédé de mutage* à l'alcool, employé pour obtenir ce vin, est sans doute dû à l'idée d'un vigneron de Cahors d'autrefois, qui l'utilisa le premier pour faire voyager sans risque son vin vers la Russie. Le « Cahors » russe, très recherché et qui a toujours coûté très cher en Russie, est depuis longtemps le vin de messe de l'église orthodoxe. Même s'il ne correspond pas au nôtre, il est flatteur d'avoir donné le nom de Cahors à un des vins les plus précieux de Russie. N'est-ce pas là rendre hommage à l'excellence d'un vin superbe de notre France et reconnaître l'estime méritée dans laquelle il a toujours été tenu ?

La cave coopérative de Parnac, créée en 1947, élabore sur les Côtes d'Olt (ancien nom du Lot) d'excellents vins de Cahors: elle a beaucoup contribué à la résurrection de cette appellation, qui, jadis V.D.Q.S.*, a obtenu le 15 avril 1971 la juste reconnaissance de ses mérites en ayant droit à l'appellation* d'origine contrôlée.

Californie. Les États-Unis ont produit en 1974 85 p. 100 du vin qu'ils ont consommé, dont 83 p. 100 ont été apportés par la Californie, avec une récolte de 11 millions d'hectolitres. Les mousseux et surtout les vins de table ont progressé très rapidement, supplantant les vins de liqueur, qui représentaient jadis les deux tiers de la production, qui ne fait qu'augmenter et atteint déjà un tiers de celle de l'Espagne et près d'un cinquième de celle de l'Italie et de celle de la France.

Le vignoble californien se répartit sur trois régions distinctes.

La *première région,* produisant surtout des vins de table, entoure San Francisco, le long de la côte nord du Pacifique. Elle est divisée en plusieurs districts viticoles, dont les principaux sont, du nord au sud : Mendocino, Sonoma, Napa, Alameda (surtout dans Livermore Valley), Santa Clara et San Benito.

La *deuxième région,* à l'intérieur du pays, comprend la Grande Vallée centrale, la vallée de San Joaquin et, du nord au sud, les vignobles de Sacramento, San Joaquin, Madera, Fresno, Tulare.

La *troisième région* s'étend plus au sud, à l'est de Los Angeles, au pied des monts San Bernardino, et donne surtout des vins ordinaires, comparables à nos vins du Midi. La vigne sauvage indigène existait à l'ouest des montagnes Rocheuses, quand la première variété de cépages européens fut apportée en Californie par les moines franciscains espagnols, qui la plantèrent au XVIIIe siècle au nord de San Francisco (ce cépage, appelé depuis « Mission », ne

décret du 5 juillet 1979 précise la proportion des cépages secondaires, qui ne doit pas dépasser 30 p. 100 de l'encépagement total. Ces cépages sont le Jurançon noir pour 10 p. 100 au plus, le Merlot et le Tannat pour 20 p. 100 chacun.

Le Cahors est peut-être le plus coloré de nos vins de France : il se distingue par une magnifique et brillante couleur cramoisi foncé, presque noire, qui rappelle la robe de velours rouge profond qu'ont certains des meilleurs vins de la Valteline, en Italie du Nord. Mais on le boit bien trop jeune !

Le Cahors devrait attendre de trois à cinq ans avant d'être mis en bouteilles, et il ne donnera ensuite le meilleur de lui-même qu'au bout de cinq à dix ans de bouteille : c'est beaucoup demander, sans doute, en notre siècle éperdu de vitesse ! Un vieux Cahors est un vin splendide, harmonieux, bien charpenté, ferme sans être dur, corsé, avec un bouquet ample et inimitable, et une grande distinction. C'est bien là une « liqueur forte et savoureuse » dont parlait Clément Marot, natif de Cahors.

L'U..R.S.S. produit sous le nom de « vins de Cahors » — appellation pour le moins surprenante — des vins de liqueur d'un rouge presque noir, très sucrés et titrant environ 16⁰. Les plants qui donnent le « Cahors » russe (appelé aussi « Karop »

donne d'ailleurs qu'un médiocre vin). Mais celui qui donna à la Californie sa formidable impulsion vineuse fut un émigré hongrois, le célèbre autant que bouillant comte Agoston Haraszthy (nommé plus familièrement « Colonel ») et qu'on appelle à juste titre le « père de la viticulture californienne ».

Les vins rouges californiens étaient jadis issus principalement des cépages Zinfandel, Carignan, Alicante-Bouschet, Grenache, Mission, Mataro (cépage commun et très productif d'origine espagnole), Petite Syrah (qui n'a probablement aucun lien de parenté avec le cépage qui donne notre Hermitage). Les vins blancs provenaient en majorité du Sultanina, ou Thompson Seedless, cépage à raisins secs (qui donne un vin clair sans grand parfum, neutre de goût, mais bon marché), et de véritables cépages à vin, qui ne valent pas beaucoup mieux : Sauvignon vert, Burger, Palomino (ce dernier, excellent pour le Sherry, donne un médiocre vin de table).

Durant ces trente dernières années, de grands progrès ont été faits dans la production des vins de table de Californie. Les plantations de bons cépages européens se sont considérablement étendues. Afin d'adapter l'encépagement aux diverses zones climatiques, le Département de viticulture et d'œnologie de l'université de Californie a divisé l'État en cinq zones : la plus chaude, en effet, se rapproche du climat de l'Espagne du Sud et de l'Afrique du Nord, tandis que la plus fraîche reproduit à peu près le climat de l'Europe septentrionale. Il était donc normal de conseiller de planter chaque cépage sous le climat qui lui convient.

Actuellement, les cépages rouges sont principalement le Barbera, le Cabernet-Sauvignon, le Gamay de Napa (un authentique Gamay), le Gamay Beaujolais (genre de Pinot noir, en réalité), le Grenache, la Petite Syrah ou Shiraz, le Pinot noir, le Zinfandel ou California's Beaujolais, le Ruby Cabernet; les cépages blancs sont le Chardonnay, le White Pinot (Chenin blanc, en réalité), le French Colombard, le Gewurztraminer, le Pinot blanc, le Sauvignon blanc, le Sémillon, le White Riesling ou le Johannisberg Riesling.

Les meilleures *wineries* (exploitations vinicoles) peuvent rivaliser au point de vue de la technique et de l'équipement avec celles d'Europe. La fantaisie et l'anarchie qui régnaient dans les appellations commencent à se discipliner, si bien qu'on peut distinguer désormais trois sortes de vins californiens : des vins ordinaires, qu'on appelle simplement « rouges », « blancs » ou « rosés » et qui sont médiocres; des vins qui continuent, comme au début de la création du vignoble californien, à porter

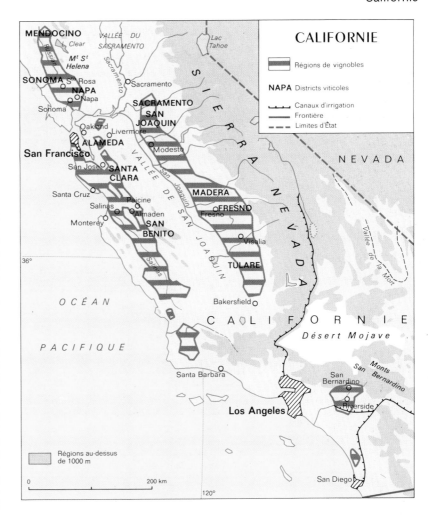

des noms génériques, comme « California Chablis », « California Burgundy », aucune loi ne réglant le pourcentage de Chardonnay (pour le Chablis) ou de Pinot noir (pour le Burgundy) contenu dans ces vins, qui sont de meilleure qualité, même si leur nom emprunté nous choque; enfin, les *Premium Wines* (vins fins), qui représentent l'aristocratie des vins californiens et qui sont d'excellente qualité. Ces derniers sont ce qu'on appelle des *Varietal Wines*, car ils portent le nom de la « variété » de cépage dont ils proviennent (par exemple, Pinot noir, Cabernet-Sauvignon) et correspondent, en quelque sorte, à nos appellations contrôlées. Le nom d'une *winery* sérieuse et renommée, ajouté au nom du cépage, donne encore un supplément de garantie de qualité. La loi exige seulement que, pour porter le nom du cépage, le vin doit être fait avec au moins 51 p. 100 de ce cépage, mais les bons producteurs dépassent largement ce pourcentage légal. Certains producteurs millésiment leurs vins, bien que cette indication n'ait pas

Vignobles de Californie au printemps.
Phot. Ostman.

du tout l'importance qu'elle revêt en France, les caractères des vins californiens ne varient pour ainsi dire pas d'une année à l'autre. La stabilité du climat donne des vins de qualité égale, sans surprise. Le millésime n'est donc ici qu'une indication d'âge, une simple garantie d'épanouissement du vin par le vieillissement.

La Californie produit, à côté des vins de table, une grande quantité de vins mousseux, dont la plupart sont obtenus par la méthode champenoise*. Beaucoup d'entre eux sont médiocres, car il n'existe pas de surveillance légale comme en France. Mais quelques mousseux, issus du Chardonnay et du Pinot blanc, et provenant de *wineries* renommées (comme ALMADEN, BEAULIEU, KORBEL, PAUL MASSON), sont d'excellente qualité. Les mousseux californiens sont vendus sous l'appellation «California Champagne» et «Sparkling Burgundy».

Quant aux vins de liqueur américains, produits à jet continu, ils sont peu estimables pour nos goûts européens : ils contiennent 20 p. 100 d'alcool. Cinq ou six producteurs loyaux, cependant, préparent du Sherry et du Porto selon la tradition espagnole ou portugaise (ALMADEN, LOUIS M. MARTINI).

Canada. Tout le vignoble canadien se trouve réparti autour de Niagara, entre le lac Erié et le lac Ontario (à part quelques vignobles dispersés et négligeables de la Colombie britannique). Il s'étend sur à

peine 10 000 ha et ne produit guère plus de 250 000 hl. Le climat de cette espèce d'isthme formé entre les deux lacs, étant très tempéré par ceux-ci, offre des conditions favorables à la culture de la vigne.

Que sont devenus les quelques pieds de vigne soigneusement plantés, pour en faire du vin, par un des compagnons de Champlain, le gentilhomme picard Jean de Poutrincourt ? Il semble que les vrais débuts de la viticulture canadienne datent de 1811 et que celle-ci soit due non pas à un Français, mais à un Allemand, John Schiller, qui s'établit près de Toronto, y planta des vignes et vinifia. Actuellement, les vins ressemblent à ceux qui sont produits aux États-Unis, dans l'État de New York, tout proche. Ils proviennent d'ailleurs des mêmes cépages : Concorde, Catawba, Niagara, Delaware. Longtemps productrice de vins doux de liqueur du genre Xérès, la province d'Ontario a fait, depuis la fin de la dernière guerre, des essais expérimentaux avec des hybrides* d'origine française sous le climat très doux de la région du Niagara. Les meilleurs vins de table produits ont même droit à une espèce d'appellation contrôlée : «Ontario Superior». BRIGHT'S est la plus grosse entreprise vinicole.

C'est la station expérimentale du ministère de l'Agriculture de la province d'Ontario, à Vineland, qui est chargée des recherches canadiennes en matière viticole. Le gros

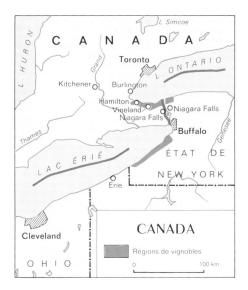

de la production consiste encore en vins doux de dessert, mais la demande en vins de table s'accroît de plus en plus.

Devant l'extension considérable de la viticulture canadienne durant les trente dernières années, on peut supposer que celle-ci fera encore des progrès dans l'avenir.

Canon-Fronsac. Cette appellation comprend les meilleurs coteaux de Fronsac, notamment celui de Canon. Les vins produits sous cette appellation sont d'une belle couleur foncée, corsés, avec une saveur spéciale un peu épicée. Ils rappellent à la fois les Pomerols et les Bourgognes, et sont fort estimés, surtout dans le nord de l'Europe. Quelques années d'attente en font d'excellentes bouteilles. Les principaux crus* sont les Châteaux Canon, Comte, Gaby, etc.

capiteux, épithète qui exprime bien ce qui arrive quand on boit des vins capiteux, « qui portent à la tête ». — N'abusons pas de ces vins riches en alcool qui grisent rapidement (Côtes-du-Rhône entre autres). Méfions nous d'eux, encore plus, quand leur teneur en sucre masque l'alcool et nous les fait prendre pour d'innocentes friandises (vins doux naturels).

Capri, vin blanc sec, un des plus appréciés du sud de l'Italie. — Il est produit non seulement dans l'île de Capri elle-même, près de Naples, mais aussi, légalement, dans l'île voisine d'Ischia et même dans la région environnante du continent (ces deux dernières zones fournissant d'ailleurs, bien souvent, un vin supérieur à celui de Capri). La qualité du Capri varie beaucoup selon les producteurs, et il n'est pas certain que les meilleurs Capris soient exportés.

capsule. Elle entoure le goulot afin d'habiller plus joliment les bouteilles. Mais là ne se borne pas son rôle. Elle assure d'abord, pour le consommateur, l'authenticité de la bouteille. Mais elle permet aussi de protéger le bouchon d'un papillon, genre mite, qui pond ses œufs dans le liège et dont les larves font de grands dégâts. Jadis, on utilisait la cire, malheureusement trop fragile; on l'a remplacée par le plomb étamé ou l'aluminium. Celui-ci ayant l'inconvénient de s'oxyder en cave, le meilleur matériau demeure donc le plomb étamé (les capsules faites en plomb étamé sont appelées très couramment « capsules étain »). La capsule étain, comme la cire, est suffisamment poreuse pour laisser passer l'oxygène, ce qui n'est pas le cas du plastique, employé parfois, bien trop imperméable à l'air.

Au moment de déboucher la bouteille de vin, il faut trancher la capsule très nettement sous l'anneau qui cerne le sommet de la bouteille. Il est, en effet, très important que le vin ne touche pas la capsule lorsqu'on le verse dans les verres : celle-ci risque de lui communiquer un mauvais goût, le « goût de capsule ».

La couleur bleue distinguait jusqu'ici les capsules de vins de table*, de pays* et les V.D.Q.S.*, la couleur verte étant réservée aux A.O.C.*. La loi de finances 1982 prévoit que les V.D.Q.S. auront droit eux aussi, désormais, à la couleur verte.

capucine, récipient de bois qui permet aux vignerons lorrains d'emporter au travail le vin frais dont ils se désaltèrent. — La capucine contient 2 litres; elle est faite d'un assemblage de pièces de bois réunies par des cercles de métal, comme un tonneau, et a la forme d'une bouteille renflée avec un col allongé.

Le nom de cette fidèle compagne de travail a inspiré aux vignerons la création de la « Confrérie des compagnons de la Capucine », dont la mission est de défendre le bon vin de Lorraine.

carafe (vins de), vins jeunes sans prétention, bon marché, servis en carafe et non en bouteille. — Les vins de carafe peuvent être excellents, légers et frais lorsqu'il s'agit d'honnêtes petits vins de pays*.

Carbonnieux (eau minérale de). L'histoire est sûrement apocryphe, mais elle montre joliment l'estime portée à ce grand vin de Graves. On raconte que les moines bénédictins vendaient sous ce nom le célèbre vin blanc de leur domaine de Carbonnieux à la cour du sultan de Turquie, tenue de respecter les prescriptions coraniques d'abstinence. Si l'histoire n'est qu'une histoire, elle fait du moins sourire.

Carcavelos. Ce petit vignoble du Portugal est situé, comme son voisin le Colarès, à deux pas de Lisbonne, mais il occupe les rives de l'estuaire du Tage, là où le fleuve a accumulé ses sédiments : il donne donc un vin totalement différent de celui du Colarès, puisque le sol est beaucoup moins sec et sablonneux. Très recherché au XVIIIe siècle, le vin doux, couleur d'ambre, de Carcavelos est menacé par l'extension de Lisbonne. Le cépage « Galego Dourado » donne un moût* à fermentation rapide. On ajoute à celui-ci un vin complètement fermenté (l'Abafado), sec, très aromatique et doué d'une saveur d'amande caractéristique. On obtient ainsi un vin titrant de 19 à 20⁰. Le Carcavelos, comme le Colarès, devient un vin rare, très demandé en Angleterre et dans les pays scandinaves.

Carignan, cépage rouge très répandu surtout dans le sud de la France. — Il donne de grandes quantités de vins de table, robustes et capiteux, pauvres en acides, utiles aussi pour les coupages*. Il entre dans l'encépagement de beaucoup d'appellations du Languedoc, du Roussillon ou de Provence. C'est aussi un cépage accessoire des vins doux naturels Rivesaltes, Maury, Grand-Roussillon, Banyuls. Les climats humides ne lui conviennent pas, car il devient alors sensible au rot. Aussi le Carignan est-il un cépage de climat chaud et sec, très répandu en Algérie, en Espagne, en Californie (dans ce pays, marié avec le Cabernet, il a donné un hybride*, le Ruby Cabernet).

Carthagène, vin de liqueur, encore préparé traditionnellement dans la région méridionale. — La Carthagène demeure une préparation particulière que les viticulteurs conservent pour eux-mêmes et leurs amis. Elle se fait dans de très petits fûts et en très petite quantité, les viticulteurs ne disposant, pour la préparer, que de l'alcool du privilège des bouilleurs de cru. On ajoute au jus, très riche en sucre, des raisins de Grenache, un litre d'alcool à 96⁰ pour 5 litres de jus. On laisse le tout passer l'hiver sur la lie*, où la clarification s'opère d'elle-même. Après un an de fût, on obtient un vin doré, liquoreux (de 200 à 250 g de sucre naturel par litre) titrant environ 16⁰ d'alcool. Autrefois, seule l'eau-de-vie de vin était employée; de nos jours, on emploie parfois de l'eau-de-vie de marc* de raisin, ce qui donne un produit plus âpre, beaucoup moins fin.
On prépare des vins analogues en Champagne et en Bourgogne (Ratafia, Riquiqui) ainsi qu'en Charentes (le fameux Pineau des Charentes, beaucoup moins sucré que la Carthagène et obtenu avec du Cognac à la place de l'eau-de-vie).

casse brune. Elle est fréquente dans les vins blancs et est due à l'oxygène de l'air. Pour l'éviter, on ajoute de l'anhydride* sulfureux au jus de la vendange avant la fermentation.

casse ferrique. Elle est causée par ce dangereux ennemi du vin qu'est le fer. Il y a risque de casse dès que la teneur en fer dépasse de 10 à 12 mg par litre. Les sels ferriques, par oxydation, s'insolubilisent dans le vin en entraînant les tanins* ou des substances protéiques. Suivant l'aspect du trouble, on distingue la casse bleue ou la casse blanche, qui se produisent brusquement après un contact du vin avec l'air (soutirage* ou filtration* par exemple).
La casse bleue donne au vin rouge une teinte violacée et au vin blanc une teinte plombée, avec formation d'un précipité noirâtre (tanate de fer).
La casse blanche donne au vin un aspect laiteux ou opalescent, dû à la formation de phosphate ferrique, qui a entraîné, en floculant, des matières protéiques.
Pour éviter la casse ferrique, il faut essayer d'éliminer le fer de tous les appareils nécessaires à la vinification. Or, ce fer existe partout, : dans les seaux métalliques des vendangeurs, les appareils de foulage, les chaînes de pressoirs, les tuyaux qui servent aux transvasements et même le ciment des cuves. Les seaux de fer sont désormais remplacés par les seaux en plastique, et on emploie pour toutes les parties ferreuses, qu'il est impossible de supprimer, un vernis protecteur isolant. De plus en plus, on emploie aussi, pour loger le vin, des cuves émaillées ou plastifiées et des cuves en acier inoxydable.
Lorsque le mal est fait, la loi française autorise l'addition d'acide citrique au vin : cet acide dissout les sels ferriques responsables de la casse. Mais le traitement le plus efficace est celui au ferrocyanure de potassium : c'est le collage* bleu.

Cassis, vignoble de Provence, doté d'une appellation* contrôlée et jouissant vraiment d'une situation exceptionnelle. — Autour du charmant port de Cassis, chanté par Frédéric Mistral, il s'étage en gradins dans un cirque de rochers calcaires imposants, ouvert au sud vers le soleil et la mer. L'hiver, les vents frais du nord sont arrêtés par les collines, et, l'été, l'air marin adoucit l'ardeur du soleil. La culture de la vigne, certainement fort ancienne, prit surtout de l'extension sous le règne d'Henri IV, et, depuis, le vin de Cassis a toujours eu une grande renommée parfaitement justifiée.
Le vin blanc, provenant des cépages Ugni blanc, Clairette, Doucillon, Marsanne, Sauvignon et Pascal blanc, a toujours été plus

réputé que le vin rouge. C'est un vin très sec, mais sans acidité, avec beaucoup de finesse, de caractère et de fraîcheur, qui est le compagnon rêvé de la bouillabaisse. Il a besoin de soins attentifs durant la vendange et la vinification pour lui assurer limpidité et brillant, et lui éviter le jaunissement.

Les vins rouges et rosés proviennent des cépages Grenache, Mourvèdre, Carignan, Cinsault et Barbaroux.

Le vin rouge réussi est de qualité, chaud et velouté. Quant au vin rosé, s'il se révèle souple et fruité avec une jolie couleur, il n'atteint certes pas la réputation du célèbre et délicieux vin blanc de Cassis.

Tous ces vins doivent titrer 11° avec un rendement de base de 40 hl à l'hectare.

Castelli Romani, populaires vins de table, d'une très grande variété, qui accompagnent avec bonheur tous les mets de la cuisine romaine. — Les Castelli Romani peuvent manquer de distinction, mais non d'agrément, surtout les vins blancs secs, couleur d'ambre, servis jeunes et en carafe. Ils sont produits autour des villages du sud-est de Rome : Frascati, Marino, Rocca di Papa, Velletri*. Le plus renommé est le vin de Frascati*, qui a droit à l'appellation contrôlée (D. O. C.).

cave. De tout temps, l'importance du rôle joué par la cave dans la conservation et l'évolution des vins avait été remarquée. Columelle, déjà, avait tracé les lignes principales de la cave modèle « orientée au nord, éloignée des bains, du four, de la fosse à fumier, des citernes... ». Quant à Caton, il conseillait de posséder de bonnes caves « afin de pouvoir attendre la hausse ». Mais c'est Chaptal, ce grand chimiste au sens pratique très développé, qui a défini parfaitement la cave idéale dans son *Art de faire le vin,* datant de 1807. La cave doit être exposée au nord, ce qui la met à l'abri des grandes variations de température qui se produisent quand les ouvertures sont au sud. Elle doit être profonde et fraîche. La bonne température, qui doit rester constante hiver comme été, est de 9 à 12 °C (c'est celle des excellentes caves de Champagne, de Saumur, de Vouvray). On peut, si nécessaire, fermer les soupiraux pendant les grands froids et les chaleurs fortes, couvrir le sol de sable de rivière, qu'on arrose l'été. La cave doit être suffisamment ventilée, mais sans excès. L'humidité, sans être trop grande, doit également être constante. Son excès provoque la moisissure des tonneaux, celle des bouchons; le vin, même s'il ne prend pas de mauvais goût, devient mou et sans caractère. La sécheresse détermine la dessiccation des fûts et la transsudation du vin, qui devient dur. La

cave sera sombre, car la lumière trop vive dessèche le vin. Les trépidations de la rue sont très nuisibles : les vibrations remuent la lie*, la remettent en suspension dans le vin et peuvent provoquer l'acescence*. Enfin, la cave doit être propre, ne pas contenir de détritus et de produits odorants (légumes, fruits, mazout, etc.), ni aucune matière susceptible de fermenter. On n'y mettra ni vinaigre ni bois vert. Comme on le voit, si cette cave existe encore dans les maisons d'autrefois, bâties avec la prévoyance et la sagesse de nos aïeux, peu de maisons modernes possèdent désormais cette pièce indispensable à l'œnophile. Hélas! où sont les précieuses caves voûtées d'antan? Au moins peut-on essayer, tant bien que mal, d'obtenir une cave propre et sombre, ayant une température à peu près bonne par des systèmes d'isolation et de ventilation, un degré d'humidité normal (arrosage des caves sèches ou procédés modernes de lutte contre l'humidité excessive).

D'autre part, on ne peut que conseiller à l'œnophile possédant une cave fonctionnelle de tenir un « livre de cave », qui sera pour lui le plus utile des guides. Ce livre permet de noter pour chaque vin à qui, quand et à quel prix il fut acheté, quand et avec quel mets il fut servi. Une colonne spéciale, réservée aux impressions de dégustation, est aussi fort précieuse, amusante, émouvante parfois.

Comment constituer sa cave? A défaut de

Cassis, vue de ses vignobles.
Phot. M.

caveaux, il faut, avant toute chose, l'équiper de casiers spéciaux métalliques ou de caisses de bois solidement arrimées (celles mêmes qui ont servi aux expéditions), ou encore de rayonnages solides. Les bouteilles doivent être couchées de façon que le vin baigne le bouchon; il est à signaler, toutefois, que les bouteilles de Cognac, d'eaux-de-vie, de Porto, d'apéritifs et de liqueurs doivent rester debout.

Un débutant peut fort bien de nos jours, avec trois cents ou quatre cents bouteilles, constituer une jolie cave et posséder ainsi quelques bouteilles de la plupart des vins français : en effet, actuellement, de nombreux viticulteurs consentent à livrer des cartons de six et douze bouteilles. Tous les achats doivent être étiquetés avec le nom, le millésime, la date et le prix d'achat. Et alors commencera, pour l'œnophile néophyte, une belle et passionnante aventure.

cépage, plant de vigne. — Il en existe une grande quantité de variétés : on en a répertorié cinq mille, mais une cinquantaine à peine intéresse l'amateur de vin. Nos vignes à vin européennes descendent toutes du même ancêtre, baptisé *Vitis vinifera* par le botaniste Linné et dont l'origine remonte à l'ère tertiaire, il y a quelque quarante-cinq millions d'années. Certains ampélographes affirment que les vignobles septentrionaux sont issus des anciennes lambrusques indigènes, ou vignes sauvages. D'autres, qu'ils ont été créés par l'apport de cépages originaires d'Orient et du Moyen-Orient, amenés par les migrations humaines. Quoi qu'il en soit, au fil des siècles, chaque région viticole a adopté les cépages qui semblaient lui convenir le mieux, et le même cépage se retrouve parfois, sous un nom différent, dans diverses régions. Dans certaines régions viticoles de grande réputation, la sélection est si ancienne, tellement intégrée à la tradition qu'on en oublie de parler des cépages : c'est le cas, par exemple, du Pinot noir de

Cave de Saint-Émilion.
Phot. René-Jacques.

notre Bourgogne. Parfois le vin provient d'un cépage unique, parfois il résulte de l'association traditionnelle de plusieurs cépages, comme dans le Bordelais ou les Côtes du Rhône.

Le choix du ou des cépages est primordial pour la qualité du vin; le vieux dicton « De bon plant plante ta vigne » ne proclame-t-il pas une vérité élémentaire? C'était aussi l'opinion d'Olivier de Serres, ce grand réformateur de l'agriculture, qui trouvait que « le génie du vin est dans le cépage ». Pourtant, à une certaine époque, on avait eu tendance à remplacer les plants nobles, fragiles et, de plus, à petit rendement, par des cépages vulgaires, mais solides et à gros rendement, ce qui fit écrire en 1872 à Jules Guyot, dans son ouvrage *Culture de la vigne et vinification :* « L'idée du cru a absorbé l'idée du cépage, tandis qu'en réalité le cépage domine le cru. La religion du cep a précédé celle du cru; la superstition du cru a tué le cep! »

Actuellement, la viticulture moderne semble avoir trouvé la vraie voie en essayant de réaliser l'équilibre parfait entre le cépage et le terroir*, mais elle a dû, auparavant, traverser la terrible épreuve du phylloxéra* et reconstituer presque entièrement le vignoble.

Parmi les principaux cépages producteurs de vin rouge citons : le Pinot noir, le Cabernet-Sauvignon, le Cabernet franc, le Cot, le Grenache, le Gamay, le Merlot, le Mourvèdre, le Carignan, la Mondeuse, le Tannat, etc.; parmi les cépages producteurs de vin blanc, le Chardonnay, le Sauvignon, le Pineau de la Loire, la Clairette, le Sémillon, le Chasselas, le Riesling, le Sylvaner, le Traminer, etc. (près de cent cinquante cépages rien qu'en France).

Les experts ne sont pas toujours d'accord entre eux pour établir l'identité et la filiation des cépages, dont les liens de parenté ne sont pas toujours très nets : ne dit-on pas, par exemple, que les cépages d'où est issu le Porto sont d'origine bourguignonne, mais sans pour autant le prouver? D'autre part, de très vieilles variétés traditionnelles, cultivées depuis des siècles, se sont d'elles-mêmes, spontanément, divisées en lignées différentes, et l'ampélographie moderne continue à faire des croisements et des sélections en vue d'obtenir la meilleure qualité, jointe à une résistance satisfaisante aux maladies.

L'encépagement, de nos jours, est rigoureusement contrôlé; certains cépages sont formellement prohibés. Les vins bénéficiant d'une appellation* contrôlée et du label v. d. q. s.* doivent se plier à une rigoureuse discipline concernant leur encépagement, le pourcentage de chaque cépage, le rendement, la taille, etc. (V. les principaux cépages à leur ordre alphabétique.)

Chablis : vue aérienne.
Phot. Lauros-Beaujard.

Cérons. Limité par Barsac au sud et par la région des Graves au nord et à l'ouest, le vignoble de Cérons occupe la rive gauche de la Garonne, dans la région des grands vins blancs. L'appellation « Cérons » s'étend aux communes de Podensac et d'Illats. Les cépages sont ceux de Sauternes, et la vendange se fait comme à Sauternes, par tris successifs, avec les mêmes soins méticuleux. Le Cérons est un vin très fin et élégant. Moins liquoreux que le Sauternes, il est plus léger, plus nerveux et plus fruité que celui-ci.

Une partie de la récolte du vignoble est vinifiée en sec ou demi-sec et donne un excellent vin fruité qui se classe alors parmi les meilleurs Graves, tout en gardant la sève caractéristique des Sauternes-Barsac. Les meilleurs crus sont les Châteaux de Cérons et de Calvimont, Lamouroux, Haut-Mayne, Grand Enclos du Château de Cérons, etc.

Chablis, vignoble le plus septentrional de la Bourgogne, s'étendant autour de la petite ville de Chablis. Ses vins blancs, secs, très fins et fruités, d'une admirable limpidité, jouissaient d'une fort grande renommée dès le IXe siècle. Les moines cisterciens installés dans l'abbaye de Pontigny, trois siècles plus tard, contribuèrent grandement à développer cette flatteuse réputation.

Avant l'invasion du phylloxéra* et la destruction du vignoble, la région produisait le tiers de l'ensemble des vins de Bourgogne. Replanté dans les régions de grands crus, de réputation universelle, le vignoble se trouve malheureusement exposé aux gelées de printemps, qui lui causent, certaines années, des dégâts considérables. En 1957, il a été presque totalement détruit par les gelées. Mais, avec courage, les vignerons s'obstinent à lutter contre le fléau. Ils ont d'abord installé des brûlots

Chablis, le plus septentrional des vignobles de Bourgogne, a organisé un système efficace contre les gelées de printemps par chaufferettes au propane.
Phot. M.

BOUCHARD PÈRE & FILS
CHABLIS
1968
APPELLATION CHABLIS CONTROLÉE
MIS EN BOUTEILLES PAR LA MAISON
BOUCHARD PÈRE & FILS, NÉGOCIANTS AU CHÂTEAU, BEAUNE (CÔTE-D'OR)

Maître de chai avec son tablier traditionnel et les attributs de sa souveraineté : pipette et tâte-vin.
Phot. M.

dans les vignes, puis, plus récemment, organisé un réseau de réchauffement du vignoble, grâce à des chaufferettes alimentées au fuel. Des essais de chauffage par infrarouge sont même poursuivis.

Le seul cépage est le Chardonnay, plant de tous les grands vins blancs de Bourgogne, appelé ici « Beaunois ».

Le sol du vignoble, qui s'étage sur les coteaux qui bordent le Serein, convient admirablement à la vigne : sol caillouteux, issu des marnes et des calcaires marneux du jurassique supérieur.

Le Chablis, sec, léger et nerveux, est le vin de fruits de mer par excellence. Déjà Eustache Deschamps, au XVe siècle, chantait :

« Je donnerais fortune et titre
Pour m'enivrer de ce vin blanc
Avec des huîtres. »

Chablis : les appellations d'origine contrôlées. Quatre appellations : « Chablis Grand Cru », « Chablis Premier Cru », « Chablis » et « Petit Chablis ».

Les appellations « Chablis Grand Cru » et « Chablis Premier Cru » peuvent être suivies du nom du climat* d'origine. (V. Annexes.) Le rendement maximal autorisé à l'hectare est de 40 hl, sauf pour le Chablis Grand Cru, où il n'est que de 35 hl. Le degré minimal est de 11^0 pour le Chablis Grand Cru, de $10,5^0$ pour le Chablis Premier Cru, de 10^0 pour le Chablis et de $9,5^0$ pour le Petit Chablis.

chabrot ou **chabrol.** Dans certaines provinces du midi de la France et aussi dans le centre de notre pays, il était de rigueur autrefois de verser un peu de vin dans l'assiette où le potage avait été servi. La coutume voulait que l'on boive ce vin à même l'assiette, qu'on portait à sa bouche. Le chabrot est maintenant presque une survivance folklorique bien qu'il se pratique encore régulièrement en Béarn.

chai, local situé au ras du sol, où se déroulent les opérations de la vinification. — On emploie aussi le mot *cellier* ou, dans certaines provinces, le mot *cuverie*. Le chai doit être, autant que possible, à l'abri des variations de température, être plafonné ou voûté et surmonté de greniers ou d'autres locaux. Les murs doivent être munis de petites ouvertures vitrées non exposées au midi. Le chai doit être constamment tenu propre et débarrassé des produits susceptibles de moisir ou de fermenter (bois vert, vinaigre).

chai (maître de), personnage considérable dans tous les vignobles de quelque importance. — La réussite d'un vin dépend de son appréciation et est soumise à sa seule autorité. Le maître de chai est le dépositaire de vingt siècles d'observations, de recherches et de traditions. S'il fait bénéficier le vin des découvertes de la science actuelle, il connaît aussi les tours de main et recettes d'autrefois. Il sait que les saisons, le froid, la lune, la sève et tant d'autres choses, que l'homme moderne croit avoir asservies, ont toujours sur le vin une influence aussi capricieuse que mystérieuse. Philosophe et homme de science, traditionaliste et ouvert au progrès, le maître de chai est surtout doué de sens extraordinairement affinés et subtils. Lui seul décide du meilleur moment pour soutirer. Lui seul prend la décision de la mise en bouteilles. Lui seul sait deviner dans un vin nouveau les promesses d'un bel avenir, alors que ses caractères sont encore imperceptibles au commun des mortels. Aucun instrument, si perfectionné soit-il, ne remplacera jamais l'œil exercé, l'odorat et le goût infaillibles du maître de chai, qui règne sur la cave en veste noire et tablier de cuir.

Chaînette (Clos de la), cru très renommé, situé au cœur de la ville d'Auxerre et enclos dans l'hôpital psychiatrique départemental. — C'est un lambeau restant de la sainte vigne que possédait saint Germain au IVe siècle dans la cité épiscopale d'Auxerre et qui lui venait en héritage de ses parents. Les vins d'Auxerre jouissaient alors d'une très grande renommée, et les manuscrits du Moyen Age en parlent avec lyrisme. Les vins du Clos de la Chaînette étaient servis à la table des rois de France. Ils ont conservé de nos jours une exceptionnelle qualité.

chair. Un vin qui a de la chair a beaucoup de consistance et de plénitude. Il donne à la dégustation une sensation réelle, perceptible, « charnelle » de forme et de volume. Le vin charnu réalise toujours un merveilleux équilibre entre l'alcool, l'extrait sec et la glycérine qu'il contient.
Un vin « décharné » produit la sensation contraire.

Chambertin. Magnifique et viril, le Chambertin est considéré à travers le monde comme le grand seigneur de la Bourgogne. C'est vers 630 que le duc de Bourgogne fit don à l'abbaye de Bèze d'une terre de Gevrey que les bons moines s'empressèrent de défricher pour en faire un vignoble de renom. Un terrain voisin de l'abbaye appartenait à un certain Bertin, qui, poussé par l'exemple, planta aussi la vigne dans ce « champ de Bertin », dont le nom abrégé devint bien vite Chambertin. Ce n'est pourtant qu'au XVIIIe siècle, sous l'impulsion d'un certain Jobert, qui se rendit acquéreur de Chambertin et du Clos de Bèze, que le cru devint véritablement exceptionnel. Napoléon Ier, pourtant piètre gourmet, n'a pas peu contribué à son renom, puisqu'il préférait le Chambertin aux autres vins.
Chambertin et Clos de Bèze sont deux crus contigus. Dans la pratique, on vend une partie du Clos-de-Bèze sous le nom de « Chambertin-Clos-de-Bèze » et le reste sous le nom de « Chambertin ». Par contre, le Chambertin n'a jamais droit au nom de « Clos-de-Bèze ». Plusieurs vignerons sont propriétaires, et chacun fait son vin à sa façon, ce qui explique les légères différences qui peuvent exister entre les divers Chambertins. Mais ceux-ci sont tous de très grands vins, robustes et virils, drapés dans une robe superbe d'un rouge profond, avec un nez exceptionnel à nul autre pareil.

Chambolle-Musigny. Cette commune de la Côte de Nuits produit depuis des siècles des vins extrêmement réputés. C'est en 1878 que Chambolle fut autorisé à joindre à son nom celui de Musigny, son climat* le plus renommé et aussi un des plus anciens de la Bourgogne.
Plus féminins que les Chambertins, les vins rouges de Chambolle-Musigny ont un bouquet et une suavité incomparables, et beaucoup d'œnologues s'accordent à les trouver les plus fins et les plus délicats de la Côte de Nuits.
« Musigny » et les « Bonnes-Mares » sont les deux grands crus de Chambolle (les Bonnes-Mares sont à la fois sur Chambolle et sur Morey-Saint-Denis). Ils ont le droit de porter sur l'étiquette leur nom seul, sans le nom de la commune, ce qui signe leur excellence.
Les vins des Bonnes-Mares ont les qualités à la fois des vins de Morey et de ceux de Musigny. Ils allient le moelleux et la rondeur à la délicatesse.
Le cru de Musigny comprend trois parties : Musigny, les Petits-Musigny et la Combe-d'Orveau. Il donne ce qu'on peut véritablement appeler un « vin de dentelle* », tout en délicatesse et en féminité, exhalant un bouquet de violette et de fraise des bois.
Une vingtaine d'autres crus sont classés premiers crus et ont le droit de porter leur nom sur l'étiquette avec celui de Chambolle. Le meilleur est les Amoureuses, suivi des Charmes, des Cras, des Borniques, des Baudes, etc. Les vins de ces crus ont les caractères communs à ceux qui sont produits par la commune, mais avec encore plus de délicatesse et d'élégance et un bouquet charmeur.
Un peu de vin blanc est produit sur la commune : le Musigny blanc est excellent, mais malheureusement fort rare.

chambrer, expression qui date du XVIIIe siècle et qui voulait simplement dire que le vin devait être monté de la cave dans une chambre, laquelle était l'office, pièce où l'on conservait et préparait les denrées. — Cette pièce apparaîtrait froide à nos contemporains habitués au chauffage central. Les caves étaient alors de vraies caves, dont la température ne dépassait guère 10 ou 12 °C. Chambrer un vin, à l'origine, consistait donc à le sortir de la cave pour l'amener, au cours du séjour dans la « chambre », approximativement à 14 °C (rarement plus), qui passe pour la température idéale de dégustation. L'expression *chambrer un vin* a peu à peu dégénéré pour devenir, trop souvent de nos jours, synonyme de *chauffer un vin.*

Champagne (la). Il est impossible de s'intéresser au Champagne avant de bien connaître la région qui l'a fait naître. Sans l'ensemble de conditions réunies dans cette région particulière, le Champagne

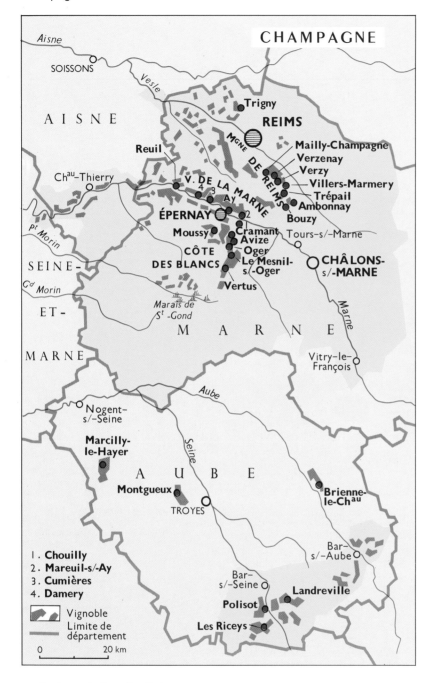

CHAMPAGNE

Trigny
REIMS
Reuil
Mailly-Champagne
Verzenay
Verzy
V. DE LA MARNE
4 3
Ay 2
Villers-Marmery
Trépail
Ambonnay
Bouzy
ÉPERNAY
Moussy
Cramant
Avize
Oger
Le Mesnil-s/-Oger
Tours-s/-Marne
CÔTE
DES BLANCS
CHÂLONS-s/-MARNE
Vertus
Marais de S¹-Gond
Vitry-le-François
SOISSONS
Aisne
Vesle
Mgne DE REIMS
Chᵃᵘ-Thierry
Pt Morin
SEINE-
Gᵈ Morin
ET-
MARNE
M A R N E
Marne
Aube
Nogent-s/-Seine
Marcilly-le-Hayer
Montgueux
Seine
Brienne-le-Chᵃᵘ
TROYES
A U B E
Bar-s/-Aube
Bar-s/-Seine
Landreville
Polisot
Les Riceys
AISNE

1. **Chouilly**
2. **Mareuil-s/-Ay**
3. **Cumières**
4. **Damery**

Vignoble
Limite de département
0   20 km

Le jaune indique les limites territoriales de l'appellation Champagne.

*Double page précédente :
vignobles en Champagne.*
Phot. René-Jacques.

dont la réputation devait être bien grande pour que s'élève, à leur propos, la fameuse querelle entre partisans du Bourgogne et partisans du Champagne.

La Champagne viticole s'étend sur trois départements : Marne principalement, Aube, Aisne et quelques hectares de Seine-et-Marne. Le cœur en est le vignoble marnais, qu'on divise en trois grandes régions : la Montagne de Reims, la Vallée de la Marne, la Côte des Blancs. La Champagne est l'illustration parfaite de la formule d'Olivier de Serres « l'air, le sol et le complant sont les fondements du vignoble ». C'est de ces trois éléments, unis ici en un tout solidaire et unique au monde, que le Champagne tire sa perfection inégalable.

La Champagne bénéficie d'un climat spécial, très favorable, malgré sa situation paradoxale à la limite septentrionale de la culture de la vigne. Les rivières, les forêts régularisent l'humidité; les hivers sont relativement doux, et l'été et l'automne souvent lumineux : les rayons du soleil sont renvoyés par la terre de craie, et la vigne jouit ainsi du maximum de chaleur et de lumière. Le sous-sol, crayeux, contre-balance, par ses propriétés basiques, l'effet des acides parvenant aux racines et assure un drainage parfait. Mais surtout, ce sous-sol, véritable don du ciel, a permis de creuser les caves célèbres indispensables à la création du Champagne : 200 km de galeries souterraines où s'élabore le vin prestigieux!

Les nobles cépages qui existaient en Champagne dès le haut Moyen Age sont précoces et vigoureux, et leurs vins sont d'une très grande finesse. Ces cépages sont principalement le Pinot noir et le Chardonnay. Le Pinot noir produit en Bourgogne les grands vins rouges. Ici, il est vinifié en blanc (Blanc de Noirs). Le Chardonnay est le cépage des grands vins blancs de Bourgogne. Il donne en Champagne des vins appréciés pour leur blancheur, leur finesse, leur fraîcheur et leur facilité à prendre la mousse (Blanc de Blancs). Le Pinot Meunier donne un vin moins fin et moins nerveux. Il est utilisé dans les seconds crus. Les crus n'ont pas en Champagne l'importance qu'ils prennent dans les autres vignobles. La plupart des vins de Champagne sont faits, en effet, traditionnellement, d'un assemblage de vins provenant de différents crus, et c'est dans les proportions, tenues secrètes, de ce mélange que réside d'ailleurs le caractère de chaque grande maison. Ici, la marque l'emporte sur le vignoble, contrairement aux autres régions. Toutefois, il existe des Champagnes (produits généralement par de petits producteurs) qui proviennent de raisins récoltés sur une seule commune : Cramant, Avize, Le Mesnil, Ay, Mailly, etc. Cependant la notion de cru existe malgré

n'aurait pas atteint la perfection qui est la sienne. Le législateur a d'ailleurs sévèrement délimité l'aire de production du Champagne, et certaines régions qui fournissaient autrefois leurs vendanges aux négociants champenois ont été ainsi impitoyablement écartées. La vigne fut cultivée en Champagne dès le début de l'ère chrétienne, et, au Moyen Age, les vins champenois étaient déjà fort renommés. C'étaient alors des vins tranquilles rouges ou blancs,

La Montagne de Reims et le vignoble champenois.
Phot. Lauros.

tout, puisque les bonnes maisons constituent leurs cuvées avec des vins provenant des terroirs privilégiés.

Selon une liste établie par le Comité interprofessionnel, l'échelle des crus s'étend de 77 à 100 p. 100 (elle sert à calculer mathématiquement le prix du kilo de raisin). Un « grand cru » est coté à 100 p. 100 (11 communes seulement : Sillery, Ambonnay, Cramant, etc.). Un « premier cru » est coté de 90 à 99 p. 100 inclus (41 communes). Le reste est situé entre 89 et 77 p. 100 (200 communes).

À côté du vin mousseux qui fait sa gloire, le terroir de Champagne donne aussi des vins tranquilles, les « Coteaux champenois* » et l'extraordinaire rosé des Riceys* (qu'il ne faut pas confondre avec le Champagne rosé).

Champagne (le). Vin de fête, vin de joie, le Champagne occupe une place à part dans l'« Armorial » des vins de France et aussi dans nos cœurs. Présent aux petits soupers de la Régence, apprécié par la belle Pompadour, « qu'il laissait encore belle après boire », ce vin d'or pâle s'associe toujours à notre existence, dont il célèbre fidèlement les grands et les petits bonheurs. Les chiffres officiels des expéditions, France et étranger confondus, montrent qu'il s'est vendu, en 1982, 146 530 000 bouteilles, contre 159 millions en 1981, soit 2 p. 100 en moins pour la France et 14,6 p. 100 en moins pour l'étranger; 43 901 000 bouteilles ont été exportées et nos meilleurs clients sont devenus désormais la Grande-Bretagne, les États-Unis, l'Italie, la Belgique, l'Allemagne fédérale.

Il n'y a qu'un seul Champagne, les autres vins mousseux (qui peuvent d'ailleurs atteindre la très grande qualité) sont des vins qui moussent. La méthode champenoise*, de seconde fermentation en bouteille, est employée pour beaucoup de vins mousseux français, certains d'entre eux, remarquables, ayant droit à une appellation* d'origine contrôlée : « Vouvray mousseux », « Saumur mousseux », « Saint-Péray mousseux », etc. Mais l'élaboration du Champagne exige, en dehors de cette méthode, une série de soins spéciaux qui font bien de ce gracieux Ambassadeur de la France un vin original, un vin unique au monde. Les vendanges*, le pressurage*, la première fermentation*, la constitution de la cuvée* sont autant d'épreuves délicates qui ont exigé, comme la méthode champenoise, des siècles de mise au point.

N'ont droit à l'appellation « Champagne » que les vins produits dans l'aire délimitée de la Champagne, uniquement avec des raisins provenant des vignes de la région. Les vendanges sont faites à maturité, mais sans attendre la surmaturation, qui nuirait à la finesse du parfum. Les raisins sont manipulés avec un soin extrême afin d'éviter la coloration des moûts*, surtout lorsqu'il s'agit de raisins noirs. L'épluchage* est ici de règle. Puis vient le pressurage. Les grandes maisons achètent le raisin et préfèrent le presser dans leurs propres locaux (appelés « vendangeoirs »). Les raisins ne sont jamais foulés avant d'être pressés : cela se comprend aisément (surtout pour les raisins noirs), puisqu'on vise à obtenir avant tout un jus clair et non taché. Les pressoirs champenois sont particuliers; de surface large et de faible hauteur, ils permettent au jus de traverser rapidement les peaux sans dissoudre la matière colorante. On presse généralement

Deux affiches publicitaires (vers 1900), par Alphonse Mucha (à g.) et M. Réalier-Dumas (à dr.). Bibliothèque de l'Arsenal. Phot. Lauros-Giraudon.

4 000 kg à la fois, qui donneront d'abord 20,5 hl de « cuvée », puis 4 hl de première « taille » et 2 hl de seconde « taille ». Seule la cuvée est généralement utilisée pour les meilleurs vins.

La première fermentation s'effectue normalement comme pour tous les vins blancs. Le vin fermente soit en pièces champenoises de 205 litres, soit dans de grandes cuves verrées modernes, comme en possèdent certaines grandes maisons pourvues d'un équipement industriel. On obtient alors un vin tranquille*, que le froid de l'hiver ne tarde pas à clarifier : un soutirage* le sépare alors du dépôt.

Mais voici venir, dès le mois de janvier et jusqu'au début de mars, l'époque délicate de la constitution de la cuvée : c'est alors que la technique commence à céder la place à l'art. C'est la marque qui permet de différencier les différents types. Chaque marque possède donc une recette person-

nelle de « cuvée », qui groupe harmonieusement des vins ayant des qualités complémentaires et qui vise à garder le type de Champagne aimé par sa clientèle. En gros, en année normale, la cuvée se compose à peu près d'un quart de vins de la région d'Ay (finesse et race), d'un quart de vins de la Vallée de la Marne, versant nord (corps, vigueur), d'un quart de vins de la Montagne de Reims, versant Reims (fraîcheur, bouquet), d'un quart de vins de la Côte des Blancs (grâce, élégance, finesse), les proportions variant suivant les années froides ou chaudes. C'est à dom Pérignon* qu'on attribue l'idée géniale de ces mariages heureux entre vins champenois.

Seul le Champagne provenant de raisins blancs peut porter la mention « Blanc de Blancs ».

Enfin, pour donner une preuve d'authenticité supplémentaire, toute étiquette de Champagne doit toujours faire mention du numéro sous lequel la marque est inscrite sur les registres du Comité interprofessionnel du Vin de Champagne ; ce numéro est précédé des initiales N. M. lorsqu'il s'agit d'une marque principale appartenant à un négociant manipulant, M. A. lorsqu'il s'agit d'une marque secondaire appartenant à un négociant manipulant ou appartenant à un négociant non manipulant, R. M. lorsque la marque appartient à un vigneron récoltant manipulant et vendant lui-même son vin, C. M. lorsque la marque appartient à une coopérative de manipulation. Le Champagne, en général, est l'œuvre de négociants manipulants qui le font avec des raisins récoltés sur leurs propres vignes ou achetés à des vignerons.

Champagne (batteur à), instrument barbare né de l'esprit inventif d'un ennemi du Champagne. — Tenter de supprimer les bulles légères de ce vin spirituel revient à essayer de lui enlever tout son esprit et son élégance. Le Champagne ainsi maltraité prend immédiatement un goût d'évent désagréable. Le breuvage n'est plus du Champagne et n'est pas du vin; ce n'est plus qu'une tisane qui désole le palais et l'estomac.

Champagne millésimé. On ne millésime en Champagne que les bonnes années (celles, par exemple, comme le déclare un dicton champenois, où les vignes ont eu leurs cent jours de soleil). D'autre part, chaque maison n'a le droit de millésimer que 80 p. 100 au maximum de ses rentrées, et le vieillissement minimal obligatoire est alors de trois ans après la vendange. Pour ces trois raisons, le Champagne millésimé est de qualité supérieure à la moyenne des vins produits par chaque marque. En réalité, le millésime n'a pas en Champagne l'impor-

Champenois

tance prépondérante qu'il présente dans les autres vignobles. Les marques de Champagne visent surtout à produire un vin de qualité suivie, quelles que soient les années, et qui ne risque pas de décevoir leur fidèle clientèle. Pour y arriver, elles pratiquent avec art la technique des coupages* et des assemblages*, c'est-à-dire le mélange des vins provenant non seulement de crus différents, mais aussi d'années différentes.

Tous les vins non millésimés proviennent donc d'un assemblage de plusieurs récoltes dont les qualités et les défauts se complètent, afin de réaliser un équilibre harmonieux et continu dans le temps; ainsi, une année très corsée sera mariée avec une année très légère, etc. C'est pourquoi, dans la même marque, il n'y a pratiquement pas de différence entre des Champagnes provenant d'années différentes, mais non millésimées. C'est pourquoi aussi un amateur averti peut trouver des ressemblances entre deux Champagnes de marques différentes, mais du même millésime, alors que ces mêmes marques donnent, dans les années non millésimées, des vins qui n'ont aucun point commun.

Les Champagnes de 1870 furent les premiers à avoir leur millésime imprimé sur l'étiquette. Puis, vers 1880, l'usage se généralisa. Certains millésimes champenois sont restés inscrits dans la fervente mémoire des amateurs, pour ne parler que des plus récents : 1937, 1943, 1945, 1947, 1949, 1952, 1953, 1955, 1959 et, plus près de nous encore, 1961, 1970, 1971, 1973, 1975, 1976, 1978, 1979 et 1981.

Champagne rosé. Aimable fantaisie qui verse dans nos verres, au lieu du classique vin d'or pâle, un vin rose aux reflets de rubis. Le Champagne rosé se fait selon un procédé traditionnel et centenaire : en effet, il était déjà réclamé au siècle dernier par les cours de Russie et d'Allemagne. Sa préparation ne rappelle en rien celle des vins rosés des autres régions de France. C'est un procédé tout à fait particulier à la Champagne : on ajoute à la cuvée, au moment de sa constitution, une très légère quantité d'un vin rouge de Champagne jusqu'à ce qu'on obtienne la jolie teinte désirée. Cette opération est assez délicate, car il ne faut surtout pas que le vin rouge ajouté modifie le caractère initial de la cuvée. Le vin rouge doit être obligatoirement originaire de la Champagne; on choisit généralement un beau Bouzy millésimé, coloré et corsé. Cette légère addition de vin rouge à la cuvée se fait obligatoirement avant le tirage* et en présence d'agents des Contributions indirectes.

Un Champagne rosé est donc un Champagne loyal, de qualité, qui a droit à toute

notre considération et que certaines grandes marques réussissent à la perfection. Une méthode ancestrale, consistant en vinification des moûts en rosé, donne des vins plus charpentés, plus corsés. Bien trop risquée, elle n'est plus pratiquée que par quelques rares maisons.

Champenois (Coteaux). Cette appellation* d'origine contrôlée de la Champagne a vu le jour lors du décret du 21 août 1974. Elle met fin à l'appellation équivoque «Vin nature de la Champagne», qui, auparavant, désignait légalement des vins tranquilles* (non mousseux) récoltés sur le territoire délimité de la Champagne viticole et provenant des cépages autorisés. Cette ancienne appellation était pleine d'ambiguïté, car on avait parfois tendance à utiliser tout simplement l'expression «Champagne nature» pour désigner ces vins, ce qui était tout à fait incorrect, puisque l'appellation «Champagne» est légalement réservée aux vins de la Champagne rendus mousseux.

Actuellement, la plus grande partie de la récolte sert à la préparation du Champagne, car celui-ci est d'un meilleur rapport. Pourtant, la renommée des vins de Champagne avant la généralisation des vins mousseux était fort grande, et il s'agissait alors de vins tranquilles, clairets, blancs, mais surtout rouges. Les vins rouges de Champagne furent très réputés au Moyen Age, et la célèbre querelle qui opposa les partisans du vin de Champagne et ceux du vin de Bourgogne est là pour nous rappeler la réputation du vignoble champenois : inaugurée en 1652 par une thèse de Daniel Arbinet prônant le vin de Bourgogne, la lutte se poursuivit sur le plan médical à grand renfort de thèses, lutte d'autant plus virulente que Fagon, médecin de Louis XIV, avait accusé le Champagne d'être la cause de la fistule dont souffrait le roi. Les poètes et les plaideurs entrèrent dans l'arène après les médecins, et ce n'est qu'en 1778 qu'un arrêté de la Faculté de médecine de Paris, donnant la préférence au vin de Champagne, en raison de ses vertus diurétiques, mit fin à cette nouvelle guerre de cent ans, où seule l'encre avait coulé, en consacrant le triomphe du vin de Champagne.

En 1816, Jullien* classait encore les vins rouges de Champagne parmi les meilleurs vins fins du royaume et leur trouvait «beaucoup de finesse et d'agrément».

On a comparé volontiers le bouquet et la saveur de ces vins rouges à ceux des meilleurs vins de Bourgogne, ce qui ne saurait nous étonner, puisque tous sont issus du même cépage : le Pinot noir. Certains viticulteurs produisent encore actuellement de bons vins rouges de Cumières,

*Étiquettes et collerettes
de Champagne.*

d'Ambonnay et surtout de Bouzy, les plus réputés. Ces vins se boivent jeunes, en général, bien qu'ils vieillissent fort honorablement dans les bonnes années. Ils sont tendres, bien coulants et très bouquetés.

De nos jours, la plupart des vins blancs non mousseux de Champagne proviennent de la Côte des Blancs. Ils sont donc faits avec des raisins blancs (bien qu'il existe parfois des Blancs de Noirs tranquilles). Ce sont des vins secs, rafraîchissants et pleins de charme, surtout dans les bonnes années. Ils doivent être bus jeunes, en général. Ceux qui proviennent de Mesnil sont délicieux, fruités et fins, mais moins corsés que ceux de Cramant.

Les ex- « Vins nature de la Champagne » n'étaient jadis que des vins à appellation* simple, dont la seule obligation était de provenir de la Champagne : leur qualité n'était pas toujours régulière. Anoblis par l'appellation contrôlée « Côteaux Champenois », suivie éventuellement de leur commune d'origine, les vins doivent maintenant répondre à des règles strictes fixées par le législateur et remplir les conditions prévues pour l'appellation « Champagne » (rendement à l'hectare, tenue d'un carnet de pressoir, etc). Ils doivent aussi subir un examen par prélèvement et l'épreuve de la dégustation par une commission désignée par l'I. N. A. O.*.

La bouteille champenoise, avec son bouchon et l'agrafe, a été conservée pour la présentation des « Côteaux Champenois ».

champenoise (méthode), méthode employée pour les vins mousseux français à appellation contrôlée (sauf pour quelques-uns d'entre eux qui emploient la méthode rurale*). — Le principe semble assez simple : il s'agit de provoquer une fermentation* secondaire dans une bouteille hermétiquement bouchée, en ajoutant du sucre au vin de base, obtenu par le procédé habituel de vinification. Le sucre se décompose en donnant du gaz* carbonique qui reste dissous dans le vin, puisqu'il ne peut s'échapper. Dans la pratique, l'obtention de ces Mousseux est fort délicate, et il a fallu plusieurs siècles pour mettre la méthode au point : ainsi, au début du siècle dernier, la casse des bouteilles était fort importante (15 à 20 p. 100), et 80 p. 100 des bouteilles ont cassé en 1828.

En réalité, la méthode champenoise, prise dans le sens strict du terme, et telle qu'elle est pratiquée en Champagne, est un ensemble de règles intransigeantes, qui n'est pas respecté dans la préparation des Mousseux. Depuis les vendanges jusqu'au vieillissement, en passant par la constitution de la cuvée*, il règne en Champagne une discipline, absolue et traditionnelle, où aucun fléchissement n'est possible.

L'expression *méthode champenoise* sur une étiquette de Mousseux veut dire simplement que ce vin est obtenu par fermentation secondaire en bouteille, suivie de dégorgement*, le séjour en bouteille du vin étant obligatoirement de neuf mois pour les vins à appellation d'origine et de quatre mois pour les vins sans appellation (au lieu de douze mois au moins pour le Champagne).

Le schéma de la méthode champenoise est le suivant : après un certain temps de repos, le vin tranquille*, obtenu après fermentation classique, est mis en bouteilles en vue de la prise de mousse (on choisit le moment de la montée de la sève printanière). On lui ajoute à ce moment la liqueur* de tirage. La seconde fermentation démarre alors peu à peu après la mise sur lattes, ou entreillage*, des bouteilles. Puis on procède aux délicates opérations de remuage*, afin de rassembler les dépôts et les lies. Les bouteilles attendent alors sur pointe le temps nécessaire. Après quoi, on soumet les bouteilles à l'opération du dégorgement, afin de retirer le dépôt, et on procède enfin au dosage*, opération qui consiste à ajouter la liqueur* d'expédition (dosée suivant les goûts qu'on désire obtenir), laquelle vient à point pour combler le vide laissé par le dégorgement. Les bouteilles reçoivent ensuite le bouchon d'expédition, enfoncé à force à la machine et maintenu solidement par un muselet de fer.

Champigny, petit hameau situé sur la commune de Souzay et produisant, sous l'appellation* d'origine contrôlée « Saumur-Champigny », le meilleur vin rouge du Saumurois et de tout l'Anjou. — L'aire d'appellation comprend les communes de Chacé, de Dampierre, de Parnay, de Saint-Cyr-en-Bourg, de Saumur, de Souzay, de Varrains, de Turquant et de Montsoreau. Le Saumur-Champigny, déjà célèbre dès le haut Moyen Age, fait penser à ses cousins de Touraine, le Chinon et le Bourgueil, mais en plus corsé. Certains amateurs lui trouvent l'arôme du Médoc et la chair d'un Beaune, avec toutefois une note fruitée bien personnelle. Titrant de 10 à 12°, ce vin possède une belle robe rubis foncé, de la fermeté, de la générosité et un bouquet épanoui de framboise et de fraise des bois. Il donne, en bonnes années, de bien belles bouteilles de garde.

chantepleure, nom employé dans la région de Vouvray pour désigner la cannelle, c'est-à-dire le robinet de bois que l'on enfonce dans les tonneaux afin d'en tirer le vin. — D'où vient ce nom? Le robinet « chante » lorsqu'on l'ouvre, puis le vin « pleure ». Un peu avant la dernière guerre,

Vouvray a créé la « Confrérie des chevaliers de la Chantepleure », qui réunit ses membres, aux solstices d'été et d'hiver, dans les caves de la « Bonne Dame ».

chapeau, nom donné aux éléments solides de la vendange (pellicules, pépins) soulevés par le dégagement de gaz* carbonique et qui flottent à la surface du moût* en fermentation, la fermentation pouvant se faire à « chapeau flottant » ou à « chapeau submergé ». — La matière colorante* se trouvant dans le chapeau, il est nécessaire, pour obtenir des vins colorés, de mettre le moût en contact avec le chapeau. On peut, pour cela, arroser le chapeau avec du jus provenant de la base de la cuve et prélevé avec une pompe. On peut encore enfoncer le chapeau de temps en temps avec des instruments de bois. Il est possible aussi de le maintenir au milieu du moût par un système spécial.

chaptalisation, opération appelée encore « sucrage ». — Elle soulève depuis quelques années des controverses passionnées. Cette addition de substances sucrées au moût* insuffisamment riche n'est pas nouvelle. On utilisa d'abord le miel, et, aux environs de 1790, le sucre, que la France commençait à connaître, était employé au Clos de Vougeot lorsque le vin manquait de « vinosité naturelle ». Mais c'est Chaptal (1756-1832) qui fut le véritable promoteur du sucrage de la vendange et qui a donné son nom à cette opération. Pour mériter le droit à l'appellation, un degré minimal est exigé pour les vins, variable suivant les régions. Or, certaines mauvaises années donnent des moûts insuffisamment sucrés, qui ne fourniraient pas au vin le support alcoolique indispensable à sa qualité. Les sucres de canne, de betterave, les moûts concentrés peuvent seuls être utilisés, jamais les glucoses. Il est interdit de dépasser la quantité de 3 kg de sucre par hectolitre de vendange (1,700 kg de sucre dans 1 hectolitre de vendange augmente le titre alcoolique du vin de 1^0). L'abus de sucrage est très préjudiciable au vin : la finesse, le bouquet du vin se noient dans l'alcool factice d'un vin déséquilibré. C'est dans son emploi excessif que la chaptalisation est tout à fait condamnable. Toutefois, un vin « remonté » de 0,5 à 1^0 par le sucrage, lorsque le moût était à l'origine trop pauvre en sucre, est certainement amélioré : le sucre ajouté, sous l'influence des levures*, se transforme en alcool, certes, mais donne naissance aussi à des substances aromatiques, à de la glycérine*, etc. Le vin paraît plus fin, plus bouqueté, alors que, sans sucrage, il aurait été maigre et décevant.

Aux termes de la réglementation commu-

nautaire, intervenue depuis la loi de 1929 qui constituait la charte de la chaptalisation en France, celle-ci n'est permise que lorsque les conditions de climat l'ont rendue nécessaire dans certaines zones de la Communauté et elle ne peut être pratiquée que dans les régions où elle était traditionnellement ou exceptionnellement autorisée par les réglementations nationales antérieures. Cela revient à interdire la chaptalisation en Italie et — sauf à titre exceptionnel — dans les départements français qui se trouvaient déjà exclus par la loi de 1929, situés au sud d'une ligne Bordeaux-Valence.

Le nouveau règlement de la C.E.E. a apporté trois modifications fondamentales aux règles françaises :
- l'ouverture du droit à enrichir sera fondée non plus sur des références historiques, mais sur des contrôles de maturité; les arrêtés l'autorisant seront pris après justifications présentées par le syndicat professionnel, en liaison avec la Répression des fraudes et l'I.N.A.O.;
- le droit à enrichir ne sera accordé, par zone ou par aire de production, qu'aux vins répondant à des disciplines de production (encépagement, rendement, titre alcoométrique minimal, etc.) agréées par un texte réglementaire;
- l'enrichissement par moûts concentrés ou par concentration sera autorisé, comme par le passé, pour les vins d'appellation d'origine comme pour les vins de table.

Il semble, d'autre part, qu'on ait enfin trouvé une solution efficace pour détecter l'ajout frauduleux de sucre au cours de la vinification. Un professeur de la faculté des sciences de Nantes a trouvé une technique de recherche fondée sur la résonance magnétique nucléaire (R.M.N.) du deutérium. Cette méthode permettrait de connaître exactement le taux de sucre ajouté, ce qui ferait force de loi devant les tribunaux.

Chardonnay, un des plus fins de tous les cépages blancs. — Depuis très longtemps, ses royaumes d'élection sont la Champagne et la Bourgogne. Il a emprunté son nom à un petit village du Mâconnais. En Champagne, où il existait dès le haut Moyen Age, on l'appelait « fromenteau » ou « formenteau », à cause de sa couleur rappelant le froment. Il donne des raisins petits, brillants et dorés, gorgés d'un délicieux jus blanc sucré d'où naîtront le Champagne et tous les grands vins blancs de Bourgogne : Montrachet, Meursault, Chablis, Pouilly-Fuissé. Son terrain préféré se situe sur des coteaux argilo-calcaires, exposés à l'est et au sud-est. C'est là qu'il développe le mieux ses qualités de finesse. Ces conditions se trouvent réalisées à mer-

Cépage Chardonnay.

veille en Côte-d'Or et en Champagne (surtout dans la Côte des Blancs).

On appelle souvent ce cépage « Pinot-Chardonnay », bien qu'il n'appartienne pas à la famille des Pinots. C'est sous ce nom de « Pinot-Chardonnay », d'ailleurs, qu'il donne un des meilleurs vins blancs de Californie*, malheureusement rare.

Il ne faut pas le confondre avec le Pinot blanc, autre cépage blanc provenant d'une mutation du Pinot noir : le Pinot blanc donne des vins nettement inférieurs au Chardonnay. Le Chardonnay, lui, donne des vins absolument remarquables, transparents, légers et fins, à l'arôme de tilleul, à la saveur d'amande grillée. En dehors de la Champagne et de la Bourgogne, il entre dans l'encépagement de quelques vignobles : Lyonnais, Jura, Châtillon-en-Diois.

charpenté (vin), vin assez alcoolique, puisque l'alcool* assure la tenue d'un vin. — Mais un tel vin est riche aussi en divers éléments qui entrent dans sa composition. Il est le vin d'une bonne année, qui a assuré aux raisins la maturité optimale.

Chassagne-Montrachet. Les grands vins blancs produits par cette commune de la Côte de Beaune ont d'indéniables liens de parenté avec ceux du village voisin de Puligny. D'ailleurs, le roi de tous ces vins princiers, le Montrachet, est récolté à peu près également sur ces deux communes, de même que le Bâtard-Montrachet.

Le Criots-Bâtard-Montrachet, élégant et fruité, est produit uniquement sur le territoire de Chassagne. Comme pour ceux de Puligny, ces vins superbes portent leur nom de cru et non pas le nom de la commune. A côté de ces trois « grands crus », Chassagne-Montrachet possède aussi une bonne dizaine de « premiers crus », blancs et rouges, qui ont le droit de porter l'appellation « Chassagne-Montrachet » suivie du nom de leur climat. Les plus renommés sont les Grandes Ruchottes (blancs seulement), les Ruchottes (blancs seulement), Morgeot, les Caillerets, Clos Saint-Jean, Clos de la Boudriotte, la Maltroie, etc. (voir Annexes).

Les vins blancs de Chassagne et de Puligny, tous grands, ont en commun, avec un arôme délicat d'amande ou de noisette, le corps, la délicatesse, la finesse et aussi la faculté de vieillir admirablement. Toutefois, ceux de Puligny sont plus délicats, plus fins, tandis que ceux de Chassagne sont plus robustes. Les vins rouges de Chassagne, corsés et bouquetés, rappellent certains vins de la Côte de Nuits. Il faut attendre cinq ans, en général, pour qu'ils s'épanouissent et développent toute la subtilité de leur bouquet.

Chasselas doré. Phot. Lauros.

Château-Chalon : vignobles du « prince des vins jaunes ». Phot. Hétier.

Chasselas. Il existe plusieurs variétés de ce cépage blanc (parfois rosé). La plupart d'entre elles donnent un raisin de table de grande réputation (Moissac par exemple). Ce n'est pas un cépage à vin bien remarquable, sauf lorsqu'il est cultivé sous un climat froid. C'est un des cépages d'Alsace, où il est d'ailleurs en régression devant le Sylvaner. Il donne un vin populaire, fort agréable, peu acide, léger, qu'il faut boire frais et dans sa jeunesse, car ses jours sont comptés. Mis en bouteilles précocement, dès la fin de l'hiver qui suit la récolte, il garde un léger pétillement fort plaisant grâce au gaz carbonique dissous dans le vin nouveau.

En France, le Chasselas donne aussi les vins de Pouilly-sur-Loire et le Crépy de Savoie. En Suisse, il est très cultivé et donne le *Fendant* dans le Valais et le *Dorin* dans le canton de Vaud. Il l'est aussi dans le pays de Bade, au sud de Fribourg, où on l'appelle *Gutedel*.

château, nom utilisé traditionnellement en Gironde pour désigner un cru* d'une certaine importance, possédant les bâtiments d'exploitation vinicole appropriés (et cela même s'il n'existe pas véritablement de construction pouvant s'apparenter à un château, dans le sens strict du terme). — Un jugement de 1938 dit que le mot *château* en Gironde est le synonyme de *domaine*, de *clos* ou de *cru*. Le décret du 30 septembre 1949 précise que « les vins vendus sous un nom de château doivent provenir d'une exploitation existant réellement et

être exactement qualifiés par ce mot ». Strictement appliqué, ce décret aboutirait donc à supprimer les abus dans l'emploi du mot *château* afin de le réserver aux crus distingués par une « coutume loyale et constante » ou possédant des actes authentiques. L'I.N.A.O.*, toujours vigilant, s'efforce de faire appliquer cette mesure destinée à protéger le consommateur. Car le mot *château* exerce un attrait magique sur le consommateur, dont la préférence va surtout aux vins présentés sous un nom de château.

Le règlement de la C.E.E., en application du droit national resté en vigueur, précise que les vins de pays* ne peuvent utiliser la mention « château » sur leurs étiquettes (ils n'ont droit qu'à la mention « domaine » ou « mas »). Les « vins* de qualité produits dans une région déterminée » (c'est-à-dire pour la France les A.O.C.* et les V.D.Q.S.*) peuvent, par contre, utiliser les mots traditionnels tels que *château, domaine, mas, abbaye, manoir, moulin, castel, bastide,* pourvu que les raisins proviennent d'exploitations exactement qualifiées par ces mots et y aient été vinifiés.

château (mise en bouteilles au), indication qui, sur une étiquette, est une garantie d'authenticité pour le consommateur. — Elle s'est développée d'abord en Gironde, durant la seconde moitié du XIXᵉ siècle. Les vins ainsi désignés sont toujours des vins de qualité, provenant uniquement du domaine, dont la mise en bouteilles a été faite sur le lieu même de production par le récoltant.

Château-Chalon. Cet extraordinaire vin du Jura, doté d'une appellation* contrôlée communale, est certainement la quintessence des célèbres vins jaunes... Le Savagnin, ou Naturé, est le seul cépage utilisé dans le vignoble qui s'étend sur quatre communes : Château-Chalon, Menétru, Nevy-sur-Seille et Domblans. Mais il ne produirait pas de vin jaune dans n'importe quelle partie du Jura! Il pose des conditions particulièrement exigeantes. Son terrain d'élection est un sol de marne bleue recouvert d'éboulis calcaires, qu'il trouve à Château-Chalon et dans la partie supérieure des coteaux d'Arbois (à Pupillin en particulier). Il faut aussi à ce grand seigneur une exposition privilégiée, à l'abri des vents froids, en plein soleil : à Château-Chalon, il peut se blottir dans des creux qui sont de vraies serres naturelles. L'aire de production du Château-Chalon est par conséquent fort restreinte, et il faut admirer la qualité incomparable de ce vin, qui persiste à travers les siècles malgré les exigences du vignoble et de la vinification.

Le Château-Chalon est véritablement le prince des vins jaunes, car, si son élaboration suit les procédés habituels de tous les vins jaunes, on peut dire qu'il se pare ici de toutes les grâces et d'une absolue perfection.

Le Château-Chalon, logé dans sa bouteille spéciale, le clavelin*, est un vin précieux et mystérieux, couleur d'ambre doré. Son parfum étonnant est pénétrant et tenace. Son goût de noix caractéristique persiste longtemps dans la bouche. Il est aussi doté d'une extraordinaire longévité. Certaines caves conservent des Châteaux-Chalons de plus de cent ans, dont les années n'ont en rien diminué les prestigieuses qualités.

Château-Grillet. La production de ce vignoble exceptionnel des Côtes du Rhône est sans doute la plus faible des appellations contrôlées de France : 2 ha environ produisent une dizaine de barriques d'un vin de légende, dont, hélas! peu de privilégiés peuvent se vanter d'avoir savouré les délices! Comme à Condrieu, le seul cépage est le Viognier, dont le raisin se récolte très mûr. Le terrain abrupt et caillouteux exige en offrande que l'homme seul, sans aucun secours, se courbe sur lui comme jadis pour travailler.

Un seul propriétaire conserve avec amour ce domaine, qui n'est absolument pas rentable. Remerciez-le s'il vous est donné un jour peut-être, par la grâce de Bacchus, de communier avec le suave et original Château-Grillet, doré et flamboyant, généreux et parfumé, et d'une exquise délicatesse.

Ce vin unique se laisse difficilement définir et donne souvent la sensation curieuse d'être à la fois moelleux et sec. Jullien* le trouvait déjà «l'un des meilleurs de France». Curnonsky, ce poète de la dégustation, l'a décrit merveilleusement : « Vif, violent, changeant comme une jolie femme, avec un goût de fleur de vigne et d'amande, un bouquet étonnant de fleurs des champs et de violette. » Pour lui, le Château-Grillet est un des cinq plus grands vins blancs de France, avec le Château-d'Yquem, le Montrachet, la Coulée-de-Serrant et le Château-Chalon. N'est-ce pas là aussi l'opinion de ceux qui ont éprouvé le bonheur de déguster ces grands seigneurs?

Châteaumeillant. C'est au pays du Berry qu'est produit ce bon v.d.q.s.* rouge, gris ou rosé. Le vignoble, déjà étendu au XIIe siècle, connut une grande prospérité après l'introduction du Gamay vers 1830. Malheureusement, le phylloxéra détruisit toutes les vignes, et la production actuelle est encore bien faible. Situé à une soixantaine de kilomètres au sud de Bourges, le vignoble occupe les communes de Châteaumeillant, de Reigny, de Saint-Maur et de Vesdun

La falaise de Château-Chalon; au premier plan, vigne ancienne conduite en échalas. Phot. Cuisset.

dans le Cher, celles de Champillet, de Feusines, de Néret et d'Urciers dans l'Indre. Le sol de grès caillouteux est très favorable au Gamay. On ajoute toutefois une certaine proportion de Pinot noir et de Pinot gris, afin de diminuer l'acidité du Gamay dans les mauvaises années et d'améliorer le degré d'alcool.

Le vin rouge est de qualité, surtout dans les bonnes années. Le vin gris est excellent et connaît beaucoup de succès. Sec, fruité, léger, il est en passe de reconquérir sa vogue ancienne.

Châteauneuf-du-Pape, nom prestigieux, bien digne de ce vin superbe, orgueil des crus de la rive gauche des Côtes du Rhône méridionales. — Le château majestueux érigé par les papes au XIVe siècle, maintenant en ruine, a donné son nom au vignoble. Le sol, ancien lit du Rhône préhistorique, est fait de cailloux brûlés par le

*Châteauneuf-du-Pape :
les ceps de ce célèbre cru
se dressent sur un sol ingrat,
truffé de cailloux brûlés
par le soleil.* Phot. M.

soleil, dans lesquels faire pousser la vigne apparaît comme un défi à l'élémentaire raison. Ne dit-on pas que ce sol ingrat use un fer de charrue en deux heures? Alors que la Syrah suffit à l'Hermitage, treize cépages unissent ici leurs qualités pour faire du Châteauneuf un merveilleux nectar bien digne d'un souverain pontife : Grenache, Clairette, Cinsault, Mourvèdre, Bourboulenc, etc., tous cépages de soleil. Le Châteauneuf, habillé de pourpre, est un vin puissant, ardent et chaud, dont le bouquet, rappelant à la fois le brûlé, la framboise et l'iode, ne peut se comparer à aucun autre. D'ailleurs n'est-il pas incomparable? Les amateurs parlent même de son «fumet». Un peu rude au début, ce vin somptueux développe avec le temps ses qualités uniques et les subtilités de son bouquet.

Il existe aussi un Châteauneuf-du-Pape blanc, qui ne représente que 1 p. 100 de la production.

Il fallait jadis plusieurs années de fût pour que le Châteauneuf-du-Pape s'épanouisse dans toute sa splendeur. Actuellement, les procédés modernes permettent d'obtenir un vin à maturation plus rapide, qui ne demande plus que quatre à cinq ans d'attente.

Le «Clos des Papes», planté par les soins du pape Jean XXII (et qui fut à l'origine du vignoble de Châteauneuf-du-Pape), existe toujours — et donne un des meilleurs vins de l'appellation. Il appartient depuis plus de trois cents ans à la famille Avril, descendant des Avril premiers consuls et trésoriers de Châteauneuf-du-Pape de 1756 à 1790.

Les domaines viticoles de Châteauneuf-du-Pape sont aussi importants que les Châteaux bordelais ; parmi les plus renommés

citons Domaine de la Solitude, Château Fortia, Domaine de Mont-Redon, Château des Fines-Roches, Château Rayas, Cabrières-les-Silex, etc.

Châtillon-en-Diois. Ce petit vignoble de la rive gauche du Rhône est situé sur treize communes de la Drôme, en amont de Die, si fière à juste titre de sa Clairette. Les meilleurs terroirs se trouvent sur la commune de Châtillon, sous les escarpements sud de la montagne de Glandasse.

Les vins rouges et rosés sont issus du Gamay noir à jus blanc, qui doit entrer pour 75 p. 100 au moins dans l'encépagement, les cépages accessoires étant le Pinot noir et la Syrah pour 25 p. 100 au maximum.

Le vin rouge est léger et fruité, et il est préférable de le boire jeune pour apprécier son fruit, ce qui ne l'empêche pas, dans les bonnes années, de vieillir très bien en épanouissant un beau bouquet. Les vins rouges et rosés doivent titrer 10⁰.

Les vins blancs sont issus de l'Aligoté, auquel s'ajoutent quelques parcelles de Chardonnay. Ils se récoltent surtout sur la commune de Châtillon, mais la production demeure très faible (quelques hectares). Ces vins blancs doivent titrer 10,5⁰.

La vinification est pratiquement réalisée en totalité à la coopérative de Die, dont l'équipement est à la pointe du progrès. Jadis classés v. d. q. s.*, les vins de Châtillon-en-Diois sont devenus appellations* d'origine contrôlées depuis le décret du 3 mars 1975. Souhaitons que la production, encore faible (1 000 hl environ), prenne de l'extension, car les vins de Châtillon sont délicieux, fruités, fins et élégants, et correspondent bien au goût actuel.

Le village de Chavignol parmi les vignobles du Sancerrois. Phot. M.

chaud. Un vin est dit « chaud » lorsqu'il est riche en alcool*. Il réchauffe la bouche et l'organisme dès qu'on le boit (Châteauneuf-du-Pape par exemple).

On dit encore, dans le même ordre d'idées, que le vin est « ardent », qu'il a « du feu ». Plus chaud encore, le vin est dit « capiteux ».

Chavignol. Ce cru remarquable de l'appellation « Sancerre », qui possède une situation géographique exceptionnelle, jouit d'une très ancienne renommée parfaitement justifiée.

Sous l'Ancien Régime, le vignoble appartenait aux seigneurs des environs et en particulier au chapitre de la cathédrale de Bourges ; c'est dire qu'on reconnaissait déjà son excellence ! Après la Révolution, Chavignol, n'étant pas paroisse, n'a pas été répertorié comme commune (hameau de Sancerre, il fut intégré à cette commune). Les bonnes vignes de Sancerre furent alors rachetées par les vignerons du pays aux seigneurs ruinés. Leur renommée ancienne persista jusqu'en 1936 (date où fut instaurée l'A.O.C.*). Les bons vins de la région continuèrent à être vendus sous le nom de « Chavignol ».

De nos jours, quelques petits vignerons du hameau de Chavignol perpétuent l'application des méthodes ancestrales : l'embouteillage, dont la date est fixée suivant les phases de la lune, s'opère sans aucun produit chimique, sans filtrage ni collage ; les précieuses bouteilles sont toujours cachetées à la cire naturelle.

C'est ainsi que procèdent les frères Cotat, avec un bel enthousiasme juvénile, dans leurs vignobles des Monts Damnés et de la Grande Côte.

Cheilly-les-Maranges. Les vins rouges et blancs produits par cette commune méridionale de la Côte de Beaune sont généralement mélangés avec ceux d'autres communes et vendus sous le nom de « Côte-de-Beaune-Villages ». Certains vignobles privilégiés ont le droit de commercialiser leurs vins sous le nom de « Côte-de-Beaune » auquel est ajouté celui de la commune. Les meilleurs crus de la commune (les Maranges, les Plantes de Maranges et la Boutière) ont le droit d'ajouter leur nom à celui de la commune, mais, en fait, n'en profitent presque jamais.

Chénas. La vigne — qui s'en plaindrait ! — a remplacé autour de cette commune du Beaujolais les chênes antiques qui lui donnèrent son nom. Les vignobles situés à l'est et au sud de Chénas ont droit à l'appellation « Moulin-à-Vent ». Le Chénas est un excellent Beaujolais, bouqueté, fruité et généreux, mais plus léger que le Moulin-à-Vent.

Cheval-Blanc (Château), grand cru de Saint-Émilion, qui, bien que très généreux et corsé, a le privilège de demeurer fin et moelleux, avec un délicieux bouquet. — Il est sans doute le plus bouqueté des vins de Saint-Émilion. Bien que ses qualités s'épanouissent assez vite après la mise en bouteilles, le Château Cheval-Blanc les conserve fort longtemps intactes.

Cheverny. Cette appellation, qui s'applique à des V.D.Q.S.* du Val de Loire, a remplacé, depuis l'arrêté du 17 juillet 1973, l'ancienne appellation « Mont-près-Chambord-Cour-Cheverny », datant de 1951. Le vignoble se déploie à une douzaine de

kilomètres au sud-est de Blois, à la limite de la Sologne. L'appellation s'est étendue à vingt-trois communes de Loir-et-Cher.

Les vins blancs proviennent du Chenin blanc, de l'Arbois (ou Menu Pineau), du Chardonnay, du Sauvignon et d'un cépage caractéristique du vignoble, le Romorantin, qui réussit fort bien dans le sol siliceux. Ces vins blancs, dont beaucoup sont vinifiés à la coopérative de Mont, sont légers et titrent 9,5⁰ au minimum (mais dépassent rarement 11⁰). Ils ont beaucoup de succès dans la région; si leur vente ne dépasse guère les limites de Loir-et-Cher, on en trouve néanmoins parfois dans certains restaurants parisiens. Secs, glissants, ces vins sont agréables, frais et fruités, surtout dans les bonnes années.

Les vins rouges, légers et fruités, sont issus du Gamay noir à jus blanc, des Cabernets, du Pinot noir et du Cot, avec une tolérance de Gamay teinturier de Chaudenay (15 p. 100 du Gamay à jus blanc).

Les vins rosés, frais, parfois agréablement acidulés, proviennent des mêmes cépages que les rouges, avec en plus le Pineau d'Aunis et le Pinot gris. Ils sont, comme les vins rouges, faiblement alcoolisés (9⁰ environ).

L'appellation a aussi le droit de produire des vins mousseux, élaborés par la méthode champenoise*, à partir de « vins destinés à la prise de mousse » issus des cépages Chenin blanc, Arbois, Chardonnay, Meslier, Saint-François, Pineau d'Aunis, Cabernets.

Chianti, célèbre vin italien, que sa fameuse bouteille gainée de paille (le *fiasco*) n'a pas peu contribué à populariser à travers le monde. — Pourtant, ce sont précisément les vins de moindre qualité qui sont présentés en fiasques, tant il est vrai que, pour certains, l'habit peut faire le moine. Les très bons Chiantis, vieillis en bouteille, sont vendus en classique « bordelaise », portant un millésime* authentique, et n'ont nul besoin d'artifice de présentation pour se faire apprécier.

En Toscane, le Chianti est le vin de table ordinaire (presque toujours rouge), que l'on boit jeune, généralement en carafe, dans tous les restaurants de Florence, où il s'accorde d'ailleurs admirablement avec la cuisine italienne. Il résulte d'une méthode spéciale de vinification, appelée « governo », qui lui donne son caractère très particulier. Une partie de la récolte (environ 10 p. 100) n'est pas pressée, mais mise à sécher sur des claies de paille. A la fin de novembre, cette partie réservée, dont le jus s'est concentré, est écrasée et mise à fermenter, puis on l'ajoute au reste du Chianti qui a déjà subi la fermentation normale. L'ensemble est laissé en cuve*

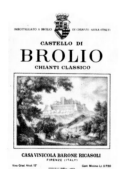

fermée jusqu'au printemps. Le vin obtenu, imperceptiblement mousseux et picotant légèrement la langue, a une agréable et désaltérante fraîcheur.

Le « Chianti classico », récolté sur les collines arides et sèches, à moins de 550 m d'altitude, entre Florence et Sienne, est un vin tout différent. C'est un des meilleurs vins d'Italie : il est ferme, bien équilibré, corsé, finement bouqueté et s'améliore considérablement avec l'âge. Il est issu des cépages San Gioveto et Cannaiolo, auxquels est ajouté un peu de Trebbiano blanc et de Malvasia blanc, cultivés autrefois en hauteur, associés à l'olivier. Son aire d'appellation s'étend sur quatre communes : Greve, Radda, Castellina et Gaiole, et sur une partie de six autres. Le « Chianti classico » n'est jamais mis en bouteilles en dehors de la zone de production. Il porte le cachet de l'association des producteurs et souvent le nom du vignoble : Barone Ricasoli (Brolio, Meleto), Conte Serristori (Machiavelli), etc. Rappelons qu'il est présenté en sobres bordelaises et non en bouteilles de fantaisie.

Cependant, beaucoup de Chiantis sont produits hors de la zone classique, dans six autres régions légalement délimitées : Rufina, Montalbo, Colli Fiorentini, Colli Pisani, Colli Senesi et Colli Arentini, qui ont le droit d'ajouter leur nom à celui de « Chianti ».

Après deux ans, le « Chianti » titrant 12⁰ et le « Chianti classico » titrant au moins 12,5⁰ sont autorisés à porter la mention « vecchio ». Le Chianti de plus de trois ans a droit à la mention « riserva ».

Chiaretto, vin rosé italien produit sur les rives du lac de Garde, entre Milan et Vérone. — C'est certainement un des rosés les plus populaires d'Italie. Deux appellations contrôlées (D. O. C.) partagent la mention Chiaretto.
- Le « Riviera del Garda Chiaretto » (en Lombardie) donne des vins souples, rouge clair, au léger arôme d'amande amère, très typés, issus des cépages Grappello, Sangiovese, Barbera et Berzamino ; titrant 11,5⁰, ces rosés sont récoltés sur les rives occidentales et méridionales du lac de Garde, dans la région de Brescia.
- Le « Bardolino Chiaretto » de Vénétie, lui, issu de divers cépages régionaux, est récolté sur la rive orientale du lac (dans la région de Vérone). Sa saveur est épicée, avec une légère tendance à l'amertume. Plus léger, il titre 10,5⁰; délicieux et frais, il n'a pas néamoins l'originalité du Chiaretto de « Riviera del Garda ».

Chili. Moins productif que le vignoble d'Argentine, le vignoble chilien donne, par contre, les meilleurs vins de l'Amérique du

Sud. Le Chili est aussi la plus vieille région viticole de l'Amérique latine, puisqu'on y faisait du vin avant 1600. Le vignoble actuel, toutefois, est un vignoble neuf, dont l'histoire ne remonte qu'à 1850, quand les fins cépages français, importés d'Europe, furent implantés pour la première fois par des spécialistes français.

C'est ainsi que les vins chiliens proviennent en majorité (du moins les meilleurs) de cépages d'origine européenne : Cabernet, Sémillon, Riesling, Pinot, Sauvignon, Merlot, Malbec, Folle-Blanche (appelée *Loca Blanca*). De même, la viticulture chilienne et les méthodes de vinification employées se sont largement inspirées des méthodes et des traditions françaises, adaptées, toutefois, à un autre climat, rappelant le type méditerranéen, et à un sol volcanique tout à fait différent. C'est seulement entre le 30e et le 40e parallèle de latitude Sud qu'on rencontre les vignobles, dans la partie centrale du Chili, tempérée par les eaux polaires du courant de Humboldt, qui traverse le Pacifique.

Les meilleurs vignobles se trouvent au centre de cette région, non loin de Santiago. Là domine l'influence du Bordelais français, aussi bien dans le choix des cépages que dans les méthodes de vinification. Les deux meilleurs secteurs de cette région sont les vallées de l'Aconcagua et du Maipo, plantées principalement en Cabernet. Mais il existe encore deux grandes régions viticoles, l'une au nord, l'autre au sud du Chili. La région nord, qui commence au désert d'Atacama et s'étend jusqu'au fleuve Choapa, cultive surtout le Muscat et donne des vins alcoolisés, complets, généreux, qu'on traite souvent à la manière du Madère, du Porto ou du Xérès. La région méridionale s'étend entre les rivières Maule et Bio-Bio. Elle donne surtout des vins rouges, mais aussi des vins blancs légers et peu alcoolisés. Elle est surtout plantée en Païs, cépage à grand rendement, d'origine espagnole, un des plus anciens cépages implantés en terre chilienne.

Le Chili produit environ 70 p. 100 de vins rouges et 30 p. 100 de vins blancs. Les bons vins du Chili, ceux qui méritent véritablement d'être exportés, sont issus de cépages nobles et portent souvent le nom du cépage sur l'étiquette. Certains sont vendus comme « Sauternes », « Chablis », « Borgoña » (Bourgogne), « Rhin »; si ces appellations semblent choquantes à nos esprits français, elles désignent néanmoins des vins de qualité, sans lourdeur ni excès d'alcool, et qui ne sont pas sans liens de parenté avec les nôtres.

Les vins chiliens sont classés par âge en quatre catégories. La première comporte des vins courants ayant au moins un an; la deuxième est celle des *especiales*, qui comptent deux ans. Le label *reservado* désigne des vins de quatre ans, généralement de grande qualité et qui peuvent être même parmi les meilleurs du Chili. Les *Gran Vino* ont six ans ou plus et sont reconnus comme étant les meilleurs. Enfin, le Chili élabore aussi des vins mousseux, dont certains sont excellents, alors que d'autres sont un peu trop doux.

Chine. Le vin naquit sans doute en Asie Mineure et c'est de là qu'il partit à la conquête de l'ouest et gagna tout le pourtour de la Méditerranée et l'Europe occidentale. Puis il se répandit vraisemblablement vers l'est, vers l'Inde et la Chine, grâce aux caravanes qui y allaient chercher la soie. Pourtant, avant cette époque, on aurait déjà fait du vin en Chine, d'après les historiens chinois, vers 2140 av. J.-C., mais le vin s'appelait alors *li* ou *chang*, et non *tsieou*, comme de nos jours. Vers 130 av. J.-C., des vignes provenant de Perse auraient été plantées autour du palais de l'empereur, mais ce n'est guère qu'au VIIe siècle que l'art de faire du vin se répandit véritablement en Chine. Sous la dynastie Tchou (1066), le vin était fort apprécié des mandarins et des poètes, comme d'ailleurs sous la brillante période de la dynastie T'ang : ne dit-on pas que le poète Li Po se noya en voulant éteindre le reflet de la lune dans l'eau un jour qu'il était ivre? Les dures réalités alimentaires s'imposant, l'empereur ordonna, paraît-il, en 1322, d'arracher les vignes pour les remplacer par des champs de céréales. Pourtant Marco Polo trouva abondance de vin dans le Chan-si.

Vers la fin du XVIIe siècle, l'empereur K'ang-hi introduisit de nouveau des vignes originaires du Turkestan, mais il semble bien, néanmoins, que les Chinois n'éprouvèrent jamais une grande attirance pour le vin (à part les lettrés), lui préférant l'alcool et le « vin » de riz.

Actuellement, on trouve encore des vignes sauvages dans le Sud, et le plan agricole prévoit des vignobles et des stations vinicoles expérimentales.

Les variétés de vignes cultivées sont indigènes, américaines et européennes : certaines sont taillées en éventail sur des treillages, d'autres cultivées sur « pergolas » comme en Italie.

Les vins rouges, blancs ou rosés peuvent être secs ou doux, tranquilles ou mousseux; le Tsing-t'ao blanc du Chan-toung, récolté à peu près à la latitude de Gibraltar, est un vin de liqueur type Xérès.

La firme française Rémy Martin a conclu un accord avec la commune de Tien Jin, au sud-est de Pékin : Rémy Martin assure la gestion technique et la distribution du

Chinon

Chinon : le vignoble du « Clos de l'Écho ». Phot. M.

vin, qui vient d'être présenté en France sous le nom de « Dynasty ». C'est un vin blanc, légèrement moelleux, issu des cépages Homigue, Œil de Dragon et Muscat de Hambourg, produit sous la surveillance d'un œnologue français ; sa production progresse fortement (350 000 bouteilles) et ce vin est actuellement exporté dans 17 pays.
En Chine, les « vins » ne proviennent pas toujours du raisin. C'est le cas du traditionnel « vin de riz » (chao-xing), surnommé « vin jaune » par les Occidentaux, obtenu par la fermentation du riz sucré, et des « vins » produits à partir de divers fruits : pêches, pommes, litchis, oranges. On continue à élaborer les vins médicinaux traditionnels par infusion de plantes.

Chinon. Assez dispersé, le vignoble de Chinon occupe à la fois la rive gauche de la Loire et les deux rives de la Vienne. Les sols sont comparables à ceux de Bourgueil : terrasses graveleuses des bords de la Vienne et de la Loire, coteaux argilocalcaires sur sous-sol de tuffeau. Comme à Bourgueil, le vin de graviers présente pour l'amateur averti des différences sensibles avec celui de la côte. Ce vin rouge « pour intellectuels », ainsi qu'on l'a qualifié, est produit par Chinon et plusieurs communes qui ont droit à l'appellation* d'origine contrôlée « Chinon » : Beaumonten-Véron, Cravant, Avoine, Savigny, etc. N'oublions surtout pas Ligré, qui vit naître au Logis de la Devinière notre François Rabelais, grand amateur de « ce bon vin breton, lequel point ne croist en Bretaigne ». Car le Chinon, comme le Bourgueil, est issu du Cabernet franc, qu'on appela ici « Cabernet breton ».

C'est un vin de rubis, frais, friand, souple, avec un bouquet caractéristique de violette. Plus léger, plus tendre que le Bourgueil, il se boit plus vite que celui-ci, mais se conserve moins longtemps. Toutefois, certaines années, il peut affronter jusqu'à quarante années de bouteille : les vins originaires de Ligré, plus corsés, épanouissent, en vieillissant, un très beau bouquet. Le « Clos de l'Écho », ancienne propriété de la famille de Rabelais, continue à produire un vin rouge magnifique qui vieillit en beauté.
La région de Chinon produit aussi un excellent rosé de Cabernet, sec, léger, agréablement bouqueté, qui est certainement un des premiers de Touraine.
Le décret paru le 4 juin 1980 a réglementé l'encépagement de l'appellation Chinon, dont les vins blancs ne peuvent provenir que du Chenin. Les vins rouges et rosés doivent être issus du Cabernet franc comme cépage principal, avec une tolérance, limitée à 10 p. 100 de l'encépagement, de Cabernet-Sauvignon comme cépage accessoire.
Toutefois, l'appellation contrôlée peut être encore revendiquée jusqu'à la récolte de l'an 2000 pour les vins rouges et rosés produits par des exploitations possédant plus de 10 p. 100 (mais moins de 25 p. 100) de Cabernet-Sauvignon.

Chiroubles. Au cœur du Beaujolais, ce charmant village à flanc de coteau produit un excellent vin fruité, tendre, plein de charme, ayant les caractères typiques de sa race. Il faut le boire jeune et frais.

Chorey-lès-Beaune. Comme d'autres communes des environs, ce village de

Bourgogne peut vendre ses vins sous sa propre appellation ou sous celle de «Côte-de-Beaune-Villages». Il ne produit pratiquement que des vins rouges, dont aucun n'est classé dans les grands crus.

Chusclan. V. CÔTES-DU-RHÔNE-VILLAGES.

Chypre. Le vin de cette grande île, située près des rivages de Turquie et de Syrie, était célèbre au temps des croisades. Le vin doré — le *Commandaria* — que donnait le vignoble planté par les chevaliers de l'ordre des Templiers, autour de Limassol, était renommé à travers tout l'Occident. Dès l'arrivée des Turcs, la viticulture languit, sans disparaître totalement toutefois, et il fallut attendre 1878 et l'arrivée des Anglais pour qu'elle prenne un nouvel essor. Par miracle, le phylloxéra* n'atteignit pas le vignoble, et la viticulture est de nos jours une activité importante de l'île. Les cépages sont en majorité les trois cépages traditionnels de l'île : Mavron (noir), Xybusteri (blanc), Muscat d'Alexandrie.
Les progrès de la vinification, spectaculaires dans les quinze dernières années, permettent de livrer à l'exportation des produits de qualité et bon marché.
Les vins rouges, très corsés et colorés, riches en tanin*, conviennent avec les mets épicés; les plus connus sont l'«Afames» et l'«Othello», et c'est Platres qui est renommé pour la production des meilleurs rouges.
Le rosé, appelé «Kokkinelli», est un vin corsé, généralement sec, mais d'une robe assez foncée pour un rosé.
Les vins blancs ont un goût très particulier. Les meilleurs et les plus secs sont l'«Aphrodite» et l'«Arsinoé»; ils ne représentent qu'un quart de la production et sont surtout produits autour de Paphos. Ils ont tendance à madériser.
Mais le meilleur vin de Chypre, celui qui a fait connaître le nom de l'île aux amateurs de vins, est le célèbre «Commandaria». Seuls une vingtaine de villages sur les contreforts des Troodos (parmi lesquels Kalokhorio, Zoopiyi, Yerassa, Ayias Mancas) sont autorisés à le produire. Ce vin de dessert très sucré est fait d'un mélange de raisins rouges et de raisins blancs. Il varie de village en village, selon la proportion de raisins rouges et de raisins blancs utilisée, selon les méthodes de vinification et selon le temps de maturation, et les amateurs savent reconnaître les qualités particulières de chaque cru. L'authentique «Commandaria», préparé par les vignerons traditionalistes, contient jusqu'à quatre fois plus de sucre résiduel que le Porto. C'est un vin de légende, nectar divin à la douceur trompeuse.

Le «Commandaria» courant du commerce n'est rien d'autre qu'un vin de dessert agréable. On fait aussi une grande variété de vins de dessert à Chypre, du type Xérès, dont le principal importateur est la Grande-Bretagne, et les efforts actuels des Cypriotes portent sur la production d'un vin se rapprochant le plus possible de l'authentique Xérès.
Rappelons que ce sont des ceps originaires de Chypre qui, au XVe siècle, furent implantés à Madère et ont donné naissance à ce vin renommé. Le Marsala de Sicile et le Tokay hongrois auraient, selon la légende, la même origine cypriote.

clairet. Un clairet n'est pas un vin rosé à proprement parler. C'est un vin *rouge,* mais très léger. La couleur n'est pas rose : elle est véritablement rouge franc, mais de très faible intensité.

Clairette, cépage méridional, blanc ou rosé, largement cultivé dans le sud de la France, dans l'Hérault, le Gard, le Var, le Vaucluse, la Drôme, les Alpes-de-Haute-Provence. — La Clairette est aussi cultivée, avec une certaine extension, en Californie.
On ignore l'origine du nom de ce cépage. Dans la Drôme, la Clairette donne la célèbre Clairette de Die, vin mousseux depuis longtemps réputé. Die prépare souvent les vins de Clairette pure par la méthode champenoise*.
Mais les vins de Clairette associée au Muscat, dont le volume est beaucoup plus important, sont élaborés selon l'antique méthode rurale*, perfectionnée par la technique moderne de filtration* sous pression. Autrefois, Trans, près de Draguignan, préparait une Clairette mousseuse de même type.
Sous le climat méditerranéen, la Clairette donne des vins assez chargés en alcool (de 12 à 14°) et qui le sont d'autant plus que les raisins sont récoltés à surmaturité. On la rencontre associée à d'autres cépages dans les vins blancs de Palette, de Cassis et de Bandol ainsi que dans le rosé de Tavel et dans le vin rouge de Châteauneuf-du-Pape.
Les vins de Clairette se madérisent très rapidement, ce qui est considéré actuellement comme un défaut, alors qu'autrefois, au temps de la vogue des Vermouths, ils étaient très recherchés pour la préparation de ceux-ci. La Clairette du Languedoc, comme celle de Bellegarde, présente très nettement les caractères des vins de Clairette pure.

Clairette de Bellegarde. Les vins de cette appellation* contrôlée du Gard sont produits autour de Nîmes et ne sont pas sans

évoquer la Clairette du Languedoc. Ils doivent, eux aussi, provenir uniquement de la Clairette, titrer 11,5⁰ et être issus de raisins récoltés à bonne maturité. Il est bien dommage que la production de cette délicieuse Clairette soit si faible..., car on a tendance à l'oublier. Certes, pendant plusieurs années, les viticulteurs ne réussissaient souvent à obtenir que des vins assez instables au cours de leur maturation, mais les progrès techniques réalisés assurent aujourd'hui la production de vins remarquables; ceux-ci ne doivent pas vieillir : l'idéal est de les déguster dans la fraîcheur de leur jeunesse, lors de leur première année, sur les coquillages et les poissons.

Clairette de Die. Les empereurs romains, affirme Pline, faisaient déjà grand cas de la Clairette de Dea Augusta (nom romain de Die). Accroché aux coteaux pierreux de la vallée de la Drôme, sur le territoire de trente-deux communes autour de Die, s'étend le vignoble aux grappes dorées qu'on rattache à la région viticole des Côtes du Rhône méridionales.

La délicieuse et émoustillante Clairette de Die est issue du cépage Clairette, qui apporte légèreté et fraîcheur, et du Muscat, qui lui donne son bouquet et son caractère particuliers. C'est un vin pétillant et doré, moelleux et doux, très fruité, avec un parfum extrêmement délicat de Muscat et de rose.

La Clairette de Die bénéficiait déjà de l'appellation* contrôlée dès 1942, mais un nouveau décret (25 mai 1977) a réglementé de façon plus précise les conditions de sa production et de son élaboration.

L'antique méthode rurale*, dite *méthode dioise,* expérimentée pendant vingt ans par la cave coopérative de Die, a été reconnue comme la meilleure pour l'obtention de la Clairette de Die traditionnelle à base de Muscat.

Deux méthodes sont donc utilisées à Die pour l'obtention des vins mousseux.

La *méthode dioise* s'adresse à des vins contenant obligatoirement au moins 50 p. 100 de Muscat (mais souvent 80 p. 100), le reste étant de la Clairette. La mousse se forme spontanément en bouteille, à partir du sucre naturel resté dans le vin après la fermentation, sans adjonction de liqueur* de tirage. La prise de mousse en bouteille doit durer au moins quatre mois. Cette méthode donne un vin mousseux de qualité supérieure. Le fin bouquet du Muscat est alors entièrement préservé, et ce Mousseux est délicieusement moelleux et fruité. Cette méthode rurale est très délicate à employer, et, le vin obtenu étant parfois légèrement trouble, de grands perfectionnements ont été apportés dans les procédés d'élimination

de ce trouble, dont trois sont actuellement utilisés : soit le dégorgement* classique, soit la filtration isobarométrique dite « de bouteille à bouteille », soit le transvasement dans un récipient d'unification et la filtration isobarométrique.

Aucune addition de liqueur* de tirage ou de liqueur* d'expédition n'est admise dans la méthode dioise.

La *seconde fermentation en bouteille,* ou *méthode champenoise*, s'adresse à des vins issus de la Clairette uniquement, ou presque uniquement, la proportion ne pouvant être légalement inférieure à 75 p. 100. On ajoute une liqueur* de tirage et une liqueur* d'expédition. La prise de mousse en bouteille doit durer un minimum de neuf mois avant l'élimination du dépôt.

La cave coopérative de Die vinifie chaque année 75 p. 100 au moins de la Clairette de Die d'appellation contrôlée produite dans l'aire délimitée. Elle a donné le nom de « Tradition » à la Clairette élaborée par la méthode traditionnelle dioise et le nom de « Brut » à la Clairette sans Muscat (100 p. 100 Clairette) élaborée par la méthode champenoise.

Clairette du Languedoc. Ce vin blanc de l'Hérault doit provenir uniquement du cépage Clairette pour avoir droit à l'appellation* contrôlée. On prétend qu'avant même l'invasion romaine on cultivait en Gaule un cépage indigène qui était la Clairette et qui est resté le cépage blanc classique du vignoble méridional. En terres fortes, la Clairette produit un vin très corsé et très alcoolisé, très apprécié autrefois quand on savait attendre un vin et le laisser vieillir. En effet, elle madérise très vite, et les Nordiques, grands amateurs de Madère et de Xérès, prisaient beaucoup ce vin, dont la madérisation accentuée évoquait la saveur d'un vin des Iles. Malheureusement pour elle, la Clairette est la base idéale des Vermouths de qualité, fabriqués par les grandes marques, et, dès le début du XIXᵉ siècle, elle fut un peu délaissée par les consommateurs. Quel dommage! Ce vieux cépage gaulois donne un vin d'or liquide, d'une si jolie couleur que le décret de 1965 a pris soin d'en préciser les nuances en ces termes : « jaune clair doré ou légèrement verdâtre, mais non brune ».

Les vins de l'appellation contrôlée « Clairette du Languedoc », suivie ou non du nom de la commune d'origine, sont récoltés sur le territoire de onze communes : Aspiran, Adissau, Le Bosc, Cabrières, Ceyras, Fontès, Lieuran, Nizas, Paulhan, Péret, Saint-André-de-Sangonis. Ils proviennent de raisins récoltés à bonne maturité et doivent titrer 12⁰. Ils sont secs et corsés, parfois légèrement moelleux, avec un léger goût d'amertume, spécifique du cépage.

La Clape : appellation de vignobles situés entre Narbonne et la mer. Au second plan, un pigeonnier. Phot. M.

La dénomination *Rancio** peut être adjointe à l'appellation « Clairette du Languedoc », à condition que les vins proviennent de raisins récoltés à surmaturité, qu'ils soient très nettement madérisés à la suite d'un vieillissement naturel de trois ans au moins et qu'ils titrent 14^0 au minimum. Les conditions de couleur ne s'appliquent évidemment pas aux Rancios, qui sont des vins très originaux, appréciés des amateurs.

Clape (La). Ce vignoble des Coteaux-du-Languedoc* pousse au creux d'un massif calcaire, contrefort des Corbières, qui se trouve entre Narbonne et la mer, sur les communes de Narbonne, Armissan, Fleury-d'Aude, Salles-d'Aude et Vinassan.
L'arrêté du 27 juin 1980 a fixé les conditions d'encépagement, qui doivent être les mêmes que pour l'appellation « Coteaux-du-Languedoc », c'est-à-dire, pour les vins rouges : Carignan, Cinsault, Grenache, Lladoner Pelut, Mourvèdre, Syrah, Counoise, Grenache rosé, Terret, Picpoul (avec des conditions restrictives, dans l'avenir, pour certains de ces cépages). Les vins rosés doivent provenir de ces mêmes cépages, avec association possible de cépages blancs (et aussi des conditions restrictives, dans l'avenir, pour certains cépages).

Les vins rouges sont moins corsés et tanniques que jadis : frais et fruités, ils présentent souplesse et bouquet; les vins rosés sont fins, fruités et agréablement parfumés.
Les vignes doivent être taillées en taille courte et les vins subissent une vinification soignée; le surpressage est interdit. Les vins de La Clape ont une réputation fort ancienne et sont très estimés dans la région.
L'appellation des ces V.D.Q.S. rouges et rosés est « Coteaux-du-Languedoc-La Clape ». Ils peuvent, éventuellement, être commercialisés sous le nom de « Coteaux-du-Languedoc » simple.

classification de 1855. Dès le début du XVIIIe siècle, un classement des « paroisses » du Médoc avait déjà été opéré, classement qui devint de plus en plus précis avec les années. Plusieurs classements (dont celui de Jullien* en 1816) distinguèrent quatre ou cinq catégories de crus* et des vins bourgeois* et paysans. Mais il fallut l'Exposition universelle de Paris en 1855 pour que le classement des vins bordelais devienne officiel. Les courtiers* de Bordeaux (qui avaient alors le caractère d'officiers ministériels) furent chargés de donner « une représentation complète et satisfaisante

*Vendanges dans le vignoble
du Clos de Vougeot.
Phot. Niepce-Rapho.*

CLOS-VOUGEOT
APPELLATION CONTROLÉE

Jean GROS
Propriétaire-Viticulteur à Vosne-Romanée (Côte-d'Or)
MISE EN BOUTEILLE AU DOMAINE

des vins du département ». L'ordre établi, « fondé sur le temps et sur l'expérience », était le fruit d'observations longues et sérieuses, fondées sur les usages établis, l'opinion généralement admise et la moyenne des prix pratiqués depuis fort longtemps. L'appréciation personnelle des courtiers n'est nullement intervenue dans ce classement. Fondée sur les prix, la « classification de 1855 » a le mérite de réunir des vins totalement différents, mais de qualité égale. Elle a conservé, après plus d'un siècle, une valeur certaine et surprenante. En effet, les méthodes de culture, la vinification et l'élevage des vins sont semblables dans tous les grands vignobles. Seul le sol change et donne à chaque vin sa personnalité et sa valeur; un classement aussi sérieux garde donc toujours son actualité à quelques exceptions près (quelques crus ont monté ou baissé depuis; d'autres, non classés en 1855, se vendent maintenant au prix des crus classés).

On peut seulement reprocher à cette classification de concerner uniquement les vins du Médoc et de Sauternes, plus un seul vin des Graves (le Haut-Brion) et d'avoir ignoré totalement le Saint-Émilion, le Pomerol, les autres appellations bordelaises et la presque totalité des Graves. La classification a reconnu quatre premiers crus rouges, qui sont les quatre « grands » : Château-Lafite-Rothschild, Château-Margaux, Château-Latour et Château-Haut-Brion; en blanc, elle a reconnu un seul grand premier cru, le prestigieux Château-d'Yquem. Tous les crus du Médoc classés en 1855, rangés en cinq catégories, peuvent être considérés comme de grands seigneurs, mais les crus bourgeois supérieurs et les crus bourgeois non classés donnent souvent aussi de bien belles joies à l'œnophile.

clavelin, nom de la bouteille spéciale, de forme trapue, où est logé le vin jaune* du Jura. — Le clavelin a une contenance de 62 cl. Il était autrefois fabriqué à la main à la verrerie de la Vieille Loye, qui, depuis une concession de Marguerite de Bourgogne, en 1506, avait le privilège de sa fabrication. Aujourd'hui, les bouteilles sont faites mécaniquement et le verre comporte dans la masse le cachet de « Château-Chalon ».

climat, expression bourguignonne qui désigne un terroir particulier. — Dans chaque village, le vignoble est divisé en climats. Ainsi, la Côte d'Or, qui ne compte guère que 40 km de long sur 4 km de large, s'enorgueillit d'une soixantaine d'appellations* contrôlées, qui comportent chacune de 20 à 50 climats, présentant une personnalité telle que le législateur les a consacrés, ne faisant en cela que se conformer à l'usage et au classement tacite d'autrefois. Certains de ces climats jouissent en effet, depuis des temps fort anciens, d'une haute renommée : Chambertin, Montrachet, Clos de Vougeot, etc.
En somme, le climat bourguignon est l'équivalent du « château* » bordelais.

Clos de Vougeot. Entourés d'un mur de pierre, les 50 ha du Clos de Vougeot font partie de nos richesses nationales. C'est au XIIe siècle que les moines cisterciens commencèrent à planter la vigne sur les coteaux surplombant leur monastère; diverses donations agrandirent la superficie du vignoble, qui fut ensuite clos de murs. Au XVIe siècle, il fut nécessaire de construire des bâtiments — un château — pour abriter le matériel vinaire et le pressoir. Depuis, le château d'origine fut souvent agrandi et rénové, et il appartient désormais à la Confrérie des chevaliers du Tastevin, qui l'a aménagé dans son état actuel. Confisqué, comme tous les biens d'église, au moment de la Révolution, le Clos de Vougeot appartenait au XIXe siècle à un seul propriétaire, mais, depuis la mort de celui-ci, le vignoble a été de plus en plus morcelé (plus de soixante propriétaires à l'heure actuelle).

La qualité d'un « Clos-Vougeot » dépend donc, avant tout, du talent et de la conscience de son propriétaire. De plus, les vins du sommet, du flanc et du bas de coteaux sont différents, ceux qui proviennent du sommet étant supérieurs. Le sol du bas, moins pierreux et plus riche, a tendance à conserver l'humidité, et ce n'est donc qu'en année sèche qu'il produira un vin comparable à celui du sommet.

On raconte d'ailleurs que, jadis, les moines faisaient trois cuvées différentes avec ces trois récoltes distinctes.

Il est donc assez difficile de donner un jugement d'ensemble sur le vin du Clos de Vougeot. Disons que, lorsque les facteurs climatiques sont favorables, le Clos-Vougeot est un vin charnu, bien charpenté, très long en bouche, avec beaucoup de nez et de délicatesse.

Les lopins de vignoble ont conservé leur nom traditionnel; c'est ainsi qu'on trouve : au sommet, Musigny de Clos de Vougeot, Garenne, Plante Chamel, Montiottes Hautes, Grand Maupertuis, etc.; sur la pente, Dix Journaux, Baudes Bas, Baudes Saint-Martin; en bas, Montiottes Bas, Quatorze Journaux.

Clos des Lambrays. Le décret du 27 avril 1981 a consacré, en Bourgogne, cette nouvelle appellation de la Côte de Nuits*. Elle ne s'applique qu'à des vins rouges, vigoureux et charnus, finement bouquetés, produits sur des parcelles délimitées de Morey-Saint-Denis* et qui possèdent autant de classe et de distinction que les quatre autres grands crus de cette commune.

Colarès. Le vignoble de cette région du Portugal est un des plus extraordinaires d'Europe. A deux pas de Lisbonne, en bordure de mer, il occupe des terrains sablonneux abandonnés par celle-ci. La vigne a résisté au phylloxéra*, puisque cet insecte ne peut vivre dans le sable. Il est très difficile de planter la vigne dans cette région : il faut creuser des tranchées de 5 à 10 m de profondeur dans le sol meuble et fuyant de la surface, afin d'atteindre les couches argileuses du sous-sol, où les ceps peuvent s'accrocher. Le cep étale ses

racines au fond du sillon, qui est comblé peu à peu, au fur et à mesure que croissent les sarments. Il s'allonge sous terre et donne naissance, par marcotte, à de nouveaux plants qui lui restent attachés, de sorte que des rangées entières de vignes ne sont en réalité que le même cep. Les vignobles sont quadrillés de coupe-vent faits de roseaux, de branchages et de bruyère tissés ensemble. Le cépage utilisé est le Ramisco (le cep des sables), qui donne au Colarès un goût très particulier, à la fois corsé et velouté. Le Colarès exige deux ans de tonneau, et même davantage, et il ne possède sa plénitude qu'à partir de cinq ans d'âge.

La production, malheureusement, va en s'amenuisant à cause du développement des équipements touristiques de la région de Lisbonne.

collage, traditionnelle et ancienne méthode, connue depuis les Romains, employée pour clarifier le vin et lui donner une limpidité* souhaitable. — On introduit dans le vin, avant la mise en bouteilles, des substances d'origines diverses, toutes de nature protéique, qui floculent par combinaison avec le tanin*, en entraînant les particules indésirables en suspension dans le vin. Les principales «colles» employées sont le sang de bœuf défibriné, la caséine, la gélatine, la colle de poisson (surtout employée pour les vins blancs) et le blanc d'œuf frais (utilisé pour les vins fins). Le tanin joue un grand rôle dans la prise de la colle. S'il est insuffisant, une partie de la colle reste en suspension dans le vin en formant un genre de voile blanchâtre :

Ci-contre, à droite :
*collage traditionnel
en Bourgogne;* à gauche :
*collage à la pompe manuelle,
à Courthézon (Vaucluse).*
Phot. M.

c'est le surcollage, accident désastreux, qui peut être réparé par un nouveau traitement au tanin ou par la bentonite*.
Le collage bleu est utilisé dans certains pays pour éliminer le fer, responsable de la casse* ferrique. Il consiste à ajouter au vin du ferrocyanure de potassium, qui forme avec le fer un précipité lourd, insoluble. Ce précipité, connu sous le nom de « bleu de Prusse », se dépose alors comme une colle.

Collioure. Cette appellation* d'origine contrôlée est relativement récente puisqu'elle a vu le jour par le décret du 3 décembre 1971.
Elle s'applique à des vins rouges de caractère produits sur le terroir* des communes de Banyuls, Cerbère, Collioure et Port-Vendres, c'est-à-dire sur la même aire délimitée que le Banyuls. Le cépage principal est le Grenache noir, auquel s'ajoutent des cépages accessoires : Carignan noir, Cinsault, Mourvèdre et Syrah, pour un pourcentage de 25 p. 100 au moins et de 40 p. 100 au plus. Les vins doivent titrer 12⁰ au minimum et 15⁰ au maximum. Comme le Collioure est un vin sec, sa teneur maximale en sucre restant est de 5 g par litre, « sans qu'elle puisse donner au vin un caractère de douceur perceptible à la dégustation ». La macération de la vendange (non foulée, foulée ou égrappée) doit durer au minimum cinq jours; le vin doit rester sous bois pendant au moins neuf mois et ne peut sortir des chais*, au plus tôt, que le 1er juillet de l'année suivant la récolte. Fils du soleil et de la montagne, le Collioure est un grand vin rouge ardent et corsé. A l'image du pays qui lui donne naissance, tout en lui est lumière, parfum et chaleur.

Colombie. Ce pays, qui récolte environ 100 hl de vin par an, est le plus petit producteur de vin d'Amérique. Les conditions de culture de la vigne y sont d'ailleurs étonnantes; le cycle habituel des vendanges est ici totalement bouleversé, le raisin sous ce climat venant à maturité plusieurs fois par an. Tous les vins produits sont doux; on élabore principalement des vins de dessert baptisés Vermouth, Muscat, voire Manzanilla ou Porto, mais aussi quelques vins de table légers, doux eux aussi.

colorante (matière). La matière colorante des raisins rouges est due à des pigments, de la famille des tanins*, localisés dans la pellicule. La pulpe est incolore, sauf pour quelques variétés de raisins appelés « teinturiers » (Gamay teinturier par exemple). La chromatographie montre que la matière colorante est spécifique à chaque cépage. Lorsqu'elles sont vivantes, les cellules de la peau retiennent énergiquement la matière colorante, et le pressurage des raisins rouges donne un jus très peu coloré (vin gris*) ou même incolore (Champagne). Les pigments sont insolubles dans l'eau froide, mais sont solubles dans l'alcool : c'est pourquoi plus le vin est cuvé, plus la couleur est prononcée, puisque la matière colorante se dissout alors dans l'alcool formé peu à peu par la fermentation du sucre. Mais les pigments ne se bornent pas à donner de la couleur; ils contribuent aussi à l'élaboration du « fruit » des vins jeunes et du « bouquet » des vins vieux. Plus tard, la matière colorante devient insoluble sous l'influence de l'oxygène, ce qui explique les dépôts brunâtres au fond des vénérables bouteilles. Si elle n'apparaît pas toujours nettement dans les vins blancs, elle y est néanmoins présente : elle est bien visible dans les vins madérisés, qui prennent une teinte jaune.

comète (vins de la). Les comètes avaient la réputation, dès l'Antiquité déjà, d'annoncer beaucoup d'événements. Elles passaient aussi pour donner, l'année de leur passage, des vins d'une qualité exceptionnelle. Aussi les « vins de la comète » étaient-ils très recherchés et occupaient une place enviée dans la hiérarchie des crus* rares. Peut-être y a-t-il une certaine exagération dans cette assertion? En tout cas, les « vins de la comète » de l'année 1811 ont laissé un souvenir aussi célèbre que la très belle comète qui est apparue cette année-là. Un été et un automne exceptionnellement splendides et chauds sont peut-être pour quelque chose dans l'excellence des vins de 1811.

complet (vin), vin tel qu'on le souhaite et qui répond aux espérances. — Bien constitué, il réunit toutes les qualités : bouquet, élégance, finesse, race, harmonie. C'est le vin des grandes années.

Condrieu, appellation des Côtes du Rhône, qui s'étend sur quelques communes de la rive droite du Rhône : Condrieu, dans le département du Rhône, Limony, dans le département de l'Ardèche, Chavanay, Malleval, Saint-Michel, Saint-Pierre-de-Bœuf et Vérin, dans le département de la Loire. — On appelle parfois ce terroir « Côte Chérie ».
Le Condrieu est un vin blanc très original et très rare, dont seuls les initiés se régalent (pour comble, il voyage mal). Fait exceptionnel dans la région, il n'est produit que par un seul cépage : le Viognier, ou Viognier doré.
Le Viognier se vendange tard : il donne donc des moûts* très riches, dont la fermentation* est rarement achevée avant

Le Rhône à Condrieu.
La «Côte Chérie» étage
au bord du fleuve
ses terrasses plantées
en Viognier doré
et élabore ces vins
au bouquet suave que sont
le Condrieu et le rarissime
Château-Grillet.
Phot. M.

l'arrivée du froid. Après les soins d'usage, le vin est tantôt mis en bouteilles au printemps, tantôt laissé en fûts pendant dix-huit mois afin d'y poursuivre sa fermentation. Le premier procédé donne un vin moelleux à cause du sucre demeuré dans le vin, le second un vin sec, beaucoup plus typique, d'une douceur et d'une souplesse remarquables, dues à la glycérine* qui s'est formée durant la longue fermentation (certains viticulteurs parviennent à obtenir cependant ce dernier type de vin dans l'année de la récolte). Le Condrieu doit se boire rapidement : il vieillit mal, sèche et madérise.

C'est un vin splendide, corsé, avec un bouquet pénétrant et suave, tout à fait original, comme son voisin, encore plus exceptionnel, le Château-Grillet.

confrérie. L'amour commun du bon vin créant des liens puissants, il était normal que des hommes de goût et des esprits distingués songent à se rassembler pour déguster ensemble les meilleurs crus dans une ambiance confraternelle. C'est ainsi que sont nées les confréries vineuses. L'euphorie dégustative aidant, n'était-ce pas là aussi le meilleur moyen de s'évader des soucis de la vie quotidienne?

Il semble que la première confrérie fut la «Confrairie de la Corne», qui vit le jour en Alsace en 1586. En 1656 fut créé l'«Ordre des Coteaux», dont l'existence nous est révélée par Boileau dans la troisième satire en vers du *Dîner ridicule*. L'«Ordre de Méduse» suivit, fondé à Toulon en 1683 par M. De Vibray, intendant de marine. Vinrent ensuite l'«Ordre de la Grappe» en 1697, l'«Ordre de la Boisson» en 1703, l'«Ordre de Noé» et d'autres encore, dont plusieurs n'eurent qu'une existence fort éphémère.

De nos jours, les confréries bachiques et les sociétés vineuses abondent; il y règne toujours une ambiance chaleureuse et l'esprit français y pétille de tous ses feux. Citons parmi les principales confréries françaises : Confrérie des chevaliers du Tastevin, Jurade de Saint-Émilion, Confrérie Saint-Étienne d'Alsace, Conseil des Échansons, Compagnons du Beaujolais, Piliers chablisiens, Confrérie Saint-Vincent

Les sonneurs de trompe
de la Confrérie
des chevaliers du Tastevin.
Phot. Zalewski-Rapho.

Le vignoble des Corbières
s'étend jusqu'au pied des
murailles de Carcassonne.
Phot. Hétier.

des vignerons de Mâcon, Ordre des chevaliers du Cep, Viguerie royale du Jurançon, Confrérie des chevaliers de la Chantepleure, Confrérie des baillis de Pouilly, Ordre des Chevaliers bretvins, Chevaliers de la Canette, Commende majeure du Roussillon, Dive Bouteille de Gaillac, etc. L'Ordre des Coteaux et l'Ordre de Méduse existent toujours depuis le XVIIe siècle et font preuve d'une juvénile activité.

Constance, vin produit en république d'Afrique du Sud par un petit vignoble, propriété d'État actuellement, situé non loin de la ville du Cap et qui fut planté, vers 1700, par le gouverneur hollandais Simon Van der Stel. — Ce vignoble fut appelé « Groot Constantia » en l'honneur de la femme du gouverneur, qui se prénommait Constance. Les protestants français émigrés apportèrent leur précieuse contribution à son établissement. Le vin de Constance a connu une vogue incroyable au XIXe siècle, aussi bien en Angleterre qu'en France; les héros de Balzac font souvent honneur à ce vin précieux (qui valait d'ailleurs son pesant d'or). La récolte actuelle ne dépasse guère quelques centaines d'hectolitres : autant dire qu'il est quasiment impossible de se procurer ce vin fameux. Bon, et souvent même très bon, le vin de Constance est un vin de liqueur suave et fin, au parfum légèrement musqué (dû à la Muscadelle du Bordelais, acclimatée par les protestants français). Il ne semble pas, toutefois, mériter totalement de nos jours sa célébrité mondiale d'autrefois.

coopérative. Les coopératives vinicoles ont eu de modestes débuts, aux environs

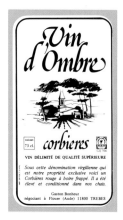

de 1900, bien après l'apparition des premières coopératives laitières. Elles avaient surtout pour but d'écouler les récoltes et de grouper dans des caves de stockage les excédents de production, qui provoquaient l'effondrement des prix. Peu à peu, avec prudence d'abord, les vignerons entreprirent la vinification en commun. La formule coopérative offre de grands avantages pratiques aux petits vignerons : suppression de la vaisselle vinaire onéreuse, d'entretien délicat et coûteux, économie de main-d'œuvre, plus de souci de vinification et de conservation, libération des locaux. La coopérative offre à ses membres des techniques modernes, utilise du matériel moderne et s'assure le concours d'œnologues qualifiés : les petits producteurs ont tout intérêt à y adhérer, car ils étaient bien souvent dans l'impossibilité d'acquérir le matériel moderne et même d'assurer l'entretien du matériel ancien. C'est surtout dans le Midi, dans le Languedoc et en Afrique du Nord que cette formule a rencontré le plein succès. Elle est surtout valable, d'ailleurs, pour les vins courants, les vins d'appellation générique, les vins de « pays* », mais, bien que certaines coopératives fassent des efforts louables pour sauvegarder l'individualité des vins, elle n'est guère compatible avec la notion d'art personnel et de terroir très particulier qui caractérise les crus* fameux. Il existe actuellement environ 1 100 caves coopératives, groupant 250 000 adhérents. Elles vinifient de 25 à 30 p. 100 du vin français, soit environ 15 millions d'hectolitres, dont 12 millions d'hectolitres de vin de table, le reste se répartissant à peu près également entre les V.D.Q.S.* et les A.O.C.*.

Corbières. Cette appellation de la région viticole du Languedoc, qui bénéficie du label V.D.Q.S.*, est bien connue et populaire.
Les vignobles occupent les coteaux calcaires, bien exposés, secs et rocailleux de cette région tourmentée, située au sud-est de Carcassonne, et jouissent d'un ensoleillement quasi permanent.
Les vins sont rouges, rosés et blancs, mais les rouges sont de loin les plus connus. Les cépages sont les cépages de soleil habituels de la région : Carignan, Grenache, Terret, Picpoul, Cinsault, Mourvèdre, Syrah et Lladoner Pelut pour 90 p. 100 au moins de l'encépagement pour les vins rouges; Grenache blanc, Malvoisie, Maccabéo, Muscat, Picpoul, Clairette, Terret blanc dans une proportion de 90 p. 100 au minimum pour les vins blancs; ces mêmes cépages pour les vins rosés.
Défavorisé au départ par la mauvaise qualification de « vin de Midi », le vin des Corbières peut être cité comme exemple de

réussite par le courage, la ténacité et la poursuite d'une politique de qualité. Depuis plus de cinquante ans, les vignerons de Corbières se sont attelés à la tâche, et, si 1 500 000 hl de vin sont produits chaque année, 550 000 hl seulement recevaient le label V. D. Q. S., ce qui montre bien la sévérité de la sélection faite par le syndicat de défense du cru, fondé en 1923. L'année 1977 a été très bonne pour les Corbières, puisque leurs 22 410 ha de vigne ont produit 836 677 hl de vin labellisés : cette production place les Corbières au premier rang par le volume des V. D. Q. S. vendus en France (soit 45 p. 100).
Ainsi, sous ce soleil à brûler les lézards, dans cette poussière de terre aride, les vignerons des Corbières arrivent à exploiter la stérilité même, pour nous offrir des vins rouges d'une belle couleur sombre, corsés, charnus, gagnant très vite un bouquet particulier qui s'affine en vieillissant. Leurs rosés sont corsés, certes, mais ils sont aussi nerveux et fruités, et leurs blancs ont un parfum délicat.
N'a-t-il pas raison ce slogan qui proclame : « Les Corbières : ce cru qui a de l'accent! » On distingue deux appellations pour les Corbières.
L'appellation « Corbières » s'applique à des vins de nombreuses communes de l'arrondissement de Narbonne (cantons de Durban, de Sigean, de Lézignan-Corbières, de Narbonne et de Coursan) et de l'arrondissement de Carcassonne (cantons de Lagrasse, de Tuchan, de Monthoumet et de Capendu). Les vins rouges, rosés et blancs doivent titrer 11^0 au minimum avec un rendement de 50 hl à l'hectare.
L'appellation « Corbières supérieures » s'applique uniquement à des vins de certaines communes des cantons de Durban, de Lézignan - Corbières, de Sigean, de Tuchan, de Lagrasse et de Capendu. Les vins rouges doivent titrer 12^0, les vins blancs et les rosés 12,5^0 avec un rendement de 40 hl à l'hectare.

Corbières-du-Roussillon. Cette appellation des Pyrénées-Orientales s'appliquait à des vins classés V. D. Q. S.*. Elle a été supprimée, comme sa voisine « Roussillon-dels-Aspres », et remplacée par l'appellation contrôlée « Côtes-du-Roussillon ».

Cornas. Le vignoble de cette commune des Côtes du Rhône s'étage sur la rive droite du Rhône, presque en face de Valence. Il ne produit que des vins rouges, d'appellation* contrôlée, provenant de la Syrah. Le Cornas est un vin un peu amer dans sa jeunesse, mais qui prend, en vieillissant, une agréable souplesse.
Pas aussi noble ni bouqueté que son voisin l'Hermitage, c'est néanmoins un vin de grande qualité, surtout quand on sait l'attendre. Corsé, capiteux, étoffé, il a un goût de terroir caractéristique. Il est recherché et apprécié depuis fort longtemps, et sa couleur grenat foncé a fait dire de lui sous Louis XV qu'il était « un très bon vin noir ». *Cornas,* en celte, signifie « terre brûlée », et le vignoble, en effet, bien exposé sur les derniers contreforts des Cévennes, brûle littéralement sous les feux du soleil. Implanté dès l'époque gallo-romaine, il fut un des vignobles préférés de Charlemagne. Parmi les meilleurs crus, citons Piedlavigne, Chambon, la Mure, Minangois, le Gros, la Fontaine, etc.

corrections des vins. Les stations œnologiques locales indiquent chaque année les bases de ces corrections. Celles-ci améliorent discrètement les imperfections d'une vendange en cas de mauvaises conditions climatiques, mais doivent respecter sagement la composition naturelle du vin. Toutes ces interventions sont limitées et contrôlées par la loi. Certaines visent à rétablir un taux normal d'acidité* soit par l'acidification*, soit par la désacidification* selon les cas. Il faut parfois pallier l'insuffisance du sucre par la chaptalisation*. D'autres fois, il y a excès ou insuffisance de tanin; il faut alors pratiquer tantôt le tannisage*, tantôt des collages* énergiques. Il y a aussi parfois manque de couleur : on y remédie par le chauffage d'une partie de la vendange, ce qui permet d'obtenir plus de matière colorante*, celle-ci étant davantage soluble à chaud. Enfin, il est possible aussi de pratiquer la méthode d'assemblage*, telle qu'elle est de règle pour la Champagne. Deux vins provenant du même terroir mais d'un millésime* différent se complètent parfois admirablement et donnent un vin équilibré et complet.

Corse. Rien n'est médiocre dans l'île de Beauté, et les vins qu'elle produit ne font pas exception à la règle. Ils sont tous excellents ou, en tout cas, originaux. Bien qu'ils soient consommés sur place, on les trouve maintenant sur le continent. Le vin est produit un peu partout dans l'île, et les vins corses, avant d'être soumis à la législation française des appellations, bénéficiaient déjà d'un statut légal datant de 1801 et fort original. La région côtière, surtout, possède des vignobles estimés; le vignoble du cap Corse est assez connu en dehors de l'île : s'il produit des vins blancs, rosés et rouges très corsés, c'est surtout le célèbre « Cap Corse », vin doux de Muscat et de Malvoisie, moelleux et délicat, qui a fait sa renommée. Mais il existe d'autres centres côtiers d'importante production : Coteaux de Saint-Florent, d'où proviennent sans doute les meilleurs vins corses, et

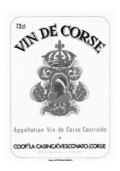

Corse : le vignoble
de Patrimonio, dans
la région bastiaise.
Phot. Rapho.

spécialement le fameux « Patrimonio », qui bénéficie d'ailleurs depuis 1968 de l'appellation* d'origine contrôlée; la Balagne (Calvi et Calenzana); Sartène et sa région, aux vins fort estimés (qui ont eu droit au label V.D.Q.S.* en 1968); Ajaccio et sa ceinture de vignobles; Piana, qui, à côté de rosés délicieux, donne des Muscats parfumés; Bonifacio, etc. Mais l'intérieur du pays produit aussi des vins dignes d'intérêt, quoique moins réputés : environs de Bastelica, de Corte, d'Omessa.

Bien vinifiés, les vins corses, issus de terres pauvres à dominante de silice, sont excellents, avec un caractère nettement original. Délicieux dans leur jeunesse, ils ont aussi la faculté de vieillir admirablement, en prenant un bouquet délicat.

Les vins blancs, souvent secs, ont beaucoup de finesse et de parfum; certains évoquent l'Hermitage.

Les vins rouges ont un bouquet remarquable. Ils sont presque toujours capiteux et puissants, mais possèdent une finesse toute particulière. Certains s'apparentent nettement aux Côtes-du-Rhône, et spécialement au Châteauneuf-du-Pape.

Les vins rosés, d'une jolie couleur, sont

exquis : ils sont fruités, avec une chaude saveur, à la fois poivrée et fumée.

Ce n'est guère que depuis une vingtaine d'années qu'on assiste à l'éveil du vignoble corse : de 8 000 ha, il est passé à 30 000 ha. Le décret du 2 avril 1976 a accordé l'appellation d'origine contrôlée « Vin de Corse » à une bonne soixantaine de communes du pays. En outre, sept zones de production ont eu le droit d'ajouter leur nom à celui de « Vin de Corse » : terroirs de Patrimonio, Coteaux d'Ajaccio ou Ajaccio, Sartène, Calvi, Coteaux du cap Corse, Figari, Porto-Vecchio.

Pour avoir droit à ces appellations d'origine contrôlées, les vins doivent satisfaire à diverses conditions d'encépagement, de rendement et de vinification.

Les « Vins de Corse-Patrimonio », rouges et rosés, doivent provenir du Nielluccio comme cépage principal (60 p. 100 au minimum pour les vins rouges, 40 p. 100 pour les rosés), les cépages d'appoint étant le Sciacarello, le Grenache noir, le Vermentino (Malvoisie de Corse) et l'Ugni blanc (Rossola). Les vins blancs doivent être issus du Vermentino (60 p. 100 au moins) et de l'Ugni blanc. Les vins rouges doivent titrer 12^0, les rosés et les blancs $11,5^0$.

Le vin blanc de Patrimonio est remarquable, sec, parfumé, avec beaucoup de corps.

Mais le plus renommé est le vin rosé, d'une qualité exceptionnelle et qu'on tient en général pour le meilleur de Corse : assez alcoolisé et corsé, il est aussi délicieusement parfumé. Le vin rouge, produit en moindre quantité, est aussi de bonne qualité.

Les « Vins de Corse-Coteaux d'Ajaccio » ou « Ajaccio » doivent provenir, pour les vins rouges, de 50 p. 100 des cépages principaux Sciacarello, Nielluccio, Barbarossa, Vermentino, avec 30 p. 100 au moins de Sciacarello (proportion qui a atteint 40 p. 100 en 1983). Les cépages d'appoint sont le Grenache noir, le Cinsault et le Carignan, avec un pourcentage de Carignan qui ne doit pas dépasser 10 p. 100. Il en est de même pour les vins rosés. Les vins blancs sont issus de 80 p. 100 de Vermentino et de 20 p. 100 au maximum d'Ugni blanc.

Les autres appellations, c'est-à-dire « Vin de Corse » simple, « Vin de Corse-Sartène », « Vin de Corse-Calvi », « Vin de Corse-Cap Corse », « Vin de Corse-Figari », « Vin de Corse-Porto-Vecchio », doivent provenir, pour les vins rouges et rosés, des cépages principaux Nielluccio, Sciacarello et Grenache noir pour 50 p. 100 au minimum et de cépages d'appoint Cinsault, Mourvèdre, Barbarossa, Syrah, Carignan et Vermentino (la proportion de Vermentino et de Carignan ne devant pas dépasser 20 p. 100

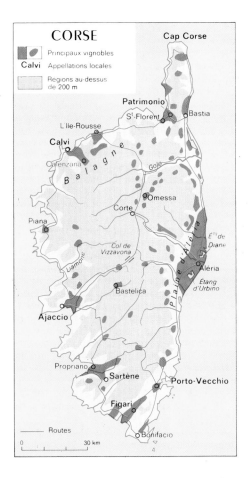

CORSE

Cap Corse

Principaux vignobles
Calvi   Appellations locales
Regions au-dessus
de 200 m

Patrimonio
St-Florent   Bastia
L'Ile-Rousse
Calvi
Chienzana   B a l a g n e
Golo
Omessa
Corte
Piana
E de Diane
Col de Vizzavona
Liamone   Plaine d'Aléria
Aléria
Bastelica   Étang d'Urbino
Ajaccio
Propriano
Sartène
Figari
Porto-Vecchio
Bonifacio
Routes
0   30 km

Corton. Ce grand cru* d'Aloxe-Corton produit sur un petit terroir les meilleurs vins rouges de la Côte de Beaune. Un peu dur dans sa jeunesse, le Corton rouge est puissant, corsé et capiteux, avec un arôme extraordinaire, évoquant la violette, qui se développe et s'épanouit encore avec les années. Les vins blancs, produits en plus petite quantité, ont parfois autant de classe que le grand Montrachet; racés et séveux, ils ont un arôme exceptionnel.

Les vignerons disent que le sommet des coteaux est meilleur pour la production des vins blancs, le milieu et le bas convenant mieux aux rouges. On remarque, en effet, que le sol du bas des pentes est rougeâtre et ferrugineux, alors que celui du sommet est plus léger et sec, avec un sous-sol calcaire.

Corton-Charlemagne. Ce grand Bourgogne blanc de la Côte de Beaune est récolté sur le territoire de la commune d'Aloxe-Corton. Il est de la même classe que l'illustre Montrachet. C'est un vin doré, ferme et puissant, moins moelleux que le Meursault, mais aussi riche et racé. La production est peu importante par rapport à la demande. Le travail de la vigne est ingrat dans ce vignoble à forte pente; après de grosses pluies, il faut parfois remonter la terre à dos d'homme. On dit que ce vignoble a été la propriété personnelle de l'empereur Charlemagne, qui en a fait donation à la collégiale de Saulieu en 775.

VIEILLISSEMENT
1969
DOMAINE FONDÉ

CORTON-VERGENNES
APPELLATION D'ORIGINE CONTRÔLÉE

Le Comte de Vergennes, ministre
des affaires étrangères de Louis XVI,
signataire du Traité de Paris,
consacrant l'indépendance des
États-Unis   RÉCOLTÉ PAR
FÉLIX CLERGET
PROPRIÉTAIRE À POMMARD. CÔTE-D'OR

1973
Corton-Charlemagne
APPELLATION CONTRÔLÉE
Ancien Domaine des Comtes de Grancey

Mis en bouteilles à la propriété
Louis LATOUR, Négociant à Beaune (Côte-d'Or)

de chacun de ces cépages). A partir de 1979, la proportion de Nielluccio et de Sciacarello devra être au minimum du tiers de l'encépagement total. Les vins blancs doivent être issus de 75 p. 100 au minimum de Vermentino et de 25 p. 100 au maximum d'Ugni blanc.

Pour l'appellation «Vin de Corse-Coteaux du cap Corse», le cépage Codivarta est admis en cépage d'appoint avec l'Ugni blanc.

Les vins rouges, rosés ou blancs de ces appellations doivent titrer 11,5⁰.

corsé. Un vin corsé est un vin à caractère bien marqué, riche en alcool, en extrait sec, bien coloré, possédant une saveur prononcée qui emplit bien la bouche. On dit aussi qu'il a du «corps». On emploie de même le terme *étoffé*, à condition que la teneur en glycérine* soit suffisamment marquée.

Cortese, vin blanc sec, produit par le cépage du même nom dans la région du Piémont, en Italie. — C'est un vin extrêmement plaisant, pâle, léger et frais, qui doit se boire dans sa jeunesse.

Costières-du-Gard, appellation qui groupe des vins rouges, rosés et blancs classés «vins* délimités de qualité supérieure», dont l'aire de production se trouve du côté droit de la vallée du Rhône, au sud de Nîmes, entre Beaucaire et Vauvert.

Le vignoble, planté dans le sol de cailloux roulés qui réverbèrent la chaleur solaire, s'étend sur vingt-quatre communes du Gard et sur les collines de la Méjanelle (Mauguio et Montpellier), dans l'Hérault.

L'encépagement comprend les variétés habituelles du Midi et des Côtes du Rhône : Terret noir et Carignan (50 p. 100 au maximum), Aspiran noir et Aspiran gris, Cinsault, Mourvèdre, Grenache, Syrah, Œillade, Counoise (l'Aramon est tout à fait prohibé depuis 1968) pour les vins rouges; Clairette, Grenache blanc, Maccabéo, Malvoisie, Marsanne, Muscat blanc, Picpoul, Roussane, Terret et Ugni blanc pour les vins blancs. Les vins rouges, rosés et blancs doivent titrer 11⁰.

Les vins rouges, de grande qualité, grâce au sol de cailloux roulés par le Rhône dans son ancien delta, sont corsés, bien charpentés, mais fins et bouquetés et rappellent ceux des Côtes du Rhône.

*Costières-du-Gard,
sur la rive droite du Rhône.
Phot. M.*

Les vins blancs sont fins et fruités, à condition que la vendange n'ait pas eu lieu trop tard.

Cot, cépage rouge dont on ignore la région d'origine et qui a reçu de multiples dénominations partout où il est cultivé. — On l'appelle « Malbec » en Gironde, « Auxerrois » à Cahors, « Cot » en Touraine, dans le Quercy, etc. Il est en régression devant le Merlot en Gironde, dans les meilleurs vignobles, mais il entre toujours dans l'encépagement de Bergerac, des Côtes de Duras et de nombre de crus du Sud-Ouest dont les vins sont classés V. D. Q. S.* A Cahors, il a toujours occupé la première place : de 70 à 80 p. 100 de l'encépagement. En Touraine, il est cultivé surtout dans la vallée du Cher, à Mesland et à Amboise. En Anjou, il s'unit au Groslot, au Gamay, aux Cabernets pour donner le rosé d'Anjou. Il présente une particularité remarquable : alors que les raisins sont donnés en général par les pousses issues du bois de l'année précédente, lui donne des raisins sur les pousses du vieux bois; cela est un avantage dans les régions sujettes aux gelées printanières. Le Cot donne les meilleurs résultats dans les côtes argilo-calcaires. Son vin est assez coloré et corsé, mais il manque un peu de bouquet et de saveur. Par contre, il fait un harmonieux mélange avec d'autres cépages plus fins : il apporte couleur et moelleux, et, grâce à lui, le vin est plus vite prêt à la dégustation.

Côte chalonnaise. Cette partie du vignoble bourguignon, qui tire son nom de la ville de Chalon-sur-Saône, est le prolongement naturel de la Côte de Beaune, dont elle possède le sol, les méthodes de culture, les modes de vinification et les traditions commerciales. Il n'existe pas d'appellation « Côte chalonnaise ». Les appellations con-

trôlées de cette région vinicole sont les suivantes : « Rully », « Mercurey », « Givry », « Montagny ». Les cépages autorisés sont ceux de la Côte d'Or : le Chardonnay pour les vins blancs, le Pinot Noirien pour les vins rouges. Toutefois, en dehors de ces quatre appellations contrôlées, la région cultive le cépage Aligoté, qui donne droit, comme dans toute la Bourgogne, à l'appellation « Bourgogne aligoté ». Elle cultive aussi le Gamay, qui entre pour les deux tiers dans le « Bourgogne passe-tout-grain ». Elle produit enfin des vins d'appellation « Bourgogne ordinaire » et « grand ordinaire ».

Côtes-d'Agly. Cette appellation a été supprimée. (V. RIVESALTES.)

Côte de Beaune. La Côte de Beaune représente la moitié sud du célèbre vignoble de la Côte d'Or. Elle s'étend de Ladoix au nord à Santenay au sud sur 2 800 ha. Contrairement à la Côte de Nuits, qui ne produit pratiquement que des vins rouges, elle s'enorgueillit, bien qu'elle donne aussi des vins rouges remarquables, de produire de merveilleux vins blancs, les premiers de Bourgogne et même du monde. Toutefois, le volume de production des vins rouges demeure plus important que celui des vins blancs.

Les vins rouges de la Côte de Beaune ont beaucoup de charme et de finesse; ils sont plus discrets, moins puissants que ceux de la Côte de Nuits, et on les dit souvent plus « féminins » que ceux-ci. Ils se font plus rapidement que les vins de la Côte de Nuits, mais ont aussi une longévité moins grande. Les vins blancs sont exquis, d'une race et d'une distinction extraordinaires. Leur arôme délicat, leur suavité les rendent inégalables pour les amateurs.

Les appellations sont soit communales (« Beaune »), soit de cru (« Montrachet »).

Les plus importantes communes de la Côte de Beaune sont Aloxe-Corton, Pernand-Vergelesses, Savigny-lès-Beaune, Beaune, Pommard, Volnay, Meursault et Blagny, Chassagne-Montrachet, Puligny-Montrachet, Santenay. D'autres communes, moins réputées que les précédentes, n'en produisent pas moins d'excellents vins, dont certains mériteraient d'être mieux connus des amateurs. Ce sont du nord au sud : Ladoix (rouge et blanc), Chorey-lès-Beaune (rouge et blanc), Monthélie (rouge), Saint-Romain (rouge et blanc), Auxey-Duresses (rouge et blanc), Saint-Aubin (rouge et blanc), Dezize-lès-Maranges, Sampigny-lès-Maranges et Cheilly-lès-Maranges (rouge et blanc), ces trois dernières communes se trouvant dans le département de Saône-et-Loire.

Les meilleurs vins de la Côte de Beaune

sont vendus uniquement sous leur nom de cru (exemple : « Montrachet »). Il n'y a que six grands crus de cette catégorie en Côte de Beaune, dont cinq sur le territoire de Puligny-Montrachet et de Chassagne-Montrachet. D'autres crus renommés, classés en premiers crus, portent le nom de leur commune d'origine, complété soit par l'expression «premier cru», soit par le nom de leur climat* (exemple : «Beaune-Clos-des-Mouches»).

Les autres vins sont vendus sous le nom de leur commune d'origine (exemple : «Auxey-Duresses»), suivi ou non de la mention «Côte-de-Beaune» (exemple : «Santenay - Côte-de-Beaune»).

Côte de Beaune : appellation « Côte-de-Beaune ». Cette appellation s'applique à des vins rouges ou blancs provenant de Beaune et de seize communes délimitées de la Côte de Beaune : Auxey-Duresses, Blagny, Chassagne-Montrachet, Cheilly-lès-Maranges, Chorey-lès-Beaune, Dezize-lès-Maranges, Ladoix, Meursault, Monthélie, Pernand-Vergelesses, Puligny-Montrachet, Saint-Aubin, Saint-Romain, Sampigny-lès-Maranges, Santenay et Savigny-lès-Beaune.

Les vins rouges de cette appellation doivent titrer $10,5^0$ au minimum, et les vins blancs 11^0 au minimum.

Le nom du climat* d'origine peut être adjoint à l'appellation «Côte-de-Beaune» pour des vins rouges titrant 11^0 et des vins blancs titrant $11,5^0$.

Les vins rouges peuvent aussi porter l'appellation de leur commune d'origine suivie des mots «Côte-de-Beaune», mais cette faculté est rarement utilisée.

Côte-de-Beaune-Villages. Cette appellation s'applique uniquement à des vins rouges provenant d'un assemblage* de vins récoltés sur deux ou plusieurs communes de l'appellation «Côte-de-Beaune». Ces vins rouges titrent $10,5^0$.

Côte de Bordeaux-Saint-Macaire. La région qui a droit à cette appellation est le prolongement vers le sud des Premières Côtes de Bordeaux. Elle fait suite au cru réputé de Sainte-Croix-du-Mont et s'étend sur plusieurs communes. N'ont droit à l'appellation que les vignobles plantés sur les coteaux graveleux et argileux, respectant l'encépagement en plants nobles. La vendange se fait après surmaturité, et la vinification est très soignée.

Les vins blancs moelleux obtenus sont corsés et fins, avec un parfum original. Grâce à leurs caractères particuliers, ils peuvent accompagner fort agréablement aussi bien les desserts que les poissons et même certaines viandes blanches.

Côtes de Canon-Fronsac. V. CANON-FRONSAC.

Côtes de Duras. Ce vignoble, dominant la verte vallée du Dropt, produit des vins qui sont une des appellations* contrôlées du Sud-Ouest. Il est planté au nord du département de Lot-et-Garonne, entre le Bordelais et le vignoble de Bergerac, et s'étend sur une quinzaine de communes. Les Côtes de Duras donnent des vins rouges et rosés, issus du Cabernet-Sauvignon, du Cabernet franc, du Merlot et du Malbec. Ce sont de bons vins de table qui doivent titrer 10^0 au moins, avec une richesse en sucre résiduel de 4 g au plus par litre ; les rosés doivent être élaborés par la méthode de la saignée.

Ce sont les vins blancs qui sont les plus appréciés. Ils sont issus des cépages classiques de la région (Sémillon, Sauvignon, Muscadelle) accompagnés du Mauzac, du Pineau de la Loire et de l'Ondenc.

Les vins blancs présentent un titre alcoométrique acquis de $10,5^0$ au minimum et une richesse en sucre résiduel supérieure à 4 g par litre ont droit à l'appellation

Vignoble de Monthélie, près de Beaune, en Bourgogne. Phot. Rapho.

«Côtes-de-Duras». Ceux qui présentent un titre alcoométrique acquis de 10⁰ et une richesse en sucre résiduel inférieure à 4 g par litre doivent obligatoirement accompagner l'appellation «Côtes-de-Duras» de la mention «sec».

Qu'ils soient secs ou moelleux, les vins blancs des Côtes de Duras possèdent toujours un parfum particulier et une saveur originale très appréciés.

Côtes-de-Haut-Roussillon. Cette appellation a été supprimée. (V. RIVESALTES.)

Côtes-de-la-Malepère. L'arrêté du 15 septembre 1976, qui avait attribué le label V.D.Q.S.* à ces vins, fut annulé par le Conseil d'État le 21 novembre 1980, après avoir fait couler beaucoup d'encre! En effet, les Côtes-de-la-Malepère étaient passées directement du statut de vin de table* (sans indication d'origine) à celui de vin à appellation d'origine (V.D.Q.S.) sans avoir obtenu auparavant le bénéfice de la dénomination «vin de pays»*, comme l'exige la loi du 12 décembre 1973. Faisant suite à l'annulation du Conseil d'État, ces vins étaient devenus «vins de pays des Côtes-de-la-Malepère» par le décret du 1er avril 1981.

Finalement, le label V.D.Q.S. a été rendu aux «Côtes-de-la-Malepère» par l'arrêté du 27 janvier 1983. L'appellation s'applique à des vins rouges et rosés du département de l'Aude, produits sur vingt-six communes situées au sud-ouest de Carcassonne. Les vins rouges proviennent des cépages principaux Merlot, Cot, Cinsault, dont la proportion ne peut dépasser 60 p. 100 de l'encépagement pour chacun, avec 30 p. 100 au plus de cépages accessoires : Cabernet-Sauvignon, Cabernet franc, Grenache, Lladoner Pelut et Syrah.

Village et vignoble de la Côte de Nuits. Phot. Atlas-Photo.

Les vins rosés sont issus des cépages principaux Cinsault, Grenache et Lladoner Pelut, avec 30 p. 100 au maximum de cépages accessoires : Merlot, Cot, Cabernet-Sauvignon, Cabernet franc, Syrah.

Les vins doivent titrer 11⁰ et provenir de vignes dont la densité de plantation est d'au moins 3 300 pieds à l'hectare.

Le label V.D.Q.S.* est subordonné à la dégustation et à l'analyse préalables des vins qui sollicitent ce label.

Le climat du massif de la Malepère, situé sous la double influence océanique et méditerranéenne, a joué, de ce fait, un rôle sur l'encépagement. C'est ainsi que, dans les zones à climat plutôt atlantique, les cépages Merlot, Cot et Cabernet-Sauvignon dominent, pour donner des vins rouges colorés, corsés et très parfumés; dans les zones à climat méditerranéen, le Cinsault, le Grenache et la Syrah dominent, produisant des vins rouges de caractère plus méridional et des vins rosés fruités, fins et élégants.

Les vins rouges et rosés de la Malepère, dont la production actuelle se situe autour de 10 000 hl par an, sont très bien vinifiés par une Union des caves, qui s'occupe de l'ensemble de la production. Ils ont une personnalité originale, de la sève et de la distinction, et ils ne ressemblent pas à ceux du Cabardès ou des Corbières, leurs voisins. Ils ne tarderont pas à avoir la faveur des amateurs dès qu'ils seront mieux connus.

Côte de Nuits. Elle occupe environ 1 200 ha de Dijon à Prémeaux (mais c'est à Fixin que commencent les grands crus*). Elle produit presque uniquement des vins rouges, mais de quelle race! Les quelques vins blancs récoltés à Chambolle-Musigny, à Vougeot, à Morey-Saint-Denis et à Nuits-Saint-Georges, bien qu'excellents, n'atteignent pas la renommée universelle des grands vins rouges. Ceux-ci, qui ont chacun, comme tous les vins de Bourgogne, la personnalité propre à leur «climat*», ont en commun la grande race, la fermeté, la robe somptueuse, le riche bouquet et la faculté de longue conservation.

Les appellations sont soit communales («Gevrey-Chambertin»), soit de cru («Romanée-Conti»).

Les communes de la Côte de Nuits sont Fixin, Gevrey-Chambertin, Morey-Saint-Denis, Chambolle-Musigny, Vougeot, Vosne-Romanée, Nuits-Saint-Georges.

Côte-de-Nuits-Villages. Certaines communes, situées au nord et au sud de la ligne des grands crus*, ont le droit, sous certaines conditions, de vendre une partie de leurs vins sous l'appellation «Côte-de-Nuits-Villages» (on appelait jadis ces vins

« Vins fins de la Côte de Nuits »). Ces communes sont Fixin, Brochon, Prissey, Comblanchien et Corgoloin. Les vins rouges et blancs de cette appellation doivent provenir uniquement des Pinots (Noirien, Beurot et Liebault) pour les vins rouges et du Chardonnay et du Pinot blanc pour les vins blancs. Les vins rouges titrent 10,5⁰, les vins blancs 11⁰, et le rendement est de 35 hl à l'hectare.

La qualité de ces vins « Côte-de-Nuits-Villages », presque tous rouges, est intermédiaire entre celle des vins à appellation générale Bourgogne et celle des vins qui portent un nom plus précis de commune.

Côte d'Or. La Côte d'Or forme la partie la plus importante — la plus glorieuse aussi — de la Bourgogne, puisque c'est son sol qui produit les prestigieux vins rouges et blancs dont les noms sont universellement admirés : le Romanée-Conti, le Chambertin, le Montrachet, etc.

On divise cette grande région viticole en deux sous-régions : la Côte de Nuits, qui produit presque exclusivement de très grands vins rouges; la Côte de Beaune, qui produit à la fois de très grands vins rouges et de très grands vins blancs.

Il existe aussi deux régions parallèles : les hautes Côtes de Nuits et les hautes Côtes de Beaune, qui produisent des vins à appellation générique, avec, sous certaines conditions, la possibilité de joindre leur nom à l'appellation.

La Côte de Nuits et la Côte de Beaune forment, de Dijon à Santenay, une ligne de coteaux presque continue de 200 à 500 m d'altitude. Ces coteaux, exposés à l'est et au sud-est, sont abrités des vents dominants de l'ouest et profitent au maximum des rayons du soleil. Les meilleurs crus* se récoltent entre 250 à 300 m.

Les sols sont extrêmement variés, de nature fort complexe; ainsi s'explique la multiplicité des crus de Bourgogne : marnes blanchâtres, favorables aux grands vins blancs, comme à Montrachet; sols ferrugineux et argilo-calcaires de la Côte de Beaune; calcaire argilo-siliceux et ferrugineux de la Côte de Nuits, etc.

Les seuls cépages admis dans les grandes appellations de communes et de climats sont le Pinot noir pour les vins rouges, le Chardonnay pour les vins blancs.

Le cépage Aligoté, surtout cultivé dans les hautes Côtes, ne peut donner droit qu'à l'appellation « Bourgogne aligoté ».

Côte-Roannaise. Ce vin du Lyonnais, classé V. D. Q. S.*, portait le nom de « Vin de Renaison - Côte-Roannaise » avant l'arrêté du 14 décembre 1973. La Côte roannaise s'étend sur vingt-quatre communes des environs de Roanne, sur les deux rives de

la Loire, dans les départements de la Loire et de Saône-et-Loire.

Les vins, rouges et rosés, titrant 9⁰, proviennent du Gamay Saint-Romain à jus blanc. Ce sont de très agréables vins régionaux, frais, légers et fruités, qu'il faut boire jeunes.

Côte-Rôtie. A 7 km de Vienne-la-Romaine, sur la rive droite du Rhône, s'accroche sur des coteaux abrupts le célèbre vignoble de la Côte-Rôtie, dont la largeur ne dépasse guère 400 m et la longueur 7 km. Trois communes ont le privilège de le porter : Tupin-Semons, Saint-Cyr-sur-le-Rhône et surtout Ampuis. Deux cépages nobles, le blanc Viognier (pour 20 p. 100 seulement) et le rouge Syrah, ou Sérine (dont la provenance, discutée, pourrait être les îles Cyclades), sont cultivés sur le sol aride et cailouteux retenu par des murets. La silhouette du vignoble est particulière, car la taille originale associe trois ceps montés sur trois échalas en faisceaux.

Le vin de la Côte-Rôtie est un très grand vin, célèbre déjà au Iᵉʳ siècle de notre ère. D'une belle couleur de pourpre, corsé et généreux, très long en bouche, il possède un bouquet très particulier, d'une grande délicatesse, où s'unissent la violette et la framboise. Il décèle autant de somptuosité que son rival des Côtes du Rhône, le Châteauneuf-du-Pape, mais avec plus de distinction que celui-ci. Les meilleurs crus* de la Côte-Rôtie sont la Côte-Brune et la Côte-Blonde : on mélange d'ailleurs généralement dans une même cuvée* les vendanges de ces deux coteaux, aux qualités complémentaires. Selon la légende, les

La Côte-Rôtie,
sur la rive droite du Rhône,
au sud de Vienne. Phot. M.

Côtes-de-Provence, vins de vacances, vins de soleil : vignobles à La Croix-Valmer.
Phot. M.

noms de «Côte-Brune» et de «Côte-Blonde» viendraient du testament partageant les terres du noble Maugiron entre ses deux filles, l'une brune et l'autre blonde. Les vins de la Côte-Brune sont très corsés et de très longue garde; ceux de la Côte-Blonde ont moins d'aptitude à vieillir, mais sont plus légers et plus tendres.

Côtes-de-Provence. Ces vins évoquent par leur seul nom le souvenir des vacances ensoleillées. Leur domaine s'étend de Marseille à Nice, sur des terrains de constitution et de relief extrêmement variés : dans cet heureux pays, c'est le soleil qui conditionne le vin, le sol n'ayant qu'une importance relative. C'est ainsi que la vigne escalade les coteaux ou s'alanguit en plaine, plonge ses racines dans les terres calcaires comme dans les sables grossiers mêlés de silex. Les Côtes-de-Provence sont produits dans trois régions principales : la Côte (de La Ciotat à Saint-Tropez), la bordure nord du massif des Maures et la vallée de l'Argens.

Les rosés sont sans doute les plus populaires : leur vogue est due pour une bonne part à l'engouement des touristes, qui les identifient au soleil. C'est le bon roi René qui encouragea les vignerons à vinifier de cette façon. Ces rosés sont d'excellents vins secs, fruités, assez corsés, bien bouquetés, dont la jolie robe claire se teinte parfois de reflets d'or. Ils conviennent spécialement comme vin unique avec la cuisine méridionale.

Les vins rouges, moins connus, sont corsés, avec une belle robe rutilante et un bou-

quet savoureux. Leurs caractères dépendent de leur région d'origine : par exemple, les vins de Taradeau, de Pierrefeu et de Puget-Ville sont particulièrement capiteux; ceux de Saint-Tropez et de Gonfaron sont agréablement souples; ceux de l'Argens sont plus légers et délicats. Ces vins rouges vieillissent bien, mais se dégustent jeunes. Les vins blancs, issus principalement de la Clairette et de l'Ugni blanc, sont secs, corsés, fruités, couleur d'or pâle. Ils madérisent vite; aussi faut-il les boire jeunes.

Après avoir été longtemps classés V.D.Q.S.*, les vins des Côtes de Provence ont obtenu l'appellation* d'origine contrôlée par le décret du 24 octobre 1977. Cette appellation s'applique aux vins de nombreuses communes du Var, de quelques-unes des Bouches-du-Rhône et d'une seule des Alpes-Maritimes.

Pour obtenir l'appellation, les vins rouges et rosés doivent provenir, pour 70 p. 100 au minimum, des cépages principaux Carignan, Cinsault, Grenache, Mourvèdre et Tibouren. Le pourcentage de Carignan, limité à 60 p. 100 à partir de la récolte 1982, passera à 50 p. 100 en 1984 et à 40 p. 100 en 1986.

Les cépages complémentaires sont la Syrah (30 p. 100 au plus), le Cabernet-Sauvignon, le Barbaroux, le Calitor (dit Pécoui-Touar), la Roussane du Var (qui sera interdite en 1986), la Clairette, le Vermentino, le Sémillon, l'Ugni blanc (l'ensemble de ces quatre derniers cépages ne peut dépasser 10 p. 100 de l'encépagement). À partir de 1984, Cabernet-Sauvignon, Mourvèdre et Syrah ou leur ensemble devront représenter au moins 10 p. 100 de l'encépagement. Les vins rouges doivent être obtenus par vinification classique avec foulage* préalable; les vins rosés sont élaborés par saignée, égouttage ou pressurage* direct, avec une proportion minimale de 20 p. 100 issus de saignée. Les vins blancs doivent provenir de la Clairette, du Vermentino dit «Rolle», du Sémillon et de l'Ugni blanc.

Divers procédés et matériels de vinification sont prohibés pour donner droit à l'appellation. Les vins doivent titrer 11° au minimum et ne doivent pas présenter plus de 3 g de sucre résiduel par litre. Le rendement est fixé à 50 hl à l'hectare.

Il existe un classement officiel des crus* des Côtes de Provence (consacré par un arrêté de juillet 1955), dont les principaux sont les Domaines des Moulières, de l'Aumerade, de Minuty, de la Croix, les Châteaux de Sainte-Roseline, de Selle, les Clos Mireille, Cigonne, etc. (V. Annexes.)

Côtes-de-Saint-Mont. De notoriété fort ancienne (leur histoire remonte à l'époque gallo-romaine), les vignobles de cette région prirent de l'essor dès 1050 grâce aux moines de l'abbaye bénédictine de Saint-Mont.

D'abord classés « vins de pays », les vins ont accédé, par l'arrêté du 25 mars 1981, au label v. d. q. s.*, subordonné, évidemment, à l'analyse et à la dégustation préalables.

L'aire délimitée se situe dans les départements du Gers (cantons d'Aignon, Eauze, Marciac, Montesquiou, Plaisance, Riscle) et des Landes (canton d'Aire-sur-Adour). Les vignes dominent l'Adour et ses affluents; les pentes est et sud abritent les vignes rouges; en sols graveleux, elles donnent des vins à boire jeunes, en sols plus argileux, des vins de garde; les versants ouest, argilo-calcaires, demeurent le domaine des vins blancs.

Les vins rouges et rosés doivent être issus du Tannat comme cépage principal (70 p. 100 au moins) avec, comme cépages accessoires : Cabernet-Sauvignon, Cabernet franc, Merlot et Fer. Le Fer doit représenter au moins un tiers de ces cépages accessoires en 1989.

Les vins blancs proviennent des cépages principaux (qui doivent constituer au moins 50 p. 100 de l'encépagement) : Arrufiac, Clairette, Courbu. Le Gros Manseng et le Petit Manseng sont admis en cépages accessoires.

La production ne peut dépasser 50 hl à l'hectare, avec une densité de plantation de 2 800 pieds à l'hectare.

Les vins rouges doivent être issus de raisins égrappés immédiatement avant l'encuvage et titrent au moins 10⁰. Rouge foncé, généreux mais fins, ils ont le fumet des vins issus du Tannat, avec un caractère tannique plus accentué pour les vins de garde.

Les vins rosés, titrant 10,5⁰, sont vifs et parfumés, tout en étant bien charpentés. Ils doivent être élaborés par le procédé de la saignée.

Les vins blancs ont un bouquet remarquable et se révèlent particulièrement fins. Ils titrent 10,5⁰.

Côtes de Toul. Cet étroit vignoble est accroché sur des coteaux argilo-calcaires dominant la Moselle autour de la ville de Toul. Neuf communes, dont Lucey, Bruley, Écrouves, produisent les vins classés v. d. q. s.* qui sont une des deux appellations de Lorraine. La région fournissait autrefois sa récolte pour le Champagne, avant la délimitation légale de l'aire de production de celui-ci.

Les vins rouges ne peuvent provenir que du Pinot noir et du Pinot Meunier, cépages traditionnels de la Lorraine avant qu'on y plante le Gamay; les vins blancs sont issus de l'Aubin blanc, de l'Aligoté et de l'Auxerrois. Ces vins rouges et blancs sont,

en fait, assez rares dans la région. Ce qui fait la réputation des Côtes de Toul est le délicieux vin gris*, issu des Pinots noir et Meunier et du Gamay de Liverdun (variété acclimatée du Gamay du Beaujolais), qui est, à l'heure actuelle, le cépage principal de la région. On peut mêler à la vendange 15 p. 100 au plus de cépages blancs réglementaires pour obtenir le vin gris. La vinification de ce vin gris se fait avec les raisins pressés directement après foulage* : on obtient alors un vin d'une couleur parfois fort pâle, très léger, car le degré minimal de 8,5⁰ fixé par la loi est rarement dépassé. Le vin gris est un vin très agréable, très particulier, frais, parfumé et fruité, mais toujours très acidulé. Très apprécié dans la région, il doit se consommer jeune, bien qu'il puisse se garder quelques années.

Côtes-du-Forez, appellation qui s'applique aux vins produits par vingt et une communes du département de la Loire, situées au pied des monts du Forez, entre Saint-Étienne et Roanne. — Les vins rouges, parfois rosés, proviennent du Gamay. Titrant 9⁰, ils sont légers et frais. De conservation limitée, ils sont consommés localement. Ils ont droit au label v. d. q. s.*

Côtes-du-Jura. Cette appellation* contrôlée régionale s'applique à des vins récoltés sur les marnes et les graviers des coteaux du Jura, et couvre douze cantons : Villers-Farlay, Salins, Arbois, Poligny, Sellières, Voiteur, Bletterans, Conliège, Lons-le-Saunier, Beaufort, Saint-Julien et Saint-Amour (ne pas confondre avec Saint-Amour, cru du Beaujolais). L'appellation définit des vins blancs secs, corsés, avec un parfum particulier, et des vins rouges généreux, bouquetés et fins. Lorsque le Poulsard domine, ces vins rouges sont peu colorés, mais très fins; le Trousseau, lui, donne plus de couleur et de corps. Les rosés sont secs et fruités, mais ont peut-être moins de caractère que les rouges. On trouve encore sous cette appellation des vins jaunes*, des vins de paille* et des vins mousseux.

Côtes du Luberon. A l'est d'Avignon et au nord de la Durance, sur les pentes du Luberon, s'accroche ce vignoble, qui n'est pas sans analogie avec celui, tout proche, des Côtes du Ventoux. Les vignerons ont accompli ici les mêmes efforts, couronnés de succès, que leurs voisins du Ventoux : c'est ainsi que le vignoble s'équilibre peu à peu grâce au remplacement, par le Grenache et le Cinsault, du Carignan en trop forte proportion (et qui ne devra plus dépasser 50 p. 100 de l'encépagement). L'arrêté du 10 septembre 1979 a précisé le degré minimum des vins blancs, rouges ou rosés : 11⁰,

Vignes des Côtes du Luberon.
Phot. Brihat-Rapho.

et la production à l'hectare : 50 hl. Les « Côtes-du-Luberon » ont droit au label V. D. Q. S.*

Les vins rouges et rosés ressemblent à ceux du Ventoux : le rosé est particulièrement délicieux. Les vins blancs, issus de la Clairette et du Bourboulenc, sont produits en assez grande quantité. Ce sont des vins fruités qu'il faut boire jeunes.

Côtes-du-Marmandais. Ces vins du Sud-Ouest, classés V. D. Q. S.*, sont produits sur les deux rives de la Garonne, dans les cantons de Marmande et de Seyches. Les Côtes du Marmandais sont en quelque sorte la prolongation du terroir de l'Entre-deux-Mers, situé sur la rive droite de la Garonne, et du Sauternais (dont elles ont la structure graveleuse), situé sur la rive gauche. Les cépages, plantés sur des coteaux ensoleillés, sont très variés. Les vins rouges et blancs, de bonne qualité, ont jusqu'à présent un intérêt surtout local.

L'arrêté du 18 février 1975 a restreint l'encépagement de ce vignoble. A partir de 1980, les cépages accessoires rouges ne seront plus tolérés et les cépages blancs devront être le Sauvignon (pour 70 p. 100 au minimum) et l'Ugni blanc (pour 30 p. 100). La Muscadelle et le Sémillon seront supprimés.

Côtes du Rhône. De Vienne à Avignon, planté sur les coteaux des deux rives du Rhône, s'étire le vignoble des Côtes du Rhône, trait d'union bienheureux entre la Bourgogne et la Provence. Aucun vignoble n'offre autant de diversité que celui-ci au dégustateur. Plus de cent communes, situées sur six départements, produisent des vins de l'appellation générale « Côtes-du-Rhône », qui, la plupart du temps, n'ont en commun que cette appellation, qu'ils soient blancs secs, blancs liquoreux, rouges légers, rouges robustes, rosés, mousseux, vins doux naturels ou vins de paille*. Cette région offre au dégustateur une éblouissante symphonie de couleurs, de bouquets et de saveurs.

Le vignoble se divise nettement en deux parties, séparées par une région sans vignes entre Valence et le défilé de Donzère : les Côtes du Rhône septentrionales, sur une bande étroite de coteaux dominant le Rhône, de Vienne à Valence; les Côtes du Rhône méridionales, dont le vignoble, fort différent, s'étale très largement de chaque côté du fleuve jusqu'au département du Gard, à droite, et à ceux de Vaucluse et de la Drôme, à gauche.

Les terrains sont de nature fort différente. Le vignoble de la partie septentrionale monte à l'assaut des pentes escarpées, tandis que celui de la partie méridionale, planté sur un sol aride de cailloux roulés, semble un incroyable défi à la Nature.

Quant aux cépages utilisés, ils sont extrêmement variés; une vingtaine sont autorisés : Syrah, Grenache, Mourvèdre, Cinsault, Clairette, Roussanne, Marsanne, Viognier, etc.

Sur la route des vacances, saluons au passage les vignobles des Côtes du Rhône septentrionales, avec le respect dû à des seigneurs de haute lignée : rive droite, Côte-Rôtie, Condrieu, Château-Grillet, Saint-Joseph, Cornas, Saint-Péray; rive gauche, Hermitage et Crozes-Hermitage.

Mais les Côtes du Rhône méridionales ne demeurent certes pas en reste, en nous présentant, drapés de velours pourpre ou de satin rose et or, les vins de Châteauneuf-du-Pape, des Côtes du Rhône-Villages, de Die, de Châtillon-en-Diois, de Rasteau, de Beaumes-de-Venise, des Coteaux du Tricastin, de Gigondas, des Côtes du Ventoux, de Tavel, de Lirac.

En dehors de leurs brillantes appellations* contrôlées, les Côtes du Rhône offrent encore à l'œnophile de bien sympathiques « vins* délimités de qualité supérieure », vendus sous leur propre nom : Haut-Comtat, Côtes-du-Luberon, Côtes-du-Vivarais.

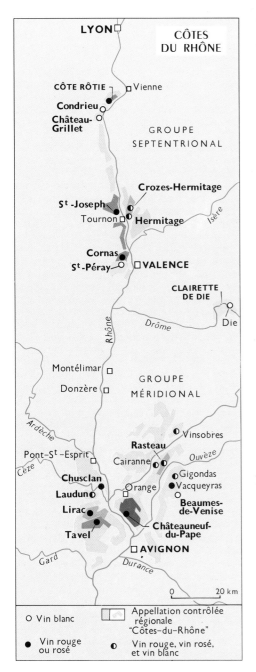

Côtes du Rhône : appellation « Côtes-du-Rhône ». L'appellation « Côtes-du-Rhône », sans autre indication, présente une grande quantité de vins, toujours généreux et capiteux, et qui, bien vinifiés, sont d'agréables vins de table, convenant spécialement à la cuisine du Midi ou aux plats relevés. Ces vins, blancs, rouges ou rosés, peuvent provenir d'un mélange de vins des Côtes du Rhône septentrionales ou méridionales, ou encore d'un assemblage de vins des deux régions. Toutefois, actuellement, les vins vendus sous la seule appellation « Côtes-du-Rhône » proviennent presque tous de la partie méridionale : Vaucluse, Drôme, Gard.

Les vins les plus célèbres des Côtes du Rhône se glorifient, eux, de leur propre appellation. Il est à remarquer, à ce propos, que certaines communes ont droit à leur propre nom : par exemple, Châteauneuf-du-Pape, Tavel. Par contre, certaines autres ne peuvent employer leur nom que précédé de l'appellation « Côtes-du-Rhône » : par exemple, Cairanne, Chusclan, Laudun, etc. Depuis quelques années, le Côtes-du-Rhône « primeur » (sorti des chais le 15 novembre) est de plus en plus demandé et cette appellation est devenue la deuxième appellation française productrice de primeurs (100 000 hl) après le Beaujolais.

Côtes-du-Rhône-Villages. Cette appellation ne peut s'appliquer qu'aux vins récoltés sur le territoire de certaines communes, qui ont, par ailleurs, le droit d'adjoindre leur propre nom à celui de l'appellation « Côtes-du-Rhône ». Ces communes sont : Rochegude, Saint-Maurice-sur-Eygues, Vinsobres, Rousset-les-Vignes, Saint-Pantaléon-les-Vignes dans la Drôme; Cairanne, Rasteau, Roaix, Séguret, Vacqueyras, Valréas, Visan et Sablet en Vaucluse (et, depuis le décret du 27 juillet 1979, Beaumes-de-Venise); Chusclan, Laudun et Saint-Gervais dans le Gard.

L'appellation « Côtes-du-Rhône-Villages » s'applique à des vins rouges, rosés et blancs dont l'encépagement et la production sont plus stricts que pour l'appellation « Côtes-du-Rhône » simple.

Les « Côtes-du-Rhône-Villages » rouges provenant de la *Drôme* sont très estimés des consommateurs; riches des arômes de la garrigue, ils sont fruités et très agréables à boire dans leur jeunesse. Certains terroirs, comme Vinsobres, donnent des vins plus riches, qui vieillissent admirablement. Le vignoble produit aussi d'excellents rosés, corsés et de belle couleur.

Les « Côtes-du-Rhône-Villages » provenant de *Vaucluse* sont produits dans le carré Bollène, Vaison-la-Romaine, Orange, Carpentras. La vigne a repoussé vers les sommets le thym et la lavande, et donne des vins rouges virils et puissants, au goût de poivre et de réglisse, qu'il est préférable souvent d'attendre de deux à trois ans, selon leur provenance et le pourcentage plus ou moins important de Syrah qu'ils contiennent. Les rosés de cette région sont corsés et parfumés, et les vins blancs nerveux et souples.

Les « Côtes-du-Rhône-Villages » du *Gard* s'honorent des deux communes de Chusclan et de Laudun, dont les vins ont été

*Aux confins du Dauphiné,
le village de Vinsobres,
dans les Côtes du Rhône
méridionales.*
Phot. Pavlovsky-Rapho.

parmi les premiers à bénéficier de cette appellation.

Le vignoble de *Chusclan* occupe cinq localités sur la rive droite du Rhône, au nord de Tavel et à l'ouest d'Orange. Il est enraciné dans des sols caillouteux et arides, non loin du centre atomique de Marcoule, qui, hélas! grignote chaque jour sur lui. Bien qu'il produise aussi de bons vins rouges, il est surtout renommé pour son rosé, qu'appréciait déjà Louis XIV, puisqu'il en faisait provision en un lieu nommé depuis le « Clos du Roi ». Ce rosé remarquable, charnu, puissant, très fruité, à l'arôme de prune et d'acacia, n'est pas sans rappeler ses voisins de Tavel et de Lirac, mais en plus viril. Au Grenache, qui est le cépage de base, sont ajoutés le Cinsault et la Camarèse, qui donnent à l'arôme si particulier du rosé de Chusclan toute son originalité. Ce rosé est élaboré exclusivement selon la méthode de saignée. Les vins rouges proviennent, eux aussi, du Grenache, comme cépage principal, auquel sont ajoutés la Syrah et le Mourvèdre, qui leur confèrent une personnalité certaine; ils sont obtenus par vinification classique des raisins foulés, auxquels est ajoutée une certaine proportion de raisins non foulés.

Les vins blancs ont droit aussi à l'appellation.

Le vignoble de *Laudun*, tout proche, domine le Rhône de son plateau où César avait établi un camp contrôlant la vallée. Il produit d'excellents rosés fruités et des vins rouges aimables et élégants, moins corsés que ceux de la rive gauche du Rhône. Mais il est surtout renommé pour ses vins blancs, de très ancienne réputation, déjà classés parmi les meilleurs du royaume d'Henri IV. Fins, droits de goût, ces vins blancs sont très appréciés dans leur jeunesse. Ils sont issus principalement de la Clairette et du Bourboulenc, auxquels on ajoute parfois du Grenache blanc.

Le Grenache, comme à Chusclan, est le cépage principal des vins rouges et rosés, qui sont désormais très demandés.

On lui ajoute du Cinsault pour les rosés, de la Syrah et du Mourvèdre pour les vins rouges. Les vins rosés et les vins rouges sont obtenus par les mêmes méthodes de vinification qu'à Chusclan. Quant aux vins blancs, s'ils ne font pas l'objet d'une méthode particulière à la région, ils sont vinifiés de façon très soigneuse, de manière à éviter le jaunissement de la couleur et la vulgarisation du bouquet.

Côtes-du-Roussillon. Cette appellation légale n'est guère ancienne : instituée V. D. Q. S.* par l'arrêté du 3 octobre 1972, elle a été élevée à l'appellation* contrôlée le 28 mars 1977. Elle s'applique à des vins rouges, rosés ou blancs produits sur le territoire de cent dix-huit communes des Pyrénées-Orientales. Le vignoble, le plus méridional de France, s'étend sur une suite de collines entourant la plaine du Roussillon ou sur des plateaux arides au pied des monts du Canigou, des Fenouillèdes ou des Corbières. Il pousse sur des sols granitiques, schisteux ou argilo-calcaires, ou sur des argiles rouges enrobant de gros cailloux de quartz. La récolte annuelle de Côtes-du-Roussillon est de 200 000 hl environ (celle de Côtes-du-Roussillon-Villages est inférieure à 100 000 hl).

Les vins rouges et rosés doivent être issus des cépages principaux Carignan, Cinsault, Grenache, Lladoner Pelut pour 70 p. 100 au moins de l'encépagement (le pourcentage de Carignan, de 80 p. 100 avant 1977, ne pourra dépasser 70 p. 100 à partir de 1985). Les cépages complémentaires sont les cépages Mourvèdre, Syrah et Maccabéo, la proportion de ce dernier étant limitée à 10 p. 100 pour les vins rouges. A partir de 1985, les vins devront provenir obligatoirement du mélange de trois cépages, le total des deux plus importants ne devant pas dépasser 90 p. 100. Les vins blancs doivent provenir du Maccabéo.

Les vins rouges, titrant 11,5°, peuvent être obtenus par vinification classique ou par macération* carbonique. Les vins rosés, titrant eux aussi 11,5°, doivent être éla-

Les ceps de vigne
des Côtes du Ventoux,
aux environs de Bonnieux.
Phot. Brihat-Rapho.

borés par le procédé de la saignée. Les vins blancs, qui doivent titrer 10,5 et 12⁰, doivent être obtenus à partir de raisins apportés entiers et non foulés sur le pressoir*.

Les vins rouges sont veloutés, corsés et charnus, mais assez fins et bouquetés. Les rosés, corsés eux aussi, ne manquent pas de fruit. Les vins blancs se révèlent parfois excellents; ils vont très bien sur les poissons de la Méditerranée toute proche.

Les anciennes appellations « Roussillon-dels-Aspres » et « Corbières-du-Roussillon » ont été supprimées et remplacées par l'appellation « Côtes-du-Roussillon ».

La coopérative de Trouillas, très dynamique, donne une excellente impulsion aux vignobles de la région.

Côtes-du-Roussillon-Villages. L'appellation « Côtes-du-Roussillon-Villages » a été définie aussi par le décret du 28 mars 1977. Seuls les vins rouges y ont droit et ils ne sont produits que sur le territoire de vingt-cinq communes dont les vins bénéficient de l'appellation « Côtes-du-Roussillon ». Ce sont des vins corsés, colorés, chaleureux, avec une saveur particulière selon le terroir* de production. Les conditions d'encépagement sont les mêmes que pour les « Côtes-du-Roussillon » (sauf pour le Carignan, où les proportions sont plus restrictives), ainsi que les conditions de vinification. Les vins doivent titrer 12⁰ au minimum. Le rendement à l'hectare est de 45 hl (il est de 50 hl pour l'appellation « Côtes-du-Roussillon »).

L'appellation « Côtes-du-Roussillon-Villages » peut être suivie du nom de *Caramany* uniquement pour les vins récoltés et vinifiés sur la commune de Caramany; 60 p. 100 au moins de la vendange doivent être vinifiés par macération* carbonique, le

vin du cépage Carignan devant être obligatoirement vinifié par ce procédé.

L'appellation « Côtes-du-Roussillon-Villages » peut être suivie du nom de *Latour-de-France* pour des vins récoltés et vinifiés sur certains lieux-dits de cette commune et des communes d'Estagel, de Montner, de Cassagnes et de Planèzes.

Côtes-du-Ventoux. L'appellation suffit à situer géographiquement le vignoble! C'est, en effet, sur les pentes mêmes de ce mont imposant du département de Vaucluse que pousse la vigne, dans les endroits bien abrités des vents froids et exposés au soleil. Grâce aux efforts des vignerons, qui ont cherché à améliorer l'encépagement et à rationaliser les méthodes de vinification, le vin des Côtes du Ventoux, après

Vendanges dans le Roussillon.
Phot. Etienne Montes-Gamma.

être devenu un des meilleurs vins classés V. D. Q. S.* de la vallée du Rhône, a été élevé par le décret de juillet 1973 à la dignité de l'appellation* contrôlée.

Les vins rouges et rosés proviennent, pour 80 p. 100 au moins, des cépages principaux Grenache noir, Syrah, Cinsault, Mourvèdre et Carignan (dont la proportion ne peut dépasser 30 p. 100), et des cépages secondaires Picpoul noir, Counoise, Clairette, Bourboulenc, Grenache blanc, Roussanne, Ugni blanc, Picpoul blanc, Pascal blanc. Les vins blancs doivent provenir de la Clairette et du Bourboulenc comme cépages principaux et de 30 p. 100 au maximum de cépages secondaires : Grenache blanc, Roussanne, Ugni blanc, Picpoul blanc, Pascal blanc. Les vins doivent titrer 11⁰. Les vins rouges ont une jolie teinte rubis clair et conviennent particulièrement comme vin unique tout au long d'un repas. Les rosés sont bouquetés, fruités et nerveux, avec beaucoup de finesse et de fraîcheur. Les blancs sont produits en quantité assez peu importante.

Côtes du Vivarais, vignoble de l'Ardèche, situé sur la rive droite de la vallée du Rhône, aux environs d'Orgnac, dont l'aven attire les touristes. — Il produit des vins rouges, rosés et blancs, issus des cépages classiques de la région.

Les « Côtes-du-Vivarais », frais et bouquetés, sont des vins classés V. D. Q. S.* depuis 1962. Ils ont un typique goût de terroir très apprécié et une fraîcheur particulière qui justifient le slogan de propagande :

« Vin des Côtes du Vivarais
Vin frais
Vin fruité
Vin recherché ».

Les vins rouges et rosés proviennent des cépages principaux Cinsault, Grenache, Mourvèdre, Picpoul et Syrah, avec 40 p. 100 au maximum de cépages accessoires : Aubun et Carignan. Les vins blancs sont issus des cépages Bourboulenc, Clairette, Grenache, Maccabéo, Marsanne, Mauzac, Picpoul et Ugni blanc. Les vins doivent titrer 10,5⁰.

Certaines communes (Orgnac, Saint-Montant et Saint-Remèze) ont le droit d'ajouter leur nom à l'appellation « Côtes-du-Vivarais », à condition que leurs vins titrent au moins 11⁰ et que leur encépagement soit plus rigoureux : un seul cépage accessoire pour les rouges et rosés, le Carignan, et pour 25 p. 100 au maximum; Bourboulenc, Clairette, Grenache, Marsanne et Picpoul seulement pour les vins blancs.

Côtes-du-Zaccar. On rangeait sous cette appellation des vins d'Algérie produits autour de Miliana, au sud-ouest d'Alger, et qui bénéficiaient, avant l'Indépendance, du label V. D. Q. S.* Les vins, récoltés sur des terrains argilo-calcaires, à une altitude de 400 à 900 m, sont rouges, rosés et blancs, et possèdent en commun un fin bouquet assez particulier. Les rouges, colorés, corsés, charnus, avec parfois un parfum fruité de framboise, comptaient parmi les meilleurs d'Algérie. Les blancs, issus principalement du Faranah, étaient généralement excellents, fruités et très bouquetés.

Cotnari. Ce vin de dessert de Roumanie partagea jadis en Europe la célébrité du Tokay. On le servait dans les restaurants parisiens sous le nom de « Perle de Moldavie ». Le vignoble qui le produit, un des plus vieux du pays, couvre les contreforts des Carpates au nord-est de la Roumanie, non loin de la ville ancienne d'Iasi. Admirablement exposé, il jouit d'un climat idéal. On a effectué récemment de nouvelles plantations, en s'inspirant des techniques modernes, et l'avenir de ce si vieux vignoble semble bien prometteur.

Le Cotnari blanc est un vin de dessert naturel comme le Tokay, titrant de 13 à 14⁰ et contenant au moins 50 g de sucre résiduel par litre. Il est fin et distingué, plus délicat que le Tokay, avec une saveur très subtile. Il est issu du Grasä, cépage sujet à la pourriture* noble.

coulant (vin), vin qui donne une impression de fluidité. — On dit aussi qu'il est « glissant ». Riche en glycérine*, harmonieux, bien équilibré, il se boit en effet fort facilement, car tous ses éléments sont bien fondus sans qu'aucun d'eux (alcool*, tanin* ou acidité*) ne prenne, à la dégustation, plus de valeur que les autres.

Coulée-de-Serrant. C'est, avec la Roche-aux-Moines, le plus exquis des vins délicieux de Savennières. L'appellation « Coulée-de-Serrant » doit être précédée de « Savennières ». Le domaine, entouré de murs comme un précieux trésor, n'a guère plus de 3 ha. Le Pineau de la Loire, dans le sol schisteux de la colline admirablement exposée, va donner ici le meilleur de lui-même. Rien d'étonnant que ce prestigieux nectar ait fait les délices de Louis XIV et, plus tard, de l'impératrice Joséphine! Autrefois, le vin était vinifié en demi-sec ou en moelleux, et l'on vendangeait tard, pour que les raisins soient confits par le soleil. Actuellement, le vin est vinifié en sec. Qui s'en plaindrait? Il a gardé sa délicatesse, sa plénitude, son élégance, son éblouissante splendeur et acquis plus de nervosité.

Vin hors classe, vin royal, la Coulée-de-Serrant est un vin qu'on boit toujours avec regret, craignant qu'il devienne introuvable.

coulure. Le mauvais temps, à l'époque de la floraison de la vigne, provoque parfois l'absence de fécondation des fleurs. Celles-ci se dessèchent et tombent. Certains cépages, comme le Chardonnay, sont prédisposés à cette affection.

coupage (vins de). Bâtards de plusieurs pères, les vins de coupage n'ont pas d'origine déterminée. Leur lieu de naissance se situe dans les locaux des négociants en vins. Ils résultent de dosages et de mélanges plus ou moins savants. Les vins d'Algérie ont longtemps apporté aux coupages leur degré alcoolique. Les vins de coupage proviennent toujours de cépages communs — les hybrides* sont évidemment permis. Leur degré alcoolique doit être supérieur à 9,5⁰. Beaucoup de vins de coupage sont des vins « de marque* ».

court en bouche (vin), vin qui peut être excellent, mais qui déçoit forcément, en raison de la sensation trop fugitive qu'il procure.

courtier, intermédiaire indispensable entre la multitude de producteurs et les négociants* en vins. Dès le début du XVe siècle, le corps des courtiers était déjà constitué. C'est ainsi que les jurats de Bordeaux reconnurent juridiquement cet office au XVIe siècle. La profession a été réglementée par la loi du 31 décembre 1949. Le courtier est donc l'héritier d'une grande tradition. Son rôle est important : c'est le courtier qui assure la prospection des vignobles et propose les vins intéressants aux négociants, moyennant un pourcentage. Inutile de préciser que le courtier est toujours un très fin connaisseur. Le métier de courtier exige de patientes observations, une grande pratique et un jugement droit. De nombreuses « histoires de courtiers », prouvant l'infaillibilité de ceux-ci, réjouissent les œnophiles. La plus savoureuse est celle d'une barrique de Médoc dont on n'arrivait pas à déterminer un certain goût indéfinissable. Le courtier dégusta le vin et y découvrit le goût de fer, le goût de ficelle, le goût de carton et le goût d'encre. On vida la barrique, au fond de laquelle on trouva la clé en fer du chai, tombée par mégarde, reliée par une ficelle à une étiquette de carton sur laquelle était écrit, à l'encre, « clé du chai ».

courtier juré-piqueur de vins. La Compagnie des courtiers jurés-piqueurs de vins de Paris groupe les experts attachés aux entrepôts des vins de Paris, à Bercy. C'est une des plus anciennes corporations existant encore à l'heure actuelle, puisque son origine remonte au Règlement de 1322 de Charles IV le Bel.

Les jurés, « magistrats de la vigne », étaient des jurés patentés élus, qui surveillaient le commerce des vins et lui imposaient un code d'honneur et de droiture. Les sanctions qu'ils avaient le droit d'appliquer contre les abus étaient sévères et pittoresques (si on en juge par les archives des communes!). Le rôle du juré consistait d'abord à servir d'intermédiaire entre producteurs et acheteurs, puis à surveiller le chargement et à accompagner le vin au cours du transport. Le juré avait l'obligation de tenir un registre précis des entrées et des sorties des vins, soumis au contrôle de la municipalité et de la corporation des vignerons.

Le mot *piqueur* tire son origine d'un outil (appelé coup-de-poing), sorte de vrille qu'on piquait dans le fût afin d'y prélever un échantillon de vin. Dissoute à différentes reprises au cours des siècles, la Compagnie a été reconstituée, sous forme de groupement professionnel d'experts, par la loi de 1944 et reconnue d'utilité publique en 1952. Le candidat à un poste de courtier juré doit avoir au moins cinq ans d'activité professionnelle et être parrainé par deux membres de la Compagnie. Ce n'est qu'après un examen sévère qu'il sera admis à une place vacante (le nombre des sièges de la Compagnie est fixé à 50). Le nouveau membre doit prêter serment devant le Tribunal de commerce de Paris. Les membres de la Compagnie se tiennent à la disposition des tribunaux de France et de l'étranger, des administrations, du commerce de gros et de détail et des particuliers pour procéder aux inventaires et aux expertises des vins, des spiritueux et des alcools.

Le Crépy de Savoie, comme le Dézaley suisse, au bord du lac Léman, est issu du Chasselas, cépage glorieux en climat froid.
Phot. Lauros-Atlas-Photo.

Afin d'éviter de possibles confusions avec des associations non professionnelles (d'autant que sa réputation et ses fonctions l'amènent de plus en plus souvent à exercer à l'étranger), il a semblé souhaitable à la Compagnie de supprimer le mot « gourmet » de son nom, qui, depuis quelques années, est devenu « Compagnie des courtiers-jurés-piqueurs de vins ».

crémant, Champagne qui mousse moins que le Champagne habituel. — Sa mousse forme une « crème » au-dessus du verre (d'où il tire son nom); cette crème se dissipe assez vite. Le crémant est en quelque sorte l'intermédiaire entre le mousseux et le pétillant. En effet, sa pression est inférieure à la moyenne des vins mousseux (de 2,5 à 3 kg au lieu de 5 kg environ pour le vin mousseux).
Un crémant bien réussi est un vin de grande qualité, qui a l'avantage, sur le Champagne normal, de garder beaucoup mieux son goût du vin et un certain moelleux apprécié. Un crémant devrait, par conséquent, provenir en principe des meilleures cuvées*; c'est un vin assez rare, qui était autrefois très recherché et se vendait fort cher. En fait, très peu de maisons préparent encore le crémant traditionnel, et il arrive souvent que ce mot ne signifie plus grand-chose, ce qui est bien regrettable.
Il ne faut pas, évidemment, confondre le mot *crémant* avec le nom de la commune de Cramant, cru de la Côte des Blancs, au sud-est d'Épernay. Cette confusion peut se faire d'autant plus facilement que Cramant est justement un des rares noms de crus de Champagne, et donc employé assez souvent. Il est amusant de savoir qu'il existe un crémant de Cramant.

Des appellations d'origine contrôlée « Crémants » ont été créées assez récemment, s'appliquant à des vins mousseux originaires d'autres régions que la Champagne : le Crémant de Bourgogne et le Crémant de Loire (décret du 17 octobre 1975), le Crémant d'Alsace (décret du 24 août 1976).

crème de tête, expression qui désignait autrefois, dans le Sauternais, les vins les plus riches qu'on obtenait par la première trie, tout spécialement soignée, de la vendange. — Cette première trie, peu abondante, était composée presque exclusivement de grains « pourris », qui atteignaient une richesse en sucre exceptionnelle, allant jusqu'à 500 g par litre. Les tries suivantes, d'un meilleur rendement en quantité, étaient composées d'un mélange de grains plus ou moins pourris (la dernière, appelée « queue* », comprenait très peu de raisins atteints par la pourriture* noble). Actuellement, tous les grands crus* de Sauternes assemblent et unifient la portion de leur récolte qu'ils jugent digne de porter le nom, le reste n'étant pas vendu sous le nom du château. Cette expression *crème de tête* a donc perdu tout à fait son importance, puisque les grands crus ne vendent jamais leur première trie sous ce nom.

Crépy. Ce vin d'appellation* contrôlée de Savoie se récolte sur les rives du lac Léman. Il est le plus connu des vins savoyards et le seul dégusté, depuis longtemps, en dehors de la région. Le vignoble occupe des coteaux calcaires, exposés au sud et au sud-ouest, sur le territoire des communes de Loisin, de Douvaine et de Ballaison. Il est d'origine fort ancienne. Le Crépy provient du Chasselas roux et vert, qui donne, dans le Valais suisse, le célèbre *Fendant*. Il rappelle beaucoup les vins suisses voisins. C'est un vin délicieux, très sec, qui conserve le léger pétillement naturel recherché dans les vins perlants. Il doit titrer légalement 9,5⁰ au minimum, mais les dépasse souvent. Clair, d'un or très pâle nuancé de vert, il est élégant et plein de charme, avec du corps et une agréable acidité. Celle-ci lui assure d'ailleurs une étonnante vitalité. Sans madériser, le Crépy s'améliore même avec l'âge : il perd alors son acidité et sa fraîcheur, mais gagne un parfum subtil et une saveur de noisette et de violette qui imprègne bien la bouche.

Crozes-Hermitage, appellation des Côtes du Rhône qui s'applique à des vins rouges et blancs produits par une dizaine de communes voisines du célèbre coteau de l'Hermitage, sur la rive gauche du Rhône. — Les vins rouges, issus de la Syrah, sont proches cousins des Hermitages, mais avec moins de couleur et de finesse. Leur arôme d'aubépine sauvage et de framboise leur donne un charme incontestable. Ils se conservent moins longtemps que les Hermitages et se décolorent avec le temps.
Les vins blancs, provenant de la Roussanne et de la Marsanne, ont moins de distinction, de parfum et de corps que les Hermitages. Très pâles, légers, ils ont une odeur et une saveur agréables de noisette. D'abord moelleux dans leur jeunesse, ils deviennent secs en vieillissant.
Parmi les crus* les plus réputés, citons les Meysonniers, Domaine de Thalabert, Domaine de Conflans, les Gros des Vignes.

cru. Appliqué au vignoble, ce mot, qui dérive du verbe *croître,* désigne un terroir particulier, l'endroit où « croît » la vigne. L'expression *vin de cru* implique nécessairement la notion de renommée et de qualité supérieure. Dans le Bordelais, le mot *cru* a un sens fort restreint : il désigne le « château* », à qui on reconnaît donc une personnalité, une individualité dans le cadre de la commune. Le « château » du Bordelais trouve son synonyme dans le « climat* » de Bourgogne.
On emploie très couramment le mot *cru* pour désigner un vin, ce qui n'est pas correct en réalité, puisqu'on ne boit pas un cru, mais le vin d'un cru.

cru (grand). On a mis longtemps à réglementer cette qualification de façon précise, sauf en ce qui concernait le Chablis. Elle pouvait s'appliquer à tous les vins à appellation d'origine : elle ne signifiait donc, en général, pas grand-chose. Mais un décret du 27 juin 1964 a finalement mis les choses au point. Désormais, l'expres-

sion *grand cru* est interdite, sauf en ce qui concerne le Chablis, le Saint-Émilion, le Banyuls, le Champagne et le vin d'Alsace, et cette désignation doit répondre à des normes précises fixées par la loi. Les Chablis « Grand Cru » sont toujours les meilleurs de l'appellation (le Clos, Vaudésir, etc.).
Par contre, les Saint-Émilions « Grand Cru » sont des vins qui ne proviennent pas de crus classés, mais qui ont été jugés dignes, après avis de la commission de dégustation, d'être classés au-dessus des vins ne bénéficiant que de l'appellation « Saint-Émilion ».
En ce qui concerne la Bourgogne, une classification importante des crus avait déjà été faite en 1861 par le « Comité d'agriculture de l'arrondissement de Beaune », bien avant le système moderne des appellations* contrôlées. On distinguait alors les très grands crus, ou « têtes de cuvée », les grands crus, les premiers crus. Cette classification a été refondue en 1936 par l'I. N. A. O.* en « grands crus » et « premiers crus ». Sur des centaines de vignobles classés en Bourgogne, trente et un sont des grands crus. En Côte de Beaune, par exemple, six vignobles seulement ont cette dénomination. A condition de se conformer aux normes exigées, les vins de grands crus ne portent que le nom du cru sur l'étiquette : la mention de la commune est superflue, le nom glorieux du cru suffisant à lui seul.

cru (premier), expression strictement réservée aux vins d'appellation* contrôlée, dont la réglementation prévoit, pour les premiers crus, un classement particulier.
— Le Champagne et les appellations bourguignonnes sont dans ce cas, et notamment toutes les appellations communales de la Côte de Nuits et de la Côte de Beaune ainsi que Chablis, Mercurey, Givry, Rully et Montagny. Les premiers crus bourguignons, contrairement aux grands crus, qui ne portent que le nom du cru sur l'étiquette, doivent porter le nom de la commune complété du nom du cru ou de l'expression « premier cru ».
En Gironde, il est d'usage de désigner par « premiers crus classés » les quatre premiers crus rouges classés en 1855 (Lafite, Margaux, Latour, Haut-Brion) et les premiers crus de Sauternes, classés également en 1855.
« Premier grand cru classé » est autorisé pour certains domaines de Saint-Émilion, classés par le décret de 1954 : Ausone, Cheval-Blanc, etc. L'I.N.A.O. doit, d'après ce décret, procéder tous les dix ans à la révision du classement des « premiers grands crus classés » et des « grands crus classés » de Saint-Émilion, mais le classement de 1979 n'est pas encore actualisé.

cru classé, expression réservée aux crus qui ont fait l'objet d'un classement consacré officiellement par l'Institut* national des appellations d'origine. — Les crus du Bordelais qui ont été classés en 1855 ont droit de même à l'expression *cru classé.* Celle-ci s'applique en résumé aux vins bordelais d'appellation contrôlée : Médoc, Sauternes, Graves, Saint-Émilion, et aussi aux Côtes-de-Provence qui ont été l'objet d'un classement.

cuit (vin), vin obtenu par concentration du moût* chauffé dans un chaudron. — Le vin cuit de Palette, friandise des noëls provençaux, était excellent. Mais le «goût de cuit» est un défaut qu'on trouve parfois dans certains vins qu'on a chauffé à la cuve* pour qu'ils achèvent leur fermentation ou qui proviennent de vendanges trop mûres.

cuvage, endroit où l'on met les cuves (on l'appelle encore «cuverie» ou «chai*»). — Mais on appelle aussi «cuvage» l'action de cuver le vin, c'est-à-dire la cuvaison.

cuvaison ou **cuvage,** action de faire cuver le vin, c'est-à-dire de laisser séjourner la vendange dans la cuve en vue de la fermentation*. — Cette opération est extrêmement importante, puisqu'elle détermine la nature et la qualité du vin. La première phase de la cuvaison est celle qui consiste à déverser la vendange* dans les cuves, opération plus délicate que ne le pense le profane. En effet, il était tentant de décharger mécaniquement les bennes et les tombereaux dans les cuves; d'où emploi de divers procédés : élévateur à godets, tapis roulant, vis sans fin, foulo-pompe, etc. La foulo-pompe se généralisa entre 1930 et 1950, surtout dans les caves coopératives. Hélas! elle martyrise le raisin, qu'il faut broyer entre des rouleaux cannelés, afin de pouvoir le refouler dans les tuyaux, et le vin réagit contre ce traitement, indigne de lui, en devenant banal et commun. Aussi beaucoup de vignobles durent abandonner le système.
Le choix même de la cuve* et de sa capacité sont loin d'être sans importance! Il faut toujours que l'homme de l'art puisse surveiller la fermentation alcoolique et intervenir si nécessaire, car la cuvaison n'est pas, comme on pourrait se l'imaginer, un moment d'attente paresseuse où le vigneron laisse les levures* accomplir leur travail! Plusieurs fois par jour, tel un praticien, le vigneron ausculte sa cuve : mustimètre et tasse à vin sont ses stéthoscopes! La cuvaison varie, suivant les régions, de deux jours à trois semaines. Elle dépend étroitement de la nature du vin et de la destinée qui sera la sienne. Les vins qui

seront bus jeunes sont, évidemment, cuvés moins longtemps que les vins de garde. Actuellement, les cuvaisons sont plus courtes qu'autrefois. Ainsi, à Châteauneuf-du-Pape, la cuvaison durait jadis jusqu'à Noël, ce qui donnait des vins tanniques et longs à se dépouiller. Ceux-ci se conservaient, bien sûr, admirablement, mais, pour arriver à stabiliser des vins aussi chargés, il fallait trois ans de séjour en fût avant la mise en bouteilles, ce qui risquait de les dessécher. La réussite du vin dépend étroitement du rapport équilibré entre la durée de la cuvaison et le séjour en fût durant l'élevage*. Mais, bientôt, un bien beau moment attend le vigneron, celui de la décuvaison*, lorsque la fermentation sera terminée.

cuve. Les cuves, de nos jours, sont en bois, en ciment ou en acier inoxydable. Le bois, évidemment, est le matériau traditionnel, utilisé de temps immémorial, et beaucoup de vignobles de qualité continuent à l'employer.
Les cuves en bois ont quelques inconvénients : leur prix élevé à l'achat, qui cause des problèmes au moment de leur remplacement; leur entretien onéreux et leur préparation minutieuse avant emploi, qui exigent beaucoup de main-d'œuvre; le fait, enfin, qu'elles demandent, pour les vins blancs, l'emploi de tonneaux ou de cuves verrées pour loger le vin après la fermentation (donc double matériel). Si on veut les utiliser pour conserver les vins après fermentation, on doit les fermer pour abriter le vin de l'air, les peindre ou les vernir à l'extérieur pour empêcher les pertes par évaporation : d'où certaines difficultés techniques. Mais elles ont de tels avantages! Les vins blancs y fermentent bien, s'affinent, s'éclaircissent plus vite et peuvent être vendus plus rapidement que ceux qui sont faits en cuves de ciment. Pour les vins rouges, les cuves en bois sont nettement supérieures, puisque ceux-ci ont besoin d'une aération modérée afin de s'affiner en cuve avant d'être mis en bouteilles.
Les cuves en ciment sont beaucoup moins onéreuses à l'achat. Leur entretien et leur hygiène sont bien plus faciles. Elles permettent le logement du vin blanc après fermentation sans risque d'oxydation et évitent des manipulations. D'ailleurs, leur encombrement est aussi plus faible que celui des cuves en bois. Mais elles risquent d'enrichir le vin en fer (casse* ferrique) et montrent parfois une certaine porosité. On peut surtout leur reprocher le fait que leurs architectes, entre 1925 et 1950, ont été atteints de délire de grandeur. Si la cuve en bois a toujours une capacité forcément limitée (d'ailleurs, lorsqu'il s'agit de vins fins, il ne faudrait guère dépasser 100 hl), la cuve de ciment, elle, peut prendre des

proportions gigantesques : de 600 à 800 hl. Beaucoup de caves coopératives ont ainsi été dotées, pour leur malheur, de batteries de cuves pour Gargantua. Le résultat ne s'est pas fait attendre. Plus question de rester maître d'une telle masse en fermentation : on a assisté à de prodigieuses élévations de température, suivies d'arrêts de fermentation, puisque, au-dessus de 30 °C, les fermentations s'arrêtent ou, tout au moins (ce qui ne vaut guère mieux), sont supplantées par des bactéries : *Mycoderma* aceti, *Mycoderma* vini, bactéries de la graisse, s'en donnèrent à cœur joie dans ces cuves, qu'on avait oublié d'équiper d'un système de refroidissement...
Il existe maintenant des cuves modernes en acier inoxydable ou en acier vitrifié. Très chères à l'achat, elles sont encore l'exclusivité des grands vignobles. Elles sont d'un entretien extrêmement facile et donnent la possibilité de refroidir rapidement le moût*, par arrosage extérieur ou par chemisage de tissu humide.

cuve close, méthode de fabrication des vins mousseux, encore appelée «procédé Charmat», qui permet d'obtenir des vins considérablement moins chers que ceux qui sont élaborés par la méthode champenoise*. — On ajoute à du vin sec une solution de sucre et des levures* pour obtenir une seconde fermentation. Mais celle-ci ne se fait pas en bouteille comme lors de la méthode champenoise ; la prise de mousse est réalisée dans un récipient de vaste capacité hermétiquement clos (d'où le nom de cuve close). Il va de soi que les parois de cette cuve sont calculées pour résister à la pression considérable qui se développe durant cette seconde fermentation. Dans cette méthode, la cuve est considérée, en quelque sorte, comme une bouteille géante. Pour obtenir la clarification du vin, on filtre celui-ci sous contrepression et on remplit immédiatement les bouteilles dès qu'il sort du filtre. Les vins mousseux sont fabriqués, par ce procédé, en deux ou trois semaines, et les manipulations délicates et onéreuses de la méthode champenoise sont supprimées. Économie de temps, économie de main-d'œuvre, certes, mais le vin s'en moque, et les mousseux obtenus, inutile de le préciser, sont de qualité bien inférieure à ceux qui sont donnés par la seconde fermentation en bouteille, lente et à basse température, de la méthode de dom Pérignon*. Cette méthode est parfois employée dans le Midi pour fabriquer des Muscats mousseux, à base de vin ordinaire aromatisé avec du vin provenant de Muscat de Hambourg (qui n'a pu être vendu comme raisin de table), mais elle est interdite en France pour les vins à appellation d'origine.

cuve fermée, procédé employé presque partout en Gironde pour la fermentation des vins rouges. — La fermentation des raisins provenant des cépages bordelais est plus délicate que celle du Pinot noir de Bourgogne (la Bourgogne emploie la «cuve ouverte»). Les volumes de vendanges sont aussi plus considérables qu'en Bourgogne. La cuve fermée permet d'obtenir au-dessus du chapeau* une sorte de matelas de gaz* carbonique qui protège le moût* des risques de piqûre. On aère ce moût par des remontages du chapeau au début de la fermentation, afin de lancer les levures*. S'il faut réfrigérer le moût, le système employé est ici un serpentin extérieur à la cuve.

cuve ouverte, procédé utilisé généralement en Bourgogne durant le temps de la fermentation* alcoolique (celle-ci est facilitée par une forte aération). — Le chapeau* flottant est foulé de temps en temps. On utilise des cuves en bois, généralement équipées d'un drapeau*, qui permet de réchauffer ou de réfrigérer les moûts.

cuvé. Un vin trop cuvé, qui est resté trop longtemps à fermenter dans la cuve, a dissous trop de tanin* ; il est alors astringent et dur, et il faut du temps pour qu'il s'améliore.

cuvée, quantité de vin qui se fait à la fois dans une cuve, autrement dit ensemble du vin fermenté dans une même cuve.
Mais on appelle aussi «cuvée» l'assemblage* des vins de plusieurs cuves, mais ayant la même provenance, la même origine. «Première cuvée», «seconde cuvée» sont des expressions qui désignent la classe, la qualité relatives des vins.
En Champagne (suivant l'exemple de Roederer, qui créa en 1876 la «Cuvée Cristal» destinée au tsar), les grandes marques ont lancé des «cuvées spéciales», cuvées de prestige qui sont des Champagnes hauts de gamme, présentés en bouteilles créées spécialement ou copiées sur des flacons anciens. Aucun règlement juridique ne régit ces «cuvées spéciales», mais la marque, qui met ainsi son nom en jeu au plus haut niveau, a intérêt à en faire un produit de prestige. C'est seulement après la dernière guerre que ces cuvées, millésimées ou non, connurent le succès. On en compte actuellement plus de cinquante : Dom Pérignon (créé en 1936), Comtes de Champagne, Grand Siècle, William Deutz, Belle Époque, etc.

cuver, en parlant de la vendange, séjourner dans la cuve le temps que dure la fermentation* alcoolique.

Dao, une des plus importantes régions viticoles du Portugal produisant des vins de table, située au nord-est de Lisbonne, en plein centre du vignoble portugais. — Une bonne partie des vignes est plantée en terrasses sur les rives du Mondego. Considéré comme le premier vin portugais, le Dao existe en plusieurs variétés, résultant de la grande diversité des sols et des expositions. On trouve de la vigne à plus de 500 m d'altitude, sur les hauteurs de Tarouca et de Castro Daire, dévalant les rives du Mondego, s'étalant en plaine. Tous ces crus* sont donc distincts. Les vins produits sont rouges en majorité et issus principalement du cépage Tourigo, qui donne une haute teneur en sucre et une légère astringence. On mélange raisins noirs et raisins blancs, ce qui donne un vin ayant une jolie robe rubis. Peu alcoolisés, mais charnus, les vins rouges ont de la suavité et une agréable souplesse due à l'exceptionnelle teneur en glycérine*. Ils vieillissent bien. Les vins blancs, peu nombreux, sont issus des cépages Dona Branca et Arinto; ils sont légers, frais, très parfumés, d'une belle couleur blond clair.

débourbage. Lorsqu'il s'agit de vins blancs, le débourbage est l'opération qui consiste à séparer le moût* des bourbes, c'est-à-dire des matières en suspension, avant de le faire fermenter. On appelle aussi « débourbage » le premier soutirage* après la vinification. Il se pratique généralement à la cuverie vers le mois de décembre. La première lie*, séparée du vin clair, est alors très épaisse et abondante.

décantation ou **décantage,** opération fort délicate qui a pour but de transvaser le vin de sa bouteille d'origine dans une carafe, préalablement rincée au vin, pour le séparer de ses dépôts. — La décantation se fait généralement à la lumière d'une bougie, placée derrière le col de la bouteille, afin d'arrêter le transvasement dès que le vin apparaît un peu trouble. Elle est, en somme, une sorte de soutirage* appliqué à l'échelle réduite de la bouteille. Malgré les progrès apportés à la stabilisation* des vins, il est impossible d'empêcher le dépôt des tanins* et celui de la matière colorante*, avec l'âge. Ces dépôts, en se déposant sur la langue, nuiraient à la dégustation. Le vin à décanter est presque toujours un vin rouge et toujours un vin vieux.
La décantation a autant de partisans que d'adversaires. En effet, même si l'opération se fait avec une infinie délicatesse et la respectueuse lenteur obligatoire, il se produit à ce moment une oxydation, chimiquement assez violente, qui risque d'anéantir un très vieux vin, dont l'équilibre est toujours d'une extrême fragilité. En réalité,

chaque vin pose un problème particulier. Le mieux est de monter le vin de la cave deux heures au moins avant le repas et de déterminer s'il aura ou non besoin d'être décanté (dans le cas où l'on est partisan de la décantation). Celle-ci se fera au dernier moment, juste avant la dégustation pour les vins fragiles et un peu avant le repas pour les vins solides, qui tireront bénéfice d'une aération prudente et modérée (cas de certains Médocs, de certains Graves restés un peu « austères »). La décantation a un côté spectaculaire qui plaît beaucoup aux amateurs de mise en scène : regarder le sommelier officier ou opérer eux-mêmes devant les convives doublent le plaisir qu'ils retirent d'une vieille bouteille. En revanche, la décantation prive l'amateur de la contemplation amoureuse d'un vénérable flacon tout au long de la respectueuse dégustation.
Les adversaires de la décantation aiment mieux ne pas courir le risque de tuer un vin. Ils préfèrent monter la bouteille de la cave deux heures avant la dégustation environ et la déboucher. Ensuite, religieusement, avec d'infinies précautions, lorsque l'heure H est venue, ils versent le vin dans les verres, en n'hésitant pas à sacrifier le fond de la bouteille. Si le vin a besoin d'aération pour développer toutes les subtilités de son bouquet, il subira naturellement la très légère oxydation nécessaire au cours du versement dans le verre.

décanter, flacon très luxueux et très raffiné dans lequel le Porto Vintage, vieilli en bouteille, est versé avant d'être servi. — Après des années de claustration en bouteille, le Porto a besoin d'être aéré et décanté. L'opération se fait avec un luxe de précautions bien compréhensibles quand on connaît la valeur d'un vin si admirable. Le Porto repose ensuite quelques heures dans le décanter avant d'être dégusté, jusqu'à la dernière goutte, avec toute la dévotion requise.
Le décanter ancien de cristal taillé est parfois garni d'incrustations d'or ou contenu dans un coffret de bois précieux. Il porte souvent une médaille d'argent pendue au goulot. C'est un objet de valeur qu'il est encore possible de trouver chez l'antiquaire. Certaines maisons spécialisées dans les beaux objets pour cadeaux font des modèles de décanters modernes, toujours très élégants.

décharné (vin), vin maigre, fatigué, manquant de tout, qui plonge l'œnophile dans la tristesse. — Des traitements trop brutaux et appliqués sans discernement sont souvent la cause de cette disgrâce physique du vin. C'est pourquoi il faut se méfier des collages* et des filtrations* trop énergiques,

Décanters à Porto Vintage.
Phot. Casa de Portugal.

pratiqués en vue d'obtenir une impeccable limpidité, car ils malmènent souvent le vin. Il en est de même d'un séjour trop long en fût, qui l'épuise.

décoloré (vin), vin qui, à l'œil, montre une décoloration très nette, même pour un œil peu exercé. — On sent que sa teinte est passée, fanée. Dans les très vieux vins rouges, la décoloration est de règle, puisque le temps fait se précipiter les matières colorantes* du vin. Mais la décoloration est aussi due parfois à un traitement au noir animal ou à un excès d'anhydride* sulfureux.

décuvaison ou **décuvage,** transvasement du vin de la cuve, où il vient de subir la fermentation* alcoolique, dans les tonneaux. — On peut décuver lorsque la plus grande partie du sucre a été transformée en alcool.

dégorgement, une des dernières manipulations nécessitées par l'emploi de la méthode champenoise*. — Le Champagne (ou le vin mousseux), après avoir subi la seconde fermentation, est troublé par des dépôts que l'habile tour de main du remuage* a peu à peu assemblés sur le bouchon. Il s'agit maintenant d'expulser ces dépôts. Autrefois, cette opération se faisait « à la volée » et, malgré l'habileté des ouvriers, elle était loin d'être sans risque : perte de gaz, perte d'une certaine quantité de vin au moment du débouchage. Actuellement, elle est grandement facilitée par l'emploi du froid artificiel. Le

goulot de la bouteille est plongé, tête en bas, dans un mélange réfrigérant à -16 ou $-18\,^{0}$C. En quelques minutes, le dépôt est enrobé dans un glaçon. Le spécialiste enlève alors l'agrafe du bouchon, puis retire celui-ci à l'aide d'une pince : poussé par la pression, le bouchon est violemment expulsé en entraînant avec lui le dépôt. La perte de pression et de vin par ce procédé est insignifiante. Le vide laissé par le départ

Le dégorgement constitue l'une des dernières opérations de la préparation du Champagne. Caves Pommery. Phot. Lauros.

du dépôt est immédiatement comblé par la liqueur* d'expédition : cette adjonction de sucre constitue l'opération du dosage*. Récemment, une grande marque a lancé le Champagne « R. D. » (c'est-à-dire « récemment dégorgé ») avec mention de la date de cette délicate manipulation.

degré. Le degré alcoolique d'un vin représente la quantité d'alcool pur contenu dans ce vin (v. ALCOOL, ALCOOL TOTAL).
La réglementation française ne posait d'exigence au sujet du degré minimal naturel que pour les vins à appellation* d'origine contrôlée, les vins* délimités de qualité supérieure et les vins de pays*. Pour les autres vins, ce degré minimal naturel ne se déduisait qu'implicitement, et du degré exigé pour la commercialisation et des limites de l'enrichissement éventuel.
La réglementation communautaire permet à chaque État membre de maintenir ses exigences rigoureuses particulières concernant les « vins* de qualité produits dans des régions déterminées* » (V. Q. P. R. D.) et les vins désignés par une indication géographique. Mais elle prévoit, de plus, pour les « vins de table », un degré minimal avant tout enrichissement et, par ailleurs, un degré minimal de mise à la consommation (8,5^0). Elle fixe, aussi, pour l'enrichissement, des limites, qui diffèrent selon la zone de production. Celui-ci, lorsqu'il est toléré, ne peut être obtenu que par adjonction de saccharose (v. CHAPTALISATION), adjonction de moûts* de raisins concentrés, concentration partielle et concentration partielle par le froid, ces divers procédés ne pouvant être cumulés. En outre, l'enrichissement ne peut être opéré simultanément avec l'acidification*.
Concernant le degré maximal des vins de table, la réglementation communautaire prévoit un titre alcoométrique total maximal de 15^0, ne pouvant être dépassé que pour des vins produits sur certaines superficies viticoles, obtenus sans aucun enrichissement, ne contenant plus de sucre résiduel et ne titrant pas plus de 17^0 d'alcool acquis. En France, l'indication du degré alcoolique est obligatoire pour les vins de table autres que les vins de pays et pour les vins importés des pays tiers sans indication géographique.
Depuis 1980, le degré alcoolique est mesuré en pourcentage d'alcool pur dans le volume de vin, la détermination se faisant à 20 ^{0}C. Celle-ci prend le nom de « titre alcoométrique volumique ». Le symbole, qui suit le nombre indiquant le titre alcoométrique, est obligatoirement % Vol. (ex. 12 % Vol., au lieu de 12^0).

dégustation. C'est une opération à la fois très simple et extrêmement complexe. C'est un art, une science peut-être, mais c'est surtout un acte d'amour. Si le lyrisme des amateurs de musique, de poésie, de peinture bénéficie du préjugé favorable de la culture, celui, tout aussi louable, des œnophiles est souvent blâmé : depuis bien longtemps, les sens du goût et de l'odorat, jugés trop matériels, sont traités en parents pauvres et privés de toute éducation.
Pourtant, le langage qui traduit l'émotion des amateurs de concerts et d'expositions est relativement assez pauvre, et il faut bien admettre que celui des œnophiles est bien plus précis, même s'il peut sembler bizarre, prétentieux et ridicule aux profanes.
La dégustation est non seulement une source de joie pour l'œnophile, un moyen de communiquer avec ses semblables par son intermédiaire, mais aussi, plus prosaïquement, le moyen d'appréciation le plus simple et le plus sûr que possèdent les vignerons, les négociants*, les sommeliers*. C'est par les dégustations successives qu'ils surveillent l'état du vin, observent son évolution et sont certains ainsi de la qualité du produit livré à la consommation.
La dégustation fait appel à trois organes : l'œil, le nez, le palais. L'œil examine la robe et la limpidité du vin; le nez apprécie l'arôme, le bouquet; le palais perçoit les sensations diverses et la persistance* de ces sensations, que lui procure l'équilibre plus ou moins réussi des éléments qui composent le vin (sucre*, acidité*, alcool*, tanin*, glycérine*, etc.).
Enfin, la dégustation exige de l'œnophile une participation mentale : attention et mémoire sont sollicitées. Le plus difficile est de garder l'intégralité et la rectitude du jugement; pour y parvenir, l'œnophile doit essayer d'écarter l'accoutumance et la suggestion, ce qui n'est pas chose facile.
Mais la dégustation n'est pas seulement une opération, somme toute agréable, faite par des amateurs ou des professionnels, elle est aussi une épreuve légale, véritable étude obligatoire, qui a retenu l'attention du législateur, afin d'assurer l'amélioration constante de la qualité.
C'est ainsi que l'arrêté du 18 novembre 1907 avait déjà créé un corps d'« experts du Service de la répression des fraudes ». Le rapport du chef de service avait constaté qu'en ce qui concerne la dégustation « les négociants possèdent souvent une habileté à laquelle ne peuvent prétendre les directeurs de laboratoires, car elle ne s'acquiert que par une longue et très spéciale expérience ». C'est ainsi que l'avis des experts fut sollicité par les chimistes des laboratoires officiels, ces experts étant des « personnes auxquelles une pratique commerciale certaine a donné une compétence particulière ».

Dès 1935, en application du décret-loi créant à la fois les appellations* contrôlées et l'Institut* national des appellations d'origine, certains vins à appellation contrôlée, et notamment la plupart de ceux de la Gironde, ne pouvaient sortir des chais* sans un avis favorable des « commissions de dégustation ». Ainsi, de leur propre vouloir, ces appellations se créaient une discipline rigoureuse, en se soumettant à l'avis de commissions professionnelles et officielles.

Le décret du 19 octobre 1974 a rendu obligatoire, pour les appellations d'origine contrôlées, un certificat d'agrément délivré par l'I. N. A. O., après examen analytique et organoleptique des vins revendiquant l'appellation. L'analyse, effectuée par des laboratoires agréés par le Service de la répression* des fraudes, précède la dégustation faite par une commission désignée par l'I. N. A. O. L'examen analytique porte au minimum, et obligatoirement, sur l'acidité* volatile, l'acidité* totale, le titre alcoométrique acquis et en puissance, l'extrait sec déterminé par densimétrie et à 100 °C, la densité.

L'examen organoleptique porte notamment sur la couleur, la limpidité et le dépôt, l'odeur et la saveur.

D'autre part, la « labellisation », c'est-à-dire la délivrance du label de qualité revendiqué par les vins se prévalant du statut des vins* délimités de qualité supérieure, doit être précédée d'une analyse chimique et d'une dégustation : cette procédure est prévue par l'arrêté du 15 novembre 1961. Les « commissions de dégustation » travaillent sur échantillons anonymes.

Des organismes privés, de leur côté, délivrent des labels, après dégustation sur des échantillons anonymes. C'est le cas, par exemple, de la « Confrérie des chevaliers du Tastevin », au cours du tastevinage*, de la « Confrérie Saint-Étienne d'Alsace », au cours de la « sigillation ».

Le gros problème, finalement, demeure actuellement de définir — non seulement sur le plan national, mais aussi sur le plan international — les principaux termes de vocabulaire servant à désigner les impressions gustatives. Il est parfois extrêmement difficile, voire impossible, de communiquer entre dégustateurs l'impression dégustative éprouvée par chacun. Seules les notions dominantes peuvent se confronter facilement. Aussi des techniciens et des savants travaillent-ils actuellement à créer un vocabulaire spécifique de la dégustation, scientifique, précis, international, dont chaque mot sera pesé. Mais, en attendant cette création, qui simplifiera la dégustation et les transactions commerciales, il faut se contenter du vocabulaire si imagé, vieux comme la dégustation elle-même, qui permet aux amateurs et aux professionnels d'exprimer leurs impressions, leur enthousiasme ou leur déception.

dentelle. Ce terme désigne un vin très fin, très délicat, offrant des parfums très subtils. Seul il convient pour exprimer tant de raffinement. Ce vin est généralement un vin blanc ou, mieux encore, un Champagne qui brode autour du verre son feston mousseux.

Certains vieux vignerons disent parfois d'un vin « qu'il tombe *en* dentelle », ce qui est tout autre chose puisque cela signifie que ce vin est anéanti par l'âge et part en lambeaux comme un vieux vêtement.

dépouillé. Les dépôts solides contenus dans le vin après la fermentation se précipitent peu à peu au fond du tonneau au cours de l'hiver, en formant les lies*. Lorsque le vin est devenu clair, on dit alors qu'il est « dépouillé ».

désacidification. Il arrive fréquemment, en année froide et pluvieuse, que le raisin n'ait pas réussi à mûrir normalement. Il donnerait alors un vin trop acide. La désacidification vise donc à neutraliser une partie de cette acidité excessive.

*Dégustation
au Château d'Yquem.
Phot. Rapho-Weiss.*

Le recours à cette désacidification était subordonné, par la réglementation française, à une autorisation préalable exceptionnelle qui pouvait être accordée à toute région viticole pour laquelle cette mesure avait été sollicitée. Chaque texte d'autorisation prévoyait, en outre, la nature des produits désacidifiants utilisables.

La réglementation communautaire admet, par contre, un régime permanent, variable suivant les régions. On ajoute aux moûts* des produits naturels, comme du tartrate neutre de potassium ou du carbonate de calcium, pouvant contenir de petites quantités de sel double de calcium des acides *d* - tartrique et *l* - malique.

dessert (vins de). Bien délaissés aujourd'hui, les vins de dessert faisaient les délices de nos pères, qui ne concevaient pas de repas de cérémonie sans leur fastueux point final. Les grands vins blancs liquoreux, les vins de liqueur, les Champagnes et les vins mousseux demi-secs peuvent être présentés au dessert. Les vins blancs liquoreux seront servis d'autant plus frais qu'ils sont plus riches en sucre, et les vins mousseux très frais, mais non frappés.

Dezize-les-Maranges. Les vins rouges ou blancs de cette commune située à l'extrémité de la Côte de Beaune sont vendus sous leur propre nom ou sous celui de « Côte-de-Beaune-Villages ». Fruités, assez légers, ils vieillissent vite.

distingué. Un vin distingué est constitué d'éléments purs et nobles qui s'unissent en un tout parfaitement équilibré.

dosage, opération qui consiste à introduire dans le Champagne qui vient de subir le dégorgement* une certaine quantité de sucre, grâce à la liqueur* d'expédition.

On distingue ainsi :

● le *brut,* qui contient moins de 15 g de sucre par litre, soit environ 2 p. 100 au maximum de « liqueur » à 625 g de sucre par litre (en principe, le brut ne contient même pas du tout de liqueur. Toutefois, il est parfois nécessaire de lui ajouter une dose de 0,25 à 0,50 p. 100 de liqueur lorsqu'il semble un peu dur. La plupart des vins bruts contiennent, en tout cas, beaucoup moins que la limite de 15 g par litre);

● l'*extra-dry,* qui contient entre 12 et 20 g de sucre par litre, soit de 1,5 à 2,5 p. 100 de liqueur environ;

● le *sec* (dit également « goût américain »), qui contient entre 17 et 35 g de sucre par litre, soit de 2 à 4 p. 100 de liqueur environ;

● le *demi-sec,* qui contient entre 33 et 50 g de sucre par litre, soit de 4 à 6 p. 100 de liqueur environ;

● le *doux,* enfin, qui contient plus de 6 p. 100 de liqueur (en général de 8 à 14 p. 100), soit plus de 50 g de sucre par litre.

Autrefois, le Champagne brut était peu prisé, mais, actuellement, il a de plus en plus d'amateurs. La France semble préférer le Champagne léger et brut, l'Angleterre le Champagne très corsé et sec, les pays nordiques le Champagne demi-sec ou même doux. Les États-Unis, jadis amateurs de vin sec, consomment de plus en plus le Champagne brut. Il faut avouer que celui-ci met pleinement en valeur les merveilleuses qualités de finesse et d'harmonie tant appréciées dans ce vin de fête. Il est aussi un vin absolument sincère. Un Champagne médiocre masque plus facilement ses défauts grâce à la douceur de son sucre. Le dosage s'opère maintenant très vite, automatiquement, au moyen de machines spéciales de cristal et de cuivre argenté. Autrefois, la liqueur était introduite à la main à l'aide de petites mesures. Récemment, des Champagnes « non dosés », « sans sucre », c'est-à-dire sans aucun ajout de liqueur au moment du dégorgement, ont fait une apparition remarquée; selon les marques, ils portent le nom de « brut de brut », « brut intégral », « ultrabrut », « brut sauvage », « brut zéro »... La liqueur d'expédition, dans ce cas, est remplacée par le vin lui-même, prélevé sur d'autres bouteilles. Cette façon de procéder n'est pas nouvelle, mais fut presque abandonnée, car on constata qu'une très légère proportion de sucre « arrondit les angles » d'un vin par nature légèrement acide. Ces « non-dosés », réservés aux amateurs avertis, proviennent toujours de grands crus*, récoltés lors de plusieurs vendanges exceptionnelles et donnant un vin de base excellent, très sec mais harmonieux, avec un bon équilibre naturel sucre-acidité. Ils ne doivent pas être durs, mais, au contraire, doivent charmer par leur légèreté, leur finesse et leur droiture.

doux. En général, le mot *doux* caractérise une saveur agréable. Lorsqu'il s'agit de vin, il indique essentiellement que la présence de sucre, en quantité plus ou moins élevée, se révèle à la dégustation. Mais il prend un sens différent selon les vins auxquels il s'applique. La douceur d'un vin issu de vendanges atteintes par la pourriture* noble, tel un Sauternes ou un *Beerenauslese,* est quelque chose de merveilleux qu'on ne trouve que dans des conditions climatiques tout à fait exceptionnelles et particulières. Mais il peut aussi demeurer dans le vin du sucre naturel non fermenté parce qu'on a essayé de sauvegarder ce sucre en ajoutant des doses massives d'anhydride* sulfureux. Ce procédé, utilisé pour certains Bordeaux blancs et *Liebfraumilch* bon marché, est à l'origine de la désaffection du consommateur pour les vins doux. Parfois, le sucre naturel restant dans le vin provient de l'arrêt de la fermentation* alcoolique par adjonction d'alcool : c'est le cas du Porto et de nos vins mutés (v. MUTAGE) à l'alcool, désignés légalement sous le vocable de « vins doux naturels ». Ces vins sont doux à cause du sucre, mais il sont aussi très corsés en alcool, et mieux vaut ne pas se fier à cette douceur-là. D'autres fois encore, la douceur du vin est donnée par l'addition d'un jus de raisin extrêmement concentré et sucré (Marsala). En somme, le mot *doux* appliqué au vin est quelque chose de très vague et d'imprécis, qui n'est ni un compliment ni un reproche : tout dépend du vin auquel il s'applique. Les mots *demi-sec, moelleux* et *liquoreux* permettent déjà de préciser un peu mieux la sensation éprouvée à la dégustation.

doux naturels (vins). Cette expression a, en France, une valeur essentiellement fiscale. Elle remonte à la loi du 13 avril 1898, dite « loi Pams », du nom du parlementaire qui la proposa afin de distinguer fiscalement ces vins des vins de liqueur*. Elle s'applique à des vins, naturellement riches en sucre, obtenus par addition d'alcool en cours de fermentation et qui bénéficient donc d'un régime fiscal particulier. Ces vins sont tous fils du soleil méditerranéen (95 p. 100 d'entre eux proviennent des Pyrénées-Orientales). Ce sont, en France, les Banyuls, Maury, Grand-Roussillon, Rivesaltes, Rasteau ainsi que nos merveilleux Muscats, qu'ils soient de Frontignan ou de Beaumes-de-Venise. Les cépages sont le Grenache, le Muscat, le Maccabéo, le Malvoisie, plants nobles, d'origine sans doute espagnole ou orientale, qui poussent sur des coteaux arides, brûlés de soleil, où le travail de la terre est fort rude et ingrat. Les habitants de ces régions, qui, sans la vigne, seraient désertiques, se sont livrés depuis la plus haute antiquité à la production de ces vins spéciaux, de tout temps fort appréciés.

Les vins doux naturels sont liquoreux, mais aussi très corsés, qu'ils soient rouges, rosés ou blancs, ou qu'ils aient acquis par le vieillissement cette teinte indéfinissable des « Rancios* ». Les moûts* doivent posséder au départ une richesse en sucre naturel de 252 g par litre au minimum. On arrête la fermentation par l'opération du mutage*, c'est-à-dire qu'on sature les moûts par adjonction d'alcool. Cette méthode particulière serait d'origine sarrasine. Elle n'est pas sans analogie avec la recette de la Carthagène, ce vin de liqueur du Midi dont l'origine se perd dans la nuit

des temps. En réalité, le véritable promoteur de cette méthode de mutage par l'alcool semble bien être Arnau de Villanova (Arnaud de Villeneuve), alchimiste et médecin, régent de l'université de Montpellier, qui étudia, au XIIIe siècle, les propriétés de l'alcool par écrit. Ce sont les Arabes qui avaient découvert, au début du Moyen Âge, le secret de la distillation de l'alcool, et ils enseignèrent l'art de distiller aux Espagnols (Arnaud de Villeneuve était Espagnol, puisque la Catalogne française se trouvait, à cette époque, annexée à la couronne de Castille). Arnaud de Villeneuve s'intéressa à la production vinicole de sa région et distilla le vin pour en faire de l'eau-de-vie. Poussant plus loin ses recherches, cet esprit curieux eut l'idée d'ajouter de l'eau-de-vie de vin au jus de raisin en cours de fermentation : il réalisa ainsi ce qu'on appela le « miraculeux mariage de l'esprit et du suc de raisin », pour le compte de la Commanderie des chevaliers de Saint-Jean de Jérusalem dans les caves de Bajoles à Perpignan.

L'apport d'alcool, titrant 95[o] au minimum, doit être de 5 p. 100 au minimum et de 10 p. 100 au maximum du volume du moût mis en œuvre. Le vin garde ainsi tout son fruit, une forte proportion de son sucre naturel, mais, évidemment, titre un degré alcoolique assez élevé : les vins doux naturels Banyuls et Banyuls grand cru, Grand-Roussillon, Maury, Rasteau, Rivesaltes doivent avoir une richesse minimale totale de 21,5[o] (alcool acquis et en puissance), avec un minimum de 15[o] d'alcool acquis; les Muscats (de Frontignan, de Beaumes-de-Venise, de Lunel, de Mireval, de Rivesaltes, de Saint-Jean-de-Minervois) doivent tous présenter une richesse minimale en alcool acquis de 15[o]. Ils doivent, en outre, contenir une quantité déterminée de sucre résiduel : 125 g au moins pour le Frontignan, le Lunel, le Mireval, le Saint-Jean-de-Minervois, 110 g au moins pour le Beaumes-de-Venise et 100 g au moins pour le Rivesaltes.

Toutes les opérations de mutage doivent être effectuées avant le 31 décembre de l'année de récolte des moûts. En outre, les vins doux naturels ne peuvent sortir des chais* avant une date déterminée : ils sont généralement bloqués jusqu'au 1er septembre de l'année qui suit celle de leur élaboration (Banyuls, Grand-Roussillon, Rasteau, Rivesaltes), sauf le Banyuls grand cru, qui doit être conservé trente mois au moins, et le Maury, qui est bloqué jusqu'au 1er septembre de la deuxième année qui suit celle de son élaboration. Les Muscats ne peuvent sortir des chais avant le 15 novembre de l'année de la récolte, sauf le Muscat de Rivesaltes, qui doit attendre jusqu'au 15 décembre.

En plus de toutes ces exigences imposées pour l'élaboration des vins (qui expliquent la si grande qualité des vins doux naturels français), les vignobles de production sont astreints à des règles très sévères d'encépagement, de taille, de culture, d'aire de production, etc. Le rendement, lui aussi, est très strictement limité : 30 hl de moût par hectare de production en général, 28 hl pour les Muscats de Mireval, de Rivesaltes, de Frontignan et de Saint-Jean-de-Minervois, et 25 hl seulement pour les Muscats de Beaumes-de-Venise et de Lunel.

Tous les vins doux naturels doivent subir, pour obtenir leur appellation, un contrôle analytique et organoleptique, sur avis d'une commission de dégustation désignée par l'I.N.A.O.*

Un vin doux naturel ne doit pas accuser, à la dégustation, de rupture entre la saveur du vin et celle de l'alcool : celui-ci doit, en quelque sorte, se fondre avec le bouquet du vin. On laisse parfois vieillir le vin en fût, dehors, au soleil. Vieillir au soleil se révèle, à ce qu'il paraît, aussi bénéfique pour le vin que pour l'homme. On obtient alors le « Rancio », exquis, délicat, qui a ses fanatiques.

Évidemment, il ne faut pas confondre les vins doux naturels, toujours mutés à l'alcool, avec les grands vins blancs liquoreux ou moelleux produits en Bordelais et dans la région de la Loire (Sauternes, Quarts-de-Chaume, Vouvray, etc.), et aussi en Allemagne (sur les rives du Rhin et de la Moselle). Ceux-ci ne subissent jamais l'opération du mutage : ils sont l'exquis résultat de la fermentation de jus de raisin naturellement concentré par l'atteinte de la pourriture* noble.

Les vins doux naturels appartiennent à la famille des « vins de liqueur », mais n'ont pas le même régime fiscal que ceux-ci. Ils sont soumis, pour la plupart, au régime fiscal des vins, avec, toutefois, un statut particulier. Ils circulent donc avec les pièces de régie spéciales au vin.

drapeau, appareil à circulation d'eau utilisé en Bourgogne, que l'on plonge dans les cuves en fermentation afin de réchauffer les moûts* en année froide et de les refroidir en année chaude. — Ce système s'est largement répandu en Bourgogne, à la suite des difficultés rencontrées pour vinifier en 1947 et en 1949, années exceptionnellement chaudes et précoces.

dur, terme qui qualifie un vin trop chargé en acidité* ou en tanin*. — L'acidité trop forte, n'étant pas équilibrée par une teneur en alcool suffisante, donne une impression désagréable. Ce défaut est très fréquent dans les vins jeunes.

éclaircissage, méthode de vendange spéciale au Sauternais. — Les vendangeurs passent une première fois, à pleine maturité, et enlèvent à la vigne la moitié de ses grappes. Ce travail est fait avec adresse, de façon à favoriser l'aération des grappes qui restent. Celles-ci mûrissent alors plus parfaitement; la pourriture* noble peut aussi les attaquer avec plus de régularité. Le résultat est excellent, et la méthode procure un gain appréciable de main-d'œuvre. La première récolte sert à faire un excellent vin blanc sec.

Edelzwicker, vin blanc d'Alsace, résultant du mélange de vins de cépages nobles autorisés (Riesling, Sylvaner, Pinot, etc.). — Ce mélange peut porter indifféremment l'A. O. C. « Alsace » ou « Alsace Edelzwicker », le terme « Edelzwicker » restant facultatif.
L'Edelzwicker a toujours été, évidemment supérieur au Zwicker* sans appellation, le mot allemand *edel* voulant dire précisément « noble », « supérieur ». Les Alsaciens l'appellent d'ailleurs parfois « gentil », ce mot ayant en français, un sens tout à fait proche, que l'on retrouve, par exemple, dans *gentilhomme*.
L'Edelzwicker est généreux et parfumé, tout en restant léger et facile à boire. C'est un bien sympathique vin de carafe*, qui fait merveille sur la choucroute.

égrappage. Pratiqué depuis longtemps en Gironde si l'on en croit des documents du XVIIIe siècle, l'égrappage semble être beaucoup plus récent en Côte-d'Or, où sa pratique ne s'est généralisée que depuis trente ou quarante ans. On égrappe aussi dans la vallée de la Loire (Bourgueil, Chinon, Champigny), dans les Côtes du Rhône (Hermitage, Cornas, Côte-Rôtie) ainsi que les raisins destinés au Chianti. Par contre, l'égrappage n'est pas pratiqué dans le Beaujolais, où il serait d'ailleurs parfaitement inutile, puisque les vins sont obtenus par cuvaison* courte.
Ce procédé est surtout employé pour des vins provenant de cépages riches en tanin* (Cabernet, Pinot, Syrah, cépages italiens). Il permet d'obtenir des vins moins astringents et qui peuvent être bus plus rapidement.
Le Bordelais, dont les cépages sont tanniques, est d'autant plus astreint à l'égrappage que la durée de cuvaison des vins est, traditionnellement, très longue.
Il arrive d'ailleurs qu'on n'égrappe qu'une partie de la vendange ou qu'on égrappe selon la maturité des raisins, tout cela étant affaire de terroirs*, de cépages ou d'années.
L'égrappage permet de diminuer le volume total de la vendange et des marcs* à presser, ce qui est déjà appréciable. Il donne au vin plus de moelleux, plus de finesse et aussi plus de couleur; il apporte une augmentation d'environ un demi-degré alcoolique.
On se garde d'égrapper, par contre, là où on récolte ordinairement des vins mous et plats, afin de leur donner plus de fermeté et de vinosité.
L'égrappage est pratiqué mécaniquement grâce au fouloir-égrappoir, appareil qui foule d'abord le raisin (c'est-à-dire l'écrase pour en faire sortir le jus), puis éjecte les rafles, après avoir séparé celles-ci du jus et des peaux.

Égrappage à la main, au Château Palmer, dans le Médoc. L'égrappage permet l'obtention de vins moins astringents et plus vite prêts à la consommation. Phot. M.

Egypte. Dans l'Antiquité, les vins égyptiens étaient célèbres, mais, au début de notre siècle, il n'en existait pratiquement plus et ceux qui subsistaient étaient bien mauvais. Un Egyptien, Nestor Gianaclis, s'attela, à cette époque, à la tâche gigantesque de reconstitution du vignoble.

En 1903, il planta ses premières vignes et connut ses premières difficultés. Ce ne fut qu'en 1931, après bien des essais, que la partie fut enfin gagnée et que Gianaclis put espérer avoir ressuscité le vin des pharaons. De nos jours, la production reste faible, mais les vins égyptiens ne manquent pas d'intérêt, et de gros efforts sont faits pour qu'ils soient lancés sur le marché mondial.

« Cru des Ptolémées » et « Reine Cléopâtre » sont les blancs les plus connus; il existe aussi un vin rouge moelleux, « Omar-Khayyam », qui possède un bouquet curieux évoquant la datte.

élégant. Tous les vins de grands crus* sont des vins élégants, ce qui ne veut pas dire que les vins moins racés ne peuvent l'être. L'élégance du vin est comparable à celle de l'homme : elle est faite de la classe des différents éléments, unis en une indiscutable harmonie.

élevage, ensemble de soins qu'il faut apporter au vin nouvellement fait, afin d'aider la bonne nature à améliorer sa qualité, à l'amener vers la perfection et à lui assurer une longue vie. — L'élevage consiste d'abord à prodiguer des soins au vin en fût, puis à procéder à sa mise en bouteilles* et, enfin, à le laisser vieillir en bouteille jusqu'au moment où il atteint toute la perfection désirée.

Le vin nouveau encore chaud n'est pas descendu immédiatement à la cave. Il doit encore être maintenu à une température supérieure à 20 ^{0}C, afin d'achever son activité fermentaire. D'abord, le sucre résiduel qu'il contient doit finir de se transformer, sous peine de refermentation* ultérieure. Ensuite, le vin doit faire sa fermentation* malo-lactique, qui assurera sa stabilité.

Dès la fin des fermentations, on peut descendre les tonneaux en cave fraîche : c'est la période de maturation ou d'affinage. Une série de soins simples sera alors appliquée au vin jusqu'à sa mise en bouteilles : ouillages*, débourbages*, soutirages*, collages* et enfin filtration* avant la mise en bouteilles.

Le séjour en fût est variable suivant la nature du vin et le type de vin que l'on désire obtenir. Certains vins doivent attendre patiemment (2 ans parfois) que leur bouquet se révèle (Grands Bourgognes, Médoc). D'autres, comme le Beaujolais et le Muscadet, sont appréciés surtout pour leur fruit, et quelques mois de fût leur suffisent. D'autre part, plus la cuvaison* a été longue, plus le vin doit attendre en fût, afin de se dépouiller de son excès de tanin*. Toutefois, les vins demeurent, de nos jours, moins longtemps en fût qu'autrefois. On a remarqué que les vins qui subissent un séjour en fût trop prolongé se dessèchent et perdent en partie leur bouquet, par des phénomènes d'oxydation.

élevé (vin), vin prêt pour être mis en bouteilles.

éleveur. L'emploi de ce mot est relativement récent. Il fait même sourire les profanes, qui pensent qu'on peut élever du bétail et de la volaille, mais non du vin. Pourtant, le vin n'est pas une matière inerte qu'il suffit d'entreposer et de laisser vieillir dans l'attente de la vente, comme des objets d'art chez l'antiquaire. Il faut le soigner, mettre en œuvre tout le talent, toutes les connaissances de spécialistes qualifiés, afin de le conduire à son épanouissement. Il faut tenir compte, pour y réussir, de la personnalité, du caractère, de l'année de naissance, de l'origine de chaque vin. N'est-ce pas là, au sens propre, véritablement élever le vin?

ennemis de la vigne. On frémit en pensant aux ennemis innombrables qui guettent la vigne. Heureusement, celle-ci est vaillante, et les viticulteurs, par définition, sont des hommes courageux et obstinés! Mais la lutte contre les maladies n'en demeure pas moins un des grands problèmes de la viticulture. Parmi les ennemis acharnés à sa perte, la vigne compte d'abord les insectes, des papillons innocents aux chenilles et larves voraces (cochylis, eudémis, pyrale, noctuelle), les hannetons, les araignées rouges et surtout le phylloxéra*, dont le nom seul évoque le terrible cauchemar qu'a vécu notre vignoble. Puis il y a les maladies cryptogamiques, causées par des champignons : la pourriture* grise, l'esca (ou apoplexie), le mildiou* et l'oïdium*, qui ne sont que trop tristement connus. Enfin, la vigne peut être atteinte de maladies physiologiques : chlorose, rougeot, coulure*, millerandage*, grillage*, court-noué*. Ce n'est pas tout : les foudres du ciel ne sont pas toujours épargnées à notre vigne courageuse, et la grêle* est un de ses pires fléaux. Puis il y a les gelées*, dont on ne sait laquelle est la plus néfaste, la blanche ou la noire.

Entraygues et du Fel (Vins d'). Cette appellation du Sud-Ouest a été classée dans les v. D. Q. S.* par l'arrêté du 18 février 1965. Elle s'applique à des vins rouges, rosés et blancs produits sur le terroir de six com-

munes de l'Aveyron (Entraygues, Campouriez, Enguiales, Florentin-la-Capelle, Golinhac et Saint-Hippolyte) et de deux communes du Cantal (Cassaniouze et Vieillerie). Les vins rouges et rosés, qui titrent 9⁰, sont issus du Cabernet franc et du Cabernet-Sauvignon, du Fer, du Gamay, du Jurançon noir, du Merlot noir, du Mouyssagues, de la Négrette et du Pinot noir.

Les rouges sont agréables, bien colorés, fermes et de bonne tenue, bien bouquetés. Les rosés se révèlent fins et fruités.

Les vins blancs, issus du Chenin et du Mauzac, titrent 10⁰; très plaisants en primeur, ils sont fins et légers, avec un arôme délicat.

De vieux documents nous révèlent l'ancienneté de ce vignoble et prouvent que celui-ci remonte au moins au X⁰ siècle : ainsi le cartulaire de l'abbaye de Conques fait état de trois donations dans le vignoble d'Entraygues, l'une datée de 902, les deux autres de 997. Plus tard, l'enquête de l'évêché de Rodez effectuée en 1771 déclare : « La vigne est la principale culture des paroisses du Fel et d'Entraygues. » N'est-ce pas une belle preuve de la vocation viticole de ce terroir de l'Aveyron, pas assez connu de nos jours ?

Entre-deux-Mers, vaste région qui occupe le triangle formé par la Garonne et la Dordogne, depuis leur confluent au bec d'Ambès jusqu'aux confins du département de la Gironde, à l'est. — En réalité, c'est « Entre-deux-Fleuves » qu'il conviendrait d'appeler plus modestement cette région. Mais ne sommes-nous pas ici au cœur du pays de Gascogne, à l'imagination si charmante ?

Il est à noter que certaines régions qui font partie géographiquement de l'Entre-deux-Mers donnent des vins à appellation spéciale : « Premières Côtes - de - Bordeaux », « Loupiac », « Sainte-Croix-du-Mont », « Côtes - de - Bordeaux - Saint - Macaire », « Graves - de - Vayres », et enfin « Sainte - Foy - Bordeaux ».

Les vins sont redevenus des vins blancs secs, d'excellente qualité, depuis que les vignerons ont repris la vinification traditionnelle en sec, abandonnant le moelleux artificiel, qu'ils avaient essayé de maintenir quelque temps pour répondre à une demande passagère du consommateur. Pour avoir droit à l'appellation, les vins doivent présenter un titre alcoométrique acquis compris entre 10 et 13⁰ et moins de 4 g de sucre résiduel par litre.

Produit sur des terrains argilo-calcaires, argilo-siliceux et graveleux, issu des cépages nobles du Bordelais, l'« Entre-deux-Mers » est un vin frais, fruité, avec une sève bien particulière. Il convient remarquablement aux poissons, aux hors-d'œuvre, aux entrées et surtout aux huîtres. Il existe

d'ailleurs une jolie devise parfaitement justifiée et fort agréable à appliquer : « Entre deux huîtres, Entre-deux-Mers! » La région produit aussi un peu de vin rouge, qui n'a jamais droit à l'appellation « Entre-deux-Mers », mais est vendu sous l'appellation « Bordeaux » ou « Bordeaux supérieur ».

Le nom de « Haut-Benauge » peut être adjoint à celui d'« Entre-deux-Mers » pour les vins blancs obtenus sur le territoire délimité des communes d'Arbis-Cantois, Escoussans, Cornac, Ladaux, Mourens, Saint-Pierre-de-Bat, Soulignac et Targon.

Vignobles
de l'Entre-deux-Mers,
près de Rozan. Phot. M.

entreillage. Après avoir reçu la liqueur* de tirage, les bouteilles de Champagne sont empilées en tas, dans les caves, en position horizontale. Entre chaque rangée, de minces lattes de bois ont été habilement posées par les cavistes (on appelle parfois l'entreillage « mise sur lattes »). C'est là que la seconde fermentation va s'établir lentement, à une température constante de 10 ⁰C environ. Cette lenteur est indispensable pour obtenir la mousse fine, aérienne, persistante qui est l'âme même du Champagne. Le sucre contenu dans le vin va peu à peu se décomposer en alcool* et en gaz* carbonique, qui, ne pouvant s'échapper, va rester dissous dans le vin pour notre plaisir futur. Cette opération dure de deux à quatre mois environ. On laisse ensuite le vin se reposer quelque temps encore, afin qu'au contact des dépôts et des lies* constitués par les levures* mortes il puisse épanouir pleinement toutes ses qualités.

Il faudra ensuite éliminer les dépôts qui troublent la limpidité du vin. Ce sera le but des opérations de remuage* et de dégorgement*.

enveloppé (vin), vin dont les reliefs sont estompés, les contours atténués. — Cette sensation se produit lorsque l'alcool* et la glycérine* dominent par rapport aux autres constituants du vin : ces deux corps forment comme une enveloppe qui entoure les autres éléments et empêche de les percevoir avec toute la subtilité désirable. Le vin enveloppé provient de raisins riches en sucre.

épanoui, terme qui, généralement, s'applique au bouquet d'un vin. — Le bouquet épanoui se perçoit peu à peu en s'élargissant en éventail jusqu'à ce qu'il se révèle dans toute sa plénitude.

épluchage, opération qui consiste à trier les grappes à la main, au moment de la vendange, avant qu'elles soient foulées ou pressées, afin d'en éliminer les raisins abîmés. — Cette pratique est courante lorsqu'on vise à obtenir des vins de qualité. C'est une opération fort coûteuse, étant donné le prix de revient de la main-d'œuvre, mais qui se révèle obligatoire certaines années.

Lorsque l'ensemble de la récolte est sain et que les grappes sont mûres de façon égale, les trieuses se contentent d'enlever rapidement les grains verts qui peuvent subsister. Or, ce n'est pas toujours le cas, surtout en Champagne. Sous ce climat septentrional, le raisin mûrit parfois difficilement, et il faut éliminer les raisins non mûrs, trop acides et trop pauvres en sucre, afin d'obtenir un vin suffisamment alcoolique.

D'autre part, ce qui est encore plus grave, les raisins pourris ou moisis risquent de donner des odeurs et des saveurs désagréables, dont le développement serait favorisé par la prise de mousse. L'épluchage est donc, en Champagne, une sujétion fort onéreuse, mais impérative. L'opération se fait au bord même de la vigne. Les raisins sont versés sur des claies d'osier supportées par deux paniers « mannequins » de 80 kg. Les trieuses épluchent les grappes à la pointe des ciseaux et mettent dans un des paniers les grappes soigneusement épluchées, jetant dans l'autre les grains verts, pourris ou simplement abîmés.

équilibré (vin), vin dont les différents éléments sont bien à leur place et existent en proportions heureuses. — Dans un tel vin, alcool*, acidité*, sucre*, extrait sec réussissent un accord parfait, car aucun d'eux ne domine par rapport aux autres.

On dit aussi d'un tel vin, avec une gentillesse familière, qu'il est « bien balancé ». Et comme le résultat final est l'harmonie, but suprême d'un vin de qualité, on le dit encore « harmonieux ».

Quand un vin présente un excès ou un manque d'un des éléments constitutifs, on le dit « déséquilibré ».

Espagne. Bien qu'il y ait des vignes un peu partout en Espagne et que le vignoble occupe une superficie relativement étendue, le volume des vins espagnols est moins important que celui de France ou d'Italie. Le sol aride et le climat ingrat limitent la production, qui atteint 25 millions d'hectolitres environ (ce qui représente en gros le tiers de la production française et la moitié de la production italienne).

Pour le profane, le vin d'Espagne, c'est le Xérès*. Ce vin de renommée mondiale ne représente, en fait, que 2 p. 100 environ de la production totale espagnole, et, à côté de lui, l'Espagne produit toute une gamme de vins rouges, rosés, blancs, mousseux, de vins de liqueur et de mistelles*.

Sauf dans quelques régions viticoles évoluées, les procédés de vinification sont encore trop souvent primitifs, et la plupart des vins espagnols sont des vins de table communs et riches en alcool, consommés localement. Ils ne sont pas mis en bouteilles. Leur qualité est variable et dépend des soins et de la conscience du producteur. Très bon marché, ces vins étonnent souvent le touriste par leur originalité. Les régions de Valence et d'Aragon produisent des vins très corsés, très colorés, destinés généralement à l'exportation. Vendus en tonneau, en Suisse surtout, ils peuvent donner plus de couleur et d'alcool à des vins un peu anémiques.

Les meilleurs vins espagnols (surtout les rouges) proviennent en grande partie de la

Épluchage dans une vigne champenoise. Phot. M.

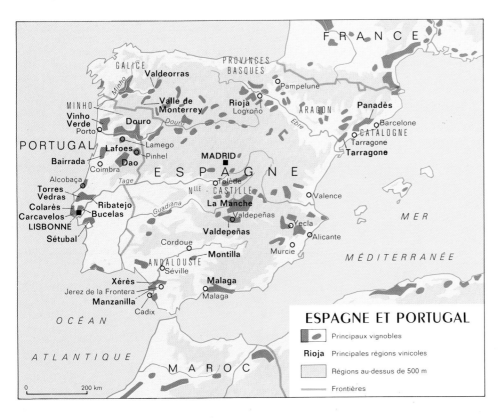

ESPAGNE ET PORTUGAL

Principaux vignobles

Rioja Principales régions vinicoles

Régions au-dessus de 500 m

Frontières

région de Rioja*, non loin de la frontière française, dans la haute vallée de l'Èbre.
Les plus fins de ces vins présentent une ressemblance singulière avec nos bons Bordeaux. Toute la région atlantique de l'Espagne, de la Galice aux provinces basques, produit d'ailleurs les vins les plus renommés d'Espagne. Puis vient l'importante région productrice de Valdepeñas*, au sud de Madrid, en Nouvelle-Castille, suivie par la région d'Alicante, au sud de Valence, qui donne un gros volume de vins rouges ordinaires, issus du cépage Grenache, et quelques bons rosés à Yecla, sur les collines situées à l'ouest. Quelques vins rouges et blancs de bonne qualité sont encore récoltés autour de Barcelone (Panadès, Perelada, Alella) et en Galice, où la vallée du Minho, à la frontière portugaise, donne quelques bons vins rouges, rosés et blancs. La Catalogne produit, au sud-ouest de Barcelone, un mousseux, souvent étiqueté « Xampañ ».
C'est essentiellement à ses vins de liqueur que l'Espagne doit sa renommée à l'étranger : le Xérès, surtout, est sa légitime fierté. Le Manzanilla*, le Montilla* sont très appréciés aussi, mais surtout des Espagnols. Tarragone, au sud de Barcelone, sur la côte méditerranéenne, produit un bon vin de liqueur, rouge et corsé, généralement appelé « Priorato » en Espagne et « Tarragona » lorsqu'il est exporté. Le

Tarragona, comme le Malaga* d'ailleurs, a perdu de son importance commerciale d'autrefois : tous deux demeurent cependant des vins fort agréables.
Jadis, l'Espagne n'avait qu'une idée assez vague des notions de qualité et d'origine. Mais, depuis 1970, un Institut national des appellations d'origine commence à mettre

Vendanges en Espagne, dans le vignoble du Xérès.
Phot. Hollyman - Rapho.

Espagne : vignes en Aragon.
Phot. J. Bottin.

un peu d'ordre parmi les multiples vins espagnols. Le résultat ne s'est pas fait attendre : l'exportation a été multipliée par six ces dernières années et non seulement pour les vins servant aux coupages*, mais aussi pour les vins mis en bouteilles, ayant leurs propres caractéristiques et qui seront bus pour eux-mêmes à l'étranger. La *Denominación de origen* est, certes, plus élastique que l'appellation contrôlée française, mais elle n'en contribue pas moins à la promotion des vins espagnols.

Estaing, petit vignoble du Sud-Ouest, situé dans la vallée du Lot et n'occupant que trois communes : Estaing, Coubisou et Sebrazac. — Ce vignoble couvre des terrasses aménagées autrefois par les vignerons, au cours des âges, sur les versants de petites vallées profondes. Il grimpe jusqu'à 300 et 450 m d'altitude, et, s'il bénéficie des étés chauds et secs, il pâtit aussi parfois des hivers rudes du climat continental.

Les vins rouges sont issus principalement du Fer, appelé ici « Mansois », et de ses compagnons Gamay, Merlot, Cabernet, Négrette, Jurançon noir. Ils sont en général excellents, très délicats et bouquetés.

Les vins blancs proviennent du Chenin blanc et du Rousselou (ce sont les meilleurs) ainsi que du Mauzac. Ils sont secs et fins, fort plaisants. Très appréciés localement et par les touristes, comme d'ailleurs leurs voisins et jumeaux d'Entraygues, les vins d'Estaing sont classés v. D. Q. S.*.

Est Est Est di Montefiascone, vin blanc italien, léger et demi-sec. — Il est produit autour des villages de Montefiascone et de Bolsena, au nord de Rome, et est issu en grande partie des cépages Trebbiano et Malvasia bianca toscana. Son nom curieux lui vient de l'aventure, souvent racontée, survenue en 1111 à un évêque allemand, Johannes Fuger, œnophile de surcroît, qui, en route pour Rome, s'était fait précéder par son serviteur (dont la mission d'éclaireur consistait, en fait, en dégustations préalables). Le domestique avait l'ordre d'écrire sur les murs de chaque auberge dont le vin lui avait semblé spécialement délectable le mot latin « Est », qui signalait à son maître que le vin « est » bon. En passant à Montefiascone, il ne s'était pas contenté d'écrire « Est », mais avait écrit « Est! Est! Est!!! ». Le pauvre évêque, dès son arrivée, n'eut rien de plus pressé que de s'enivrer à mort : sa tombe, dont l'épitaphe en latin raconte l'histoire, a été pieusement conservée.

Titrant 11⁰, l'Est Est Est est sec ou comporte une pointe de moelleux (type « abboccato »).

Etats-Unis. Quand on pense au vignoble des Etats-Unis, un nom vient immédiatement à l'esprit : Californie. Le vignoble californien est, de loin, le plus important, puisqu'il produit à lui seul 80 p. 100 de tout le vin consommé aux Etats-Unis. Toutefois, d'autres régions viticoles, moins connues, apportent leur quote-part à la production et fournissent environ 14 p. 100 de la consommation (le reste est importé) : à l'est, du côté de l'Atlantique, les deux Etats presque voisins de New York et de l'Ohio; à l'ouest, du côté du Pacifique, l'Etat de Washington, à la frontière canadienne, séparé de la riche Californie par l'Etat d'Oregon.

Etna. Les vins de l'Etna sont les meilleurs vins de table de Sicile. Les vignes couvrent les pentes est du volcan et donnent des vins blancs, titrant 11,5⁰, issus des cépages Carricante et Catarratto, et des rouges et rosés, titrant 12,5⁰, provenant du Nerello et du Nerello mantellato. La mention « superiore » est réservée à l'Etna bianco provenant de la commune de Milo, à condition qu'il soit issu de 80 p. 100 de Carricante.

Etoile (L'). Cette appellation contrôlée du Jura s'applique aux vins récoltés sur la commune de L'Etoile et à ceux qui pro-

viennent de Plainoiseau et Saint-Didier. Le nom de L'Etoile provient peut-être de la disposition en étoile des collines où niche cette commune, mais plutôt de la présence dans le sol de débris fossilisés d'anciens animaux des fonds marins (pentacrines) : tantôt séparés, tantôt soudés en forme de bâtonnets, ces fossiles ont la forme régulière de petites étoiles à cinq branches de 2 à 15 mm.

« L'Etoile », en tout cas, brille au firmament des vins blancs, car on ne produit, à l'Etoile, ni vin rouge ni vin rosé. C'est le royaume du vin blanc. Et quel vin blanc! Il a les caractères habituels de ceux de la région, mais il se montre ici d'une exceptionnelle qualité et d'une grande délicatesse. Les vins blancs secs de L'Etoile sont parmi les meilleurs du Jura — qui en compte d'excellents.

Les mousseux de L'Etoile sont très fins et élégants. L'Etoile produit aussi un peu de vin jaune* et de vin de paille*.

évent, mot qui veut dire « air libre ». — On se doute qu'un vin exposé à l'air prend un goût altéré; et dire d'un vin qu'il a le goût d'évent est loin d'être un compliment. On dit encore qu'il est « mâché ». Le goût d'évent peut se produire au moment de la mise en bouteilles, lorsque le vin est malencontreusement aéré à cette occasion. C'est la « maladie de bouteille* ». Le vin paraît rugueux, déséquilibré et prend le goût spécial de mâché. Ce goût disparaîtra après un long repos au calme, à l'abri de l'air évidemment.

Vignobles siciliens,
au pied de l'Etna.
Phot. Aarons-Z. F. A.

f

Fagon, médecin de Louis XIV. — Ce n'est pas à cette honorable fonction que Fagon doit sa célébrité. Si celui-ci n'est pas, comme tant d'autres, tombé dans l'oubli, c'est à cause de sa condamnation, aussi injuste que péremptoire, du vin de Champagne. Les termes dans lesquels Fagon a flétri le Champagne sont bien dignes du charabia des médecins de Molière. En revanche, Fagon garde le mérite d'avoir recommandé le Bourgogne, vin de roi, à son illustre client.

faible (vin), vin qui manque de couleur, d'alcool, d'extrait sec. — Ces vins anémiques sont produits dans les mauvaises années. Décevants, ils sont toutefois assez acceptables, mais ne laissent après eux aucun souvenir.

Falerne, le plus célèbre vin de l'Antiquité romaine. — Chanté avec enthousiasme par Pline et Horace, il avait, de plus, la réputation d'être immortel ou presque, puisqu'on prétendait qu'il gardait parfois sa splendeur après un siècle. Il ne révélait, paraît-il, son inimitable et merveilleux bouquet qu'après dix ans. Cette réputation traversa les siècles, et le plus beau compliment qu'on pouvait faire d'un vin était de le comparer au Falerne. C'est ainsi que Grégoire de Tours, au VIe siècle, admirant les coteaux des environs de Dijon, disait d'eux « qu'ils étaient couverts de vignes dont les habitants tirent un Falerne de haute classe ».
Le Falerne existe toujours : il est produit actuellement sur les flancs montagneux de la côte située au nord de Naples. A part le nom, on ne voit pas très bien en quoi il peut rappeler le divin nectar célébré autrefois d'aussi délirante façon. Le rouge est un bon vin solide; le blanc, sec, pâle et fruité, est agréable.

fatigué. Le vin n'a rien d'un sportif, et quand il passe par les épreuves nécessaires à son élaboration, il prend le temps, après chacune d'elles, de se remettre de ses émotions. Il en est ainsi après le filtrage*, la mise en bouteilles*, le pompage. Mais un vin robuste reprend gaillardement le dessus après chaque épreuve.

Faugères, appellation des « Coteaux-du-Languedoc*, jadis v.d.q.s.*, qui vient d'accéder à l'a.o.c.* par le décret du 5 mai 1982.
Elle s'applique à des vins rouges et rosés, récoltés au nord de Béziers et au sud de Bédarieux sur les communes de Cabrerolles, Caussiniojouls, Faugères, Fos, Laurens, Roquessels et Autignac, non loin de Saint-Chinian*.
Un vieux dicton de muletier, traduit de l'occitan, dit : « Si tu cherches un bon vin, franchis le col de Pétafy » (ce col se trouve à 4 km au nord de Faugères). N'est-ce pas prouver la bonne renommée des vins de Faugères ?
Un très important travail a été réalisé, ces dernières années, pour planter des vignobles en défonçant les roches dures des collines schisteuses inondées de soleil. Les vins ne peuvent provenir que des cépages Carignan, Cinsault, Grenache, Mourvèdre et Syrah. Le pourcentage de Carignan devra passer, par étapes, de 80 à 50 p. 100 en 1985. A partir de 1985, ensemble ou séparément, Mourvèdre et Syrah devront représenter au moins 5 p. 100 de l'encépagement (10 p. 100 en 1990); Grenache noir et Lladoner Pelut noir (variété de Grenache), au moins 10 p. 100 (20 p. 100 en 1990). Ils titrent 11,5⁰ avec un rendement de 50 hl à l'hectare.
Les vins rouges, obtenus par vinification classique ou par macération* carbonique, sont excellents, d'une belle couleur sombre, corsés, imprégnant bien le palais, bouquetés et souples. Ils ont toujours été très appréciés dans la région.
Pour répondre à la mode actuelle, Faugères produit aussi quelques vins rosés, qui doivent être élaborés par saignée, égouttage ou pressurage direct (avec au moins 50 p. 100 de vins issus de saignée) pour avoir droit à l'appellation.

féminin. Un vin féminin est un vin plein de grâce, de charme et d'élégance. On cite le Musigny comme type des vins féminins. On oppose à ce qualificatif celui de *viril.*

Fer, cépage cultivé à travers tout le Bassin aquitain, du Béarn à l'Aveyron, des Landes à la Haute-Garonne. — Son nom viendrait, paraît-il, de la dureté de son bois. Ce cépage est appelé encore « Fer Servadou ». Nommé « Pinenc » dans la région des Basses-Pyrénées (Madiran, Tursan), c'est un cépage complémentaire du Tannat et du Cabernet franc. On l'appelle encore « Mansois » dans l'Aveyron (Estaing, Entraygues, Marcillac), où il est le cépage rouge caractéristique.
Bien soignés, les vins provenant de ce cépage sont de grande qualité avec un agréable bouquet et un indéniable accent de pays.

ferme. Un vin ferme est un vin à la fois corsé, vigoureux et tannique, et qui doit encore attendre pour se révéler pleinement.

fermentation alcoolique, processus qui permet au jus de raisin de devenir du vin, en transformant en alcool* et en gaz* carbonique le sucre contenu dans le moût, selon l'équation de Gay-Lussac $C_6H_{12}O_6 = 2C_2H_5OH + 2CO_2$ (glucose = alcool éthylique + gaz carbonique).

Château de La Liquière
COTEAUX du LANGUEDOC
FAUGÈRES
Vin Délimité de Qualité Supérieure

Descendant de Vignerons, depuis le XVIIe siècle, ce producteur a élaboré ce Vin, fruit des coteaux schisteux et ensoleillés.
Une méthode naturelle de vinification lui a conservé fruit, corps et bouquet.

VIDAL - GAILLARD
Producteur - Eleveur
Cabrerolles
(HÉRAULT)

MISE EN BOUTEILLES PAR LE PRODUCTEUR

Mais d'autres éléments naissent au cours de cette fermentation à côté de ces corps principaux : glycérine*, acides succinique et volatils, esters, corps du bouquet, etc.

Bien qu'on ait, depuis longtemps, observé et utilisé la fermentation, on pensait, jusqu'à Pasteur, qu'il s'agissait là d'un phénomène entièrement spontané : « Le vin est tel que le Bon Dieu l'a fait. »

Pasteur démontra, en 1857, que la fermentation était due au travail d'organismes vivants : les levures*. Depuis, la technique moderne a encore évolué, et la fermentation n'est plus laissée au hasard et à la chance, mais elle est soigneusement contrôlée. La température des moûts* et des celliers* est surveillée. D'autres pratiques sont aussi employées : utilisation de levures sélectionnées, stérilisation à l'anhydride* sulfureux, etc. La fermentation de la plupart des vins dure, pratiquement, jusqu'à ce que tout le sucre du moût soit épuisé : de toute façon, la fermentation se ralentit d'elle-même peu à peu et finit par s'arrêter quand le vin a atteint 14 ou 15⁰ d'alcool. Elle peut parfois être stoppée par un apport d'alcool étranger (mutage* à l'alcool) ou par stérilisation à l'anhydride sulfureux (vins blancs liquoreux).

fermentation malo-lactique. Ce phénomène est encore appelé « rétrogradation malo-lactique ». Il survient parfois immédiatement après la fermentation alcoolique. Mais on le constate surtout à la fin du printemps : lorsque la « sève monte », le vin se met « à travailler ». Sous l'action de bactéries spéciales, l'acide* malique contenu normalement dans le vin se transforme en acide lactique et en gaz* carbonique. Le vin devient alors très légèrement effervescent et trouble. La fermentation malo-lactique a pour résultat la désacidification* biologique du vin, puisque le taux d'acide malique se trouve réduit. Surveillé de près, ce processus biologique est fort utile dans le cas des vins « verts », qui contiennent un taux trop élevé d'acide malique et dont l'acidité se trouvera ainsi diminuée (cas des vins suisses, alsaciens). On en profite même pour mettre certains vins en bouteilles juste après le phénomène, afin qu'ils conservent un très léger pétillement dû au gaz carbonique. (Gaillac perlé, Crépy, vins du Valais, vins verts du Portugal). Malheureusement, on ne gouverne pas aussi bien cette fermentation secondaire que la fermentation alcoolique. Lorsque l'acidité est normale, le résultat est plutôt désavantageux. D'autre part, la fermentation malo-lactique ne doit pas faire naître dans le vin une saveur d'acide lactique résultant de la dégradation de l'acide malique et qui serait perceptible à la dégustation.

Moût en fermentation.
Phot. M.

feuillette, futaille utilisée dans l'Yonne, à Chablis, où elle vaut de 132 à 136 litres. — En Saône-et-Loire et en Côte-d'Or, elle jauge 114 litres.

filtration, une des opérations nécessaires pour assurer la limpidité* du vin. — Elle permet d'arrêter dans les filtres non seulement les dépôts, mais aussi les ferments indésirables. Elle assainit le vin, tue les germes microbiens dans une certaine mesure et permet même d'arrêter l'évolution des maladies. Il est préférable de l'utiliser en même temps que le collage* : en effet, la filtration laisse passer une certaine partie des substances protéiques du vin, qui coagulent ensuite de façon apparente dans les bouteilles.

Plusieurs types de filtres sont employés : le filtre à bougies, type Chamberland, peu utilisé à cause de la lenteur de son débit; le filtre à manche, en trame de coton, qui sert surtout à clarifier les vins très chargés;

Double page suivante :
*Transport du vin en tonneau.
XIIIᵉ s. Cathédrale de Chartres,
vitrail du bas-côté nord.*
Phot. Lauros-Giraudon.

Filtration : à gauche,
filtre à alluvionnage ;
ci-dessous, *filtre à plaques.*
Phot. M.

le filtre à pâte, qui est constitué par des grilles métalliques supportant une pâte filtrante.

fin. En France, l'expression « vin fin » est devenue le synonyme d'un vin à appellation d'origine. Un vin fin possède toujours, sans erreur possible, une inhérente supériorité due à son origine, à son cépage et à d'autres facteurs qui lui procurent d'évidentes qualités. Mais on emploie aussi ce terme dans le sens de « qui a de la finesse ». Un vin qui a de la finesse a un goût délicat et un parfum subtil. La finesse apporte toujours classe et distinction à un vin. Ainsi, s'il a de la finesse, un vin corsé peut être souvent considéré comme un grand vin; sans finesse, il n'est autre qu'un vin lourd et commun.

Finger Lakes. C'est dans cette région du nord de l'Etat de New York que se trouve le cœur de l'industrie du vin de l'est des Etats-Unis. Les Finger Lakes, au sud du lac Ontario, ainsi nommés parce que leur forme sur la carte semble l'empreinte d'énormes doigts, occupent la place de tranchées glaciaires profondes. Le climat de cette région est rigoureux et continental, malgré l'influence du lac Ontario et des Finger Lakes; la présence de vignes au milieu d'un décor de bouleaux et de chênes est assez surprenante. La viticulture s'implanta dans cet Etat vers 1850, fondée sur des variétés indigènes. Le Mousseux est depuis cette époque la spécialité de la région : le « New York State Champagne » représente environ le quart de sa production. Actuellement, des essais d'implantation de vignes européennes sont en cours avec des cépages Riesling, Chardonnay et Pinot noir, greffés sur des souches appropriées, butées en hiver. Quelques entreprises de vinification très dynamiques donnent à la région son impulsion vinicole : TAYLOR, le plus gros producteur, élabore du « Xérès », du « Bourgogne », du « Sauternes », mais aussi un vin au nom local de « Lake Country ». Viennent ensuite la GOLD SEAL CO., qui produisit la première du vin de cépages européens dans l'Etat, WIDMERS, qui s'en tient aux vignes indigènes et lança les vins d'Isabella, Delaware, Niagara, etc., sous le nom du cépage, BULLY HILL, qui date de 1970, les BOORDY VINEYARDS...

Fitou, appellation* contrôlée du Languedoc, qui désigne un vin rouge produit au sud de Narbonne par les meilleures communes des Corbières : Fitou, Treilles, Caves-de-Treilles, La Palme, Leucate, Paziols, Tuchan, Cascatel, Villeneuve-des-Corbières. — Ces communes, situées soit dans les Hautes Corbières, au pied du

mont Tauch (4 communes), soit sur la façade maritime du massif montagneux (5 communes), ont toujours joui d'une grande renommée puisqu'on leur a reconnu l'appellation contrôlée sous le nom de « Fitou » en 1948, alors que le reste du vignoble était classé V. D. Q. S.* La vigne, établie sur des coteaux escarpés, sur des plaines et des plateaux désertiques ainsi que le long d'étroites vallées sèches, est la seule parure et la seule richesse de ces pays désolés. Le Fitou est un vin d'une belle couleur rubis foncé, généreux, puissant et charnu. Il doit obligatoirement séjourner au moins de dix-huit mois à deux ans en fût avant d'être mis en bouteilles. Il s'affine rapidement avec l'âge, se dépouille de sa rudesse tannique et prend un beau bouquet très particulier. Après cinq ou six ans, il est tout à fait remarquable.

Il est issu des cépages principaux Carignan, Grenache, Lladoner Pelut; le pourcentage maximal de Carignan est passé de 85 à 75 p. 100 en 1982; 10 p. 100 des cépages d'appoint classiques du Midi sont admis dans l'encépagement (Cinsault, Mourvèdre, Syrah, Terret noir et Maccabéo). L'encépagement traditionnel était « pour quatre parts de Carignan, une part de Grenache », car ces deux cépages, qui donnent individuellement des vins très différents, se complètent remarquablement : alors que le vin de Carignan, corsé, coloré, dur dans sa jeunesse, ne vieillit que lentement en perdant son âpreté et en gagnant un beau bouquet, le vin de Grenache, lui, souple et moelleux, corrige la dureté du Carignan et facilite son vieillissement. L'art du vigneron consiste donc à marier harmonieusement ces deux cépages. Malgré le handicap que constituent l'irrégularité et le faible volume des récoltes, les valeureux vignerons du Fitou font de gros efforts, depuis une trentaine d'années, pour promouvoir leur appellation.

Fixin. Ce village, le plus au nord de la Côte de Nuits, produit des « vins fins de la Côte de Nuits », mais aussi quelques grands vins rouges, peut-être insuffisamment connus, dont certains, par leurs caractères, rappellent les vins de Gevrey-Chambertin, tout proche.

L'appellation « Fixin » peut-être suivie de l'expression « Premier Cru » ou du nom du climat* pour les parcelles suivantes : les Hervelets, la Perrière, Clos du Chapitre, les Arvelets, Clos Napoléon, les Meix-Bas.

fleur (vins de). On appelle ainsi un groupe de vins de grande réputation, dont l'affinement très particulier est dû à des levures* spéciales qui forment un voile épais (ou « fleur ») à la surface du fût. Les vins demeurent ainsi six ans et plus sous le voile, sans remplissage du fût. Ils gagnent, durant cette longue attente, un bouquet suave et puissant, extrêmement original. Ce procédé est employé en Espagne pour le célèbre « Xérès » et en France, dans le Jura, où ces vins rares et recherchés prennent le nom de « vins jaunes* ».

Fleurie. Léger et parfumé, le « Fleurie » évoque un printemps en fleurs. C'est un Beaujolais très fruité qu'il faut boire frais et jeune pour en apprécier l'arôme et le goût de raisin frais. Toutefois, certaines années, il peut vieillir en beauté, tout comme le Morgon et le Moulin-à-Vent.

Floc de Gascogne. Ce vin de liqueur* — qui fait depuis quelques années une percée fulgurante — est, comme le Pineau* des Charentes, un V.D.L.Q.P.R.D., c'est-à-dire un « vin de liqueur de qualité produit dans une région déterminée ».
En 1977, date de son entrée officielle dans la catégorie des vins de liqueur par autorisation ministérielle, sa production était de 4 000 bouteilles : celle-ci est passée, peu à peu, à 1 million de bouteilles en 1983 (avec 5 à 10 millions de bouteilles envisagées pour 1993!).
Rouge ou blanc, titrant 16-18⁰, le Floc est un merveilleux apéritif ou vin de dessert, fruité et bouqueté, dont la qualité irréprochable est sévèrement contrôlée par une commission de dégustation. Les moûts de raisin frais proviennent uniquement de l'aire déterminée de l'appellation Armagnac, et l'alcool utilisé est de l'Armagnac de qualité titrant plus de 52⁰. Le vieillissement a lieu en fûts de chêne blanc de Gascogne et toutes les opérations ont lieu à la propriété.
Le nom pittoresque du Floc vient de l'expression gasconne *lou floc de mouste* (en français « fleur de chez nous » — floc = fleur), qui désignait, jadis, cette préparation ancestrale, réservée d'abord à la famille et

aux amis, mais dont la commercialisation récente est une parfaite réussite.

Folle-Blanche, un des cépages blancs les plus répandus en France. — Dans le pays nantais, sous le nom de « Gros-Plant », il donne un vin très populaire, et, dans le Midi et en Armagnac, il est connu sous le nom de « Picpoul ». C'est lui qui, autrefois, fournissait les vins blancs distillés ensuite pour faire le Cognac : on rencontrait alors dans les vignes charentaises les trois variétés de Folle-Blanche : la jaune, la verte et la grosse Folle. La Folle-Blanche donne un vin de goût neutre, léger, très sec et très acide. Cette acidité* idéale, en se combinant avec l'alcool*, exalte le bouquet et accroît les qualités du Cognac. Mais la Folle-Blanche, très sensible à la pourriture* grise, a dû être à peu près abandonnée en Charentes et a été supplantée par l'Ugni blanc. On la cultive aussi en Californie.

fondu, terme qui s'applique à un vin harmonieux, dont tous les éléments se combinent en un tout parfait, sans aucune note dominante ni discordante.

foulage, une des premières opérations que subit la vendange en arrivant au cuvage* ou au chai*. — Les peuples vignerons de l'Antiquité ont tous pratiqué le foulage : Grecs, Égyptiens, Hébreux, Romains, Gaulois. Le foulage doit surtout éviter d'écraser les pépins et les rafles, très riches en tanins* et en huiles nuisibles à la finesse du vin. C'est pourquoi le foulage aux pieds est encore pratiqué pour certains vins (Porto, par exemple), car il est doux et contrôlé, bien mieux que le foulage mécanique. Le foulage est toujours pratiqué pour les vins blancs, afin de favoriser le pressurage* des raisins : sans cette précaution préalable, le jus s'écoulerait avec difficulté. Le fouloir-égrappoir permet à la fois de pratiquer le

Foulage du raisin dans le haut Douro (Portugal). Les cuves sont en granit. Phot. J.-Y. Loirat.

foulage, en écrasant les raisins, et l'égrappage*, en les séparant des rafles. On évite de fouler en Beaujolais, afin d'obtenir des vins tendres et peu tanniques.

fourré. Un vin fourré est un vin qui donne une sensation précieuse d'onctuosité et de velouté. Il s'agit d'un vin gras, dont la richesse naturelle en glycérine* est élevée.

frais. Un vin frais procure une agréable sensation de fraîcheur au palais. Il est généralement jeune ou, en tout cas, il l'est resté puisqu'il a les qualités mêmes de la jeunesse : fruité, vivacité, agréable acidité et simplicité.
Les vins frais doivent aussi être servis frais, pour mieux faire ressortir leurs qualités.

franc. Un vin franc est un vin net, qui procure au nez et à la bouche des sensations agréables et bien marquées. Aucune anomalie, aucun excès, aucune faiblesse n'affecte le bouquet ni le goût. On dit encore « droit de goût ».

Franconie (Franken), région viticole allemande, d'importance secondaire, située dans la haute vallée du Main, aux environs de Wurzbourg.
Les meilleurs vignobles se situent autour des communes de Wurzbourg, d'Escherndorf, d'Iphofen, de Randersacker et de Rödelsee, et appartiennent à l'Etat allemand, à cinq ou six familles nobles ou à des fondations charitables. Comme en pays de Bade, quelques coopératives vinicoles font un effort considérable vers le progrès.
Les vins de Franconie sont secs, puissants, toujours assez corsés, parfois âpres, avec un goût de terroir* assez prononcé. Ils proviennent du Riesling, du Sylvaner (qui donne ici, bien souvent, les meilleurs vins) et du Müller-Thurgau, espèce de métis de Sylvaner et de Riesling, qui donne des vins communs. Wurzbourg produit, sous le nom de *Steinwein,* un des meilleurs vins de la région, issu du Riesling ou du Sylvaner et récolté sur les pentes escarpées des bords du Main. Les bons *Steinweine* sont secs, corsés, bien équilibrés et fort agréables. Les vins de Franconie sont traditionnellement logés dans leur bouteille spéciale, le *Bocksbeutel.* Le nom du cépage est indiqué, ainsi que celui de la commune et celui du vignoble de production.

Frangy. V. SAVOIE.

Frascati, un des vins blancs les plus renommés et les meilleurs des Castelli Romani, produit autour de la petite ville de Frascati, au sud-est de Rome. — Ce blanc sec, doré, corsé, titrant 11,5⁰, est la coqueluche de Rome. Il existe aussi en moelleux

et en « cannellino », issu de raisins atteints par la pourriture* noble. Le Frascati mousseux a droit aussi à l'appellation contrôlée (D.O.C.). Le Frascati titrant 12⁰ peut, sous certaines conditions, porter la mention « superiore ».

Freisa. Issu du cépage Freisa, l'appellation contrôlée de ce vin D.O.C. est « Freisa d'Asti », pour celui récolté sur les collines autour d'Asti, ou « Freisa di Chieri », pour celui de Chieri et des communes voisines. Titrant 10,5⁰ au moins, ces vins rouge cerise ont un nez de framboise et de violette, une saveur un peu acidulée mais aromatique et qui s'arrondit avec l'âge. Ils peuvent se vinifier en sec, légèrement moelleux « amabile » et mousseux naturel. Les vins âgés de plus d'un an, remplissant les conditions requises, ont le droit d'ajouter la mention « superiore ».

Fronsac. Sur la rive droite de la Dordogne, près de Libourne, le vignoble de Fronsac, qui s'étend aussi sur quelques communes voisines, domine de ses coteaux un magnifique et verdoyant panorama. Célèbre par son tertre, que, jadis, Charlemagne couronna d'un château, Fronsac l'est aussi par ses vins colorés et robustes, fort estimés, surtout dans le nord de l'Europe. Le duc de Richelieu, petit-neveu du célèbre ministre de Louis XIII, appréciait fort ces vins et contribua ainsi à introduire la mode du Bordeaux à la cour de France (il était aussi, d'ailleurs, duc de Fronsac).
Le décret du 21 septembre 1976 a remplacé l'appellation « Côtes-de-Fronsac » par celle de « Fronsac » (qui, jadis, n'existait pas sur le plan légal). Cette appellation s'applique aux vins provenant des communes de Fronsac, La Rivière, Saint-Germain-la-Rivière, Saint-Michel-de-Fronsac, Saint-Aignan, Saillans, Galgon.
L'appellation « Canon-Fronsac » ou « Côtes-de-Canon-Fronsac » est réservée aux meilleurs coteaux, dont celui de Canon. Les vins de Fronsac sont de plus en plus appréciés des amateurs; bien colorés, fruités, charnus, ils vieillissent avec distinction, et leur prix est resté très abordable.

Frontignan. Cette ville du Languedoc est célèbre, à juste titre, pour son incomparable Muscat, le premier de tous. Les coteaux, au sol pierreux, sont plantés uniquement de Muscat doré à petits grains, appelé d'ailleurs « Muscat doré de Frontignan ». Le Frontignan a toujours eu une très grande renommée. Rabelais le vante par la bouche de Panurge, Olivier de Serres le cite dans son *Théâtre d'agriculture,* Voltaire en fait sa panacée de santé : ne prétend-il pas, en effet, que le Frontignan « lui conserve la vie »? Comme tous les

Un vignoble de Frontignan.
Phot. M.

vins doux naturels, le Frontignan est muté à l'alcool (fermentation* des moûts arrêtée par adjonction d'alcool). Grâce au mutage*, spécialement heureux pour lui, il garde intégralement son goût fruité si délicat et particulier. Très généreux, il titre au moins 15⁰, et souvent plus. Il garde au moins 125 g de sucre résiduel par litre. C'est « un vin de soleil enchanté », comme l'a écrit le poète Paul Géraldy. Sa belle robe d'or et de topaze, son parfum suave, sa saveur, au goût de raisin et de miel, en font un vin de grande classe et de réelle distinction.

L'appellation* contrôlée est « Frontignan », « Muscat de Frontignan » ou « Vin de Frontignan ». Les vins sont livrés au commerce dans une bouteille spéciale consacrée par les usages locaux, présentant des cannelures torsadées en relief, dite « bouteille à Muscat de Frontignan ».

Frontonnais (Côtes-du-). Cette appellation* contrôlée du Sud-Ouest, produite au nord de Toulouse, a vu le jour par le décret du 7 février 1975. Elle a désormais fondu le petit vignoble de Fronton avec son voisin et presque jumeau Villaudric. Jusqu'à cette date, « Fronton » et « Villaudric » étaient deux appellations distinctes, toutes deux V. D. Q. S.*

Les vignobles de Fronton et de Villaudric ont été terriblement éprouvés par les gelées mortelles de 1956, mais, courageusement, les vignerons ont défié le sort.

Les vins rouges ou rosés sont bien charpentés, très colorés. Le décret du 20 avril 1982 a précisé l'encépagement du Frontonnais; cépage principal : Négrette (de 50 à 70 p. 100); cépages complémentaires : Cot, Mérille, Fer (25 p. 100 au plus pour chacun), Cabernet franc et Cabernet-Sauvignon (25 p. 100, au plus); cépages secondaires : Gamay, Cinsault, Mauzac (15 p. 100 au plus de l'encépagement).

L'appellation « Côtes-du-Frontonnais » peut être suivie du nom de *Fronton* pour les communes de Fronton, Castelnau-d'Estrefonds, Saint-Rustice et Vacquiers dans la Haute-Garonne, de Bessens, Campsas, Canals, Dieupentale, Fabas, Grisolles, Labastide-Saint-Pierre, Montbartier, Nohic, Orgueil et Pompignan en Tarn-et-Garonne. Elle peut être suivie du nom de *Villaudric* pour les communes de Bouloc, Fronton, Villaudric, Villematier, Villemur-sur-Tarn et Villeneuve-les-Bouloc dans la Haute-Garonne.

fruité. Un vin fruité possède l'arôme et le goût particulier du fruit frais. Ce mot s'emploie surtout pour les vins jeunes, car, avec le temps, le « fruit » s'estompe pour faire place au bouquet. Cette particularité est spécifique à chaque cépage, par définition, et varie avec la nature de celui-ci. Les vins fruités les plus connus sont le Beaujolais, les vins d'Alsace, le Muscadet, le Bourgueil, le Chinon, les vins de Californie issus du cépage Zinfandel, et, en moins prononcé, le Riesling, le Sylvaner et le Pinot de Californie. Les Muscats ont aussi un goût fruité très prononcé. Pour eux, on emploie le mot « musqué » ou « muscaté ».

fumet, odeur qui émane du vin et révèle sa présence sans qu'il soit nécessaire de la rechercher. — Un vin doté de fumet est un vin qui ne manque certes pas de personnalité. C'est le cas, par exemple, du Châteauneuf-du-Pape.

139

Gaillac. La région de Gaillac, dans le Sud-Ouest, semble avoir une vocation viticole datant, sans nul doute, d'avant l'ère chrétienne. On affirme même que le vignoble de Gaillac serait « le père probable de celui du Bordelais ». Il est surtout connu pour son vin mousseux, mais il donne aussi des vins « perlés » et des vins tranquilles, tantôt secs, tantôt doux, qui ont droit à l'appellation* d'origine contrôlée. Ces vins proviennent du Mauzac (le cépage de la Blanquette de Limoux) et d'un cépage au nom curieux, l'En de l'El (loin de l'œil), auxquels s'ajoutent les cépages blancs classiques de la région. Le Tarn coupe en deux cette région, qui jouit d'un climat quasi méditerranéen : les vins provenant des coteaux calcaires de la rive droite sont moelleux et bouquetés; ceux qui proviennent des sols granitiques de la rive gauche sont secs, vifs, nerveux. Cela explique la diversité des vins blancs de Gaillac, tous bien séduisants et très bien vinifiés. Les raisins, pressés sans foulage avec des presses horizontales, donnent des vins très fins et bouquetés.

Le *Gaillac mousseux* est préparé par la méthode rurale traditionnelle dite « gaillacoise ». La mousse du vin est obtenue de façon absolument naturelle, sans aucune addition de sucre. La fermentation* est arrêtée peu à peu par des filtrations* successives. On laisse vieillir deux ou trois ans. Le vin est alors moelleux, fruité, avec un arôme délicat et très original. C'est un de nos meilleurs vins mousseux, qu'on est en train de redécouvrir. La méthode champenoise* donne un vin qui a beaucoup moins de charme et de fruit. Le Gaillac

Gaillac : le Tarn et l'abbaye Saint-Michel, où aurait été élaboré par ses moines le premier vin du cru. Phot. M.

mousseux brut a épuisé la totalité du sucre de raisin; le demi-sec contient encore de 35 à 40 g de sucre de raisin par litre lorsqu'on le stabilise par filtration.

Le *Gaillac perlé* est obtenu d'une façon toute différente. Les moûts* sont débourbés par le froid, avant fermentation, pour éviter le plus possible l'adjonction d'anhydride* sulfureux; ils fermentent ensuite à basse température. On effectue alors un premier soutirage* des grosses lies et le vin est conservé durant un an sur fine lie : c'est ce procédé de conservation sur lie* (analogue à celui qui est utilisé pour le Muscadet) qui confère au Gaillac perlé toute sa personnalité. Lorsque la fermentation* malo-lactique commence, on s'évertue à conserver le gaz* carbonique dégagé et dissous dans le vin sous forme de fines perles : on y arrive en procédant à des traitements de stabilisation* et de clarification, puis à la mise en bouteilles, à la température de 0 °C. Le Gaillac perlé n'est donc pas un vin mousseux : c'est un vin sans pression, léger, fruité et frais, avec un arôme particulier né lors de la conservation sur lie et qui picote délicieusement la langue.

Mais le noble terroir de Gaillac ne se contente pas de produire des vins blancs, qui suffiraient pourtant déjà à sa renommée. Il donne encore des vins rouges délicats, qui ont du corps et développent un très beau bouquet en vieillissant : ceux qui sont récoltés sur les coteaux de Labastide-de-Lévis, charnus et séveux, avec un riche bouquet, jouissent d'une réputation très ancienne; les vins rosés, vifs et fruités, frais et désaltérants, ont beaucoup de charme eux aussi.

Les vins rouges sont issus, pour 60 p. 100 au minimum, des cépages principaux Braucol (ou Fer Servadou), Duras, Gamay, Négrette, Syrah, et, pour 40 p. 100, de cépages accessoires caractéristiques du Sud-Ouest (Cabernets, Jurançon, Merlot, etc.). Les vins rosés doivent provenir, pour 20 p. 100 au minimum, des cépages Fer Servadou, Duras, Gamay, Négrette, Syrah, pour 50 p. 100 au maximum, de Jurançon rouge, les derniers 30 p. 100 au maximum étant constitués des cépages accessoires des vins rouges.

La cave coopérative de Labastide-de-Lévis, qui collectionne d'ailleurs les médailles d'or depuis des années, élabore de façon remarquable toute la gamme des Gaillacs à appellation contrôlée. Elle vinifie, en outre, de délicieux vins de pays* des Côtes du Tarn blancs, rosés et rouges. Le vin rouge mérite une mention toute spéciale : récolté sur les coteaux caillouteux et schisteux de Cunac, de très ancienne réputation viticole, il est obtenu par la méthode de fermentation des grains entiers, appelée

« macération* carbonique », remise en honneur dans le Beaujolais (mais déjà en usage, paraît-il, chez les Romains...). Par cette méthode, on obtient un vin très bouqueté, léger et peu charpenté, à boire jeune et frais.

Gaillac : les appellations d'origine contrôlée. L'appellation « Gaillac » s'applique aux vins blancs, rouges et rosés récoltés sur le territoire de soixante-treize communes du département du Tarn autour de Gaillac, d'Albi, de Cordes. Les vins blancs doivent titrer $10,5^0$ au minimum d'alcool* total, avec un minimum de 10^0 d'alcool* acquis. Les vins rouges et rosés doivent présenter un titre minimal de $10,5^0$ d'alcool acquis.

L'appellation « Gaillac doux » s'applique à des vins blancs dont la fermentation a été ralentie ou arrêtée par des soutirages* et des filtrations*. Ces vins doivent conserver un minimum de 70 g de sucre naturel par litre et ne doivent pas renfermer, lors de la mise en vente, une dose d'anhydride* sulfureux libre supérieure à 25 mg par litre.

L'appellation « Gaillac mousseux » est réservée aux vins blancs et rosés rendus mousseux soit par la méthode gaillacoise de fermentation* spontanée en bouteille, soit par la méthode de seconde fermentation en bouteille et préparés à l'intérieur de l'aire de production.

L'appellation « Gaillac-Premières Côtes » s'applique uniquement à des vins blancs récoltés sur les territoires des communes de Broze, Cahuzac-sur-Vère, Castanet, Cestayrols, Fayssac, Lisle-sur-Tarn, Montels et Senouillac. Ces vins doivent présenter, après fermentation, un titre alcoolique minimal de 12^0 d'alcool total, avec un minimum de 10^0 d'alcool acquis.

Gamay, cépage rouge à jus blanc, cultivé à peu près seul dans le Beaujolais. — Il porte le nom d'un hameau des environs de Puligny-Montrachet. Il donne, sur les coteaux granitiques du Beaujolais, des vins pleins de charme et de jeunesse, dont notre époque raffole. En 1395, Philippe le Hardi ordonna d'extirper du royaume le « très déloyaulx plant nommé Gamay ». Heureusement pour nous, ses sujets ne lui obéirent point! C'est le sol granitique — tel qu'il le trouve en Beaujolais — que le Gamay exige pour donner des vins fins et bouquetés. Dans les terrains argilo-calcaires du reste de la Bourgogne, il ne produit que des vins ordinaires : il n'est donc jamais planté dans les très bons vignobles, où le Pinot noir jouit d'une incontestable suprématie; mêlé à un tiers de Pinot noir, il donne alors le Bourgogne passe-tout-grain.

Le Gamay entre dans l'encépagement des vins du Lyonnais, de Saint-Pourçain, d'Au-

vergne, de Châteaumeillant, du Giennois. A Châtillon-en-Diois, en terres argilo-calcaires, il donne des vins très fins et bouquetés. Mais la Touraine, elle aussi, produit de remarquables vins de Gamay : le Gamay de Touraine du « Domaine de la Charmoise », par exemple, planté sur un sol d'argile à silex, est absolument remarquable; il donne un vin fruité, léger, très aromatique et montre en primeur une exquise fraîcheur peu commune.

Dans les vignobles de Californie, le Gamay donne, surtout dans les comtés de Napa et de San Benito, des vins agréables, parfois même supérieurs à ceux qui sont issus du Pinot noir. Ces vins sont vendus sous le nom de « Gamay du Beaujolais ».

Gattinara, très beau vin rouge italien issu du cépage Nebbiolo, comme le Barolo et le Barbaresco. — Il est produit aussi dans le Piémont, comme ces deux derniers, mais dans une région différente, autour du petit village de Gattinara, entre Turin et le lac Majeur. Excellent vin, qui peut se comparer à nos meilleurs Côtes-du-Rhône, corsé, avec un bouquet très fin, il a une saveur bien enveloppante, qui imprègne délicieusement la bouche. C'est un vin de longue garde, qu'il ne faut surtout pas boire trop tôt. Mais hélas, la production

en est fort restreinte. Pour avoir droit à l'appellation contrôlée (D. O. C.), le Gattinara ne peut être livré avant quatre ans et doit titrer 12⁰ au moins. Toute mention particulière (« riserva » par exemple) est interdite, mais le millésime doit être obligatoirement indiqué.

gaz carbonique (CO_2). Ce gaz est un produit de déchet qui s'élimine par dégagement. Nous le rencontrons aux diverses étapes de la vie du vin.
Il est présent au cours de la fermentation* alcoolique : le sucre du raisin se décompose en alcool et en une quantité relativement importante de gaz carbonique. Ainsi, 1 hl de moût* dégage, en se vinifiant, environ 4,5 hl de gaz carbonique! Ce gaz, étant plus lourd que l'air, stagne dans les caves. On comprend, dès lors, pourquoi il est nécessaire d'aérer largement celles-ci au cours de la fermentation, afin d'éviter les accidents.
Nous retrouvons le gaz carbonique au cours de la fermentation* malo-lactique. La légère effervescence due à sa présence est parfois élégamment embouteillée à ce moment dans certains vins : le Crépy, le Gaillac perlé, etc. Le gaz carbonique procure de même la légère moustille des vins mis en bouteilles sur lies*. C'est encore lui qui cause la mousse* du Champagne et des vins mousseux traités par différentes méthodes : champenoise*, rurale*, allemande*, de cuve* close, procédé d'Asti*. C'est lui aussi, hélas!, qu'on envoie artificiellement, sous pression, dans les mousseux gazéifiés.

gelée blanche. Elle est une des angoisses qui hantent les nuits du vigneron. Beaucoup des meilleurs vins du monde sont produits à la limite septentrionale de production de la vigne. Théoriquement, le

danger existe durant environ six semaines pour les vignobles français et allemands, du 1er avril au 15 mai, jusqu'à ce que les saints* de glace soient passés. Il existe néanmoins de mémorables exceptions : le vignoble de Pouilly-sur-Loire fut ravagé le 28 mai 1961, et on a vu parfois le vignoble de Chablis geler en juin. Il est désespérant de penser qu'à peine 3 ou 4 ⁰C, durant ces semaines critiques, suffisent à détruire partiellement ou totalement le travail de toute une année et à compromettre les récoltes futures. Aussi les vignobles les plus menacés s'organisent-ils peu à peu en conséquence : Chablis, les vignobles de Loire et de Moselle sont équipés de chauffages au mazout. Les vignobles des bas de pente sont plus exposés que ceux des coteaux. Ils produisent aussi des vins beaucoup moins fins. Le vigneron délaisse peu à peu ces lieux, ce qui aboutit, en fin de compte, à une sélection de la qualité.

gelée noire. On appelle ainsi la gelée qui se produit en plein hiver. Malgré les buttages, le froid est parfois tellement intense que les bourgeons gèlent et que le cep lui-même peut éclater. C'est ainsi que le mois de février 1956 fut un véritable désastre pour le Bordelais, pour Saint-Emilion et surtout Pomerol. Le froid très vif (− 25 ⁰C), survenant après une période de jours tièdes, fit périr des milliers de pieds de vigne.

gelée (vin de). On appelait ainsi, autrefois, le vin jaune* du Jura. En effet, pour obtenir ce vin, on laissait les grappes de Savagnin longtemps sur les ceps et, la plupart du temps, jusqu'aux premières neiges et gelées. Le raisin se flétrit peu à peu et on obtient ainsi une concentration naturelle du jus (passerillage*).

généreux. Riche en alcool et en éléments nobles, un vin généreux est un vin chaud et vigoureux qui donne à l'organisme une agréable sensation de bien-être, en même temps qu'il produit un effet tonique. C'est le cas, par exemple, du Chambertin. Le vin généreux, toutefois, n'est pas capiteux.
En Espagne et au Portugal, les vins généreux sont des vins mutés à l'alcool (v. MUTAGE), ce qui est, somme toute, plus significatif que notre expression française légale, assez ambiguë, de *vins doux naturels*.

Genève. Avec ses 1 000 ha de vignoble, étendus en fer à cheval autour de la ville, le canton de Genève est le troisième canton viticole de Suisse. Plus de la moitié du vignoble est répartie sur la rive droite du Rhône (le Mandement), le reste étant divisé entre la région Arve et Lac et la région Arve et Rhône. La production est actuellement d'environ 10 millions de litres par an.

Lutte contre la gelée : chauffage au fuel. Phot. M.

Le vignoble genevois remonte au temps de la conquête romaine, mais il connut bien des vicissitudes au cours des siècles et il a fallu toute l'obstination et toute la foi de ses vignerons pour assurer sa survie. Pourtant, au XVIIe siècle, la vigne, principale culture et revenu essentiel de nombreux Genevois, jouait un grand rôle dans l'économie de la cité.

Le mode de plantation des vignes montrait, de la part des Genevois, une fantaisie assez inattendue : elles poussaient tantôt en foule, sans aucun alignement, tantôt en « huttins » (ou hautains*), accrochées aux arbres, comme cela se voit encore en Italie. Peu à peu, la culture en alignement apparut et se généralisa à la fin du siècle dernier. C'est alors que, comme tant d'autres vignobles européens, le vignoble genevois fut ravagé par le phylloxéra* et le mildiou*. Vers les années 50, la viticulture genevoise est passée par une véritable révolution : jusqu'à cette époque, la majorité des moûts* provenant de la région était dirigée vers les caves vaudoises et neuchâteloises. L'ordonnance de 1946 mit fin, pour les viticulteurs genevois, à cette solution de facilité, ce qui provoqua nombre de difficultés pendant une dizaine d'années.

Actuellement, les efforts des vignerons genevois, groupés sous le mot d'ordre de la qualité, ont porté leurs fruits. Réunis en grandes catégories, selon les cépages qui composent le vignoble, les vins sont encore caractérisés par leur origine, leur terroir et leur exposition.

Pour en arriver là, les vignerons ont arraché les cépages médiocres, pour les remplacer par des cépages fins, et ont amélioré les méthodes de culture et de vinification de façon spectaculaire. La plupart des cépages de jadis ont disparu. Le Chasselas règne sur un peu plus de la moitié du vignoble (et, pourtant, à la fin du siècle dernier, Genève ne produisait pratiquement que des vins rouges...). Le Gamay et le Pinot noir occupent ensemble près d'un tiers de la surface : le sol et le climat genevois révèlent des possibilités très intéressantes pour la production des vins rouges. Le reste de l'encépagement est constitué par le Riesling-Sylvaner, le Sylvaner, l'Aligoté, les Pinots blanc et gris, le Chardonnay, le Muscat, le Traminer, le Merlot. La plupart des vignerons ont adhéré à la FÉDÉRATION DES CAVES GENEVOISES, groupant sous le nom de « Vin Union Genève », avec, siège à Satigny, la cave de la Souche (fondée en 1929), la cave du Mandement de Satigny (fondée en 1933) et la cave de Lully (fondée en 1953). Il reste très peu de vignerons indépendants.

Les vins de « Vin Union Genève » sont commercialisés sous des noms d'une charmante originalité.

Le « Perlan » est le nom officiel (approuvé en 1965 par le Conseil d'État) du vin issu du Chasselas, qui a une tendance naturelle à pétiller, à « perler ». Léger et plein de fraîcheur, finement bouqueté, il réjouit l'œil par ses bulles aériennes, ouvre l'appétit et étanche merveilleusement la soif. Le groupe Vin Union Genève distingue trois sortes de Perlans : le « Bouquet royal », nerveux et sec, avec une touche légère d'amertume; le « Coteaux-de-Lully », plus féminin et souple, avec un arôme de noisette; le « Perle du Mandement », plus viril, vigoureux et fruité.

Le cépage Gamay donne le « Clefs d'Or », à la belle robe rouge pourpre et veloutée, fleurant la violette, et le « Rosette de Genève », un rosé aimable, malicieux et fruité. Le Gamay a réalisé une implantation spectaculaire depuis 1950 puisqu'il occupe, de nos jours, presque le tiers du vignoble ! Le Pinot noir de Bourgogne donne naissance au « Camérier », habillé de rubis, racé et généreux, et au « Rose Reine », rosé peu cuvé, de teinte œil-de-perdrix, plein de vigueur, de vivacité et de charme. Le « Goût du Prieur », fruité, un peu musqué, est issu du Riesling-Sylvaner, et le « Clavendier », issu du Sylvaner, est séveux et bouqueté.

Géorgie. C'est la région viticole de l'U. R. S. S. qui fournit le plus grand nombre de vins d'excellente qualité. Elle occupe la troisième place au point de vue de la superficie et donne 20 p. 100 de toute la

Vendanges en Géorgie.
Phot. Lauros-Hétier.

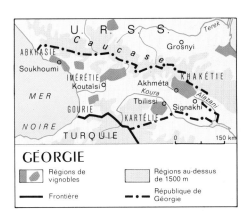

GÉORGIE

- Régions de vignobles
- Régions au-dessus de 1500 m
- ——— Frontière
- —·—·— République de Géorgie

production soviétique. Dans ce pays fabuleux (n'est-ce pas là que Jason alla chercher la Toison d'or?), la treille, aux riches couleurs de pourpre et d'émeraude, d'or et de rubis, a toujours servi de toile de fond aux paysages géorgiens traditionnels, et la vigne a toujours été un facteur de richesse. Il suffisait, pour ruiner le pays, de détruire les vignobles, comme l'ordonnèrent à leurs soldats certains barbares envahisseurs, tels le Tartare Timur Lang et le roi de Perse Abbas Ier le Grand.

A Tchoudari existe un cep de vigne de 0,55 m de diamètre, dont les sarments, à 2 m du sol, couvrent de leur ombre 80 m² : il donne chaque année 500 kg de raisin!

La vigne est cultivée de 1 000 à 1 340 m d'altitude : cela corrige l'effet défavorable de la latitude et explique la grande qualité des vins géorgiens.

Quatre cents variétés de raisins sont cultivées, dont seize seulement sont destinées à produire du vin. La vigne est parfois conduite sur perches horizontales, selon une méthode appelée « talavéri ». Chaque province de Géorgie a ses traditions viticoles et ses méthodes particulières de vinification.

La *Kakhétie*, partie orientale de la Géorgie, est assez sèche, et l'irrigation s'avère nécessaire. Le vignoble s'étend au flanc des montagnes qui entourent la vallée de l'Alazani, sur environ 100 km, de Signakhi à Akhméta, avec les centres importants de Tsinandali et de Moukouzani. Cette région produit des vins remarquables (Kardanakhi, Mtsvane, Teliani), de très bons vins blancs (Naparéouli, Gourdjaani n° 3, Tsolikaouri n° 7 et Rkatsitéli) et d'excellents vins rouges (Sapéravi, Teliani n° 2 et surtout Moukouzani n° 4, l'un des meilleurs de Kakhétie, qui fait penser aux Bourgognes). Quant au « Tsinandali », c'est le plus fameux des vins de Kakhétie et même de toute la Géorgie. Il comporte plusieurs sortes de vins rouges et blancs numérotés : le Tsinandali blanc n° 1, par exemple, est un délicieux vin sec.

La *Kartélie* est la région de Tbilissi. On y récolte le « Tchinouri », le vin blanc « Gorouli-Mtsvane ».

L'*Imérétie* (région de Koutaïsi) produit surtout des vins blancs, désignés sous le nom de leur cépage* : Krakhouna, Tsitska, Tsolikaouri. Mais elle produit aussi le rouge « Khvantchkara », qui fut le préféré de Staline.

La *Gourie*, région occidentale située près de Makharadzé, produit également des vins blancs : Djani, Tchkhavéri.

L'*Abkhazie*, située sur le littoral, près de Soukhoumi, a remplacé, à la fin du siècle dernier, ses cépages locaux par l'Isabelle. Cependant, dans la vallée du Bzyb, le Tsolikaouri d'Imérétie accompagne maintenant l'Isabelle.

Enfin, la Géorgie produit un vin mousseux : le « Soviétskoïé ».

Gevrey-Chambertin. Cette commune porte un nom prestigieux, puisqu'on y trouve le mot « Chambertin », qui, pour le monde entier et depuis fort longtemps, représente le grand vin de France dans toute sa noblesse. Les vins qu'elle produit sont un mélange admirable de grâce et de vigueur, de force et de finesse. Leur bouquet très caractéristique rappelle un peu la réglisse. Les grands crus* vieillissent admirablement.

C'est en 1847 que la commune de Gevrey eut le droit d'ajouter à son nom celui de son cru mondialement célèbre, « Chambertin ».

Les deux « grands crus exceptionnels » de Gevrey-Chambertin sont le « Chambertin » et le « Clos-de-Bèze ». Celui-ci, considéré comme l'égal du Chambertin, peut être vendu soit sous le nom de Chambertin, soit sous son propre nom *précédé* de Chambertin. Les autres « grands crus » doivent *faire suivre* leur nom de Chambertin; ce sont Latricières-Chambertin, Mazoyères-Chambertin, Charmes-Chambertin, Mazis (ou Mazys)-Chambertin, Ruchottes-Chambertin, Griotte-Chambertin et Chapelle-Chambertin.

Mais Gevrey-Chambertin possède encore une bonne vingtaine de « premiers crus » qui peuvent être vendus soit sous leur nom suivi du nom de la commune, soit sous le nom de la commune suivi de « premier cru »; les plus renommés de ces vins sont Varoilles, Clos-Saint-Jacques, Aux Combottes, Bel-Air, les Cazetiers, Combe-aux-Moines, Poissenot, Etournelle, Lavaut, les Goulots, etc. (V. Annexes.)

Gewurztraminer, terme qui désigne les vins d'une variété du cépage Traminer spécialement parfumés et capiteux. — *Gewurztraminer* veut dire « Traminer épicé ». Ces vins sont excellents, très originaux et ont, au plus haut point, les séduisantes qualités des Traminers. Leur « nez », leur goût extrêmement aromatiques sont d'une extraordinaire richesse, parfois presque trop exubérants. Ces qualités sont encore plus marquées après des vendanges tardives. Toutefois, en Alsace, les Gewurztraminers n'atteignent jamais l'élégance et le panache des Rieslings, qui restent les grands seigneurs d'Alsace.

L'Allemagne et le Tyrol produisent des Gewurztraminers souvent excellents. La Californie donne aussi un vin de ce type, mais qui ne possède jamais, toutefois, un parfum aussi prononcé.

Jusqu'en 1973, le nom « Traminer » pouvait aussi être utilisé pour les vins issus de cette variété du cépage. Actuellement, le nom « Gewurztraminer » est devenu obligatoire.

Giennois (vins des Coteaux du). De nos jours, la petite ville de Gien, au bord de la Loire, est plus célèbre par ses faïences que par ses vins. Qui se douterait qu'elle fut autrefois, et jusqu'au siècle dernier, une importante commune viticole, puisqu'on y comptait huit cents vignerons? La vigne obstinée s'accroche encore aujourd'hui sur quelques coteaux et terrasses, çà et là aux environs de Gien, et particulièrement à Bonny-sur-Loire, à Beaulieu, à Ousson et à Châtillon-sur-Loire.

Les vins rouges, rosés et blancs, tous consommés sur place, ont droit au label V.D.Q.S.*, mais une très faible partie en bénéficie (de 200 à 300 hl). Les vins blancs, issus du Sauvignon et du Pineau de la Loire, sont généralement les meilleurs : ils sont légers et agréables. Les rouges et les rosés, qui proviennent du Gamay et du Pinot noir, sont plus ordinaires.

L'appellation peut être aussi « Côtes-de-Gien » pour les vins provenant de l'aire de production du Loiret, et elle peut être ou non suivie du nom de « Cosne-sur-Loire » pour les vins provenant de la Nièvre.

Gigondas. Le vignoble de Gigondas, accroché au flanc nord des célèbres dentelles de Montmirail, se situe sur la rive gauche du Rhône, entre Orange et le massif du Ventoux; il jouit donc d'un climat méridional, sec et fortement ensoleillé. Il semble bien que Gigondas, si l'on en croit Pline le naturaliste, ait toujours eu une vocation viticole, par la suite encouragée par les moines, puis par les évêques d'Orange. D'ailleurs, actuellement, ses habitants sont tous vignerons.

Les vins rouges proviennent surtout du Grenache noir (65 p. 100 de l'encépagement), de la Syrah, du Mourvèdre et du Cinsault (25 p. 100), ainsi que de cépages complémentaires admis pour l'appellation

« Côtes-du-Rhône » (10 p. 100). Afin d'assurer plus de souplesse à leur vin, les vignerons ont désormais supprimé le Carignan de l'encépagement.

Les vins rosés proviennent aussi du Grenache noir (60 p. 100), du Cinsault (15 p. 100 au moins) et de cépages secondaires (25 p. 100). Les vignerons n'y admettent pas non plus le Carignan.

Jadis, le Gigondas avait droit à l'appellation « Côtes-du-Rhône » suivie de son nom. Depuis le décret du 6 janvier 1971, l'appellation* contrôlée est devenue « Gigondas », consacrant ainsi la personnalité de ce vin, qui se différencie des autres Côtes-du-Rhône.

Le Gigondas rouge est excellent : c'est un vin corsé, puissant, d'une magnifique couleur de pourpre, avec une finesse et une élégance certaines, unissant à la fois le corps, l'esprit et le bouquet. Un peu rude dans sa prime jeunesse, il gagne beaucoup à se faire attendre au moins deux ans. Le

Dans le village de Gevrey-Chambertin. Phot. Aarons-L. S. P.

Le village fortifié de Gigondas. Phot. M.

rosé, sec, fruité, original, est fort agréable dans sa jeunesse, mais montre une certaine tendance à la madérisation.

Le rendement ne peut dépasser 35 hl à l'hectare. Les vendanges doivent être obligatoirement triées, et tout viticulteur est tenu de produire un pourcentage de « râpé », provenant des raisins éliminés lors du tri (entre 3 et 20 p. 100), comme à Châteauneuf-du-Pape*.

Gigondas possède une cave souterraine extrêmement originale : elle est installée... dans un tunnel désaffecté de l'ancien chemin de fer départemental qui unissait Orange à Buis-les-Baronnies. Le grand vigneron de Gigondas, P. Amadieu, propriétaire des domaines renommés de Romane et de Machotte, racheta aux enchères publiques, en 1959, le tunnel percé sous la montagne Saint-Michel et aménagea cet immense souterrain en cave de vieillissement unique en son genre. Une température toujours fraîche et égale règne sous ces milliers de tonnes de roche et de terre, assurant au bon vin de Gigondas les conditions idéales pour son affinement.

Givry. Sur les coteaux de la Côte chalonnaise, Givry produit surtout des vins rouges excellents, s'apparentant aux Mercureys. Ils ont le même bouquet, la même finesse que ceux-ci, mais avec plus de légèreté. Ils mériteraient d'être mieux connus.

glycérine, un des éléments du vin, qui donne à celui-ci onctuosité et moelleux. — La glycérine apparaît au moment de la fermentation* alcoolique, et la quantité normale contenue dans le vin est de 6 à 8 g par litre. Les vins provenant de fermentation lente ont une richesse plus grande en glycérine. Les vins blancs liquoreux contiennent jusqu'à 20 g par litre de glycérine, mais celle-ci ne provient pas alors uniquement de la fermentation alcoolique : *Botrytis cinerea,* agent de la pourriture*

noble, en a déjà élaboré dans le grain de raisin par son activité propre, et 1 litre de moût* venant de grains très atteints contient 12 g de glycérine avant fermentation.

gouleyant. C'est un terme dont on abuse un peu dans les milieux œnophiles, sans doute parce qu'il sonne bien à l'oreille et aussi, peut-être, parce qu'il semble hermétique aux profanes.

Il désigne simplement un vin frais et léger, qui glisse facilement et agréablement dans le gosier.

gourmet, celui qui se connaît en vins, qui sait les goûter. — C'est par extension que le mot *gourmet* signifie le plus souvent désormais « fin gourmand ». On le retrouve, avec son sens primitif, dans l'expression *courtier* gourmet-piqueur de vins,* en usage jusqu'à ces dernières années.

goutte. Lorsqu'il s'agit de vins blancs, on appelle « moût de goutte » le jus qui s'écoule naturellement du raisin après foulage, avant que le raisin soit passé au pressoir.

Lorsqu'il s'agit de vins rouges, on appelle « vin de goutte » le vin qui s'écoule des cuves lorsque la fermentation* est terminée. Ce premier jus peut représenter jusqu'à 85 p. 100 du volume. Le reste est constitué par le marc*, qu'on porte au pressoir afin d'en extraire le vin de presse*.

graisse, maladie qui atteint les vins blancs mal constitués ou mal soignés, pauvres en alcool et en tanin. — Les vins deviennent huileux, filants, se versent dans le verre comme de l'huile. Ils ont une teinte louche, et leur goût est plat et fade.

Le traitement consiste à essayer de tuer les bactéries du vin atteint par l'anhydride* sulfureux et à tenter de redonner à ce vin sa limpidité par des collages* énergiques avec tannisage*.

Grand-Roussillon. Cette appellation* d'origine contrôlée s'applique à des vins doux naturels, récoltés sur le territoire déterminé de quatre-vingts communes du département des Pyrénées-Orientales et de neuf communes du département de l'Aude.

Depuis bien longtemps, la région est renommée pour ses vins de liqueur. Pline l'Ancien, déjà, célébrait ses vins doux, qu'il comparait au Falerne. Détruit par les Sarrasins, le vignoble se reconstitua peu à peu autour des monastères et des châteaux, si bien qu'avant l'an mille le haut Roussillon se glorifiait à nouveau de ses vins célèbres, qui figuraient avec honneur sur les tables des souverains de France, d'Aragon, de Majorque et d'Espagne.

Les vins de l'appellation « Grand-Roussillon » ont été définis par le décret du 19 mai 1972. Ils doivent obligatoirement provenir des cépages principaux Muscat blanc à petits grains, Muscat d'Alexandrie (dit « Muscat romain »), Grenache noir, gris ou blanc, Maccabéo, Tourbat (dit « Malvoisie du Roussillon »). Les cépages accessoires (Carignan noir, Cinsault, Syrah, Listan) ne peuvent dépasser 10 p. 100 de l'encépagement. Les vins doivent être vinifiés, pour les rouges, par macération du moût* avec la pulpe du raisin et, pour les rosés et les blancs, par fermentation* des moûts séparés de la pulpe. Ils doivent titrer 15⁰ et les opérations de mutage* doivent être terminées avant le 31 décembre de l'année de la récolte.

La mention du cépage peut figurer sur l'étiquette, à condition que le vin ait été obtenu en partant de ce seul cépage, mais la mention Muscat est interdite.

L'appellation « Grand-Roussillon-Rancio » est réservée aux vins doux naturels à appellation « Grand-Roussillon » qui, en raison de leur âge et des conditions particulières au terroir, ont pris le goût dit « de Rancio* ».

Les vins de l'appellation « Grand-Roussillon » sont des vins généreux dont un long vieillissement assure un bouquet très délicat et original avec beaucoup de finesse. Maury et Rivesaltes, qui se trouvent dans l'aire délimitée du Grand-Roussillon, ont droit à leur appellation particulière.

gras. La glycérine* est un des éléments constitutifs du vin, auquel elle apporte moelleux et onctuosité. Certains vins contiennent beaucoup de glycérine, et tout spécialement ceux qui proviennent de raisins atteints par la pourriture* noble. Ils paraissent très onctueux, très glissants et laissent sur les parois du verre des traînées apparentes : on dit qu'ils « pleurent » sur les verres.

gravelle, dépôt qui ressemble à du sable très fin. — Ce dépôt est surtout visible dans les vins blancs et, bien que déplaisant, ne doit pas être considéré comme un défaut. En effet, il s'agit simplement de cristaux de bitartrate de potassium provenant de l'acide* tartrique, un des acides organiques du raisin qui précipite sous l'action du froid. Habituellement, ce dépôt se fait dans les barriques* en hiver, mais il arrive parfois qu'une partie du bitartrate de potassium ne s'insolubilise pas. Le vin restera donc saturé de ce sel, qui déposera par la suite dans les bouteilles. La précipitation du bitartrate de potassium (ou crème de tartre) améliore le vin, puisque celui-ci perd ainsi une partie de son acidité due à l'acide tartrique.

Graves. Il semble bien que le vignoble des Graves soit le berceau des vins de Bordeaux. Les vins de Graves, de réputation fort ancienne, ont toujours eu le droit de s'appeler « vins de Bordeaux ».

La région des Graves s'étend le long de la rive gauche de la Garonne, entre le fleuve, à l'est, et la forêt des Landes, à l'ouest. Elle commence, au nord, à la Jalle de Blanquefort, frontière du Médoc, et descend, au sud, après avoir contourné le Sauternais,

Faits d'un mélange particulier de cailloux siliceux, de sable et d'un peu d'argile, les sols dits « graves » produisent des vins de réputation très ancienne. Phot. M.

jusqu'à Langon. La largeur moyenne du vignoble n'excède guère 12 km sur une longueur de 60 km.

Le nom de la région provient du terrain : un terrain particulier fait d'un mélange de cailloux siliceux, de sable, d'un peu d'argile, appelé « grave ».

Le vignoble des Graves se distingue des autres vignobles bordelais parce qu'il produit à la fois des vins rouges et des vins blancs (secs ou moelleux).

Pour plus de commodité, on a coutume de le diviser en deux parties : les Graves rouges au nord, les Graves blancs au sud. Mais, en réalité, la séparation n'est pas aussi nette : la partie nord produit aussi des vins blancs de grande qualité, et la partie sud également des vins rouges. En fait, c'est la nature du sol qui détermine le vignoble, plus qu'un classement topographique un peu simpliste : les graves pures sont plus favorables à la vigne rouge, et les graves mêlées plus favorables à la vigne blanche.

Les Graves rouges. Ils ne sont pas sans rappeler leurs voisins du Médoc. Les cépages, d'ailleurs, sont les mêmes : Cabernet franc, Cabernet-Sauvignon, Merlot et un peu de Petit-Verdot et de Malbec. Les Graves rouges, très bouquetés, sont des vins élégants et de bonne garde. Ils sont plus corsés, plus nerveux que les Médocs, mais ne possèdent pas la saveur moelleuse et délicatement fondue de ceux-ci.

Pessac et Léognan (qui produisent aussi d'excellents Graves blancs) sont les deux grands centres de production des Graves rouges. Mais, contrairement au Médoc, les communes des Graves ne bénéficient pas d'appellation particulière.

La gloire des Graves rouges est le Château Haut-Brion, « seigneur incontesté des Graves », classé « Premier Grand Cru » en 1855. Mais d'autres crus sont aussi très réputés : Châteaux Pape-Clément, La Mission Haut-Brion, Haut-Bailly, etc.

Les Graves blancs. Récoltés surtout dans la partie sud, ils sont issus des cépages Sémillon, Sauvignon et Muscadelle, les mêmes que ceux de la région voisine du Sauternais. Ils présentent une gamme unique de vins, allant des vins secs aux vins moelleux (ils deviennent de plus en plus moelleux vers le sud, près du Sauternais). Ce sont des vins de race, fort estimés parce qu'ils sont fins, bouquetés, puissants et nerveux, sans jamais être acides, comme le sont certains vins secs. Dans les belles années, ils vieillissent avec bonheur et ne madérisent que fort rarement.

Comme les Graves rouges, les Graves blancs n'ont pas d'appellation communale. Les grands crus sont nombreux et réputés : Château Carbonnieux, Domaine de Chevalier, Château Olivier, etc. (V. annexes.)

Graves : appellation « Graves ». Elle s'applique à des vins rouges de la région titrant au minimum 10^0 et à des vins blancs titrant au minimum 11^0. Ces vins d'appellation régionale, achetés chez des fournisseurs honnêtes, sont de bonne qualité.

Graves supérieures. Cette appellation ne s'applique qu'aux vins blancs titrant 12^0 au minimum (les rouges n'y ont jamais droit). Ces vins sont généralement vendus avec l'indication du nom du vignoble de production et la garantie d'authenticité de la « mise en bouteilles au château ». Mais, souvent, les étiquettes de certains crus réputés dédaignent cette appellation.

Graves de Vayres. Cette région du Bordelais, qui fait géographiquement partie de l'Entre-deux-Mers, occupe la rive gauche de la Dordogne, au sud-ouest de Libourne. Elle s'étend sur les communes de Vayres et d'Arveyres, dont les terrains graveleux ont donné leur nom à l'appellation.

La région produit surtout des vins blancs assez fins et moelleux, avec une sève bien personnelle.

Les vins rouges, souples et agréables, sont appréciés pour leur aptitude à se faire rapidement et rappellent les seconds crus de Pomerol.

Désormais, la cave coopérative des Graves de Vayres vinifie 150 000 bouteilles (15 p. 100 de sa production) en vin rouge et blanc « kasher » produit selon les lois du Talmud. Cette vinification kasher fait également son apparition dans plusieurs propriétés bordelaises du Médoc et du Saint-Emilionnais.

Grèce. La Grèce ancienne avait porté l'amour du vin à un point extrême; la vigne était considérée chez les Grecs comme un signe de civilisation : toute la littérature, la religion et l'art grecs en sont imprégnés, et le premier soin des colons grecs était de planter la vigne là où ils s'installaient. Si l'usage de boire des boissons fermentées se perd dans la nuit des temps, la Grèce ancienne peut être, indubitablement, considérée comme la mère de la viticulture : ce sont les Grecs qui inventèrent la taille de la vigne et remarquèrent que les terres les plus ingrates, impropres aux autres cultures, donnaient, paradoxalement, les meilleurs vins.

Il semble assez difficile d'admettre, de nos jours, cette supériorité dont les Grecs étaient si fiers, le vin résiné actuel donnant une piètre idée de l'art vinicole grec.

La vigne pousse partout en Grèce, mais une bonne partie de la récolte est exportée comme raisin frais ou comme raisin sec (le célèbre raisin de Corinthe). A peu près 5 millions d'hectolitres de vin sont produits

Pour la carte de Grèce v. p. 256, la carte *Europe centrale et Balkans.*

Grèce : vignobles à Corinthe. Phot. J. Bottin.

annuellement, selon des procédés archaïques la plupart du temps, surtout dans les régions suivantes : Attique, Péloponnèse, Crète, Epire, Thrace, Corfou, îles de la mer Egée. Dans le Péloponnèse, sur une mince bande de terre cultivée qui suit le littoral, la vigne, associée aux jardins d'agrumes, occupe 50 p. 100 de la surface.

Le fameux « Retsina » est un vin blanc ou rouge ordinaire auquel on a mélangé de la résine mastic. Cette résine lui donne un goût âpre qui rappelle à la fois le bois brûlé et la térébenthine. Ce vin est pratiquement imbuvable pour un amateur non habitué. Une bonne moitié du vin grec est résinée, ce qui lui permet de se conserver dans la chaleur du climat.

Cependant, il existe quelques vins non résinés, qui proviennent du Péloponnèse (région d'Achaïe et de Messénie), d'Arcadie (autour de Tégée) et des îles de Céphalonie, de Santorin, de Samos, de Corfou et de Zante. Ces vins conviennent à nos palais — ce qui ne veut pas dire qu'ils atteignent l'excellence pour autant. La latitude défavorable et le climat chaud donnent des vins lourds, trop riches en alcool et trop corsés, manquant totalement de finesse, surtout dans les vins blancs, bien que de réels progrès aient été réalisés, depuis quelques années, dans leur vinification.

Les vins grecs les plus connus sont : dans le Péloponnèse, les vins blancs secs Demesticha, Santa Helena, Antika et Santa Laoura, le Mantineia, vin blanc bien équilibré, le Mavrodaphni rouge, le Muscat blanc de Patras, le Némée, vin rouge corsé; dans l'Attique, outre le Retsina, l'Hymette et le Marco, on trouve le Pallini, peu abondant, mais qui est le meilleur vin blanc de Grèce. La Macédoine, quant à elle, produit le meilleur vin rouge : le Naoussa.

La Grèce prend sa revanche avec les vins de dessert, souvent remarquables. Le plus connu est sans doute le célèbre « Muscat » de Samos, vin blanc sec, très alcoolisé (18⁰). Le « Mavrodaphni », produit dans plusieurs régions avec le cépage de même nom, est généralement très bon, lui aussi, surtout celui de Patras.

greffage, procédé employé pour reproduire la vigne, depuis le phylloxéra*, et qui consiste à fixer un greffon (sarment du cépage qu'on désire obtenir) sur un porte-greffe d'origine américaine (Riparia, Rupestris, Vialla, Berlandieri), réputé résistant vis-à-vis du prédateur. — La greffe la plus répandue est la greffe* anglaise. Les vignes américaines donnent un vin déplaisant, qui renarde*. Aussi, à l'époque des essais, y eut-il des débats passionnés,

greffage

Grappes détériorées par la grêle. Phot. M.

car on craignait que le mariage des porte-greffes américains avec nos ceps ne dénature nos vins. Les œnologues et les vignerons français sont parvenus à classer et à trier les porte-greffes selon leurs aptitudes, leurs préférences (précocité, affinité avec le greffon, exposition, sol, climat, etc.). Mais il y eut, avant d'arriver à cette science moderne du greffage, de grosses déceptions, des échecs pénibles, et la partie ne fut vraiment gagnée que quarante ans après les premiers greffages, à la seconde reconstitution.

Certains vignobles fameux s'efforcèrent même de résister le plus longtemps possible au greffage. Le prestigieux vignoble de Romanée-Conti, par exemple, pratiqua jusqu'à la Seconde Guerre mondiale les injections de sulfure de carbone dans le sol, mais fut obligé de greffer quand le sulfure manqua, durant l'Occupation.

On peut affirmer que le greffage n'a pas d'influence sur la qualité de nos vins. Il se borne à donner au greffon une vigueur plus ou moins grande et à hâter ou à retarder la maturité des grappes. Ses conséquences sont plutôt d'ordre économique

Greffage en fente. Phot. M.

et technique : augmentation du prix de revient, modification du système de culture de la vigne.

greffe anglaise. Ce système de greffe de la vigne est très répandu. Le greffon et le porte-greffe sont sectionnés selon le même angle, soit avec une machine à greffer, soit avec une sorte de couteau (greffoir), afin qu'ils s'emboîtent bien l'un dans l'autre.

grêle. Elle est une des catastrophes naturelles qui guettent le vignoble. Si une tempête de grêle ne détruit pas toujours entièrement le vignoble, elle n'en est pas moins redoutable pour la qualité du vin qui sera issu des grappes mutilées. En effet, en année humide, le mildiou* s'insinuera plus facilement dans les grains par les blessures ouvertes. En année sèche, les grains vont, au contraire, se dessécher, se momifier, et le vin (surtout le rouge) prendra un goût de « grêle », un goût de séché, facilement reconnaissable par les amateurs. De plus, les grêlons, par leur violence, ont non seulement haché grappes et feuilles, mais aussi parfois abîmé les sarments : le vigneron est alors obligé de modifier la taille de sa vigne, ce qui peut avoir une mauvaise répercussion sur la qualité du vin de l'année suivante. On essaie de lutter contre ce fléau par les fusées et les canons paragrêles, les fumées d'iodure d'argent, pour empêcher la formation des grêlons.

Grenache, cépage caractéristique des pays de soleil, le Grenache se rencontre dans les Côtes du Rhône, le Languedoc-Roussillon, la Provence, mais aussi en Espagne, en Australie et en Californie. — On l'appelle aussi « Alicante ». Il aime les terrains cailmouteux et arides, et son raisin sucré donne des vins colorés, très riches en alcool, atteignant facilement de 13 à 15°, parfois même 17°. On a autrefois abusé du Grenache dans les Côtes du Rhône, surtout à l'époque du culte du degré* et de la vente des vins au degré alcoolique. Ce cépage ne devrait pas dépasser les deux tiers de l'encépagement pour donner des vins correspondant au goût actuel; on l'associe avec succès à la Syrah et au Mourvèdre.

On prépare aussi avec le Grenache des vins doux naturels et des vins de liqueur, de grande réputation, dans le Roussillon (Banyuls) et en Provence (Rasteau).

Grignolino. Cet excellent vin rouge italien, issu du cépage du même nom, est récolté dans la province d'Asti — il prend alors l'appellation contrôlée (D.O.C.) « Grignolino d'Asti » — ou dans la province d'Alexandrie : c'est le « Grignolino del Monferrato Casalese ». .

Vignes du pays nantais.
Phot. M.

Titrant 10,5⁰ au moins, ces vins prennent, avec le temps, des tonalités orangées et présentent une saveur légèrement tannique avec une agréable amertume.

grillage. Il est causé par un soleil trop ardent avant la véraison*. Les raisins qui n'ont pas encore atteint leur développement normal se dessèchent, deviennent noirâtres et tombent. On les dit « grillés ».

gris (vin), vin rosé à peine teinté, obtenu en traitant la vendange rouge comme une vendange blanche. — Cette façon de procéder est surtout employée en Bourgogne, mais aussi dans le Val de Loire (rosés de Saumur, rosés de Cabernet) et dans l'est de la France (Côtes de Toul). Jusqu'au XVIIIᵉ siècle, faute de moyens, les vignerons devaient se contenter d'obtenir uniquement ce type de vin. Les raisins, à leur arrivée au cuvage, sont immédiatement foulés et pressurés, mais avec moins de rapidité que lorsqu'on veut obtenir du vin blanc. Le moût* obtenu est très faiblement rosé puisque, par ce procédé de foulage* et de pressurage rapides, on peut même obtenir des vins tout à fait blancs avec des raisins rouges (c'est le cas du Champagne, où l'on se sert, de plus, de préssoirs spéciaux à très grande surface pour les raisins de Pinot noir). Le moût est traité comme un moût de raisins blancs, aseptisé à l'anhydride* sulfureux, plongé de 24 à 48 heures dans les cuves de débourbage*, puis mis à fermenter sans peaux ni pépins ni rafles. Le vin gris obtenu a une couleur intermédiaire entre celle du vin blanc et celle du vin rosé; il est frais, fin et fruité, et sa composition se rapproche nettement de celle des vins blancs. Le vin gris n'est pas défini légalement. Toutefois, si l'on peut ajouter dans certains cas une petite proportion de raisins blancs aux raisins rouges, il ne peut jamais provenir d'un assemblage de vin rosé et de vin blanc.
Le vin « gris de gris » est produit selon les

mêmes procédés que le vin gris, mais, alors que ce dernier est obtenu par la vinification en blanc de raisins à pulpe blanche et à pellicule colorée, il est obtenu à partir de raisins à pulpe blanche et à pellicule peu colorée.
Certains cépages, en effet, pourtant répertoriés parmi les cépages « noirs », produisent, même lorsqu'ils sont arrivés à parfaite maturité, des raisins dont la pellicule demeure de couleur rosée, gris-vert ou gris bleuté. C'est le cas, par exemple, des cépages d'où sont issus les gris de gris des sables du golfe du Lion : le Grenache, dont la peau est teintée rosé gris, avec la pulpe et le jus blancs; le Cinsault, dont la peau est de coloration rouge-gris, la pulpe et le jus étant également blancs; le Carignan, aux raisins gris-bleu.

Gros-Plant du pays nantais. Ce vin blanc très sec, réservé autrefois à la consommation familiale et locale, commence à se faire connaître depuis une vingtaine d'années, sous l'impulsion des producteurs. Il a droit au label V.D.Q.S.*. Le Gros-plant est issu du cépage du même nom (appelé aussi « Folle-Blanche ») peut-être plus ancien dans le pays que le Muscadet. Ce cépage est sans doute venu des Charentes, où il servait à la production du Cognac : très sensible à la pourriture, il est pratiquement abandonné de nos jours dans sa région d'origine. En Loire-Atlantique, il a survécu dans ses endroits de prédilection, le principal étant situé sur les terrains siliceux qui entourent le lac de Grandlieu (Saint-Philbert, Bouaye, Legé, Machecoul). Mais on le rencontre aussi autour de Loroux-Bottereau, de Liré, de Champtoceaux et dans le pays de Retz avec le Muscadet.
Le Gros-Plant est un vin presque incolore, frais et léger, titrant généralement de 9 à 11⁰. Il peut se conserver, mais doit être bu jeune. Il possède toujours une certaine verdeur et n'a pas la finesse du Muscadet.

Tain-l'Hermitage et ses vignobles en terrasses.
Phot. Pavlovsky-Rapho.

hautain ou **hautin,** pieu beaucoup plus haut que l'échalas (de 1,50 à 2 m), qui sert à supporter la vigne dans certaines régions viticoles, comme à Jurançon. — Ce tuteur, généralement de bois mort, est parfois de bois vivant, comme pour les cépages des vins verts du Portugal et ceux de l'Orvieto italien.

La culture de la vigne en hautains ne date pas d'hier, puisque, au XVIᵉ siècle, Olivier de Serres la signale déjà : « Ces vignes taillées, appelées ès Cevennes de Vivarez, hautaignes, ainsi dites pour leur hauteur, ont quelque conformité avec les hautins qu'on void le long de la rivière de Loire, au païs d'Anjou, en Piedmont, en Italie et ailleurs, horsmis qu'il n'y a aucuns arbres pour aider à les supporter, ains seulement de bois mort. »

Haut-Brion (Château-), l'un des quatre grands vins rouges du Bordelais, le seul Graves classé officiellement en tête, lors du classement de 1855, en compagnie des trois seigneurs du Médoc : Lafite, Latour et Margaux. — C'est un vin généreux et puissant, mais fin et élégant, avec une note très originale et nuancée dans la saveur, rappelant le goût de fumé. Les bonnes années donnent de splendides bouteilles qui vieillissent admirablement. Notons qu'il existe aussi une faible quantité de Château-Haut-Brion blanc, qui est très corsé et très puissant.

Haut-Comtat, vignoble de la rive gauche de la vallée du Rhône, qui s'étend sur six communes de la Drôme, autour de la petite ville de Nyons, célèbre par ses oliviers et ses lavandes. — Protégée des vents froids par la montagne préalpine, la vigne pousse dans un sol aride au milieu des plantes parfumées. Le cépage dominant est le Grenache (50 p. 100 au moins), flanqué de ses compagnons habituels du Midi : Carignan, Mourvèdre, Cinsault, Syrah.

Les vins rosés et rouges sont fort agréables, très fruités, bien étoffés, avec un bouquet spécial un peu aromatique. Ils sont classés dans les « vins* délimités de qualité supérieure ».

Haut-Dahra. On range sous cette appellation des vins d'Algérie produits dans le département d'Alger, à l'ouest de cette ville, entre la côte et le fleuve Chélif, et qui avaient droit au label V. D. Q. S.* avant 1958. Le vignoble occupe des terrains de nature variée, situés à 600 m d'altitude moyenne. Ces vins sont des vins rouges bien colorés, puissants, moelleux et charnus qui titrent 12⁰ au moins.

Hautes Côtes de Beaune. Cette région de Bourgogne, parallèle à la Côte de Beaune, s'étend sur le territoire délimité de plusieurs communes de la Côte-d'Or et de Saône-et-Loire. Les mots « Hautes Côtes-de-Beaune » peuvent être ajoutés à l'appellation « Bourgogne », « Bourgogne clairet » ou « Bourgogne rosé » pour les vins provenant de ces communes.

Hautes Côtes de Nuits. Parallèle à la Côte de Nuits, l'aire délimitée des Hautes Côtes de Nuits s'étend sur le territoire de seize communes de la Côte-d'Or. Les mots « Hautes Côtes-de-Nuits » ou « Vin fin des Hautes Côtes-de-Nuits » peuvent être placés après l'appellation « Bourgogne », « Bourgogne clairet » ou « Bourgogne rosé ».

Le vignoble est actuellement en pleine renaissance, comme celui des Hautes Côtes de Beaune. A partir de 1914, le déclin a été continu (jusqu'à presque 1970) pour les deux vignobles, le nombre d'hectares consacrés à la vigne n'étant plus que le quart de celui de 1914. La reprise est maintenant réelle, et la superficie des vignobles ne fait qu'augmenter chaque année.

Hermitage ou **Ermitage,** appellation qui s'applique à des vins célèbres des Côtes du Rhône, rouges et blancs, produits par les vignobles en terrasses qui dominent Tain-l'Hermitage. — Le nom provient d'un ermitage bâti sous le règne de Blanche de Castille par le chevalier Gaspard de Stérimberg.

L'Hermitage rouge, issu de la Syrah, est un vin généreux et puissant, doté, dans sa jeunesse, de l'amertume caractéristique des vins provenant de ce cépage. D'une riche couleur pourpre, il possède un bouquet pénétrant, et sa chaude saveur parfume

longtemps la bouche. On a tort, comme on le fait parfois, de boire trop jeune un vin de cette valeur, car seules les années permettent à son bouquet et à son goût d'atteindre leur amplitude et leur perfection.

L'Hermitage blanc, issu de la Roussanne et de la Marsanne, est un vin corsé et fin, d'une belle couleur d'or, avec un riche parfum aromatique très caractéristique. La région produit encore, de moins en moins malheureusement, une petite quantité de cette délicieuse gourmandise dorée qu'est le vin de paille*, titrant 15⁰ d'alcool et provenant de raisins séchés durant au moins deux mois sur un lit de paille.

Les Hermitages les plus réputés sont La Sizeranne (rouge), Chante-Alouette (blanc), La Chapelle (rouge et blanc), Maison-Blanche (blanc), Rochefine (rouge), Marquise de la Tourette (rouge), Belleroche (rouge et blanc), Cuvée de Gallier (rouge et blanc), Cuvée Mure de Larnage (blanc)...

Hesse rhénane (Rheinhessen),

importante région viticole d'Allemagne, dont Mayence est la capitale, limitée à l'est et au nord par le Rhin, au sud par le Palatinat et à l'ouest par la vallée de la Nahe. — Cent cinquante-cinq villages se consacrent à la vigne (parmi eux, quelqu'un en a dénombré 120 dont le nom finit en « heim »!), mais dix seulement produisent des vins d'une qualité réellement remarquable : Nierstein, Nackenheim, Oppenheim, Bingen, Dienheim, Bodenheim, Laubenheim, Guntersblum, Alsheim et Worms. Les vins de qualité moindre sont vendus comme vins de carafe ou encore comme *Liebfraumilch* ou *Domtal* (ces deux noms de vignobles célèbres sont devenus maintenant des appellations génériques). Le cépage dominant est le Sylvaner, mais les meilleurs vins de la région proviennent du Riesling.

Les vins communs de la Hesse rhénane sont souvent quelconques : mous, douceâtres et flairant l'anhydride* sulfureux. Mais les vins fins récoltés sur les meilleures communes sont généralement excellents, avec beaucoup de classe et de distinction. Issus généralement du Riesling, parfois du Sylvaner, ils sont très fruités et parfumés, distingués, épanouis et se haussent à la hauteur des plus fins vins du Rheingau. Les meilleurs portent, comme toujours, le nom du vignoble de production. Les vins appelés *Beerenauslesen* sont, comme dans le Rheingau, de splendides vins de dessert, comparables à nos Sauternes.

Hippocrate

(vers 460 - vers 375 av. J.-C.), pour tout le monde, le plus grand médecin de l'Antiquité et le « père de la médecine ». — Pour les œnophiles, Hippocrate est le médecin savant et sage qui n'a pas craint

de dire : « Le vin est chose merveilleusement appropriée à l'homme si, en santé comme en maladie, on l'administre avec à-propos et juste mesure. »

Hongrie.

Traditionnellement, la Hongrie est la plus grande région viticole de l'est de l'Europe, qui a toujours produit des vins excellents, de grande réputation. Depuis bien longtemps, la viticulture existait dans le pays, lorsque, au XVIIe siècle, les rois de Hongrie y établirent des colons wallons et lorrains, qui introduisirent des méthodes plus évoluées. Bien que dépassé actuellement en rendement par les vignobles de l'U.R.S.S. et de la Roumanie, le vignoble hongrois est en pleine expansion, puisque le plan de 1959 prévoyait de nouvelles plantations. Il se répartit en trois grandes régions.

— Au nord se trouve la *région des montagnes,* avec, d'abord, le centre viticole de Gyöngyös, à 40 km au nord-est de Budapest, entouré des villages d'Abasár, de Visorita, de Varkaz, de Domoszló et de Verpelét. Gyöngyös produit un vin blanc de Chasselas, doux comme le miel. A Gyöngyöstarjan, il existe une cave construite en 1740 par les prisonniers de guerre français : même en temps de guerre, la Hongrie ne perdait pas ses vins de vue. Cette région se prolonge, toujours en direction nord-est, par l'importante zone viticole d'Eger, célèbre par son « Bikavér » et son « Egri Kádárka », tous deux rouge sombre, corsés et de longue garde, mais aussi par son « Egri Leányka », un vin blanc (dont le nom signifie la « fillette d'Eger »), et son Muscat. La région des montagnes se termine enfin, en apothéose, près de la frontière soviétique par le plus célèbre vignoble de Hongrie, l'extraordinaire « Tokaji-Hegyalia ». (V. TOKAY.)

— La *grande plaine centrale*, entre le Danube et la Tisza, a pour centre la ville de Kecskemèt, qui donne un bon vin blanc, le « Kecskemeti Leányka ». La vigne est cultivée sur un ancien désert envahi par les sables mouvants. La région fournit de 200 000 à 300 000 hl de vin, mais elle est surtout renommée pour ses eaux-de-vie.

— La *région des collines*, ou *Badacsony,* au sud des monts Bakony et à l'ouest du lac Balaton, donne des vins remarquables, renommés depuis des siècles.

Il existe une quatrième région, qui se situe à 60 km au nord-est de Pécs, la *région de Szekszárd,* surtout renommée pour son Fleuré de Decs (produit dans un petit village de même nom), son Riesling de Szekszárd et son vin rouge de Kádárka. On y prépare aussi des jus de Muscat pressé. Les vins de Hongrie portent généralement le nom de la ville ou de la région d'origine, plus une terminaison en « i » : Badacsonyi,

Pour la carte de Hongrie v., p. 256, la carte *Europe centrale et Balkans.*

Egri, Szekszárdi, Gyöngyösi. Le nom du cépage est parfois adjoint. Ces cépages sont, pour les vins rouges, le Vörös et l'excellent Kádárka, qui donne la plupart des grands vins rouges, classés officiellement dans les premiers crus. Pour les vins blancs, par ordre de qualité, ce sont les cépages Furmint, Hárslevelü, Rizling (Riesling), Veltelini, Kéknyelü, Muskotály, Ezerjó et Leányka.

Peu de mentions descriptives figurent sur les étiquettes des vins hongrois, car presque tout le vin est mis en bouteilles dans des caves d'Etat ou dans la cave d'exportation de Budafok, près de Budapest.

honneur (vin d'), vénérable institution, sans doute aussi vieille que le vin lui-même.

— L'« offrande du vin », toujours pratiquée sous l'Ancien Régime chaque fois qu'on désirait honorer quelqu'un, a subsisté de nos jours, bien qu'elle ait perdu son caractère à la fois grandiose et bon enfant. Chaque fois qu'ils recevaient un hôte de marque ou le roi lui-même, dès le haut Moyen Age, les évêques viticulteurs offraient leurs meilleurs vins. Cette coutume contribuait d'ailleurs largement, en ces temps de communications difficiles, à diffuser le vin et à consacrer la renommée d'un terroir viticole. C'est souvent après avoir été apprécié lors d'un « vin d'honneur » qu'un cru était versé ensuite sur la table royale, d'où sa gloire se répandait à travers tout le royaume. Chez les plus humbles, d'ailleurs, il y avait toujours en réserve le vin destiné à désaltérer un hôte de passage, et manquer à cette coutume eût été manquer à l'honneur. De nos jours encore, à la campagne, la bouteille de « derrière les fagots » attend d'être sacrifiée pour le visiteur qu'on désire cordialement accueillir.

huileux. Un vin huileux, dont l'aspect et la consistance rappellent ceux de l'huile, est un vin malade. Il a été atteint par la maladie de la graisse*, qui l'a rendu filant. Il ne faut pas le confondre avec un vin gras, qui possède des qualités d'onctuosité dues à sa teneur élevée en glycérine*.

hybride, en viticulture, résultat du croisement de deux variétés de cépages. — Au point de vue botanique, l'idée est assez neuve, puisqu'elle date à peine de deux cents ans. Appliquée à la vigne, elle est totalement révolutionnaire. Si, parfois, la création d'hybride est un essai ayant pour objet de combiner et d'additionner les qualités de deux cépages différents, en France cette innovation fut uniquement un moyen de lutte contre le phylloxéra*. Après la catastrophe phylloxérique, Laliman de

Beaune eut l'idée de reconstituer notre vignoble avec des vignes américaines, puisque celles-ci résistaient parfaitement à ce fléau. Les plants directs américains firent donc leur apparition chez nous (Noah, Clinton, Elvira, Othello, etc.) : essais tout à fait décevants. On essaya ensuite de croiser nos vignes françaises avec ces plants américains. On obtint ainsi les hybrides producteurs directs, très robustes, très et parfois même trop prolifiques. Après bien des tâtonnements, des essais et des erreurs, on entreprit enfin le greffage*, tout à fait satisfaisant, de nos vignes françaises sur les robustes hybrides.

Les hybrides, en France, portent habituellement le nom de leur « inventeur », plus un numéro de série (Seibel 5279, Couderc 4401, Baco, Müller-Thurgau, etc.). Malheureusement, dans d'autres pays, les hybrides, ces enfants illégitimes, ont tendance à réclamer le nom de parents illustres, dont ils prétendent posséder quelque caractère, ou à s'attribuer un nom qui rappelle une noble parenté. Il en résulte une bien regrettable confusion dans l'esprit du public : c'est le cas de l'Emerald Riesling et du Ruby Cabernet aux États-Unis et, en Allemagne, du Goldriesling, du Mainriesling et du Müller-Thurgau (présenté parfois sous le nom de *Riesling und Sylvaner,* ou même de *Riesling-Sylvaner,* alors qu'il n'est pas prouvé que le Müller-Thurgau soit le résultat du croisement du Riesling et du Sylvaner).

En France, les hybrides producteurs directs sont nettement en régression; ils s'éliminent, pour ainsi dire, d'eux-mêmes. Leurs vins sont communs et ne sont guère prisés de nos partenaires du Marché commun. De plus, le procédé appelé « chromatographie » permet de déceler, sans erreur possible, la présence de vins provenant d'hybrides.

Les vignerons remplacent donc de plus en plus leurs hybrides par des « viniféras » (vignes indigènes), de crainte de ne pouvoir commercialiser leur production.

hypocras, boisson, généralement à base de vin, fort en honneur au Moyen Age et dont la grande faveur dura jusqu'à Louis XIV. — L'hypocras était un mélange de vin, rouge ou blanc, de sucre et d'épices (cannelle, girofle, muscade, etc.), dont le fameux Taillevent, maître queux de Charles VII, nous a laissé une des recettes. Il se faisait aussi avec de la bière ou du cidre chez les pauvres.

Les grands ont toujours préféré l'hypocras au vin, rehaussé de framboise et d'ingrédients coûteux comme l'ambre. Le mélange était clarifié dans un filtre spécial (la chausse d'hypocras) et conservé à l'abri de l'air.

Inde. Si le vin était déjà connu en Inde il y a 2000 ans, il ne restait guère, il y a 100 ans, que les vins du Cachemire, dont certains furent d'ailleurs exposés en 1888 à l'Exposition de Calcutta. Attaquées par le phylloxéra*, greffées sur souches américaines, les vignes ne poussent plus guère qu'autour de Madras, où elles furent plantées, aux environs de 1889, par des missionnaires français. Le vin produit est d'ailleurs consommé sur place par le marché de Madras. Bien qu'au cours de ces dernières années le vignoble se soit étendu autour de Dharmapour, Penoukanda et Kodaikanal, on ne peut pas dire que les Indiens s'intéressent véritablement à la culture de la vigne ou à la consommation du vin. Les vignes qui survivent dans les vénérables régions du Cachemire sont pratiquement abandonnées à elles-mêmes, mais fournissent néanmoins un peu de vin de table. Piper-Heidsieck vient de conclure un énorme contrat (5 millions de dollars) visant à implanter, dans l'État de Mahārāshtra, la première « winerie » de l'Inde, qui devrait produire chaque année un million de bouteilles de mousseux et 2 millions de bouteilles de vins tranquilles. Piper-Heidsieck se charge de la plantation du vignoble (en cépages européens : Pinot noir, Ugni blanc, Chardonnay) et également de la formation en France du personnel indien.

Institut national des appellations d'origine (I. N. A. O.). Créé par le décret-loi du 30 juillet 1935, sur proposition du sénateur Capus, ancien ministre de l'Agriculture, cet organisme est unique en son genre. Délégué de pouvoir de l'État, l'I. N. A. O. reste un organisme privé. Il a l'originalité de réunir les représentants d'administrations officielles (Agriculture, Contributions indirectes, Justice, Répression des fraudes) avec des professionnels du vin (viticulteurs, négociants). Il a comme objectif le maintien et l'amélioration de la qualité de nos vins et eaux-de-vie, et son rôle consista d'abord à

définir les règles auxquelles seraient soumis les vignobles et les vins pour obtenir l'appellation* d'origine contrôlée. Tout fut codifié, depuis l'encépagement jusqu'aux méthodes de vinification. Un travail aussi considérable suscite l'admiration. Actuellement, l'I. N. A. O. surveille et contrôle la production à tous les stades, instruit, encourage, défend le consommateur comme le producteur; sous son impulsion, nos vignerons se sont imposé une discipline très sévère. Sa mission se prolonge à l'étranger, où l'I. N. A. O. lutte courageusement et opiniâtrement pour la protection de nos appellations : chacun se souvient de l'affaire du « Spanish Champagne », à Londres, où l'I. N. A. O. se battit pour sauvegarder l'appellation « Champagne ». Après trois ans de lutte, il remporta la victoire.

Iran. La Perse fut un des premiers pays qui cultivèrent la vigne pour en produire du vin : Hérodote n'accuse-t-il pas les Perses d'être portés sur la boisson? Il semble même qu'après la conquête de la Perse par les musulmans, le vin subsistât puisque Omar Khayyam, le poète, continua à chanter les vins de sa patrie. Notre cépage Syrah, qui fait la gloire des grands crus* des Côtes du Rhône, serait d'ailleurs, selon la légende, le Chiraz de Perse, amené en Europe, au retour des croisades, par les chevaliers croisés. Actuellement, la vigne est surtout cultivée au pied des montagnes, dans le centre, le sud-est et dans le nord, aux environs d'Alborz. Elle produit essentiellement des raisins de table qu'on consomme sur place ou qu'on exporte un peu sous forme de raisins secs. La quantité de vin produite est vraiment négligeable (de l'ordre de 3600 hl par an).

Irancy. Autour de ce village, situé au sud-ouest de Chablis, s'étend, sur les versants bien exposés, un petit vignoble qui, autrefois, a joui d'une très grande renommée.

Irancy, en Bourgogne.
Phot. Beaujard-Lauros.

Irancy

Vendanges à Irouléguy.
Phot. Yan-Rapho.

Déjà, au XIIᵉ siècle, les vins de cette région étaient réclamés par l'exportation, et on ne tarissait pas d'éloges sur ces vins « incomparables ». Actuellement, les vins rouges et rosés d'Irancy sont encore d'excellents vins (surtout le cru Palotte), mais, hélas!, il ne reste plus que des parcelles de l'ancien vignoble, et la production est fort limitée : les meilleurs restaurants de la région ne peuvent même plus répondre à la demande de la clientèle.

Le vin d'Irancy, comme les autres rouges et rosés de Bourgogne, provient surtout du Pinot noir : en effet, les autres cépages régionaux, César et Tressot, disparaissent peu à peu. Le vin rouge, dans les bonnes années, est excellent et mérite la faveur des amateurs. D'une belle couleur de pourpre, il est corsé, très fin, avec une saveur toute particulière. Il vieillit très bien en épanouissant un beau bouquet.

Malheureusement, la maturité du Pinot n'est pas toujours parfaite dans cette partie septentrionale de la Bourgogne. Il est préférable, dans les mauvaises années, de boire alors l'Irancy vinifié en rosé, qui est frais, très fruité, avec un agréable goût de terroir.

Le nom d'« Irancy » peut être adjoint à celui de « Bourgogne » pour les vins rouges ou à celui de « Bourgogne clairet » ou de « Bourgogne rosé » pour les vins rosés.

D'autre part, il est produit aussi sur le territoire d'Irancy et de trois communes voisines un bien sympathique V. D. Q. S.* : le Sauvignon de Saint-Bris.

Irouléguy. C'est le vin typique du Pays basque. Il est produit par un très petit vignoble, situé à l'ouest de Saint-Jean-Pied-de-Port et de la vallée de la Nive, qui s'étend sur neuf communes des Pyrénées-Atlantiques : Anhaux, Ascarat, Bidarray, Ispoure, Jaxu, Ossès, Saint-Martin-d'Arrossa, Saint-Etienne-de-Baïgorry et Irouléguy, les deux dernières étant les principales productrices. Les vignes s'étagent sur des coteaux de 100 à 400 m, non loin de la frontière espagnole, et sont conduites en hautains* comme à Jurançon. Ce vignoble exigu et très morcelé, de 40 ha environ, ne produit pas beaucoup plus de 1 500 hl annuels de vins blancs, rouges et rosés, vinifiés à la cave coopérative d'Irouléguy. Les vins blancs sont issus du Courbu et du Manseng, les rouges et rosés des Cabernets et du Tannat, mais la proportion de Cabernets doit être de 50 p. 100 depuis 1980. Ces vins titrent 10⁰. Le rouge plaît beaucoup par sa belle couleur; il est chaud et fruité : c'est « un vin qui fait danser les filles », a dit Curnonsky. Le blanc est frais et parfumé, et le rosé se révèle agréable, nerveux et gouleyant.

Jadis rangés parmi les V. D. Q. S.*, les vins d'Irouléguy ont droit à l'appellation* d'origine contrôlée depuis le décret du 23 octobre 1970.

Israël. La jeune viticulture d'Israël ne s'est véritablement organisée et développée que depuis la reconnaissance de l'Etat en 1949. C'est ainsi qu'en six ans, de 1955 à 1961, la production de vin avait triplé (2 700 000 hl) et accusait déjà un excès de production. Mais cette viticulture ressuscitée possède des racines bien plus profondes : elle existait déjà aux temps bibliques. Après un millénaire d'occupation musulmane, elle fut relancée vers 1890, sous l'impulsion du baron Edmond de Rothschild, qui aménagea une exploitation viticole à Rishon-le-Zion, au sud-est de Tel-Aviv.

Actuellement, les deux vignobles principaux sont ceux de Rishon-le-Zion, déjà nommé, et de Zichron Jacob, au sud-est d'Haïfa. Assez récemment, de la vigne a été plantée plus au sud, dans les régions de Lachish, d'Ascalon et de Beersheba. Les cépages sont ceux qui conviennent au climat chaud et sec d'Israël, c'est-à-dire, pour les vins rouges, principalement l'Alicante, le Grenache, le Carignan, l'Alicante Bouschet et, pour les vins blancs, la Clairette et le Muscat d'Alexandrie et de Frontignan; il existe néanmoins un peu de

Cabernet-Sauvignon, de Sémillon, de Malbec et d'Ugni blanc.

Israël possède des techniciens qualifiés et une vingtaine d'installations vinicoles modernes (coopératives surtout), dont la plus importante est la «Société coopérative vigneronne des grandes caves». Les vins sont bien vinifiés, assez bons, d'un prix abordable; ils ne sont jamais, néanmoins, extraordinaires (on peut, toutefois, remarquer le beau résultat obtenu pour les vins blancs).

La production est généralement écoulée sur place. Seule une petite partie est exportée (6 p. 100 environ) et consommée par les israélites pratiquants.

La Grande-Bretagne et les Etats-Unis, où le vin *kascher* est très demandé, sont les principaux clients d'Israël. La Société coopérative de CARMEL ZION possède une filiale anglaise : THE CARMEL WINE COMPANY, qui fut fondée en 1897, c'est-à-dire très peu de temps après la relance du vignoble israélien par Rothschild; les vins exportés sont expédiés en bouteille ou en fût et embouteillés à Londres. Cette coopérative a aussi fondé en 1952 une filiale américaine sous le nom de CARMEL WINE CO., INC., NEW YORK. Malgré le climat, le matériel moderne permet de faire progresser la qualité de la production israélienne; récemment, des vins rosés, issus des cépages Cabernet-Sauvignon, Sauvignon blanc, Sémillon et Grenache, ainsi qu'un vin mousseux, «The President's», ont été produits avec un grand succès.

Italie. «Pays du vin» de temps immémorial, l'Italie le demeure puisqu'elle produit actuellement environ 25 p. 100 du vin du monde avec 79 millions environ d'hectolitres par an, devançant la France (68 millions d'hectolitres en 1983).

Il n'est pas de région d'Italie qui ne produise de vin, et l'Italie possède une remarquable variété de climats, de sols, de cépages et de traditions vinicoles. Beaucoup de ces vins sont ordinaires, sans appellation, mais de grands progrès ont été accomplis dans les méthodes de vinification. On assiste aussi, comme en France, à une modification du goût du consommateur, qui délaisse les vins lourds et alcoolisés au profit des vins plus légers, des rosés ou des pétillants.

Enumérer les vins italiens était jadis une tâche assez ardue étant donné leur très grand nombre; le plus grand désordre régnait dans les appellations; seul le Chianti bénéficiait d'une législation minimale.

Heureusement, la loi de 1963 a établi un système de contrôle et d'organisation des appellations, bien conçu et inspiré du système français.

Classification des vins italiens. Les vins, sont classés en trois catégories.

Denominazione semplice indique la région de production, sans plus.

Denominazione di origine controllata (D.O.C.) s'applique à des vins provenant de régions déterminées, avec des normes d'encépagement, de méthodes culturales, de rendement, de temps de maturation, etc., et soumis à un examen.

Denominazione controllata e garantita (D.O.C.G.) s'applique aux vins les plus renommés, provenant de certains producteurs, plutôt qu'à l'ensemble d'une région. Les meilleurs vins d'Italie finiront par être classés dans cette catégorie.

Les vins portant la mention *Riserva* ont vieilli pendant une période déterminée (trois ans en général); la mention *Classico* signale des vins provenant du meilleur secteur de la région.

Concernant la mise en bouteilles, on trouve les mentions *Imbottigliato dal viticultore, Imbottigliato all'origine* pour les mises au domaine, *Imbottigliato dalla cantina sociale* (mise en bouteilles par une coopérative vinicole) et *Imbottigliato dai produttori riuniti* (mise en bouteilles par des producteurs réunis).

Quant au millésime, auquel les Italiens n'attachaient pas d'importance, la nouvelle législation prévoit sa mention, soit obligatoire, soit facultative, selon l'appellation.

Un vignoble piémontais,
en Italie du Nord.
Phot. Lartigue-Rapho.

Appellation d'origine contrôlée. A ce jour, le ministère de l'Agriculture a accordé les appellations contrôlées suivantes, classées par zones viticoles, et une dizaine d'autres sont à l'étude.

Ces vins D.O.C. ne représentent toutefois que 7 millions d'hectolitres environ (soit 11 p. 100 de la production totale), alors qu'en France les A.O.C. représentent près d'un tiers de la production.

Piémont, Val d'Aoste et Ligurie. *Barbera** (d'Asti, d'Alba et del Monferrato). — *Nebbiolo d'Alba* : rouge rubis (12⁰), existe en trois types (mousseux, moelleux ou sec). — *Moscato naturale d'Asti**. — *Moscato d'Asti Spumante* ou *Moscato d'Asti; Asti Spumante** ou *Asti*. — *Barolo**. — *Gattinara**. — *Carema* : rouge corsé (12⁰), provient uniquement des meilleurs vignobles et du Nebbiolo, est âgé de 4 ans et porte le millésime. — *Barbaresco**. — *Erbaluce di Caluso* : blanc sec (11⁰), vin de paille* (13,5⁰) ou blanc liquoreux. — *Malvasia di Casorzo d'Asti* (voir Malvoisie*) : rouge clair (10,5⁰). — *Brachetto d'Acqui* : rouge rubis (11,5⁰) ou vin mousseux. — *Fara* : rouge acidulé et framboisé (12⁰), produit aussi à Briona, âgé de 3 ans au moins, porte le millésime. — *Ghemme* : rouge foncé et corsé (12⁰), issu des cépages Nebbiolo et Bonarda, âgé de 4 ans au moins. — *Sizzano* : rouge corsé et épicé (12 à 14⁰ au moins), issu de trois cépages, dont le Nebbiolo, doit vieillir 4 à 5 ans en fût. — *Donnaz* : rouge grenat (11,5⁰), issu du Nebbiolo, produit sur quatre communes du Val d'Aoste. — *Cinque Terre* et *Cinque Terre Sciacchetrà* : jaune d'or ou ambrés, issus du Bosco, titrent 10,5⁰ pour le premier

et 18,5⁰ pour le second, produits sur quatre communes, dont La Spezia. — *Boca* : rouge rubis (11,5⁰), issu des cépages Nebbiolo et Vespolina. — *Colli Tortonesi* : rouge grenat (11,5⁰), avec ou sans la mention « superiore » lorsqu'il s'agit du C. T. Barbera; jaune paille (10⁰) pour l'appellation C. T. Cortese; mousseux pour l'appellation « Colli Tortonesi » seule; produits autour de Tortona. — *Dolcetto* : rouge rubis, acidulé et un peu amer (10,5⁰ à 11⁰), récolté sur Acqui, Alba, Asti, di Diano d'Alba, di Dogliani, delle Langhe Monregalesi, Ovada, avec ou sans la mention « superiore ». — *Enfer d'Arvier* : rouge issu du Petit-Rouge (11⁰), produit dans le Val d'Aoste. — *Freisa** *d'Asti* et *Freisa di Chieri*. — *Gavi* ou *Cortese di Gavi* : jaune paille (10⁰), tranquille ou mousseux. — *Grignolino** *d'Asti* et *Grignolino del Monferrato Casalese*. — *Malvasia di Castelnuovo Don Bosco* : rouge cerise (10⁰), peut être vinifié en mousseux. — *Rossese di Dolceacqua* ou *Dolceacqua* : rouge de Ligurie (11,5⁰), portant ou non la mention « superiore ». — *Rubino di Cantavenna* : rouge vigoureux (11⁰), issu du Barbera, produit à Gabiano.

Lombardie. *Oltrepó Pavese* (« outre-Pô de Pavie ») : produits sur la partie sud de la province par 37 communes; rouges (11 à 13⁰), le nom est précédé du cépage : Barbera, Bonarda, Barbacarlo, Buttafioco, Sangue di Guida; blancs (10 à 12⁰), leur nom est précédé de Moscato (Muscat*), Pinot, Riesling ou Cortese. — *Valtellina** et *Valtellina superiore*. — *Riviera del Garda* : produits sur la rive ouest du lac de Garde; rouge (Rosso) : 11⁰, ou rosé (Chiaretto) : 11,5⁰, avec ou non la mention « superiore » et l'indication du millésime, issus tous deux des cépages Gropello, Sangiovese, Barbera et Berzamino. — *Franciacorta Rosso* et *Franciacorta Pinot* : «Rosso» (11⁰), issu des cépages Cabernet, Barbera, Nebbiolo et Merlot, «Pinot» blanc (11,5⁰), produits sur 24 communes de la province de Brescia. — *Lugana* jaune paille (11,5⁰), cru typique du lac de Garde, produit sur la commune de Sirmione et quatre communes voisines. — *Botticino* : rouge tannique de Brescia (12⁰). — *Cellatica* : rouge vigoureux (11,5⁰), issu de Schiava gentile, Barbera et Cabernet. — *Colli Morenici Mantovani del Garda* : rouges et rosés (11⁰), issus des cépages Rossanella, Rondinella et Negrana; blancs jaune paille (11⁰), issus de Garganega, Trebbiano et Pinot blanc. — *Tocai di San Martino della Battaglia* : blanc sec (11,5⁰), issu du Tocai friulano, récolté non loin du lac de Garde. — *Valcalepio* : blancs frais (12⁰), issus des Pinots blancs et gris du Riesling, rouges savoureux (12,5⁰), issus du Marzemino, du Merlot et du Cabernet, récoltés sur les collines de Bergame.

Vénétie. *Valpolicella** et *Recioto della Valpolicella* : rouges, issus des cépages Corvina veronese, Rondinella et Molinara; le «Recioto», plus corsé, titre au moins 14⁰; vinifié en sec, il prend le nom d'«Amarone». L'appellation s'applique aussi aux vins mousseux et liquoreux. — *Soave** et *Recioto di Soave* : vins tranquilles ou mousseux; le «Recioto» (14⁰ au moins) est moelleux et velouté. — *Bardolino**. — *Prosecco di Conegliano-Valdobbiadene* et *Superiore di Cartizze* : jaune paille, secs ou «amabile» (moelleux) [10,5⁰], proviennent des coteaux de quinze communes autour de Valdobbiadene, sauf le «superiore» (11⁰), qui ne peut être récolté que sur San Pietro di Barbozza; le «Prosecco» se vinifie aussi en mousseux et demi-mousseux. — *Breganze* : «Bianco», jaune citron, issu du Tocai, moelleux ou sec (11⁰); «Rosso», issu du Merlot (11⁰); il existe aussi des Breganze-Pinot blanc, -Cabernet et -Pinot noir. — *Gambellara* : blanc sec, «Recioto» jaune d'or moelleux, Vino* Santo sombre et corsé. — *Colli Euganei* : «Bianco» (10,5⁰), issu des cépages Garganega, Serprinai et Tocai, sec ou moelleux; «Rosso» (11⁰), issu surtout du Merlot (ont tous deux droit à la mention «superiore» lorsqu'ils titrent 12⁰ au moins); «Moscato», issu du Muscat*; récoltés sur 16 communes à l'ouest de la province de Padoue, ces trois vins peuvent être vinifiés en mousseux. — *Bianco di Custoza* : tranquille ou mousseux, issu du Trebbiano et du Garganega (10,5⁰), récolté sur plusieurs communes, dont la plus célèbre est Peschiera del Garda. — *Cabernet* et *Merlot di Pra-maggiore* (11⁰) : avec ou sans mention «riserva», proviennent de 11 communes de Vénétie, de 6 de Pordenone et de 3 de Trévise. — *Colli Berici* : originaires des collines de Berici, portent le nom de leur cépage après l'appellation; blancs : Garganega, Tocai bianco, Sauvignon, Pinot; rouges : Merlot, Tocai rosso, Cabernet. — *Tocai di Lison* : jaune d'or (11⁰), récolté sur de nombreuses communes de Vénétie, Pordenone et Trévise; «classico» est réservé aux plus anciens vignobles. — *Vini del Piave* ou *Piave* : produits surtout sur Trévise et un peu en Vénétie; blancs : issus du Tocai et du Verduzzo; rouges : Merlot (avec ou sans la mention «vecchio»), Cabernet (avec ou sans la mention «riserva»).

Trentin, Haut-Adige, Frioul et Vénétie Julienne. *Santa Maddalena**. — *Lagrein-rosato**. — *Teroldego Rotaliano* : «Prince des vins du Trentin», le meilleur provient de «Campo Rotaliano», sur les alluvions de la Noce; existe en «Rosato» sec (11,5⁰ à 13⁰), en «Rubino» (11,5⁰ à 12⁰) et en «superiore» (classico) [12,2⁰ à 13,5⁰], vieilli 2 ans au moins et vendu en bordelaises. — *Terlano**. — *Traminer aromatico* : récolté sur 10 communes autour de Termeno, issu du Gewurztraminer (12⁰); la mention «classico» est réservée aux seuls vins de Termeno. — *Merlot passito* : rouge fruité, récolté sur la région de Rovereto. — *Cabernet* : récolté sur les collines du Frioul et surtout sur Buttrio (12 à 13⁰). — *Meranese di Collina* : rouge (10,5⁰). — *Lago** di Caldaro ou Caldaro. — *Colli Orientali del Friuli* et *Grave del Friuli* : rouges et blancs trop peu connus. — *Collio Goriziano* ou *Collio* : jaune paille (11⁰), un peu pétillants, récoltés surtout sur la province de Gorizia, issus soit d'un mélange des cépages Ribollagialla, Malvasia et Tocai, soit d'un seul de ces cépages et aussi du Riesling, Pinot blanc ou gris, Sauvignon, Traminer, etc. (dans ce cas, l'appellation est complétée par le nom du cépage). — *Alto Adige* : parfois mousseux, issus de multiples cépages blancs ou rouges (17 en tout) dont le nom suit l'appellation, cultivés autour de Bolzano et Merano. — *Aquilea* : issus de divers cépages blancs ou rouges vinifiés séparément (Merlot, Cabernet, Tocai, Riesling, etc.). — *Casteller* : va du rubis (10,5⁰), issu des cépages Schiava, Merlot et Lambrusco, provient de nombreuses communes du Trentin. — *Colli di Bolzano* : rouge issu du Schiava (10⁰). — *Isonzo* : blancs ou rouges issus d'une dizaine de cépages vinifiés séparément dont le nom s'ajoute à Isonzo (10⁰ à 10,5⁰). — *Latisana* : cultivés sur 13 communes du Tagliamento, issus de sept cépages rouges ou blancs vinifiés séparément (Pinot,

Cabernet, etc.). — *Valdadige* : «Bianco» ou «Rosso», légèrement moelleux, issus de divers cépages cultivés dans les provinces de Bolzano, Trente et Vérone. — *Valle Isarco* : blancs, issus de quatre cépages vinifiés séparément, récoltés sur Bressanone et ses environs. L'appellation peut être aussi «Bressanone» (Brixen) pour les vins de cette commune et de Varna; on peut utiliser le nom allemand «Eisacktaler» et le nom allemand des cépages. — *Trentino* : blancs ou rouges, produits dans le Trentin, portent le nom de leur cépage; existent aussi en Vino* santo, en mousseux naturels et en liquoreux («Moscato»).

Émilie et Romagne. *Lambrusco* : rouge d'Émilie, naturellement pétillant ($10,5^0$ à 11^0), très estimé en Italie; plusieurs appellations : L. Salamino di Santa Croce, L. Grasparosa di Castelvetro, L. di Sorbara, L. Reggiano. — *Albana di Romagna* : jaune d'or (12^0), issu du cépage Albana, «secco» (sec) ou «amabile» (moelleux), récolté le long de la route Bologne-Rimini. — *Sangiovese di Romagna* : rouge rubis ($11,5^0$), récolté sur l'aire de l'Albana; âgé de deux ans, peut porter la mention «riserva». — *Gutturnio dei Colli Piacentini* : rouge d'Émilie, légèrement moelleux (12^0). — *Colli bolognesi di Monte San Pietro* : rouges ou blancs ($10,5^0$ à $11,5^0$), originaires des collines de Bologne, issus d'un seul cépage, Barbera, Merlot, Pinot bianco, etc. — *Monterosso Val d'Arda* : jaune paille, un peu moelleux, issu du Malvasia ($10,5^0$), récolté sur six communes du Val d'Arda; existe aussi en mousseux. — *Trebbiano di Romagna* : jaune paille (11^0), récolté sur plusieurs communes des provinces de Bologne, Forli et Ravenne; vinifié aussi en mousseux sec, mi-sec ou doux. — *Trebbiano Val Trebbia* : jaune d'or pâle, sec, moelleux ou pétillant ($10,5^0$), issu du Trebbiano et de trois autres cépages, récolté sur plusieurs communes du Val Trebbia.

Toscane. *Chianti**. — *Elba Bianco* (11^0) et *Elba Rosso* (12^0) : récoltés sur l'île d'Elbe; existent aussi en mousseux. — *Vernaccia di San Gimignano* : jaune d'or ($11,5^0$), produit sur les collines de cette commune de la province de Sienne; âgé d'un an, peut porter la mention «riserva» et doit alors être présenté en bordelaise. — *Brunello di Montalcino* : rouge excellent, corsé ($12,5^0$ à 13^0), s'affinant avec l'âge. — *Vino nobile di Montepulciano* : rouge rubis (12^0), d'abord rude, s'épanouit avec l'âge. — *Rosso delle Colline Lucchesi* : rouge rubis ($11,5^0$). — *Bianco di Pitigliano* : jaune pâle à reflets verts ($11,5^0$). — *Montecarlo Bianco* ($11,5^0$) : plus velouté et harmonieux que le précédent. — *Bianco Vergine Val di Chiana* : blond, sec ou moelleux ($10,5^0$),

issu du Trebbiano, produit sur plusieurs communes. — *Carmignano* : récolté sur cette commune et sur Poggio a Caiano, rouge rubis, issu du Sangiovese ($12,5^0$), avec ou non la mention «riserva». — *Parrina* : rouge ($11,5^0$), issu de 80 p. 100 de Sangiovese, ou blanc (11^0), issu de 80 p. 100 de Trebbiano, doit vieillir un an au moins. — *Bianco della Valdinievole* : blanc velouté, issu du Trebbiano et du Malvasia, récolté dans la province de Pistoia.

Ombrie et Latium. *Marino* : récolté sur cette commune, jaune paille, sec ou moelleux ($11,5^0$), issu surtout du Malvasia. — *Colli Albani* : jaune intense, issu surtout de Malvasia et Trebbiano, produit sur les communes d'Ariccia et d'Albano et des parties de Rome et Pomezia. — *Frascati**. — *Est! Est!! Est!!!* di Montefiascone. — *Cori* : blanc ou rouge ($11,5^0$). — *Colli Lanuvini* : blanc sec ($11,5^0$). — *Torgiano Bianco* ($11,5^0$) et *Torgiano Rosso* (12^0) : produits sur la commune du même nom, au confluent du Chiasco et du Tibre. — *Orvieto**. — *Trebbiano di Aprilia, Sangiovese di Aprilia, Merlot di Aprilia* (12^0) : blancs (issus du Trebbiano), rosés (du Sangiovese) ou rouges (du Merlot), récoltés sur les communes de Cisterna, Latina et Nettuno. — *Aleatico* di Gradoli* : rouge grenat velouté ($11,5^0$); en type moelleux, doit titrer 12^0 au moins. — *Bianco Capena* : jaune d'or (11^0), issu du Malvasia, sec ou moelleux, récolté sur Capena et les environs, porte ou non la mention «superiore». — *Cerveteri* : «Bianco» (11^0), issu du Trebbiano, sec ou légèrement moelleux; «Rosso» ($11,5^0$), rouge corsé issu du Sangiovese et du Montepulciano; récoltés sur Cerveteri et des terroirs voisins. — *Cesanese di Affile* ou *Affile* ($11,5^0$) : rouge rubis, issu du Cesanese, récolté sur les communes d'Affile, Roiate et Arcinazzo; existe en «secco», «amabile», «dolce» et mousseux. — *Cesanese di Olevano* ou *Olevano Romano* : produit sur Olevano Romano, répond aux mêmes critères que l'Affile. — *Cesanese del Piglio* ou *Piglio* ($11,5^0$) : produit sur Piglio et Serrone, admet quatre cépages accessoires en plus du Cesanese, existe en «secco», «asciutto», «amabile» et «dolce». — *Colli del Trasimeno* : rouges grenat (11^0) issus du Sangiovese, blancs ($10,5^0$) issus du Trebbiano, récoltés sur plusieurs communes entre Pérouse et le lac de Trasimène. — *Montecompatri Colonna* ou *Montecompatri* ou *Colonna* : jaune paille, sec ou moelleux (11^0), issu du Malvasia, produit sur Colonna et environs; plus riche en degrés, prend la mention «superiore». — *Velletri* : rouges ($11,5^0$) ou blancs (11^0), issus des cépages habituels de la région. — *Zagarolo* : récolté sur cette commune et sur Gallicano, jaune paille, sec ou légè-

Vendanges en Italie du Nord,
près de Sandrio.
Phot. Fabbri.

rement moelleux (11⁰), issu surtout du Malvasia; plus riche en degrés, a droit à la mention « superiore ».

Marches et Abruzzes. *Verdicchio dei Castelli di Jesi :* jaune paille, sec (12⁰), issu du Verdicchio et d'un peu de Trebbiano, récolté à l'ouest de Jesi dans la province d'Ancône; la mention « classico » est réservée au vin de la partie sud de cette zone. — *Vernaccia di Serrapetrona :* mousseux rouge (11,5⁰). — *Verdicchio di Matelica :* blanc sec (12⁰) ou mousseux provenant de la province de Macerata dans les Marches. — *Montepulciano d'Abruzzo :* rouge savoureux (12⁰), récolté le long de l'Adriatique sur de nombreuses communes des provinces de Chieti, L'Aquila, Pescara et Teramo; peut porter la mention « cerasuolo » (vin dont le moût a macéré) ou « vecchio » (vin de plus de 2 ans). — *Rosso Conero :* rouge corsé (11 à 12⁰) produit dans la région d'Ancône. — *Rosso Piceno :* rouge rubis (11,5⁰); la mention « superiore » est réservée aux vins plus corsés (12⁰), âgés d'un an au moins, récoltés dans l'arrière-pays de Grottamare et de San Benedetto del Trento. — *Bianchello del Metauro :* jaune paille (11,5⁰), récolté sur la région d'Urbino. — *Bianco dei Colli Maceratesi :* blanc original (10,5⁰), issu du Trebbiano et du Maceratino, récolté sur les collines de Macerata. — *Falerio dei Colli Ascolani :* blanc acidulé (10,5⁰) issu du Trebbiano. — *Sangiovese dei Colli Pesaresi :* rouge grenat (11⁰) produit surtout à Urbino. — *Trebbiano d'Abruzzo :* jaune paille (11⁰), récolté sur 57 communes des provinces de Chieti, L'Aquila, Pescara et Teramo.

Campanie, Apulie, Calabre et Basilicate. *Ischia :* « Bianco » (11⁰) et « B. superiore » (12⁰), secs et corsés, issus des cépages Forastera et Biancoletta; « Rosso » (11,5⁰), issu du Guarnaccia et du Piedirosso; récoltés dans le sud de l'île d'Ischia. — *San Severo :* récoltés sur cette commune de Foggia; blanc (11⁰), issu du Trebbiano et du Bombino; rouge et rosé (11,5⁰), issus du Montepulciano, existent aussi en mousseux. — *Martina* ou *Martina Franca :* blanc d'Apulie (11⁰), récolté sur sept communes, dont Martina Franca; existe en mousseux. — *Locorotondo :* récolté sur cette commune et sur Cisternino et Fasano, jaune-vert, sec (11⁰), issu du Verdeca et du Bianco d'Alessandro. — *Greco di Tufo :* blanc corsé (12 à 13⁰), sec ou légèrement moelleux. — *Taurasie :* rouge corsé (12 à 13⁰), au moins âgé de 1 an, remarquable à 4 ans, peut se conserver 15 ans. — *Aglianico del Vulture :* rouge épicé (11,5⁰). — *Ciro :* blanc, rouge et rosé (12 à 13,5⁰), issu du Gaglioppo. — *Rosato del Salento :* rosé de la partie la plus méridionale de l'Italie. — *Castel del Monte :* blanc, rouge et rosé très typés (11 à 13⁰). — *Aleatico* di Puglia :* rouge grenat moelleux, produit partout en Apulie; a droit à la mention « riserva » après 3 ans; existe aussi en « dolce naturale » (14⁰ au moins) et en « liquoroso dolce naturale » (degré encore plus élevé). — *Donnici :* rouge cerise (11,5⁰), issu du Gaglioppo, récolté sur diverses communes de Cosenza. — *Martino :* « Rosato » presque rouge, « Rosso » rouge rubis (11⁰), issus du Negro-amaro, récoltés sur Martino et ses environs. — *Moscato di Trani :* blanc (14,5⁰ au moins), récolté sur Trani et

douze autres communes; présenté aussi en « dolce naturale » jaune d'or et en liquoreux, encore plus coloré, âgé d'un an au moins. — *Ostuni* (11,5⁰) : blanc, issu de divers cépages, ou rouge cerise, issu de l'Ottavianello, récoltés sur Impigno et Francavilla. — *Pollino* : rouge (11,5⁰), issu du Gaglioppo, récolté sur diverses communes de Cosenza, avec ou non la mention « superiore ». — *Primitivo di Manduria* : rouge violet (13,5⁰), sec ou légèrement moelleux, issu du Primitivo, récolté sur de nombreuses communes de Tarente et de Brindisi; existe aussi en « dolce naturale », « liquoroso dolce naturale » ou « liquoroso secco ». — *Rosso di Cerignola* : rouge rubis (11,5⁰), avec ou sans la mention « riserva ». — *Savuto* : rouge typé (11,5⁰), issu surtout du Gaglioppo, récolté sur plusieurs communes de Cosenza et Catanzaro; a droit ou non à la mention « superiore ». — *Solopaca* : blanc sec (11,5⁰) issu du Trebbiano, rouge velouté (11,5⁰) issu du Sangiovese, produits sur Solopaca et des communes voisines. — *Cacc'e Mmitte di Lucera* : rouge rosé (12,5⁰), issu de Malvasia, Montepulciano et Somarello, récolté autour de Lucera (Foggia). — *Salice Salentino* : rouge corsé (13⁰), récolté dans cette région de Tarente, issu du Negroamaro et du Primitivo. — *Squinzano* : rouge grenat (13⁰), issu de Negroamaro, Malvasia et Ottavianello, provient du Salento (Lecce).

Sicile et Sardaigne. *Etna**. — *Marsala**. — *Alcamo* ou *Bianco Alcamo* : sec et fruité, issu du Cataratto, récolté sur Alcamo et ses environs. — *Cerasuolo di Vittoria* : rouge cerise (12,5⁰), issu du Calabrese, récolté sur plusieurs communes de Raguse, Caltanisetta et Catania. — *Malvasia dell Lipari* : jaune d'or ambré (11⁰), récolté sur les îles Lipari et Éoliennes, a droit éventuellement aux mentions « passito », « dolce naturale », « liquoroso ». — *Moscato di Noto* (11⁰) : produit sur Noto, Rosolini, Pachino et Avola, existe en « naturale », « spumante » et « liquoroso »., — *Moscato di Pantelleria* : jaune d'or moelleux (12⁰), récolté sur l'île de Pantelleria, existe en « naturalmente dolce », « spumante »,

« liquoroso » et en « passito » (ce dernier avec ou sans les mentions « liquoroso » ou « extra »). — *Moscato di Siracusa* (15⁰) : jaune doré. —.*Vernaccia di Oristano* : blanc sec de Sardaigne (15⁰), issu du Vernaccia; peut se conserver 30 ans; « superiore » est réservé aux vins de 3 ans au moins (15,5⁰). — *Giró di Cagliari* : rouge rubis (14,5⁰), existe en types « dolce naturale », « secco », « liquoroso dolce naturale », « liquoroso secco », « liquoroso dry »; âgé d'au moins 3 ans, a droit à la mention « riserva ». — *Cannonau di Sardegna* : rouge ou rosé (13,5⁰), sec ou légèrement moelleux, doit vieillir un an en fût, a droit à la mention « riserva » après 3 ans; titrant au moins 15⁰, peut être « superiore naturalmente secco », « superiore naturalmente amabile » ou « superiore naturalmente dolce » selon la teneur en sucre. — *Malvasia di Bosa* : blanc corsé (14,5⁰), produit sur Bosa et cinq autres communes, doit vieillir 2 ans obligatoirement; existe aussi en « dolce naturale », « secco », « liquoroso dolce naturale », « liquoroso secco », « liquoroso dry ». — *Malvasia di Cagliari* : jaune d'or (14,5⁰) : mêmes caractères et types que le Bosa; âgé de plus de 3 ans, a droit à la mention « riserva ». — *Monica di Cagliari* : rouge corsé (14,5⁰), existe dans les mêmes types que les « Malvasia » précédents; « liquoroso dry » est réservé aux vins de plus de 3 ans. — *Monica di Sardegna* : rouge rubis (11,5⁰); « superiore » est réservé aux vins de plus de 1 an. — *Moscato di Cagliari* : jaune d'or (14,5⁰), moelleux, existe aussi en « dolce naturale » et « liquoroso dolce naturale ». — *Moscato di Sorco-Sennori* : récolté sur les deux communes qui lui donnent son nom. — *Nasco di Cagliari* : jaune paille, aromatique (14,5⁰); existe aussi en types « liquoroso dolce naturale », « liquoroso secco » ou « liquoroso dry ». — *Nuragus di Cagliari* : jaune paille, sec (11,5⁰), issu du Nuragus. — *Vermentino di Galurra* : jaune paille, sec (11,5⁰). — *Terralba* (13⁰) : « Rosso », rouge intense, issu de Bavale, Cannonau et Pascale; « Bianco », doré et sec, issu du Vernaccia, du Nuragus et du Semidamo; récoltés sur le terroir d'Arborea (Cagliari).

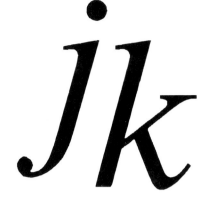

Japon. Il semble que la culture de la vigne au Japon remonte au XIIᵉ siècle, mais ce n'est guère qu'au XIXᵉ siècle qu'elle prit un peu d'importance. Le jus de raisin n'était d'ailleurs utilisé qu'à des fins médicinales et on ne peut vraiment parler de vin japonais qu'avec l'arrivée des Européens et des Américains. Malgré l'envoi de missions d'études en France et en Californie, le vignoble japonais est encore loin de présenter un intérêt économique réel. Tous les vignobles, généralement assez morcelés, sont situés dans l'île de Hondo, autour de Yamanashi et Osaka surtout et autour de Yamagata et Nagano. Le climat humide n'est guère favorable à la vigne, et les cépages* choisis doivent donner des raisins à maturité rapide, qui soient à point avant les pluies torrentielles de septembre. Ces cépages sont à la fois européens (Sémillon et Cabernet), américains (Concord et Delaware) et asiatiques (telle la variété japonaise Koshu, importée d'Europe, dit-on, il y a très longtemps). Malheureusement, les cépages européens se montrent vulnérables aux maladies cryptogamiques (mildiou*, oïdium*) à cause de l'humidité du climat. Les vins produits ne sont jamais de grande qualité, sauf peut-être ceux qui proviennent du vignoble Sadoya, dans la région de Yamanashi, dont les vins, issus de cépages européens, sont forts agréables.

Jasnières, vin blanc des Coteaux du Loir, produit sur le territoire des communes de Lhomme et de Ruillé-sur-Loir. — Issu du Pineau de la Loire, il est un vin généra-lement sec, mais qui, dans les années chaudes et en vieillissant, s'arrondit admirablement. C'est alors un vin d'une belle couleur jaune d'or, moelleux, délicat, avec un parfum développé très fruité. Il fait penser parfois à certains vins des Coteaux de la Loire, mais en moins corsé.

jaune (vin). Cet original vin du Jura, gloire de Château-Chalon, provient d'un cépage spécial à la région, le Savagnin. La vendange doit se faire fort tard, afin d'obtenir une maturation complète des grappes et une véritable concentration du jus de raisin sur pied. La récolte se fait souvent après les premières neiges (on appelait autrefois le vin jaune «vin de gelée»).
La vinification du vin jaune est tout à fait particulière et semble même un défi aux règles de l'œnologie. Après les fermentations alcooliques, un an après la récolte, le vin est soutiré dans des fûts de chêne épais. Il va y demeurer au moins six ans sans ouillage*. C'est pendant ce vieillissement minimal, fixé par décret, qu'il va acquérir l'inimitable «goût de jaune». Le vin se recouvre d'un voile épais, grisâtre, formé de levures spéciales à la région du Jura. Partout ailleurs, un vin laissé dans de telles conditions deviendrait du vinaigre! Ici, dans cette région privilégiée, il va se transformer en un merveilleux vin d'or et d'ambre d'un jaune superbe, au bouquet curieux, à la saveur capiteuse et puissante, évoquant la noix. C'est là le miracle du mystérieux vin jaune. Notons qu'un procédé semblable est utilisé en Espagne méridionale (Xérès, Manzanilla, Montilla).

Le vin jaune est particulier au Jura. Ici, vignes d'Arbois.
Phot. Cuisset.

Les vins jaunes sont assez rares et, bien que relativement onéreux, devraient en fait coûter plus cher. En effet, en dehors des conditions particulières et déjà difficiles de la culture du Savagnin, ils doivent attendre au moins six ans avant la mise en bouteilles, ce qui immobilise des capitaux importants. De plus, le fût est parfois inexplicablement envahi par des bactéries nocives qui gâchent irrémédiablement le vin. Enfin, le contenu du fût subit par évaporation une forte diminution de volume. Souhaitons que, grâce aux progrès de la science œnologique, le viticulteur puisse provoquer et contrôler de mieux en mieux la naissance de ce superbe enfant du hasard qu'est le vin jaune.

Il arrive que cet orgueilleux ne plaise pas toujours lors de la première dégustation, à cause de son originalité même, mais il a vite fait la conquête de l'homme de goût. Sa personnalité est telle que ce serait une imprudence de le servir au début d'un repas, si l'on néglige de « se refaire le palais » ensuite : il est si puissant, corsé et pénétrant que même les vins rouges perdent après lui bouquet et saveur.

Jersey. Pour la première fois dans l'histoire, la vigne a pris racine dans l'île en 1971. Il a fallu une étude poussée pour déterminer les cépages convenant au sol et au climat spécial de l'île, située à la même latitude que la Champagne. Nos cépages fins ne convenant pas, ce sont finalement des plants allemands des bords de la Moselle, plus rustiques, qui furent choisis (Huxelrebe, Reichensteiner et un peu d'hybride Seyval).

Le vin blanc obtenu est très bien typé, sec, aromatique, avec un nez de foin et un accent d'amande amère.

jeune. Ce qualificatif prend un sens différent selon le vin auquel il s'applique. Si le vin est capable de vieillir, on le dira jeune, trop jeune même, avec au fond du cœur le regret de n'avoir pas attendu l'épanouissement de ses qualités : somme toute, on lui reprochera sa jeunesse. Si le vin est d'un « certain âge » et qu'il se révèle aussi fougueux et fruité qu'un benjamin, on le dira jeune aussi, mais avec admiration.

Certains vins doivent obligatoirement être consommés jeunes, car ils prennent très vite leur personnalité et leurs qualités; celles-ci ne se développeront plus. Il est donc inutile, sinon périlleux, d'attendre trop longtemps ces vins-là. Tout compte fait, beaucoup de vins doivent être bus dans leur jeunesse : on a trop longtemps considéré l'âge d'un vin comme critère de qualité, comme si la vieillesse en elle-même était une vertu.

Les vins suivants doivent être bus (en général) pour leur troisième anniversaire et certainement avant cinq ans : tous les rosés, qu'ils soient de France ou d'ailleurs; les blancs secs de la Loire et d'Alsace; les Bourgognes blancs, sauf ceux des grandes appellations; les Bordeaux blancs, sauf les liquoreux et les Graves de grande année; la majorité des vins blancs, sauf exceptions particulières. Les vins rouges des grandes appellations s'attendent, cela va de soi, avec respect, sauf dans les petites années. Les autres vins rouges peuvent presque tous être dégustés jeunes, sauf en années exceptionnelles. Presque tous les vins italiens doivent être bus dans leur jeunesse, sauf les grands rouges issus du noble cépage Nebbiolo (Barolo, Gattinara, Barbaresco) et quelques rares Chiantis.

Un vin jeune ne signifie pas « vin de primeur ».

Johannisberg, vignoble fameux d'Allemagne, en Rheingau, situé sur un des versants les plus accidentés des montagnes dominant le Rhin. — La production est insignifiante par rapport à la renommée mondiale du Johannisberg, qui est considéré depuis très longtemps déjà comme synonyme d'élégance raffinée et de grande race. Il est vrai que ce vin est tout cela, à condition de s'assurer que les indications habituelles (nom du vignoble, nom du producteur) sont bien spécifiées à côté du mot *Johannisberg* (le mot *Dorf* à côté de ce dernier n'apporte rien de plus, puisqu'il signifie « village » en allemand).

Les vignobles renommés sont : Klaus, Vogelsang, Kläuserpfad, Kläuserberg, Hölle. Le plus fameux est le célèbre « Château de Johannisberg » *(Schloss Johannisberg),* qui fut, selon la légende, planté sur l'ordre de Charlemagne. L'empereur d'Autriche fit don du domaine à Metternich après le congrès de Vienne. Le Schloss Johannisberger est vendu sous deux étiquettes : l'une, la plus connue, porte le blason de la famille de Metternich; l'autre représente en couleurs le château et le vignoble. Des capsules de couleurs différentes permettent de distinguer les vins : capsule de couleur *rouge* pour les vins secs et meilleur marché; capsule de couleur *verte* pour les vins provenant de raisins cueillis à surmaturation; capsule de couleur *rose* pour les vins de pourriture* noble, rares et coûteux, produits certaines années seulement. Certains experts pensent que le Schloss Johannisberger n'est plus tout à fait, actuellement, l'incomparable et merveilleux nectar d'autrefois, et que certains vins du Rheingau le dépassent parfois. Ce n'est sans doute qu'une baisse passagère dans la qualité d'un vin au prestige si ancien.

Juliénas. Des documents révèlent que Juliénas se consacrait déjà à la vigne alors que le reste du Beaujolais était encore boisé. Cette belle vocation ne s'est jamais démentie! Le Juliénas est frais et fruité, mais avec une robe plus foncée et plus de corps que le Saint-Amour, son voisin. Il se boit jeune, comme beaucoup de Beaujolais, bien que certaines années ce vin puisse vieillir sans dommage — bien au contraire.

Jullien, auteur d'un précieux ouvrage écrit en 1816, auquel se réfèrent tous les auteurs, et intitulé *la Topographie de tous les vignobles connus.* — Cet ouvrage fut réédité en 1822 et en 1832. Jullien y donne un classement fort complet de tous nos crus* existant alors, qui permet de suivre l'évolution de notre vignoble jusqu'à nos jours (on sait que le vignoble subit un remaniement profond, surtout à la suite de la crise phylloxérique). Jullien tenait beaucoup à la situation topographique des vignobles, qui lui servit d'ailleurs de base de classement. Par exemple : « les vins secs proviennent généralement des vignobles situés au-dessus du 47ᵉ degré de latitude »; « les vins de liqueur sont faits ordinairement dans les vignobles situés au-dessous du 39ᵉ degré de latitude, et ils sont d'autant plus chargés de parties sucrées qu'ils ont été récoltés plus près de l'équateur », etc. Enfin, Jullien distinguait aussi les « vins fins », les « vins d'ordinaire » et les « vins communs ».

Jura. C'est dans les limites de ce département, de Port-Lesney à Saint-Amour, que se trouve la région viticole de l'ancienne province de Franche-Comté. Le vignoble couvre des coteaux bien orientés, en bordure de la plaine de la Bresse, sur une ligne parallèle à la Côte d'Or, avec Arbois comme noyau important. Long de 80 km sur 6 km de largeur environ, il n'est guère étendu, mais quelle originalité! Les vins du Jura sont sans doute les seuls au monde à convenir à tous les goûts. Et que de couleurs : vin rouge, vin blanc, vin rosé, vin mousseux, vin jaune*, vin de paille*. Rien de surprenant que les vins de Jura aient toujours eu d'illustres et fervents amateurs : Charles Quint, François Iᵉʳ, Henri IV, Pasteur entre autres. Le vignoble est situé à une altitude moyenne de 300 m et occupe des terrains calcaires et marneux issus du secondaire. Trois cépages nobles sont particuliers à la région du Jura : en rouge, le Trousseau et le Poulsard; en blanc, le Savagnin, ou Naturé, qui donne l'extraordinaire vin jaune et qui, en Alsace, se nomme « Traminer ». Mais on cultive aussi le Pinot noirien en rouge et le Chardonnay en blanc (tous deux cépages nobles de la Bourgogne et de la Champagne).

Le Jura possède quatre appellations* contrôlées :
« Côtes du Jura » (vins blancs, vins rouges, vins rosés, vins jaunes, vins de paille, vins mousseux);
« Arbois » (vins blancs, vins rouges, vins rosés, vins jaunes, vins de paille, vins mousseux);
« L'Etoile » (vins blancs, vins jaunes, vins de paille, vins mousseux);
« Château-Chalon » (vins jaunes).

Un village du Beaujolais, région où s'étend le vignoble du Juliénas.
Phot. L. S. P.-Aarons.

Jurançon. C'est certainement la plus illustre des appellations* contrôlées du Sud-Ouest, à la fois historique et légendaire. Qui ne connaît l'anecdote du roi de Navarre humectant de Jurançon les lèvres de son fils, le futur Henri IV? La gloire du Jurançon était telle, à cette époque, qu'elle atteignait toute l'Europe du Nord, grâce aux négociants hollandais, et qu'elle demeura intacte jusqu'à la Révolution française. Le Jurançon, perle du Béarn, est produit au sud et à l'ouest de Pau. Les vignobles, d'un accès difficile, occupent des parcelles de

faibles superficies, en plein flanc de coteau, bien exposées au sud et sud-est. Les sols, variés, qu'ils soient calcaires, sablonneux, caillouteux ou argileux, sont plantés de cépages qu'on ne trouve nulle part ailleurs : Petit-Manseng, Gros-Manseng, Courbu. La vigne est conduite en hautains* sur tuteurs de châtaignier de 1,50 à 2 m de haut. La vendange se fait très tard, de façon à obtenir des raisins « passerillés » sur pied, ayant déjà subi une concentration naturelle de leur jus.

Le Jurançon, qu'on rencontre si rarement, hélas! sur les cartes des vins, est un vin extraordinaire, à nul autre pareil, et qui mérite largement sa réputation. C'est un nectar moelleux, original, à la robe dorée, à la sève généreuse, très parfumé, avec un goût légèrement épicé de cannelle et de girofle. Il donne curieusement l'impression de cacher une pointe d'acidité sous le moelleux de son sucre : petit coup de griffe excitant sous la patte de velours! Le Jurançon est un vin de longue garde et qui voyage fort bien. Parfois, aussi, on vendange les raisins bien mûrs, mais non passerillés, ce qui permet d'obtenir des vins secs, nerveux, fruités et frais, et qu'on boit dans l'année suivant la récolte.

Il existe un peu de Jurançon rouge, consommé surtout dans le pays même. Il est comme le blanc, d'origine ancienne, puisque les documents rapportent le don fait par Jeanne d'Albret en 1564 « d'une vigne de Jurançon rouge et blanche » à l'une de ses dames d'atour.

Jurançon. Appellation d'origine contrôlée. Le décret du 17 octobre 1975 a défini de façon très précise les conditions d'obtention de l'appellation. Deux appellations existent désormais : « Jurançon », s'appliquant aux vins blancs moelleux et liquoreux, et « Jurançon sec », aux vins blancs secs, provenant tous deux des vingt-cinq communes délimitées des Pyrénées-Atlantiques.

Le « Jurançon » doit provenir des cépages Petit-Manseng, Gros-Manseng, Courbu, Camaralet et Lauzet, avec 15 p. 100 seulement des deux derniers. Le rendement est de 40 hl à l'hectare et les vins doivent provenir de raisins arrivés à surmaturation (pourriture* noble) et récoltés par tries successives.

Le « Jurançon sec » doit provenir des mêmes cépages que le Jurançon, mais sans restriction dans les proportions. Le rendement peut aller jusqu'à 50 hl à l'hectare et les vins doivent simplement provenir de raisins récoltés à bonne maturité.

Knipperlé. Ce cépage à petits grains est un des cépages courants d'Alsace, où, d'ailleurs, il perd du terrain chaque année devant les plants nobles et aussi à cause de la tendance naturelle de ses grains à la pourriture. Il donne un vin de bonne qualité, fruité et souple.

Il est cultivé aussi en Allemagne et en Suisse sous le nom de « Räuschling », mais, partout, il est surtout consommé localement.

Un vignoble du Jurançon.
Phot. M.

Lacryma Christi, célèbre vin blanc d'Italie, récolté sur les pentes volcaniques du Vésuve (où un peu de rouge est aussi produit). — Son bouquet et sa saveur rappellent peut-être un peu les Graves, comme sa couleur d'or pâle. Ce vin, dont le nom signifie «larme du Christ», est extrêmement rare. Déjà, en 1816, Jullien* constatait qu'il s'en faisait fort peu; réservé à la table du roi de Naples, il était d'ailleurs introuvable dans le commerce.

De nos jours, il n'y a pratiquement plus de vignes sur les pentes du Vésuve; aussi est-il prudent de ne pas trop croire à des larmes si abondantes.

Ladoix-Serrigny. Bien que cette commune, la plus septentrionale de la Côte de Beaune, ait droit à son appellation propre, les vins qu'elle produit sont généralement vendus sous l'appellation «Côte-de-Beaune-Villages» et les meilleurs d'entre eux sous celle de la localité voisine d'Aloxe-Corton, dont ils ont les caractères. Ainsi, les Vergennes-Corton, le Rognet-Corton et Clos-de-Corton ont droit à l'appellation Corton et «Corton-Charlemagne»; La Maréchaude, La Coutière, Les Petites-Lolières, La Toppe au Vert, Les Grandes-Lolières, Basses-Mourettes, tous situés sur le terroir de Ladoix-Serrigny, peuvent prendre l'appellation «Aloxe-Corton».
Les vins de Ladoix-Serrigny, qui sont légers, atteignent vite leur plénitude, et leur bouquet a beaucoup de charme.

Lafite-Rothschild (Château). Ce premier grand cru classé du Médoc jouit, depuis le XVIIᵉ siècle, d'une extraordinaire renommée (son propriétaire, M. de Ségur, fut alors surnommé «le Prince des vignes»). Il fut acheté en 1858 pour 5 millions par le baron James de Rothschild, et l'admirable noblesse du vin ne s'est jamais démentie. De nombreux amateurs estiment que le Château-Lafite est le meilleur de tous les vins rouges et, en tout cas, le chef-d'œuvre du haut Médoc. C'est aussi l'opinion des experts les plus impartiaux.
Tout en nuances subtiles, c'est un vin qui atteint la perfection. Brillant, velouté, généreux, il possède une saveur délicate et suave et une finesse exquise. De très longue garde, il peut conserver toutes ses qualités après quarante ans de bouteille, et il arrive même à quelques heureux élus d'être admis à déguster des bouteilles centenaires! Seules les meilleures cuvées du domaine ont droit à l'appellation «Château-Lafite».

Lago di Caldaro, excellent vin rouge, titrant 10,5⁰, issu du cépage Schiava, récolté dans le Tyrol italien sur sept communes de la province de Bolzano et sur trois de celle de Trente en plus de Caldaro (seuls les vins du vieux vignoble de Caldaro ont droit à la mention «classico»). — Les vins, provenant de raisins sélectionnés et titrant 11⁰ au moins, ont droit à la mention «scelto» ou «selezionato».
Le Lago di Caldaro est un vin léger et vif, au parfum d'amande, un des meilleurs de la région.

Lagrein rosato, délicieux vin rosé, plein de fraîcheur et de vivacité, produit autour de Bolzano, dans le Tyrol italien. — Il est issu du cépage local Lagrein, titre 11,5⁰, et doit se boire jeune. Seule la région viticole ancienne (sur Gries et Bolzano-Village) a droit à la mention «classico». On l'appelait «Lagreiner Kaetzer» avant la Grande Guerre, lorsque la région appartenait à l'Autriche.
Peu connu, le Lagrein vinifié en rouge trouve de plus en plus d'amateurs.

Lalande-de-Pomerol. Vignoble situé au nord de Pomerol, sur des terrains graveleux ou sablo-graveleux à pente légère, et qui produit des vins d'appellation* contrôlée «Lalande-de-Pomerol».
Ce vignoble s'étend sur le territoire des communes de Lalande-de-Pomerol et de Néac.
Les beaux vins rouges de Lalande sont comparables à ceux de Pomerol, sa prestigieuse voisine. Généreux, nerveux, veloutés, ils ont un bouquet très particulier et beaucoup de suavité. Ils se distinguent

Château Lafite-Rothschild.
Phot. M.

Languedoc, vignobles au sud de Sète.
Phot. Lauros-Beaujard.

aussi par une souplesse et un moelleux particulièrement appréciés. Les meilleurs crus* soutiennent la comparaison avec leurs voisins les plus renommés de Pomerol. Les Châteaux Bel-Air, Bourseau, Grand-Ormeau, de la Commanderie, les Cluzelles, Péron, etc., jouissent d'une grande réputation justifiée. Il est dommage que les vins de Lalande, injustement éclipsés par ceux de Pomerol, ne soient pas mieux connus du grand public, car ils apportent à l'amateur de bien belles joies œnophiles.

Languedoc, ancienne province française, qui s'étend du delta du Rhône jusqu'au-delà de Narbonne et comprend la bordure côtière du département du Gard, l'Hérault et l'Aude. — Ces deux derniers départements sont, en volume, les plus importants producteurs de vin de toute la France, dont la plus grosse partie consiste en vins de table : on appelle souvent ceux-ci « vins du Midi ». C'est ainsi que l'Aude, en forte progression, produit environ 7,4 millions d'hectolitres par an et l'Hérault, premier département languedocien pour la production de vin, 9,5 millions d'hectolitres, contre 6 millions d'hectolitres pour le Gard. Mais, à côté de ces vins ordinaires, la région produit aussi des vins à appellation* d'origine contrôlée : le Fitou, le Faugères, le Saint-Chinian, la Clairette du Languedoc et les Muscats suaves de Frontignan, de Lunel, de Mireval et de Saint-Jean-de-Minervois.
D'autres vins appréciés ont reçu le label v.d.q.s.* : Corbières, Corbières supérieures, Minervois, Picpoul-de-Pinet, Cabardès, Côtes-de-la-Malepère, Costières-du-Gard et Coteaux-du-Languedoc : cette dernière appellation en englobe onze autres, bien sympathiques, qu'on a grand plaisir à découvrir au cours d'un voyage.

Languedoc (Coteaux-du-). Cette appellation, qui a droit au label v.d.q.s., groupe des vins provenant de nombreuses communes du département de l'Hérault (quatre-vingts), de cinq communes de l'Aude et de deux communes du Gard. Les vins sont rouges ou rosés. Les vins rouges sont issus des cépages Carignan noir, Cinsault noir, Grenache noir, Lladoner Pelut, Mourvèdre, Syrah, Counoise (ou Aubun), Grenache rosé, Terret noir, Picpoul noir, la proportion de chacun de ces cépages ne pouvant dépasser 50 p. 100. Grenache noir et Lladoner Pelut doivent représenter, ensemble ou séparément, 10 p. 100 au moins de l'encépagement à dater de 1985 (20 p. 100 à dater de 1990); Mourvèdre et Syrah doivent représenter, ensemble ou séparément, 5 p. 100 au moins en 1985 (10 p. 100 en 1990); Counoise, Grenache rosé, Terret noir et Picpoul noir ne peuvent représenter, ensemble ou séparément, plus de 10 p. 100 et seront interdits en 1990.
Les vins rosés doivent provenir des mêmes cépages que les rouges, avec association possible (20 p. 100 au plus) de cépages blancs : Bourboulenc, Carignan B., Clairette B., Maccabéo, Picpoul B., Ugni B. (pourcentage réduit à 10 p. 100 en 1990); Carignan N., Grenache N., Lladoner Pelut, Mourvèdre et Syrah ne peuvent, séparément, représenter plus de 50 p. 100 de l'encépagement; Counoise, Grenache rosé, Terret N. et Picpoul N., encore tolérés dans le même pourcentage que pour les vins rouges, seront interdits en 1990.
Certaines appellations de cette zone doivent obligatoirement faire précéder leur propre nom de « Coteaux-du-Languedoc » : ce sont La Clape*, Quatourze*, Saint-Georges-d'Orques*, Saint-Christol*, Saint-Drézéry*. D'autres peuvent être commercialisées sous leur propre nom ou sous leur nom précédé de « Coteaux-du-Languedoc » : Cabrières*, Coteaux-de-la-Méjanelle*, Montpeyroux*, Pic-Saint-Loup*, Saint-Saturnin*, Coteaux-de-Vérargues*. Ces onze appellations peuvent toutes se replier en appellation « Coteaux-du-Languedoc » simple lorsqu'elles ne répondent pas aux exigences de leur propre appellation, mais à condition, évidemment, de remplir les normes d'encépagement et de degré de celle de « Coteaux-du-Languedoc » (leur degré minimal est 11⁰ et le quantum à l'hectare est fixé à 50 hl).

Latour (Château). Ce premier grand cru* classé de Pauillac est, avec ses rivaux Château Lafite-Rothschild, Château Mouton-Rothschild et Château Margaux, un des grands seigneurs du Médoc. Le sol aride, sec, caillouteux, planté en cépages nobles du Bordelais (à faible rendement), a une faible production, mais de quelle qualité!

Le « Château-Latour » est toujours un vin robuste et complet, même dans les années moyennes. Il se révèle d'une exceptionnelle richesse dans les belles années.

C'est un vin rouge, coloré, corsé, astringent dans sa jeunesse, comme tous les grands vins, avec un imperceptible goût de résine. Il développe, en vieillissant, un splendide bouquet; il est un vin de très longue garde, et le demi-siècle n'altère pas ses admirables qualités.

Qui a bu une seule fois dans sa vie le « Château-Latour » ne peut le confondre avec un autre. Il existe en France, et spécialement en Bordelais, une foule de crus dont le nom comprend « Tour » ou « La Tour » : l'étiquette du grand « Château-Latour » porte une tour stylisée, surmontée d'un lion.

Laudun. V. CÔTES-DU-RHÔNE-VILLAGES.

Lavilledieu (Vins de). Cette appellation s'applique à des V. D. Q. S.* du Sud-Ouest, qui ont bien failli ne plus exister, tant le terrible hiver de 1956 avait fait des ravages mortels dans le vignoble. Si les autres vignobles de la région avaient été atteints eux aussi, celui de Lavilledieu avait particulièrement souffert.

L'aire de production se situe entre Moissac et Montauban, dans le triangle formé par le Tarn et la Garonne, et occupe les communes de Lavilledieu, Mauzac, Barry-d'Islemade, Albefeuille, Lagarde, Montbeton, Lacourt-Saint-Pierre, Bressols-Montech, Escatalens, Saint-Porquier, Castelsarrasin, Les Barthes, Labastide-du-Temple.

Les vins rouges proviennent des cépages principaux Négrette (35 p. 100 au moins), Mauzac, Bordelais, Morterille, Chalosse et de quelques cépages secondaires, et titrent 10,5⁰; les vins blancs sont issus des cépages Mauzac, Sauvignon, Sémillon, Muscadelle, Blanquette, Ondenc et Chalosse blanche, et titrent 11⁰. Le ban* des vendanges est publié à l'époque fixée par la Commission de contrôle.

Les vins rouges, bien colorés et solides, font penser à ceux des Côtes du Frontonnais. Ils jouissent d'une bonne renommée locale.

Layon (Coteaux-du-). Les vignobles de cette appellation d'Anjou couvrent les coteaux bordant la petite rivière du Layon, qui se jette dans la Loire à Chalonnes. Seul le cours inférieur du Layon produit les vins blancs qui ont droit à l'appellation, depuis Chavagnes et Thouarcé sur la rive droite, et depuis Rablay sur la rive gauche. Les Coteaux du Layon sont, en abondance et en qualité, la première région productrice de vins de l'Anjou. Ces vins sont aussi très

connus du public. Le Pineau de la Loire mûrit ses grains, jusqu'en octobre et au-delà, dans des sites bien abrités. Le raisin se ride sur pied et est souvent envahi par la pourriture* noble. Les vins vont du sec au liquoreux, selon les vignobles et les années, mais ils sont généralement liquoreux. Tendres et onctueux, très fins et parfumés, ce sont alors de beaux vins dorés, harmonieux et corsés. Ils peuvent se hausser au niveau des Sauternes, des Barsacs et des vins liquoreux allemands du Rhin, tout en gardant le fruit particulier des vins de la Loire.

Château Latour. Phot. M.

Languedoc : les vignobles d'Aigues-Mortes. Phot. M.

L'appellation* contrôlée Coteaux-du-Layon (suivie ou non par les mots « Val-de-Loire ») s'applique à des vins produits sur le territoire déterminé de vingt-cinq communes et titrant 12⁰ d'alcool* total.

Les meilleures communes des Coteaux du Layon ont, depuis 1955, le droit d'ajouter leur nom à celui de « Coteaux-du-Layon » : Beaulieu-sur-Layon, Faye-d'Anjou, Rablay-sur-Layon, Rochefort-sur-Loire, Saint-Aubin-de-Luigné, Saint-Lambert-du-Lattay. Il en est de même pour le hameau de Chaume. L'ensemble de ces communes, dont la notoriété vinicole est grande, forme ce que l'on a coutume d'appeler les « Coteaux du Layon Villages » : leurs vignobles, spécialement bien exposés, sur des sols argileux et silico-schisteux, donnent des vins particulièrement subtils et corsés, ayant chacun leur personnalité originale; ces vins doivent, en outre, titrer 13⁰ d'alcool total.

Les crus* les plus fameux de ces coteaux, Quarts-de-Chaume et Bonnezeaux, ont droit à une appellation d'origine distincte. La partie moyenne du Layon produit des vins blancs, vendus simplement sous l'appellation « Anjou », et aussi d'excellents rosés, qui ont droit soit à l'appellation « Rosé d'Anjou », soit à celle de « Cabernet d'Anjou ».

léger. Ce qualificatif, appliqué à un vin, est l'opposé de *corsé,* mais aussi de *lourd,* et c'est alors un compliment. Un vin léger contient toujours peu d'alcool, ce qui le rend précieux en certaines circonstances puisqu'il est facile à boire et ne porte pas à conséquence.

levures, micro-organismes unicellulaires grâce auxquels le jus de raisin devient du vin en subissant la fermentation* alcoolique. — Les levures existent naturellement sur la pellicule du raisin, où elles restent collées à la substance cireuse de la pruine*. La fermentation alcoolique est donc spontanée le plus souvent, et le rôle du vigneron consiste à surveiller leur travail et à leur assurer un milieu favorable. Il existe plusieurs familles de levures, travaillant de façon différente et qui se relaient au cours de la fermentation. Certaines sont capables de travailler à basse température, mais une bonne fermentation se fait entre 25 et 28 ⁰C, ce qui explique la nécessité de réchauffer ou de refroidir les moûts* selon les climats. Elles s'intoxiquent peu à peu par l'alcool produit au cours de la fermentation, et leur travail s'arrête quand le titre du vin atteint 15⁰. Cette propriété est utilisée pour le mutage* à l'alcool des vins doux naturels. Toutefois, le travail des levures ne consiste pas uniquement à transformer le sucre en alcool. Les levures attaquent bien d'autres substances et donnent naissance à des acides aminés, à de la glycérine, à des éthers, à des aldéhydes, à des alcools supérieurs. Tous ces éléments donnent à chaque vin son caractère et son arôme particuliers. Ainsi, une race spéciale de levures donne aux vins de « fleur* » leur goût si original.

levures sélectionnées. Le commerce vend des cultures de levures sous le nom de régions viticoles célèbres : Bourgogne, Beaujolais, Champagne. Certains ont pensé pouvoir communiquer ainsi aux vins les caractères particuliers recherchés. L'industrie a échoué là où la nature réussit si bien : en effet, chaque cépage, chaque terroir possède un ensemble complexe de levures dans des proportions inconnues, que l'industrie ne peut avoir la prétention de reproduire. Si les vins ainsi élaborés présentent peut-être, dans les premières semaines, certains caractères de ceux qu'ils veulent imiter, ces qualités artificiellement acquises ont vite fait de s'évanouir. Il vaut bien mieux s'assurer une bonne fermentation en la lançant avec un beau « pied* de cuve ». Les levures sélectionnées sont surtout utiles en cas de vendanges blanches défectueuses, ayant nécessité une addition importante d'anhydride* sulfureux, afin d'assurer la lancée de la fermentation et le maintien de celle-ci.

lie, dépôt jaunâtre qui se dépose dans le fond des tonneaux et que le viticulteur retire au moment des soutirages*. — On l'appelle encore « mère du vin ». Elle est formée d'impuretés et de cellules de levures*. L'odeur de la lie rappelle d'ailleurs un peu celle de la levure de boulanger. Les vins jeunes en barriques ont parfois un « goût de lie » assez prononcé, qui disparaît d'ailleurs après le soutirage. Le goût de lie n'est pas un grave défaut; beaucoup de connaisseurs de Muscadet et de vins suisses le considèrent même comme une vertu.

Liebfraumilch. Ce nom allemand, qui veut dire « lait de Notre-Dame », désigne certainement la plus connue des appellations de vins d'Allemagne. Pourtant, il ne signifie plus grand-chose. Il devait, à l'origine, s'appliquer au vin produit par le vignoble de Liebfrauenstift, près de la cathédrale gothique de Worms, dans la Hesse rhénane. La vigne, qu'on montre toujours à Worms, est située dans la ville sur un sol d'alluvions, non loin de la rivière, mais elle ne doit pas produire un vin bien remarquable. Quoi qu'il en soit, le mot *Liebfraumilch* est tombé dans le domaine public et est devenu vaguement synonyme de *vin du Rhin :* ce n'est plus une appellation d'ori-

gine, et il ne s'applique sûrement pas à une qualité particulière. Généralement, les vins bons marché et médiocres de la Hesse rhénane sont vendus sous ce nom, et même quelquefois ceux du Palatinat. Toutefois, certains vins de qualité s'offrent parfois comme « Liebfraumilch » : le nom du vendeur est alors la seule indication pour l'amateur.

Liechtenstein. Les premiers vignobles de cette petite principauté indépendante, située entre la Suisse et l'Autriche, furent sans doute plantés par les Romains (le territoire fit d'abord partie de l'Empire romain, puis du Saint Empire romain germanique, avant d'être acheté par les princes de Liechtenstein vers 1700). Seuls les moines cultivaient alors les vignobles.
De nos jours, la principauté produit très peu de vin, dont les deux tiers portent l'appellation « Vaduzer » (du nom de la capitale, Vaduz). Le Vaduzer est un vin rouge léger, d'une teinte si claire qu'on pourrait presque l'apparenter au rosé. Il provient exclusivement du cépage Blauburgunder, les autres variétés de cépages blancs ayant été abandonnées peu à peu.
Le meilleur cru* de Vaduzer est Abtwingert, vignoble de la *Rote Haus* (Maison Rouge). La *Rote Haus,* qui appartenait jadis aux bénédictins de Saint-Jean, est considérée comme la deuxième merveille de la principauté, après le château du prince. Un superbe pressoir* gothique fonctionne encore dans ses caves.
Les autres vins de la principauté portent les noms de « Schaaner », « Triesner » et « Balzner » (provenant de Schaan, Triesen et Balzers).

lies (sur). La mise en bouteilles sur lies est une technique artisanale, toujours réservée aux vins blancs à consommer jeunes, qui, grâce à elle, conservent leur fraîcheur et leur fruité. La mise sur lies est connue dans le public, surtout depuis que le populaire Muscadet s'en est fait le porte-drapeau. Le but essentiel de cette méthode est de conserver le fruité et la juvénilité du vin, lequel, de plus, présente un léger dégagement de gaz* carbonique qui picote agréablement la langue.
Habituellement, on procède à la mise en bouteilles du vin lorsque celui-ci est devenu tout à fait clair. On obtient ce résultat en le débarrassant de ses lies par une série de soutirages*. Les lies sont constituées par des levures* mortes ou devenues inactives faute de sucre. Lorsqu'on conserve les vins sur leurs lies, les levures empruntent au vin l'oxygène qui est nécessaire à leur survie : elles protègent ainsi le vin de l'oxydation, et par conséquent du jaunissement et du vieillissement.

D'autre part, le vin ainsi conservé sur lies saines est facilement le siège d'une fermentation* malo-lactique secondaire, accompagnée d'un dégagement de gaz carbonique qui reste en partie dissous dans le vin. Or, le vin conservé sur lies contient déjà, à la base, plus de gaz carbonique qu'un autre : ce gaz, provenant de la fermentation alcoolique, n'a pas été éliminé par les opérations successives de soutirage, et c'est lui qui donne le très léger et juvénile pétillement caractéristique des vins « mis sur lies ».
Il est à remarquer que les vins mis en bouteilles très tôt et par temps froid ont les mêmes caractères : le gaz carbonique est très soluble à froid et demeure alors en partie dans le vin. Il en est de même des vins mis en bouteilles dès la fin de la fermentation* malo-lactique.
Le Crépy de Savoie, le Gaillac perlé, certains vins d'Alsace s'inspirent de cette méthode spéciale, ainsi que les vins suisses du Valais et du pays de Vaud, où cette façon de procéder est appelée « méthode neuchâtelloise ». La conservation sur lies ne peut se faire que dans les bonnes années, car des fermentations secondaires sont toujours à redouter et on risque des altérations du vin, des maladies et des mauvais goûts.

limpidité. C'est, pour le consommateur, une des qualités premières qu'il exige impérativement d'un vin. Certes, il est plaisant de faire miroiter dans son verre un vin d'or ou de rubis que rien ne trouble, pas même un coquin petit voltigeur*. Mais l'homme de l'art sait, par expérience, combien il doit agir avec subtilité et légèreté pour que son

Limpidité : le soutirage est un des procédés qui permettent d'obtenir un vin limpide. Caves de Beaune. Production Calvet. Phot. Rapho-Feher.

vin ait la limpidité tant prônée, sans avoir perdu pour autant son charme et ses nuances. Car c'est ainsi que se présente le problème : chaque opération nécessaire pour assurer la limpidité du vin fait toujours perdre à celui-ci un peu de son arôme et de son bouquet. Un vin limpide est d'ailleurs toujours à la merci d'un trouble ultérieur (changement de température, de pression, etc.). L'équilibre, si fragile, d'un vin tient du miracle. Pour arriver à cette limpidité nécessaire, sans porter atteinte aux qualités gustatives du vin, le vigneron utilise, avec mesure, une série de procédés : les soutirages*, le collage*, la filtration*. Dans la centrifugation, on utilise la force centrifuge pour rassembler et éliminer les dépôts en suspension. Ce procédé trop brutal diminue le bouquet des vins qui y sont soumis et n'est pas utilisé pour les grands vins.

liqueur (vin de). On classe sous cette expression des vins qui ont gardé une grande partie de leur sucre naturel grâce au mutage* des moûts à l'alcool. Le chef de file de ces vins est le Porto. Certains Madères, provenant du cépage Malvoisie, peuvent être classés dans cette catégorie. En France, l'expression *vin de liqueur* a un sens très précis. Elle ne peut s'appliquer légalement qu'à des vins obtenus à partir de moûts de raisins crus ou cuits, concentrés ou non. Toutes appellations contrôlées de « vins doux naturels » existent aussi en « vins de liqueur » : Banyuls, Frontignan, etc. Mais le régime fiscal des vins doux naturels et des vins de liqueur est différent : ces derniers sont soumis au régime des spiritueux, alors que les vins doux naturels sont soumis au régime fiscal des vins. Le mutage des vins de liqueur à appellation* d'origine contrôlée doit se faire avant ou pendant la fermentation, la proportion d'alcool ajouté variant évidemment selon l'appellation. Les vins de liqueur sans appellation peuvent être mutés à l'alcool avant, pendant ou après la fermentation.
Le degré alcoolique doit toujours être mentionné sur l'étiquette des vins de liqueur, mais pas obligatoirement sur celle des vins doux naturels.
La réglementation française stipulait que les vins de liqueur devaient présenter un titre alcoométrique acquis non inférieur à 13^0 et non supérieur à 23^0. L'alcool utilisé pour le mutage devait titrer 45^0 au minimum, s'il s'agissait d'eau-de-vie non rectifiée et 86^0 dans le cas contraire.
La réglementation communautaire pose désormais de nouvelles limites pour les moûts de raisin et pour les produits finis, dont le titre alcoométrique acquis ne doit pas être inférieur à 15^0 ni supérieur à 22^0.

L'alcool utilisé pour le mutage peut être soit de l'alcool vinique non rectifié, ayant un titre acquis de 52^0 au minimum et de 80^0 au maximum, soit de l'alcool neutre d'origine vinique, présentant un titre alcoométrique acquis non inférieur à 95^0.
En outre, alors que les vins de liqueur, selon la réglementation française, ne pouvaient être obtenus que par affusion d'alcool à un moût ou à un vin, l'enrichissement en alcool* total du produit de base, suivant la réglementation communautaire, peut également être réalisé par congélation ou par addition de moût concentré, ces opérations pouvant être cumulées avec l'affusion d'alcool.

liqueur de tirage. Elle provoque la prise de mousse du Champagne et des vins mousseux obtenus par la méthode champenoise*. On commence par mesurer la quantité de sucre naturel contenu encore dans le vin tranquille*; on complète alors par la quantité de sucre de canne nécessaire, dissous dans du vin vieux : c'est la liqueur de tirage. On estime qu'une bonne prise de mousse sera obtenue lorsque le vin contient environ 25 g de sucre par litre : si le vin ne contient pas assez de sucre, sa mousse sera insuffisante; s'il en contient trop, elle sera exubérante et fera éclater la bouteille. Jadis, on ignorait la quantité exacte de liqueur de tirage à ajouter au vin, car on ne possédait pas les moyens techniques permettant de mesurer le sucre naturel resté dans celui-ci. Il y avait beaucoup de déboires dans la préparation du Champagne et, surtout, une casse importante, qui atteignait certaines années des proportions catastrophiques. Une bouteille ordinaire ne supporterait pas la pression de 5 à 6 atmosphères, qui est celle des vins mousseux : il faut donc des bouteilles spéciales, sans défaut et ayant une parfaite régularité d'épaisseur. On remplit soigneusement les bouteilles avec le vin mélangé à la liqueur de tirage, on les bouche avec le bouchon provisoire de tirage, de bonne qualité et muni d'une solide agrafe. Et les voici prêtes pour l'entreillage*.

liqueur d'expédition, mélange de vieux vin de champagne et de sucre de canne que l'on ajoute dans la bouteille immédiatement après l'opération de dégorgement*.
— La « liqueur » a pour but de combler le vide laissé par l'expulsion du dépôt qui s'était amassé contre le bouchon et que le dégorgement a éliminé (5 à 6 cl). Par l'intermédiaire de cette liqueur, on procède aussi au dosage* du Champagne, afin de lui donner le goût désiré par le consommateur; il suffit de doser le sucre selon le goût recherché : brut, extra-dry, sec, demi-sec, doux. Parfois, certaines marques de

Champagne corsent la liqueur avec de l'esprit-de-Cognac (Cognac redistillé entre 80 et 85⁰).

Cette liqueur est appelée «liqueur d'expédition» parce qu'elle est ajoutée au cours d'une des dernières manipulations du Champagne, lorsque celui-ci est prêt à être «expédié» (en réalité, il devra encore se reposer quelques semaines avant d'être habillé et emballé). Il ne faut pas confondre la liqueur d'expédition, point final d'une merveilleuse élaboration, avec la liqueur* de tirage.

Lirac. Le vignoble de ce village des Côtes du Rhône occupe les coteaux secs et caillouteux au nord de Tavel et s'étend sur les communes voisines de Saint-Laurent-des-Arbres, Saint-Géniès-de-Comolas et Roquemaure. C'est de Roquemaure, qui était un port sur le Rhône très actif au XVIᵉ siècle, que partaient les vins du Rhône vers Paris, l'Angleterre et la Hollande.

L'appellation* contrôlée «Lirac» est surtout connue pour ses excellents vins rosés, séveux et parfumés, très proches des Tavels, mais un peu éclipsés par ceux-ci. Ils proviennent des mêmes cépages que le Tavel, mais dans des proportions un peu différentes, et admettent en plus l'Ugni blanc et le Maccabéo, ce qui leur confère une personnalité différente de celle des Tavels. Ils sont obtenus par foulage*, avec égrappage* de la vendange et égouttage après la macération nécessaire.

Provenant des mêmes cépages que les rosés, les vins rouges, parfaitement équilibrés, puissants et généreux, avec un bouquet très prononcé, se révèlent après deux ou trois ans d'attente. Le décret du 3 janvier 1979 a réglementé de façon précise les cépages autorisés pour les vins rouges et rosés. Ceux-ci doivent provenir des cépages principaux : Grenache, Cinsault, Mourvèdre et Syrah, dans la proportion de 60 p. 100 de l'ensemble de l'encépagement dans lequel le Grenache doit représenter au minimum 40 p. 100. Les cépages secondaires sont : Clairette, Bourboulenc, Ugni blanc, Maccabéo, Picpoul, Calitor, Carignan (la proportion de ce dernier ne doit pas représenter plus de 10 p. 100 de la totalité de la vendange). Les vins blancs, fins et parfumés, provenant surtout de la Clairette (pour 33 p. 100), sont originaux, mais rares. Les meilleurs domaines sont «Domaine des Garrigues» à Roquemaure et «Domaine des Causses» et «Saint-Eynes» à Saint-Laurent-des-Arbres, qui remportent régulièrement, depuis des années, médailles et prix aux concours.

Listrac. Cette commune du haut Médoc produit des vins rouges qui, sans être de très grande classe, n'en sont pas moins de très bons vins d'une jolie couleur rubis, charnus, nerveux, avec une certaine finesse et un bouquet agréable. Le Listrac est, en France, le vin favori de la Compagnie internationale des wagons-lits, ce qui a largement contribué à sa popularité.

Listrac a quelques bons crus* bourgeois supérieurs (Châteaux Fonréaud, Fourcas-Dupré, Lestage, Séméillan, Clarke) et quelques bons crus bourgeois. La cave coopérative de Listrac vinifie un vin comparable à celui des crus bourgeois supérieurs.

Loir (Coteaux du). Ce vignoble occupe les coteaux bien exposés, bordant le Loir, à une quarantaine de kilomètres au nord de Tours, dans les départements de la Sarthe et d'Indre-et-Loire. Situé à la limite de la Touraine, de l'Anjou et du Maine, c'est surtout, en réalité, au vignoble de Touraine qu'il peut être comparé : même sol, même climat et même encépagement. On y retrouve même les caves, creusées dans le tuffeau. Le vignoble, autrefois bien plus important qu'aujourd'hui, donne des vins renommés. Ronsard et Rabelais ont chanté les vins de La Chartre, et Henri IV exigeait les vins du pays lorsqu'il venait chasser dans la forêt de Bercé. Les vins blancs, issus du Pineau de la Loire, sont les plus renommés. D'une belle couleur dorée, frais, fins et fruités, parfois pétillants, ils se conservent fort bien et ne sont pas sans rappeler les Vouvrays. Ils titrent environ 10⁰ et sont produits surtout par les communes de Château-du-Loir, Saint-Paterne, Chahaignes, Bueil, Vouvray-sur-Loir (attention! il ne s'agit pas de Vouvray, commune beaucoup plus connue qui se trouve en Touraine, au bord de la Loire).

Les vins rouges, issus du Pineau d'Aunis, du Cabernet, du Gamay et du Cot, sont colorés, généreux et bouquetés. Saint-Aubin, Chenu, Nogent, Saint-Pierre-de-Chevillé en produisent de fort bons.

Depuis quelques années, la région fournit des vins rosés. Une vingtaine de communes donnent les vins des Coteaux du Loir, qui possède un cru renommé : Jasnières. Un récent décret a réglementé de façon très précise la plantation, la conduite et la taille des vignes pour donner droit à l'appellation* contrôlée «Côteaux-du-Loir».

Loire (Val de). Le plus long fleuve de France ne se contente pas de la royale parure de ses prestigieux châteaux. La Loire, coquette, habille aussi ses rives et celles de ses affluents d'un riche et chatoyant manteau de vignes. L'expression «vins du Val de Loire» s'applique à beaucoup de vins, car elle englobe tous ceux qui sont produits le long des rives du fleuve et de ses affluents, depuis la source jusqu'à l'Océan, soit, en tout, plus de 200 000 ha de

Luynes, en Indre-et-Loire.
Le château en automne.
Phot. Phédon-Salou.

vignes. Il n'y a aucune homogénéité entre les différents vignobles; climats, terrains, cépages sont fort variés. Seul le fleuve aimable est le lien imperceptible mais réel, le trait d'union lumineux, qui donne à ces vins si divers un air de famille. Tout au long de son cours et de ses affluents s'égrènent des crus* prestigieux ou de gentils petits vins qui possèdent en commun l'élégance, la grâce infinie et le charme aimable de la « doulce France ».

Honneur aux Grands! Voici les appellations d'origine contrôlées : celles du Nivernais et du Berry, en plein fief du Sauvignon, avec Pouilly-sur-Loire, Sancerre, Menetou-Salon, Quincy, Reuilly; celles de Touraine, avec Vouvray, Montlouis, Chinon, Bourgueil, Saint-Nicolas-de-Bourgueil et les Coteaux-du-Loir; celles d'Anjou, avec Saumur, Coteaux-de-la-Loire, Coteaux-du-Layon, Coteaux-de-l'Aubance; enfin, en pays nantais, l'espiègle Muscadet.

Les V.D.Q.S.*, fort nombreux, s'égaillent joyeusement de l'Auvergne au pays nantais : Côtes-d'Auvergne, Côtes-du-Forez, Côte-Roannaise, Saint-Pourçain, Châteaumeillant, vins des Coteaux-du-Giennois, vins de l'Orléanais, Cheverny, Valençay, Coteaux-du-Vendômois, Coteaux-d'Ancenis, Gros-Plant du pays

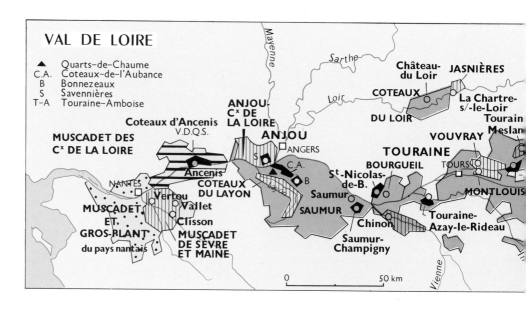

nantais, vins du Thouarsais, vin du Haut-Poitou, tous vins de bonne renommée.

Loire (Crémant de). Cette appellation* d'origine contrôlée est réservée à des vins mousseux, blancs ou rosés, issus de vins tranquilles*, dits vins de base, répondant aux normes fixées pour les «vins destinés à l'élaboration du Crémant de Loire». Ces vins de base sont obligatoirement produits à l'intérieur des aires de production des vins à appellation contrôlée «Anjou», «Saumur» et «Touraine». Ils doivent être issus, pour 70 p. 100 au moins, des cépages principaux Chenin blanc, Cabernet franc, Cabernet-Sauvignon, Pineau d'Aunis, Pinot noir, Chardonnay et Menu Pineau, avec le Groslot noir comme cépage accessoire; ils doivent titrer au moins $8,5^0$.

La tenue d'un carnet de pressoir est obligatoire.

Le Crémant de Loire est élaboré par la méthode champenoise* de seconde fermentation en bouteille. Le tirage en bouteilles, où s'effectue la prise de mousse, ne peut avoir lieu avant le 1er janvier de l'année suivant la récolte, et la durée de conservation en bouteille, entre l'adjonction de la liqueur* de tirage et la commercialisation, ne peut être inférieure à un an, dont neuf mois sur lies*. Le Crémant de Loire doit présenter, après dégorgement*, une surpression de gaz* carbonique au moins égale à 3,5 atmosphères, mesurée à la température de 20 ^{0}C, et sa teneur en anhydride* sulfureux ne doit pas excéder 150 mg par litre.

Les mots «Crémant de Loire» doivent être inscrits en caractères très apparents sur l'étiquette, et portés sur la partie du bouchon contenue dans le col de la bouteille.

Loire (Rosé de). Les vins rosés ayant droit à cette appellation* d'origine contrôlée, créée par le décret du 4 septembre 1974, doivent être produits obligatoirement à l'intérieur des aires délimitées des appellations contrôlées «Anjou», «Saumur» et «Touraine».

Ces vins doivent provenir des mêmes cépages que les rosés d'Anjou*, avec au moins 30 p. 100 de Cabernets. Ce sont des vins secs, titrant au moins 9^0 et contenant moins de 3 g de sucre résiduel par litre : bons vins de carafe, il est préférable de les boire dans l'année.

Loire (Coteaux-de-la-). L'appellation contrôlée Anjou-Coteaux-de-la-Loire est réservée aux vins des communes échelonnées sur les bords de la Loire, aux environs d'Angers : Saint-Barthélemy, Brain-sur-l'Authion, Bouchemaine, Savennières, La Possonnière, Saint-Georges, Champtocé et Ingrandes sur la rive droite; Montjean, La Pommeraye et une partie de Chalonnes sur la rive gauche. La vigne occupe, aux bords immédiats du fleuve, les pentes rocheuses bien exposées. Vignoble peu étendu, peut-être, mais qui bénéficie d'une excellente situation.

Les vins blancs, provenant du Pineau de la Loire, sont moins doux que ceux du Layon. Fins, nerveux, ils sont secs ou demi-secs, avec toujours beaucoup d'élégance et un parfum délicatement fruité. Ils doivent titrer 12^0 au minimum. Le village de Savennières a droit à une appellation contrôlée particulière.

Rosé de Loire
Touraine
APPELLATION   CONTROLÉE
BOTTLED IN FRANCE
Fruité, sec, à l'accent du Val de Loire

Une cave creusée dans le tuffeau du Val de Loire.
Phot. Eansse-Vloo.

Ars-sur-Moselle.
« Vins de Moselle » est une
des deux appellations
réservées aux vins
de Lorraine. Phot. M.

La région produit aussi des vins rouges et rosés de Cabernet qui ont droit à l'appellation « Anjou ».

Enfin l'expression *Coteaux de la Loire* fait également partie d'une des trois appellations contrôlées du pays nantais : le « Muscadet des Coteaux de la Loire ».

Lorraine. Les vins de Lorraine, comme ceux d'Alsace, ont connu autrefois une très grande vogue. Signalé dès le VIᵉ siècle, le vignoble était déjà fort renommé au VIIIᵉ siècle, et les grands ordres religieux de Flandre, de Brabant et d'Allemagne y possédaient des parcelles fort prospères. Hélas ! beaucoup de vicissitudes ont atteint au cours des âges le vignoble lorrain, qui n'est plus, de nos jours, que l'ombre de lui-même; les guerres, le phylloxéra*, l'abandon du métier de vigneron par la jeunesse et surtout le remplacement, entre 1904 et 1911, de la plupart des vignes par des arbres fruitiers, plus rentables, tout cela a sonné le glas des charmants vins de Lorraine. De nos jours, on peut dire que l'ennemi n° 1 du vignoble lorrain est la mirabelle.

Mais la vigne a toujours eu, pour la défendre, d'opiniâtres vignerons : il s'est trouvé ici une poignée de ces braves, décidés à lutter pour ces vins de Lorraine dont on a dit : « Ce sont les dernières fleurs des vins de l'Ancienne France. »

Si le vignoble lorrain n'occupe plus, actuellement, que la dixième partie de sa superficie d'il y a cent ans, il produit de nouveau des vins de qualité, qui peuvent bénéficier du label V. D. Q. S.* après décision de la commission de dégustation désignée par l'I. N. A. O.* Deux appellations désignent les vins de Lorraine : « Vins de Moselle » (Moselle) et « Côtes-de-Toul » (Meurthe-et-Moselle).

louche. Un vin louche est un vin trouble, mais faiblement. Cet aspect peu engageant peut provenir d'une fermentation* alcoolique inachevée, ou d'une fermentation* malo-lactique en cours, ou encore d'un début de maladie microbienne (casse).

Loupiac. Sur la rive droite de la Garonne, face à Barsac, se situe la commune de Loupiac. Bien que faisant partie géographiquement des Premières Côtes de Bordeaux, elle forme une région bien distincte qui a sa propre appellation.

Le Loupiac est un vin du type Sauternes, obtenu par les mêmes procédés rigoureux que celui-ci et digne de figurer honorablement à ses côtés. Il s'apparente, par ses qualités, à son voisin le Sainte-Croix-du-Mont. Corsé, parfumé et fin, le Loupiac est un excellent vin blanc liquoreux, dont les principaux crus* sont les Châteaux de Ricaud, du Cros, de Loupiac-Gaudiet et de Rondillon.

lourd. Un vin lourd est tout le contraire d'un vin harmonieux et équilibré. C'est un vin qui manque totalement de finesse, qui est trop alcoolique, parfois trop riche aussi en tanin*, mais qui ne possède rien d'autre ! L'arôme et le bouquet (si tant est qu'il en possède) sont complètement masqués, et un tel vin pèse sur la langue, comme sur l'estomac. Malheureusement, beaucoup de vins ordinaires, de provenance incertaine, peuvent être lourds.

loyal. En dégustation, un vin loyal est un vin honnête et sincère, qui se livre sans réticence. On peut encore le dire «franc » ou « droit de goût ».

Au point de vue commercial, l'expression désigne un vin qui peut être livré à la vente en toute quiétude, car l'analyse n'y révèle aucun vice apparent ou caché. L'expression consacrée est «vin loyal et marchand ».

Lugana, vin blanc sec, fort plaisant, produit sur la rive sud du lac de Garde, au nord de l'Italie, autour du village de

Lugana. — C'est le meilleur vin blanc de la région du lac. Il est issu du cépage Trebbiano, connu en France sous le nom d'Ugni blanc (cépage de vin blanc de Cassis). Ce cépage est aussi, en Italie, une des deux variétés principales qui donnent le Soave et c'est de lui qu'est issu le Chianti blanc. Le vin est d'une couleur d'or pâle, corsé, bien équilibré.

Lunel. Entre Nîmes et Montpellier, cette petite ville du Languedoc produit un excellent Muscat d'appellation* contrôlée. L'aire de production s'étend sur les terrains cailouteux de Lunel, de Lunel-Viel, de Saturargues et de Vérargues. Ce vin est issu, comme le Frontignan, du Muscat doré. C'est un vin doux naturel de haute qualité et de réputation justifiée, délicat et élégant. Moins liquoreux que le Frontignan, il possède, comme celui-ci, l'arôme et la saveur « musqués », si spéciaux, du raisin.

Lussac-Saint-Emilion. Le vignoble de la commune de Lussac, qui a le droit d'ajouter Saint-Emilion à son propre nom, se trouve presque entièrement sur les coteaux bien exposés de cette région accidentée. Le vin de Lussac-Saint-Emilion est coloré, corsé et, dans les bons crus*, il n'est pas sans finesse. Les principaux Châteaux sont les Châteaux du Lyonnat, Bellevue, les Vieux-Chênes, Lion-Perruchon. Lussac produit aussi un volume assez important de vin blanc vendu sous l'appellation « Bordeaux » ou « Bordeaux supérieur ».

Luxembourg. Après avoir quitté la France et donné son nom à certains vins de Lorraine, la Moselle pénètre dans le grand-duché de Luxembourg. Elle va y signer son passage d'un paraphe de vignobles, avant d'atteindre l'Allemagne, où elle donnera naissance aux fameux vins de Moselle. Bien que très peu connus de la plupart des Français, les vins de la Moselle luxembourgeoise sont loin d'être négligeables. Ancien Etat de la Confédération germanique, le Luxembourg a accédé à l'indépendance en 1890 avec l'accession au trône du grand-duc Adolphe de Nassau. Depuis, le Luxembourg n'a cessé de fournir des efforts tenaces pour améliorer la qualité de ses vins. La viticulture est désormais prospère, et la production s'écoule aisément : 70 p. 100 environ est consommée sur place, le reste étant surtout acheté par la Belgique. Depuis 1935, l'Etat a créé une marque nationale, qui n'est accordée qu'après dégustations sévères et intègres d'experts-dégustateurs; tout est minutieusement surveillé, la mise en bouteilles se faisant en présence d'un contrôleur du gouvernement. La petite collerette, emblème de la qualité, est donc accordée après un sévère contrôle. Et pourtant 60 p. 100 des vins luxembourgeois du commerce l'arborent fièrement : c'est dire le niveau de qualité obtenu actuellement! Comme en Alsace, les vins du Luxembourg, presque tous blancs, sont désignés par le nom du cépage. Ce sont des vins légers et clairs, peu alcoolisés, qui doivent se boire frais. On rencontre : l'Elbling, vin de table, très populaire, sec et rafraîchissant; le Riesling-Sylvaner, léger, plus mou que l'Elbling, avec un parfum assez spécial; l'Auxerrois, souple et tendre (dont la saveur est d'ailleurs très variable d'une année à l'autre), mais qui ne présente, par dommage, aucun arôme; le Pinot blanc, légèrement acide, très frais et très fruité; le Rulander (Pinot gris), aromatique et corsé, surtout en années ensoleillées; le Traminer, corsé et très parfumé, avec une trace de douceur; le Riesling, enfin, vin de classe, frais, très distingué, de bonne garde, avec un bouquet discret, et qui accuse une certaine ressemblance avec ses frères de la Moselle allemande.
On compte une trentaine de localités viticoles, dont les principales sont Schengen, Remerschen, Wintrange, Schwebsingen, Wellenstein, Bech-Kleinmacher, Remich, Stadtbredimus, Greiveldange, Ehnen, Wormeldange, Ahn, Machtum, Grevenmacher, Mertert, Wasserbillig.
Le Luxembourg produit aussi un peu de vin pétillant.
Dans le cadre de la législation de la Communauté européenne, les « vins* de qualité produits dans une région déterminée » (V. Q. P. R. D.) originaires du Luxembourg, en dehors de leur « marque nationale » obligatoire, peuvent aussi porter les mentions spécifiques traditionnelles suivantes : « Vin classé », « Premier Cru » et « Grand Premier Cru ». En ce qui concerne la mise en bouteilles, les mentions sont : « Mis en bouteille par le viticulteur récoltant », « Mise d'origine », « Mis en bouteille à la propriété » (ou au domaine ou au château), « Mis en bouteille à la coopérative ».

Lyon, troisième ville de France et une de nos capitales gastronomiques. — Véritable carrefour d'abondance, cette « porte d'or et de soie » s'ouvre sur les vignobles du Beaujolais et des Côtes du Rhône. Dès son origine, la ville romaine de Lugdunum (43 av. J.-C.) devint par excellence la cité du vin et le demeura jusqu'à l'avènement du chemin de fer. Son fondateur, Plancus, était lui-même porté sur le jus de la treille. Il eut une vie assez tumultueuse, et son ami Horace, pour lui faire oublier ses déboires, lui écrivait en lui recommandant le vin comme dérivatif de ses soucis : « N'oublie pas que tu y trouveras un adoucissement à tes misères et une nouvelle source de

félicité. » Il est dit souvent que Lyon est arrosé non pas par deux rivières, mais par trois : le Rhône, la Saône et le Beaujolais. (Léon Daudet a sans doute été le premier à lancer cette boutade.)

Lyonnais (vins du). La région du Lyonnais produit des vins qui évoquent ceux de son proche voisin le Beaujolais : sols de nature assez semblable, même situation géographique, même climat et aussi mêmes cépages : Gamay noir à jus blanc (85 p. 100 au minimum) pour les vins rouges et rosés; Chardonnay, Aligoté pour les vins blancs. Ils sont récoltés sur le terroir de cinquante-neuf communes des cantons de l'Arbresle, Condrieu, Givors, Limonest, Mornant, Neuville-sur-Saône, Saint-Genis-Laval, Tarare, Vaugneray.

Les « vins du Lyonnais », qu'on appelle aussi « Coteaux-du-Lyonnais », sont classés V. D. Q. S.* Peu connus, ils n'en sont pas moins bien sympathiques et d'ancienne réputation, puisque les chroniques de jadis nous apprennent « que tous ceux qui possédaient quelque chose à Lyon possédaient d'abord une vigne, petite ou grande ».

La culture de la vigne dans la région lyonnaise remonte à la plus haute antiquité, puisqu'il semble bien que les premiers pieds de vigne y furent introduits par les légions romaines vers l'an 105 av. J.-C. Au Ve siècle, les Burgondes s'emparèrent de la région : peuple défricheur par excellence, ils développèrent encore la viticulture déjà existante. Mais c'est surtout la fondation de l'abbaye de Savigny, en 634, qui eut le plus de répercussion sur les vignobles lyonnais et bourguignon : l'amitié traditionnelle qui unissait les seigneurs de Savigny à celui de Beaujeu permit aux moines vignerons de faire profiter de leur expérience vinicole toute la région s'étendant de Mâcon à Lyon. Saccagée par les Huns, l'abbaye sera reconstruite en 943, et le vignoble reprendra en même temps son essor. Une dizaine d'années plus tard, un abbé rapporta de Terre sainte des plants

de vignes dont les raisins étaient meilleurs et plus beaux que ceux récoltés, dix siècles auparavant, par les Romains.

Déjà, on connaissait le « pot » dans la région du Lyonnais; ce n'était pas alors le « pot de Beaujolais », si populaire, qu'on réclame de nos jours au comptoir des bistrots lyonnais, mais le « pot de l'archevêque », mesure qui servait aux moines augustins à vendre le vin des vignes qu'ils cultivaient à Saint-Just, sur les pentes de Fourvière et de l'Antiquaille.

Servis à la table de Louis XIV (principalement ceux qui étaient originaires de l'excellent terroir de Millery), les vins du Lyonnais continuèrent à être appréciés au cours des siècles, et ce n'est qu'après la dernière guerre qu'ils connurent un déclin immérité : ces bons vins honnêtes et francs, toujours aussi savoureux pourtant, ignoraient allègrement l'étiquetage, et le consommateur, désormais, réclamait des vins porteurs d'alléchantes étiquettes...

Une poignée de valeureux vignerons se mit alors à la tâche : ils s'unirent en fédération pour donner une existence officielle aux bons vins du Lyonnais, et leurs efforts furent couronnés de succès, dès 1952, par l'attribution du label V. D. Q. S.* Depuis 1936 a lieu chaque année à Millery, le deuxième samedi de décembre, un concours-exposition des bons vins du Lyonnais, lesquels remportent, en outre, chaque année, de nombreux prix au Concours général agricole de Paris. Espérons que la consécration suprême, l'A. O. C.*, sera bientôt accordée à ces excellents vins qui la méritent tant. Les vins rouges du Lyonnais sont fins, bouquetés, savoureux et aimables. Ils sont de même type que les Beaujolais, qu'ils arrivent toujours à égaler et parfois à dépasser. De leur côté, les rosés se révèlent frais, fruités et glissants, et les blancs légers, désaltérants et pleins de fraîcheur : n'est-il pas temps que l'on remette en honneur, sur la table des connaisseurs, ces vins charmeurs et sans prétention, de si ancienne réputation?

Macadam. C'est sous ce nom, pour le moins original, qu'on vendait autrefois les vins blancs doux de Bergerac. Une bonne partie de ces vins, à peine sortis du pressoir, doux et bourrus, était acheminée vers Paris et certaines grandes villes. Tendres, moelleux, fort agréables, ils étaient très recherchés au comptoir.

macération carbonique, méthode de vinification des vins rouges, employée surtout dans le Beaujolais. — Les raisins sont introduits dans la cuve sans foulage* et laissés à l'abri de l'air. Il se produit alors une fermentation intracellulaire qui transforme une partie du sucre en alcool sans le secours des levures*. A cette fermentation s'ajoute la fermentation* alcoolique du peu de moût* qui se trouve au fond de la cuve et s'écoulant des raisins écrasés par la masse. Le contenu de la pellicule se diffuse peu à peu dans la pulpe du raisin, et des substances aromatiques prennent naissance, qui n'auraient pas été révélées par la vinification habituelle. Après quelques jours de macération, les raisins sont foulés, pressurés, et la fermentation normale se termine en barriques*. Cette méthode permet d'obtenir des vins bien bouquetés, ayant une très faible acidité* volatile, très vite prêts à la consommation et qui se conservent très bien. Elle est précieuse, d'autre part, parce qu'elle permet d'obtenir des vins sans sucre résiduaire. Or, les moûts très riches en sucre (Côtes-du-Rhône par exemple) donnent parfois des vins qui contiennent encore de 2 à 4 g de sucre par litre, ce qui rend improbable leur stabilité. La macération carbonique, dans ce cas, permet d'obtenir des vins qui ne refermentent pas en bouteille.
Cette technique était employée depuis longtemps pour l'élaboration des vins du Beaujolais. A la suite des travaux des stations I. N. R. A. de Narbonne et d'Avignon, elle fut élargie, depuis une vingtaine d'années, aux vins de la vallée du Rhône et à ceux du Midi languedocien principalement. C'est alors qu'on a vu apparaître une nouvelle race de vins, caractérisés par des arômes secondaires, différents de ceux qu'on décelait jusqu'alors dans ces mêmes vins, vinifiés par la méthode classique. Ces vins modernes, dont les caractéristiques organoleptiques sont tout à fait nouvelles, ont une belle robe, sont très aromatiques et ne présentent plus l'âpreté qui était la leur, autrefois, si on ne les laissait pas vieillir suffisamment. Cette technique est toujours l'objet d'études et de discussions, car il est évident qu'elle donne des vins absolument différents de ceux qui sont produits par la méthode traditionnelle, étant donné que les mécanismes fermentaires

ne sont pas les mêmes. Ce n'est que dans la seconde phase, en fin de fermentation, que les enzymes fermentaires des levures interviennent comme dans la vinification classique.

Mâcon et Mâcon supérieur. Cette appellation désigne à la fois des vins rouges, rosés et blancs. Les vins blancs, issus du Chardonnay et du Pinot blanc, sont secs, fruités, agréables. Ils ne sont pas sans rappeler les Pouillys, mais avec moins de finesse et de corps.
Les vins rouges et rosés proviennent du Gamay noir à jus blanc, du Pinot gris ou du Pinot noir. Toutefois, on tolère 15 p. 100 de plants blancs (Gamay blanc, Aligoté, Pinot-Chardonnay). Ils font des vins de carafe fort agréables, fruités comme le Beaujolais, mais plus corsés.
Les vins de l'appellation « Mâcon » doivent titrer 10^0 pour les vins blancs et 9^0 pour les vins rouges et rosés; ceux de l'appellation « Mâcon supérieur », titrer 11^0 pour les vins blancs et 10^0 pour les vins rouges et rosés. Les vins rouges et rosés qui ont droit à la qualification « Mâcon supérieur » peuvent aussi faire suivre l'appellation « Mâcon » du nom de leur commune d'origine. (V. Annexes.)

Mâcon-Villages. Cette appellation ne doit jamais être utilisée pour les vins rouges.

Le château de Couches, dans le Mâconnais. Phot. René-Jacques.

Elle s'applique aux vins blancs récoltés sur le territoire de quarante-trois communes du Mâconnais (qui peuvent aussi adjoindre leur nom à celui de Mâcon).

Ces vins blancs, titrant 11⁰, sont corsés, glissants, fruités et apéritifs, et font d'excellents vins de carafe : ceux qui proviennent de Viré ont une très ancienne réputation, surtout ceux du « Clos du Chapitre ».

Mâconnais. Autour de la ville de Mâcon, où s'exerça toujours un important commerce de vins, s'étend le vignoble du Mâconnais, qui ne connaît plus, de nos jours, la réputation qui fut la sienne jusqu'au XVIIᵉ siècle. Le Mâconnais commence peu après Tournus et s'étend dans le département de Saône-et-Loire jusqu'à la limite du Beaujolais.

La production du vignoble est à prédominance de vin blanc; toutefois, les vins rouges et rosés font d'excellents vins de table, assez corsés, mais agréablement fruités. Il est préférable, pour mieux les apprécier, de les consommer jeunes, bien qu'ils se conservent longtemps.

Mais la gloire du Mâconnais est le « Pouilly-Fuissé », grand vin célèbre, issu du cépage Chardonnay. Les deux appellations voisines « Pouilly-Vinzelles » et « Pouilly-Loché », bien que très proches en caractères et en qualités, n'atteignent pas la réputation du « Pouilly-Fuissé ».

Depuis le décret du 6 janvier 1971, le Mâconnais possède une nouvelle appellation : « Saint-Véran ».

Les autres appellations du Mâconnais sont « Mâcon », « Mâcon supérieur » pour les vins rouges, rosés et blancs, et « Mâcon-Villages » pour les vins blancs seulement.

Les vins blancs ont droit à l'appellation « Mâcon », mais aussi à l'appellation « Pinot-Chardonnay-Mâcon ». Le nom de la commune d'origine peut être adjoint à celui de Mâcon pour les vins rouges et rosés répondant à certaines conditions et pour les vins blancs provenant de certaines communes (ces vins blancs peuvent aussi bénéficier de l'appellation « Mâcon-Villages »).

Macvin, vin de liqueur apéritif et digestif, spécialité du Jura. — Sa recette a défié les siècles, puisque le plus ancien mode de fabrication connu nous a été laissé par les dames abbesses de l'abbaye de Château-Chalon vers 869. Les Bourdy, vieille famille de vignerons du Jura, conservent un parchemin datant de 1579 et provenant de l'ancêtre qui leur a transmis la recette. Le Macvin est préparé avec du jus de raisin du cépage Savagnin, cuit et réduit jusqu'à plus du tiers de son volume. A la fin de la cuisson, le liquide est additionné de nombreux aromates. Après macération, on

le complète avec un bon tiers de vieux marc* de Franche-Comté. Bien clarifié, le Macvin doit encore rester six ans en fût pour fondre en un tout merveilleusement homogène les différents arômes et saveurs qui entrent dans sa composition. On déguste alors une splendide liqueur, à la fois douce et corsée, au bouquet subtil et mystérieux. D'abord réservé à la consommation familiale, le Macvin est de plus en plus recherché des connaisseurs; aussi, pour confirmer l'authenticité de ce produit ancestral, la Société de viticulture du Jura a déposé une demande de classement dans la liste des appellations auprès de l'I. N. A. O.*.

Madère. Cette île portugaise de l'Atlantique est la plus vaste d'un archipel volcanique qu'on appelait dans l'Antiquité « les Îles enchantées ». Lorsque, il y a cinq cents ans, elle se dressa, en plein Atlantique, devant les yeux des hommes de l'infant Henrique (prince portugais surnommé le Navigateur), ceux-ci découvrirent une île déserte couverte de forêts tellement touffues qu'ils la baptisèrent *Madeira* (le bois). C'est par le feu que les colons défrichèrent l'impénétrable forêt, et on raconte que ce feu brûla sept ans, sans interruption, enrichissant de ses cendres un sol déjà fertile. C'est dans ce sol que d'étroites plates-formes furent creusées sur les pentes abruptes pour y planter la vigne, depuis l'Océan jusqu'à près de 1 000 m d'altitude. La vigne est tantôt basse, tantôt le plus souvent cultivée en hauteur, et le vignoble représente le quart de la surface cultivée.

Le « Madère », célèbre depuis plus de quatre cents ans, jouissait d'une grande faveur auprès des Américains à l'époque coloniale. Les bateaux faisaient escale dans l'île, en revenant d'Europe, et ramenaient les tonneaux de Madère à Charleston, Philadelphie, New York, Boston. Le voyage par mer avait d'ailleurs la réputation d'améliorer encore le Madère. Les officiers britanniques, de retour chez eux après la guerre d'Indépendance des Etats-Unis, firent partager leur enthousiasme pour ce vin qu'ils avaient connu là-bas. Malheureusement, l'oïdium* et le phylloxéra* ravagèrent le vignoble.

Le Madère a la réputation flatteuse d'être « le seul vin qui ne meurt jamais », et l'aventure du Madère dit « de Napoléon » (auquel Napoléon ne toucha pas) semble le prouver, puisque ce Madère de la récolte 1790, acheté pour Napoléon sur la route de l'exil, fut récupéré, après bien des aventures, par l'importateur Blandy et mis en bouteilles en 1840. On peut encore, de nos jours, déguster des bouteilles plus que centenaires.

Actuellement, l'Amérique et les pays scan-

The newspaper clipping overlay reads:

• **Verdelho 1850** (1195 $ – 439 *) : le plus ancien et, à mon avis, le plus complexe. Harmonie parfaite, oxydation noble parfaitement liée aux autres éléments, dimension inexplicable. Évidemment éternel en bouche. ★★★★★

• **Malavazia 1895** (895 $ – 878-421) : roux clair, avec une pointe d'acidité volatile (pointe d'acide acétique tout à fait normale ici, qui participe au bouquet et « l'élargit ») ; haute définition aromatique, goût de biscuit aux figues et bouche parfaite, aérienne et soutenue, rappelant les grands xérès *amontillados*. ★★★★ 1/2

• **Verdelho 1900** (650 $ – 878413) : magnifique acajou, acidité volatile élevée, très cédré en attaque, avec saveurs fines, intenses, devenant plus sucrées sur la finale. Cache bien son jeu et sait surprendre à tout moment lors de la dégustation. ★★★★ 1/2

• **Verdelho 1912** (475 $ – 878405) :

Laboratoire œnologique à Madère. Photo. F. Roiter, Casa de Portugal.

Madère : mosaïque populaire « azulejos » du XIXe siècle, où l'on voit le vin transporté par traîneau. Phot. F. Roiter, Casa de Portugal.

dinaves sont les principa[...] de Madère. La France [...] client : chez nous, on [...] Madère pour des usa[...] oubliant parfois que le [...] grand vin.

Le Madère est muté [...] comme nos vins d[...] se charge des op[...] aboutissent à l'él[...] lité suivie. Le vi[...] caractéristique [...] séjour dans d[...] *estufas*, où [...] et où le vi[...] refroidisse[...] mel qui fa[...]

Il existe de no[...] allant du très sec au [...] couleur de paille, tel le [...] d'or sombre, tel le *Malmsey*, [...] existe des Madères médiocres et d[...] d'une extraordinaire qualité.

A l'origine, on planta à Madère des ceps de diverses provenances, importés de Grèce, du Portugal, voire de Bourgogne et des bords du Rhin.

Le « Malmsey » (Malvoisie), suave et parfumé, provient de ce cépage originaire de Crète qui fut le premier acclimaté dans l'île. C'est un vin de velours brun foncé, souple et onctueux, nectar chaleureux qu'il faut réserver au dessert, où il termine un repas en apothéose.

Le « Sercial », le plus sec de tous les Madères, provient du Riesling rhénan. Il est récolté sur les vignes les plus élevées, vendangées tardivement. Il possède un magnifique bouquet très spécial, une personnalité virile toute en nuances, avec un rien d'âpreté qui évoque le silex : c'est le vin des vrais connaisseurs. Il s'épanouit davantage à chaque gorgée, lorsqu'il est servi

[...]ne si subtil nous [...]oi, au XVIIe siècle, [...] leur mouchoir au

[...]usin du Sercial, est [...]ut moins brillant que [...]s souple, moins secret, [...]fum miellé (le Rainwater [...]très léger).

[...]s léger et moins doux que [...]éalise le trait d'union entre

celui-ci et le Sercial : c'est souvent ce Madère que choisissent les Français, assez sec pour convenir à l'apéritif, assez suave pour accompagner le dessert (les Anglais préfèrent plutôt le Malmsey ou, à l'opposé, le Sercial).

Les vieux Madères doivent se décanter, comme le Porto, si possible dans une jolie carafe prévue à cet effet, le « décanter* », où le vin doré ou sombre peut miroiter de tout son éclat.

Funchal, au sud de l'île, est le centre de la plus importante région viticole; c'est aussi le siège du négoce du Madère. .

Campanário et Camara de Lobos sont aussi des localités viticoles renommées.

Madère du Périgord. Les Hollandais appelaient ainsi notre Monbazillac, dont ils étaient forts friands et qui était pour eux, dès le XIVe siècle, l'objet d'un important commerce. La révocation de l'édit de Nantes, provoquant l'expatriation en Hollande de 40 000 protestants de la région, ne fit qu'accroître le goût des Hollandais pour notre « Madère du Périgord », tout en leur ouvrant de nouvelles possibilités de se procurer la merveilleuse liqueur, les émigrés servant d'intermédiaires avec leurs parents et amis demeurés au pays. D'où vient ce surnom donné au Monbazillac? Peut-être de la couleur de plus en plus ambrée, tirant même sur l'acajou, que prennent les vieux vins.

madérisé. Un vin madérisé est un vin oxydé, et un savant œnologue a dit, d'ailleurs, que la madérisation est au vin ce que le rancissement est au beurre! L'expression s'emploie surtout pour les vins blancs et rosés. Le vin madérisé se révèle déjà au coup d'œil : le vin blanc prend une teinte ambrée caractéristique, et le vin rosé n'est plus d'un beau rose franc, mais prend une teinte tuilée. Le goût, évidemment, est lui aussi altéré : le vin prend une saveur spéciale, rappelant un peu le Madère; d'où le nom de « madérisé » (mais cela n'est guère flatteur pour le vrai Madère).

Madiran. Ce puissant vin rouge du Sud-Ouest est produit, au nord-est de Pau et au nord-ouest de Tarbes, sur une bonne trentaine de communes des Pyrénées-Atlantiques, des Hautes-Pyrénées et du Gers (les mêmes où se récolte le Pacherenc-du-Vic-Bihl). Il tire son nom de l'une des communes où il est produit.

De réputation fort ancienne, le vin de Madiran connut un brillant passé. Les bénédictins qui fondèrent une abbaye à Madiran au XIIe siècle venaient, dit la légende, de Bourgogne, où ils avaient créé le Clos de Vougeot, et ils amenèrent avec eux des cépages de leur pays (le Pinenc descendrait du Pinot de Bourgogne). Au Moyen Age, tous les diocèses environnants adoptèrent le Madiran comme vin de messe; c'est pourquoi le Madiran fut longtemps appelé « vin de curé ». Puis, le bourg se trouvant sur la route de Compostelle, les pèlerins se chargèrent de porter au loin la réputation du vin de Madiran, le long « des chemins de Saint-Jacques ». L'invasion anglaise fit le reste, si bien que, dès le Moyen Age, le Madiran et ses autres frères du Béarn firent l'objet d'un commerce florissant avec l'Angleterre, la Hollande, les pays scandinaves et même la Russie. L'oïdium* et le phylloxéra* détruisirent presque tout le vignoble, et le vin rouge de Madiran, après avoir été abandonné, commence seulement à retrouver sa vogue.

Les collines abruptes, au sol caillouteux, où pousse le vignoble, sont de nouveau, depuis ces vingt dernières années, plantées selon la tradition. Durant longtemps, le Tannat, cépage caractéristique de la région, donnait au vin de Madiran sa couleur foncée et sa générosité, tandis que le Bouchy (ou Cabernet franc) lui apportait sa finesse.

Mais, dès le début du XIXe siècle, le Tannat fut cultivé presque seul, parce que son tanin* (d'où il tire son nom), son corps et sa couleur permettaient les coupages* plus ou moins honnêtes. Les viticulteurs sont revenus, ces dernières années, vers l'encépagement traditionnel, afin de rendre au vin de Madiran son ancienne notoriété.

Le décret du 28 août 1975 a modifié les conditions d'attribution de l'appellation* contrôlée. Le Madiran doit être issu du Cabernet franc (Bouchy), du Fer (Pinenc), du Cabernet-Sauvignon et du Tannat. Le pourcentage de ce dernier cépage doit être au maximum de 60 p. 100 et de 40 p. 100 au minimum, avec un rendement de 45 hl à l'hectare. L'égrappage* doit être appliqué et les vins doivent titrer 11°. La vendange ne doit commencer qu'après la publication du ban* des vendanges par le syndicat de défense et de contrôle des vins de Madiran et de Pacherenc-du-Vic-Bihl.

Le Tannat donne un vin âpre dans sa jeunesse, mais de longue conservation. Il a été d'abord imposé un vieillissement en tonneau de trente-trois mois, ramené ensuite à vingt mois et à douze mois par le nouveau décret.

Le Madiran, vin vigoureux, a été parfois comparé au Bourgogne. C'est un vin de longue garde, dont les qualités et le bon goût se développent avec le temps. Certains vieux Madirans en bouteille sont inestimables : ils apportent la quintessence de tout ce qu'on peut espérer d'un grand vin rouge, le nez, la finesse, la délicatesse, alliés à un fumet remarquable. N'assure-t-on pas, de plus, que le Madiran possède des qualités toniques propres à remettre sur pied les convalescents et les fatigués ?

magnum, bouteille ayant une capacité double de celle de la bouteille normale. — Cette présentation est courante pour les vins rouges et le Champagne.

On a remarqué que le vin rouge évoluait d'autant plus lentement et pouvait donc se conserver d'autant plus longtemps que la bouteille était plus grande : il est donc fréquent de mettre en magnums les vins rouges des grandes années. Lors de son vieillissement en bouteille, le vin est le siège de nombreux phénomènes, et le volume d'air emprisonné dans la bouteille, entre le vin et le bouchon, ainsi que le rapport entre ce volume et celui du vin jouent un rôle considérable dans l'évolution de ce dernier. Il est d'ailleurs déconseillé de mettre en demi-bouteilles des vins qu'on désire conserver longtemps. Il est souvent amusant de constater, au cours d'un même repas, qu'un vin en magnum et le même vin en bouteille normale de la même année présentent de nettes différences à la dégustation.

Le problème est tout à fait différent lorsqu'il s'agit du Champagne. La méthode champenoise* exige une série de manipulations, de tours de main fort délicats et qui sont loin d'être sans risques. Les quarts de bouteille, les magnums et, évidemment, les tailles supérieures ne sont pas manipulés, car le verre ne résisterait pas à la pression : ils sont donc remplis après l'opération de dégorgement*. Il existe néanmoins une ou deux grandes marques qui font fabriquer spécialement les magnums, afin que la prise de mousse puisse s'y effectuer directement, comme dans les bouteilles ordinaires.

Prétendre que le Champagne est meilleur dans un magnum est donc bien souvent un mythe ou un snobisme, car le Champagne risque, au contraire, d'être fatigué et de passer plus vite que dans une bouteille normale. Mais le magnum apporte aux réceptions un élément de faste inégalable.

maladies du vin. Elles sont dues à des bactéries qui attaquent insidieusement le vin. La maladie de l'aigre*, qui rend les vins piqués, se produit toujours en présence de l'air, mais nombre de fermentations bactériennes se développent dans des fûts pleins et bouchés. Elles causent toujours au vin des altérations profondes, souvent irrémédiables. L'hygiène des caves et du matériel, de plus en plus poussée, les progrès de la technique œnologique, les contrôles bactériologiques ont réduit beaucoup les risques de maladies. On distingue la maladie de la tourne*, l'amertume*, la graisse* et la mannite*.

Malaga, vin espagnol bien connu, produit sur les pentes des collines autour de la ville de Malaga, en Andalousie, dans le sud de l'Espagne. — C'est un vin liquoreux, parfumé, généreux, d'une couleur brune assez foncée, issu des cépages Pedro Ximénez et Muscat à gros grains. Les meilleurs Malagas sont sucrés par addition de vin (le fameux P. X.) provenant de raisins de Pedro Ximénez, séchés au soleil. Pour sucrer le Malaga bon marché, on se contente de lui ajouter une certaine proportion d'*arrope,* jus de raisin concentré par ébullition jusqu'à un cinquième de son volume primitif et qui communique au vin une teinte brune et un goût de caramel. Le Malaga, comme le Xérès, est assemblé et mûri dans les *soleras.* Vin « fortifiant » populaire, favori de nos grand-mères, il a bien perdu en France de sa vogue d'autrefois.

Malte. C'est surtout sur la côte sud de cette île qu'on rencontre des vignobles, dont la plus grande partie produit des raisins de table. Les vins maltais, qu'ils soient blancs ou rouges, sont des vins ordinaires, souvent astringents et rudes, manquant totalement de moelleux (le Ghirgentina blanc est assez médiocre, mais, par contre, le Gellewza rouge est meilleur). L'été torride, précédé de pluies torrentielles, n'est guère favorable, en effet, à l'obtention de vins de qualité. L'île s'efforce néanmoins de produire actuellement un vin de dessert, issu du Muscat, doux et corsé, qu'elle destine à l'exportation vers le Royaume-Uni.

Malvoisie. A l'origine, le vin portant ce nom était exporté de Monemvasia, en Grèce, et provenait d'une variété de cépage de cette région. Ce cépage se répandit ensuite sur le pourtour de la Méditerranée et son nom s'adapta à son pays d'adoption : *Malvoisie*

Double page suivante :
maladies et parasites de la vigne.

Malaga :
caves de vieillissement
Phot. Pedro Domecq.

1

5

6

10

11

3

4

8

9

13

14

en France, il est *Malvagia* en Espagne et *Malvasia* en Italie. « Malvoisie » n'est donc pas une appellation d'origine, mais désigne un type de vin fait avec du raisin Malvoisie, qu'il provienne de Grèce, de Crète ou de Madère (le plus célèbre, de nos jours, provient d'ailleurs de Madère). En Angleterre, le vin de Malvoisie est le *Malmsey,* célèbre déjà au temps de Shakespeare, puisqu'on relève son nom dans des écrits de cette époque. Une légende raconte d'ailleurs que le duc de Clarence, condamné à mort en 1478 pour avoir trahi son frère Edouard IV, demanda à être noyé dans un tonneau de Malvoisie. Ce Malvoisie mortel provenait sans doute de Crète, alors que, de nos jours, le Malmsey est l'appellation d'une variété de Madère, faite avec des raisins du cépage Malvoisie, donnant un vin très corsé et généreux. Sucré, ayant un riche bouquet, ce vin montre un équilibre remarquable et se boit au dessert ou au goûter avec des pâtisseries.

On donne parfois, régionalement, le nom de « Malvoisie » à d'autres cépages (Vermentino en Corse, Bourboulenc dans l'Hérault par exemple).

mannite. Peu fréquente dans les régions septentrionales, cette maladie du vin se développait surtout, autrefois, dans les régions chaudes du Midi ou de l'Algérie, où elle causait des pertes parfois importantes. Elle se produisait à la cuve; à la faveur des températures trop élevées qui règnent parfois dans ces vignobles, les bactéries de la maladie supplantaient les levures*, affaiblies par un milieu trop chaud pour elles. Les vins présentaient une curieuse saveur, à la fois aigre et douceâtre.

On procède maintenant à la réfrigération* des cuves pendant la fermentation.

Manzanilla. Bien qu'ayant droit légalement au nom de « Xérès », le Manzanilla est un vin tout différent de ce dernier, quoiqu'il soit issu des mêmes cépages et obtenu selon les mêmes méthodes. On prétend que son originalité lui vient de la brise marine qui souffle de l'Atlantique sur les vignes et à travers les *bodegas :* l'aire de production du Manzanilla est située, en effet, à l'ouest de Jerez, autour de la petite ville de Sanlucar de Barrameda et non loin de l'embouchure du Guadalquivir, d'où Christophe Colomb cingla vers les Amériques et Magellan vers le Pacifique.

Le mot *Manzanilla* est le diminutif de *manzana,* qui signifie à la fois « pomme » et « camomille ». Pourtant, le Manzanilla n'a aucun rapport avec le cidre et encore moins avec la camomille. Lorsqu'il n'est pas préparé en vue de l'exportation, le Manzanilla est un vin très clair, titrant de

15 à 17⁰, possédant un bouquet très spécial et prononcé, une saveur un peu amère, que certains qualifient même de salée. C'est un vin extrêmement sec, si sec que sa faveur n'a jamais dépassé beaucoup son pays de production. C'est le vin des toreros, dont on raffole à Séville, où on le boit dans les petits verres spéciaux appelés *canas.* Comme le Xérès, le Manzanilla prend une teinte plus foncée, et son titre alcoolique augmente lorsqu'il vieillit en fût (certains Manzanillas, bruns et corsés, peuvent atteindre 21⁰).

On distingue deux types de Manzanilla : le « Manzanilla Fina », qui est un vin suave, à saveur légèrement amère, surtout dans l'arrière-goût; très léger, il est aussi extrêmement sec : c'est un vin jeune qu'on n'a pas laissé vieillir; le « Manzanilla Pasada », qui acquiert, en vieillissant, un goût particulier; son arôme, qui devient alors plus intense, l'apparente presque au type *Oloroso* des vins de Xérès, mais sa saveur reste sèche et garde les caractéristiques du Manzanilla.

marc. C'est le résidu du raisin et des fruits que l'on a pressés pour en extraire le jus (pommes, poires).

On appelle aussi « marc », ou « eau-de-vie de marc », l'eau-de-vie obtenue par la distillation du marc de raisin qu'on produit dans la plupart des régions viticoles. En vieillissant, cette eau-de-vie prend un bouquet et un goût particuliers, évoquant à la fois le raisin, le pépin, la râfle* et même légèrement le cuir; elle est très appréciée des amateurs.

En Italie, l'eau-de-vie de marc prend le nom de « grappa ».

Marcillac. Les vins provenant de ce vignoble du Sud-Ouest, situé au nordouest de Rodez, ont reçu assez récemment le label V.D.Q.S.*. Ils le méritent bien, surtout les vins rouges. Très renommé autrefois localement, le vignoble a subi, comme tous ceux de la région, les désastres des hivers rigoureux. De plus, la raréfaction de la main-d'œuvre rend problématique une culture qui doit se faire à la main ou au mototreuil, sur les coteaux abrupts de cette région si pittoresque. Le vignoble s'étend sur onze communes, dont Marcillac-Vallon, Balsac, Clairvaux, Saint-Christophe-Vallon. A flanc de montagne, il subsiste encore de petites granges où jadis se faisait le vin, descendu ensuite à dos d'âne.

Le vin rouge est excellent, d'une belle couleur, bien coulant, avec un bouquet fruité de framboise. Il vieillit fort bien. Il provient du Fer, qu'on appelle ici, dans l'Aveyron, le « Mansois », auquel on ajoute Gamay, Jurançon noir, Merlot, Cabernets.

Les vins rosés sont beaucoup moins racés.

*La Vallée de la Marne
à hauteur d'Épernay.
Au premier plan,
les vignobles
de Moët et Chandon.
Phot. Lauros.*

Marcobrunn, célèbre vignoble d'Allemagne, un des meilleurs du Rheingau. — Il tire son nom de la *Marcobrunnen,* charmante petite fontaine de grès rouge, qui marque la limite entre les villages d'Erbach et d'Hattenheim. Les vignobles sont situés sur chaque village, mais la fontaine est sur Erbach, et un poète local a écrit : « Laissez l'eau à Erbach. Donnez le vin à Hattenheim. » Le Marcobrunner est un vin admirable, fruité, racé, corsé, avec un bouquet étonnant. Celui qui provient d'Erbach est généralement vendu comme « Erbacher Marcobrunn » et celui d'Hattenheim simplement sous le nom de « Marcobrunner ».

Margaux. L'appellation « Margaux », célèbre appellation communale du Médoc, s'applique à la commune elle-même, mais aussi aux vins produits par les communes voisines de Cantenac, de Soussans, d'Arsac et de Labarde.
Les Margaux ont un bouquet suave et une délicatesse exceptionnelle qui n'appartient qu'à eux. Veloutés et élégants, ils savent être généreux sans être trop corsés. Le premier cru* est le Château-Margaux, de renommée mondiale, suivi par ses illustres cousins : Châteaux Rauzan-Ségla, Rauzan-Gassies, Durfort-Vivens. (V. Annexes.)

Margaux (Château). C'est le premier cru* classé de la commune de Margaux et un des plus grands vins de Bordeaux. Le Château-Margaux a véritablement une incomparable distinction et une grande classe : délicat, velouté, suave, bien équilibré, son bouquet ne se compare à aucun autre vin rouge.

Notons que le vignoble de Château Margaux produit aussi une petite quantité de vin blanc sec vendu sous le nom de « Pavillon-Blanc-de-Château-Margaux ».

Marne (Vallée de la). Cet important vignoble de Champagne s'étend entre Epernay et Dormans, sur les deux rives de la rivière, et se prolonge dans le département de l'Aisne. Les « vins de la rivière » sont tendres et légers, et il s'en faisait un important commerce dès le IXe siècle dans les célèbres foires à vins de Champagne (Troyes, Bar-sur-Aube). Ay est le cru* le plus fameux. Henri IV en appréciait tellement le vin qu'il se proclamait volontiers « sire d'Ay ». Mais d'autres crus sont bien connus : Mareuil-sur-Ay, Avenay, Cumières, Damery et Hautvillers, qui a l'honneur d'être le berceau du Champagne, puisque c'est dans son abbaye que dom Pérignon* mit au point la méthode champenoise*.

Maroc. La Mauritanie tingitane, nom donné par les Romains à leur colonie du Maroc, faisait déjà du vin dans l'Antiquité, dont une partie était destinée à Rome. Avec l'invasion arabe, on cessa de produire du vin, pour se contenter du raisin de table. L'établissement du protectorat français en 1912 donna à la vigne une impulsion nouvelle.
Depuis l'indépendance, la superficie comme la production du vignoble n'ont guère varié. Les principales régions viticoles se situent à l'est, aux environs de Berkane et Oujda, autour de Taza, Fès et Meknès, autour de Rabat et Casablanca. D'autres vignobles s'éparpillent dans le

Pour la carte du Maroc
v., p. 13, la carte
Afrique du Nord.

187

Autour de Fès, au Maroc, s'étendent des vignobles qui donnent certains des meilleurs vins chérifiens.
Phot. Phédon-Salou.

Sud marocain : entre Safi et Essaouira (Mogador), le long de l'oued Tensift, et à Bou Assida sur les pentes du Haut Atlas.

Il n'y a pas de grands crus* au Maroc. La plupart des vins sont rouges et rosés. Les vins blancs, produits en faible quantité, ont tendance à madériser à cause du climat chaud : ils sont issus de la Clairette, du Pedro Ximénez, du plant X et du Grenache. Le Maroc produit aussi du vin mousseux, des vins de dessert et des vins gris au sud de Casablanca et à l'est de Marrakech (vin gris de Demnate).

Dans l'ensemble, les vins marocains sont des rouges capiteux, très bouquetés, issus du Cinsault, du Carignan, du Grenache et de l'Alicante Bouschet, et des rosés très agréables dans leur jeunesse, fort populaires dans le pays. La région du Nord-Est donne le Muscat de Berkane et des vins rosés excellents, rappelant ceux de l'ouest de l'Algérie. Au centre, si Taza produit un vin rouge surtout valable pour les coupages*, Fès donne de bons vins rouges et rosés ainsi que des blancs couleur de paille; Meknès, quant à elle, produit les vins rouges les plus réputés du Maroc, corsés, colorés et de saveur caractéristique. A l'est de Rabat, les coteaux du Daïet (Roumi) produisent de bons vins rouges et, plus au nord, un vin haut en couleur, le « Dar Bel Hamri », récolté autour de Sidi-Slimane. Les vins rouges de la région de Casablanca, consommés trop rapidement, gagneraient pourtant à vieillir un peu; les rosés présentent une robe agréable tirant sur le pelure* d'oignon; au sud de Casablanca, des vins gris, secs et fruités,

considérés comme une spécialité du pays, sont produits à Boulaouane et El-Jadida.

Signalons que quelques appellations d'origine figurent sur les étiquettes des vins marocains, mais elles n'ont rien de commun avec les appellations du système français. Le ministère de l'Agriculture marocain a instauré un contrôle de la qualité des cépages et des vins. La loi interdit l'exportation des vins inférieurs aux normes; les vins doivent être sains et titrer au moins 11^0 (en réalité, les rouges, sous ce climat si chaleureux, titrent facilement de 12 à 14^0).

marque (vin de). Les vins de marque sont évidemment des vins sans appellation d'origine et proviennent de coupages. Toutefois, étant donné que la marque commerciale qui les présente est responsable de leur qualité, ils sont issus généralement de cépages de meilleure qualité que les simples vins de coupage*. Sélectionnés par le négociant, ils proviennent de diverses régions et sont mélangés selon un dosage particulier à chaque marque.

La marque, qui figure en gros caractères sur l'étiquette, la rédaction et les enjolivements de celle-ci nous laissent généralement espérer de belles voluptés vineuses. Toutefois, pour éviter de regrettables confusions avec des appellations d'origine*, certains mots sont interdits : *clos, château, tour, domaine, cru, mont, moulin, côte, camp* (une tolérance existe pour le mot *monopole*). Le degré alcoolique doit être mentionné obligatoirement. En principe, il n'y a pas d'obligation absolue de faire figurer sur l'étiquette le nom et l'adresse du négociant. Mais si cette adresse est justement celle d'une appellation renommée, le négociant ne s'en prive pas. Un vin de marque préparé par un négociant habitant Beaune ou Bordeaux n'est pas forcément un vin de Beaune ou de Bordeaux (sauf si l'appellation contrôlée figure sur l'étiquette).

Marsala, le plus connu des vins de liqueur italiens, obtenu, comme nos vins doux naturels, par mutage* des moûts à l'alcool. — Il est produit autour de la ville de Marsala, à l'extrémité ouest de la Sicile. C'est dans la seconde moitié du XVIIIᵉ siècle que quelques familles anglaises, installées dans l'île, désirant se procurer sur place un vin rappelant le Porto ou le Sherry (dont les Anglais sont si friands), créèrent le Marsala, qui rappelle un peu le Sherry. (V. XÉRÈS.)
D'une belle couleur ambrée, le Marsala, parfois sec, mais souvent plus ou moins doux, est maintenant produit dans une région strictement délimitée, à partir de certains cépages seulement (Grillo, Catarratto, Inzolia).
A l'origine, le Marsala est un vin sec, titrant 17 ou 18⁰, résultant d'assemblages* et vieilli en fût. Ce Marsala sec est appelé « Marsala Vergini » ou encore « Solera ». On obtient un vin plus ou moins doux en ajoutant une dose plus ou moins élevée de jus de raisin, réduit au tiers, très concentré, très sucré, de consistance sirupeuse, appelé *sifone*.
Les différents types de Marsala sont définis légalement. A côté du Marsala Vergini, on trouve l'« Italia », le plus léger et le meilleur marché des Marsalas, qui contient 5 p. 100 de *sifone* et titre 17⁰. On l'appelle encore « Marsala Fino » ou « Italia Particolare » (ou I.P.). Beaucoup de Marsalas exportés sont des « Marsalas superiori », qui titrent 18⁰. Ils peuvent être secs ou doux (par addition de 10 p. 100 de jus concentré).
Bien des apéritifs italiens, réputés pour être fortifiants, sont à base de Marsala : Marsala Chinato (avec addition de quinine), Marsala all'uovo (avec des œufs).

Marsannay-la-Côte, village de la Côte-d'Or célèbre par son vin rosé provenant du Pinot noir et qui est un des plus légers, des plus frais et des plus délicieux rosés de France. — L'appellation contrôlée est « Bourgogne-Marsannay » ou « Bourgogne-Marsannay-la-Côte » pour les vins rouges récoltés sur les communes de Marsannay et de Couchey. Lorsqu'il s'agit de vins rosés, le nom de Marsannay (ou Marsannay-la-Côte) est adjoint à « Bourgogne clairet » ou « Bourgogne rosé ».

Le meilleur domaine de Marsannay est celui de « Clair Daü », qui a le privilège de posséder une vieille treille plus de quatre fois centenaire. Cette doyenne des vignes est une des seules à avoir victorieusement résisté à l'attaque du phylloxéra* au siècle dernier; c'est probablement la plus vieille vigne de France et peut-être du monde.

Mascara, appellation s'appliquant à des vins d'Algérie produits au sud-est d'Oran et qui bénéficiaient du label V.D.Q.S.* avant l'Indépendance. — L'appellation « Mascara » donnait, sur des terrains calcaires situés à 200 m d'altitude environ, des vins rouges et rosés généreux et corsés, mais manquant de finesse, et des vins blancs assez communs.
L'appellation « Coteaux-de-Mascara » s'appliquait à des vins de coteaux produits, entre 600 à 800 m d'altitude, sur des sols calcaires. Ces vins sont fort renommés à juste titre. Les rouges, bien colorés, corsés, capiteux et veloutés, ont un parfum de violette et s'affinent encore avec le temps. Les rosés, comme les blancs, sont parfumés et fruités.

maturation (contrôle de). Il permet aux viticulteurs de tirer le meilleur parti de leur récolte en leur faisant connaître le moment optimal pour vendanger. Ce contrôle se généralise, depuis ces dernières années, grâce aux efforts de l'I.N.A.O.* et de l'Institut technique du vin. Des équipes de professionnels prélèvent régulièrement des raisins dans diverses parcelles de vigne, selon des règles formelles et trois semaines avant la date supposée des vendanges. Les échantillons sont analysés par le laboratoire, les renseignements affichés en mairie et publiés dans la presse locale. Deux courbes représentent l'évolution de la maturité : l'une, décroissante, est celle de l'acidité; l'autre, croissante, est celle de la teneur en sucre. L'indice de maturité est le rapport entre le sucre et l'acidité, rapport différent selon les cépages et selon les années. Cette institution moderne a remplacé le ban* des vendanges du seigneur d'autrefois. En effet, il n'est pas si simple qu'on se l'imagine de déterminer le moment de la cueillette, car le grain prend très vite un aspect mûr, dès la véraison*, et pour le vigneron le dilemme commence! Pris entre la tentation de vendanger vite pour éviter les risques et la sagesse d'attendre pour faire un vin meilleur, le vigneron vivait autrefois des heures d'angoisse. Dans les régions d'appellation, le législateur, aujourd'hui, décide pour lui. Durant les derniers jours de maturation, le jus de raisin gagne souvent de 10 à 20 g de sucre par litre et par jour; d'où l'importance de cette décision.

Maury. Perchée sur une colline, dans une vallée aride bordée par les crêtes des Corbières et de l'Albèze, la petite cité de Maury donne son nom à un célèbre vin doux naturel du Roussillon. Les coteaux qu'occupe le vignoble, schisteux et pierreux, brûlés par un soleil implacable, ont souvent été, au cours des âges, dévastés par les invasions : le territoire de Maury, en effet, est une grande voie de passage entre le Roussillon et la haute vallée de l'Aude. Mais ses valeureux vignerons ne se sont jamais avoués vaincus! Célèbre aux IIᵉ et IIIᵉ siècles, apprécié par le Roi-Soleil, recherché par les négociants allemands, le Maury est un grand vin, souvent vinifié en rouge, qui se classe parmi nos premiers vins doux naturels. C'est un beau vin de velours sombre, à la fois doux et puissant, moelleux et vigoureux.

Le Maury provient, pour 50 p. 100 au moins de l'encépagement, du noble Grenache noir mêlé aux Grenaches gris et blanc, au Muscat à petits grains et au Muscat d'Alexandrie, au Maccabéo, au Tourbat dit « Malvoisie du Roussillon », avec 10 p. 100 au maximum de cépages accessoires.

Le Maury rouge s'obtient par la macération du moût* avec la pulpe de raisin durant tout ou partie de la fermentation; le Maury rosé et le Maury blanc s'obtiennent par fermentation des moûts séparés de la pulpe avant tout commencement de fermentation. Pour avoir droit à l'appellation* contrôlée « Maury », les vins doivent d'abord obtenir le certificat d'agrément « Rivesaltes ».

Les vins de l'appellation contrôlée « Maury » sont intégralement bloqués à la propriété jusqu'au 1ᵉʳ septembre de la deuxième année qui suit celle de leur élaboration.

La dénomination « Rancio » peut être adjointe à l'appellation « Maury » pour des vins doux naturels de l'appellation qui, en raison de leur âge et des conditions particulières à ce terroir, ont pris le goût dit « de rancio* ».

maux de tête. Nous n'envisageons nullement ici le vulgaire mal aux cheveux, qui n'atteint jamais le véritable œnophile, puisqu'il respecte, par définition, l'aphorisme de Brillat-Savarin : « Ceux qui s'indigèrent ou qui s'enivrent ne savent ni boire ni manger. » Pourtant, certaines personnes souffrent de maux de tête après consommation, même très limitée, de certains vins blancs. L'anhydride* sulfureux en est le seul responsable. Le soufre libre en excès se combine avec le sang et provoque ces désagréments. Il a été constaté, d'ailleurs, que certaines personnes souffrent d'une sensibilité particulière à l'égard de l'anhydride sulfureux (de 10 à 20 p. 100 des consommateurs) et qu'elles éprouvent maux de tête et d'estomac, alors que l'entourage ne ressent rien et que la dose de soufre libre existant dans le vin n'est pas exagérée. Pour ces infortunés, la dose légale de 100 mg par litre de soufre libre est nettement exagérée et devrait être inférieure de plus de la moitié. Par ailleurs, la sensibilité à l'égard de l'alcool varie aussi d'un individu à l'autre. Les vins rouges ou blancs un peu trop riches doivent être remplacés par des vins légers pour le dégustateur sensible à des doses même faibles d'alcool, sinon gare aux malaises divers, dont le fameux « casque migraineux ». D'autre part, certains vins, pourtant modérément alcoolisés, donnent aussi des maux de tête. Cette singularité a été constatée depuis longtemps. Faute d'explication valable, il ne nous reste qu'à nous référer à Jullien*, qui signalait, dans sa *Topographie de tous les vignobles connus,* des vins qu'il qualifiait de « fumeux » et « dont les parties spiritueuses se volatilisent promptement et montent au cerveau ».

méchage, opération qui consiste à provoquer le dégagement d'anhydride* sulfureux par combustion de soufre. — Le méchage des amphores était déjà pratiqué par les Romains et, pendant longtemps, il fut la seule source d'anhydride sulfureux, bien imprécise, dont disposait le vigneron. Actuellement, le méchage est encore utilisé pour stériliser les fûts. Chaque fois que le vin est transvasé dans un fût, celui-ci a été méché au préalable par la combustion d'environ 3 g de soufre par hectolitre de capacité.

Que ce soit pour traiter la vigne, le matériel vinaire ou le vin lui-même, ainsi le soufre est l'agent d'hygiène indispensable dont le vigneron ne peut se passer.

Médéa (Coteaux-de-). Cette appellation désignait des vins d'Algérie produits au sud d'Alger et qui bénéficiaient du label V.D.Q.S.* avant 1958. Le vignoble, qui occupe des terrains sablonneux ou marneux, entre 600 et 1 200 m d'altitude, donne des vins rouges corsés, bien charpentés, avec de la finesse et un agréable bouquet. Les vins blancs sont loin d'égaler les rouges, tout en étant assez plaisants.

médecin (vin), vin qui sert dans les coupages* pour remonter des vins faibles. — Il a donc des caractères très affirmés : couleur très prononcée, grande richesse en alcool, proportion élevée d'extrait sec. Le type même du vin médecin est le vin d'Algérie.

Les Corbières-du-Roussillon furent longtemps recherchés comme vins médecins avant de se faire apprécier sous leur propre appellation. Le Raboso, cépage de plaine de Vénétie, dont le vin est très acide et fortement coloré, est aussi utilisé, à la dose de 10 p. 100. Enfin, autrefois, les vins rouges de Cahors, de moindre qualité, servaient à faire des vins médecins. On les préparait en faisant concentrer sur le feu une partie du moût* avant de l'ajouter au reste de la vendange. On les appelait les « vins noirs ». Ils étaient de couleur sombre, très corsés et très alcoolisés.

médicinaux (vins). Ces vins furent longtemps, avec les vins épicés et les vins de liqueur, la grande spécialité du Languedoc : dès 1251, un document nous prouve que le roi d'Angleterre commandait à Montpellier ce genre de breuvage. On préparait le vin giroflé (parfumé au girofle) et le vin muscadé. Il semble que la renommée de Montpellier fut fort grande pour la préparation de ces vins, grâce, sans doute, à son école de médecine, si célèbre au Moyen Age et qui s'inspirait elle-même beaucoup de la médecine arabe. De nos jours, on fait encore usage de vins médicinaux. Les plus connus sont le vin aromatique, pour l'usage externe, les vins de coca, de kola, de quinquina, de gentiane, le vin iodotannique phosphaté, le vin de Trousseau, le vin de la Charité. La proportion de vin entrant dans ces vins médicinaux, fixée par la loi, est de 80 p. 100.

Médoc. Le Médoc occupe une presqu'île triangulaire comprise entre l'Atlantique, à l'ouest, et l'estuaire de la Gironde, à l'est, et délimitée au sud par une ligne reliant Arcachon à Bordeaux. Le vignoble n'occupe que la partie orientale du Médoc, le long de la Gironde, sur une longueur de 80 km et une largeur d'une dizaine de kilomètres environ. Le Médoc se divise en deux régions : le haut Médoc, de Blanquefort à Saint-Seurin-de-Cadourne; le bas Médoc, qui prolonge le haut Médoc jusqu'à la pointe nord de la presqu'île et dont le centre est Lesparre.

Le sous-sol du Médoc, formé d'argile, de silice, de calcaire dur, est recouvert par une couche de cailloux, appelée « grave », très peu fertile, mais convenant, par contre, tout spécialement à la vigne. C'est sur les croupes graveleuses regardant le fleuve que celle-ci donne le meilleur vin (les vins, blancs et rouges, récoltés dans les terrains d'alluvions récentes des rives n'ont pas droit à l'appellation « Médoc » et se vendent comme Bordeaux ou Bordeaux supérieur). Les cépages principaux sont le Cabernet franc, le Cabernet-Sauvignon, le Merlot, le Malbec.

La faculté de médecine de Montpellier, à laquelle le Languedoc médiéval doit beaucoup pour la célébrité de ses vins médicinaux. Phot. Bottin.

Vue du château Palmer, dans le Médoc. Au premier plan, ouvrier « rognant » la vigne. Phot. M.

Le Médoc donne des vins, rouges uniquement, de noble réputation. Un peu astringents en primeur, à cause de leur richesse en tanin*, ils sont séveux, bouquetés avec beaucoup de finesse et se conservent fort bien. Toutes ces qualités sont fondues en une parfaite harmonie. Ils possèdent aussi certaines vertus diététiques qui font d'eux les amis du médecin. Il n'y a pas d'appellation « Bas-Médoc ». Les vins produits par le bas Médoc ont droit à l'appellation « Médoc ».

Les vins du haut Médoc, en principe supérieurs aux Médocs, ont droit à l'appellation « Haut-Médoc ».

Les meilleures régions du haut Médoc, où se classent les crus* illustres, ont droit, de plus, à une appellation communale. Ces appellations réputées sont : « Margaux », « Saint-Julien », « Pauillac », « Saint-Estèphe », « Listrac », « Moulis ». (V. Annexes.)

Méjanelle (Coteaux-de-la-). Cette appellation des Coteaux-du-Languedoc, qui a droit au label V. D. Q. S.*, s'applique à des vins produits aux environs de Montpellier, sur les communes de Mauguio et de Montpellier, les collines de la Méjanelle, de Castelnau-le-Lez et de Saint-Aunès. Avec les appellations « Cabrières », « Saint-Georges-d'Orques » et « Coteaux-de-Saint-Christol », les Coteaux de la Méjanelle produisaient, au siècle dernier, les vins les plus réputés de la région.

Les conditions d'encépagement pour les vins rouges et rosés sont exactement les mêmes que pour les « Coteaux-du-Languedoc* », mais ces vins doivent titrer 11,5°.

Les vins blancs, issus des cépages Clairette, Grenache blanc, Maccabéo, Bourboulenc, Marsanne, Picpoul blanc, Roussanne, Terret blanc, Ugni blanc doivent titrer 11°.

L'appellation « Coteaux-du-Languedoc - Coteaux-de-la-Méjanelle » ou « Coteaux-du-Languedoc-Méjanelle » s'applique uniquement à des vins rouges et rosés.

L'appellation « Coteaux-de-la-Méjanelle » s'applique à des vins rouges, rosés et blancs. Les vins rouges et rosés (jamais les blancs) peuvent se replier, éventuellement, sous l'appellation « Coteaux-du-Languedoc » simple.

Menetou-Salon, appellation* d'origine contrôlée qui s'applique aux vins provenant de cette commune, située au sud-ouest de Sancerre, et de quelques communes environnantes : Morogues, Parassy, Aubinges, Soulangis, Pigny, Quantilly, Saint-Céols, Vignoux-sous-les-Aix, Humbligny. — Le Sauvignon réussit fort bien sur les collines calcaires de ce vignoble de Loire et donne des vins qui rappellent beaucoup ceux de Sancerre, avec, toute-

fois, moins de finesse. La qualité est en progrès constant grâce à la persévérance des viticulteurs. L'appellation peut s'appliquer aussi aux vins rouges et rosés de Pinot, mais leur production est encore assez insignifiante.

mer (vins pour la). On appelait ainsi autrefois les meilleurs vins de Loire, produits entre Blois et l'Océan, et destinés à l'exportation.

Jusqu'en 1789, la douane d'Ingrandes frappait de lourdes taxes tous les vins qui transitaient vers Nantes et, de là, vers l'étranger. Cela obligeait les vignerons concernés de Touraine, d'Anjou et de l'Orléanais à n'envoyer vers la mer que d'excellents vins, puisqu'ils coûtaient très cher.

Les Hollandais, les Belges remontaient la Loire en barque jusqu'à leurs comptoirs de Rochefort et de Ponts-de-Cé et repartaient ensuite vers la mer avec leur cargaison de vins précieux. Les « vins pour la mer », les meilleurs, partaient donc pour l'étranger. Les « vins de terre », de qualité inférieure, partaient pour Paris, où ils servaient aux coupages*. C'est ainsi que la France a longtemps ignoré les meilleurs vins de Saumur et d'Anjou. Elle a regagné, depuis, le temps perdu.

Mercurey. Les vins qui ont droit à l'appellation « Mercurey » sont produits sur les communes de Mercurey, Saint-Martin-sous-Montaigu et Bourgneuf-Val-d'Or, dans la Côte chalonnaise. Ils sont rouges pour la plupart et proviennent des Pinots Noirien, Liebault et Beurot. Ce sont des vins remarquables, à la belle robe pourpre, au bouquet prenant, rappelant le cassis, ayant du corps, de la mâche, de la chaleur. Leur finesse et leur distinction les rapprochent de certains vins de la Côte de Beaune.

Les vins blancs, provenant du Pinot-Chardonnay, ont de la vivacité et un arôme subtil, mais il est très difficile de les trouver dans le commerce.

Les vins de l'appellation « Mercurey » titrent 10,5° pour les rouges, 11° pour les blancs. L'appellation « Mercurey » peut être suivie, sous certaines conditions, de l'expression « premier cru » ou du nom du climat d'origine (V. Annexes) : les vins titrent alors 11° pour les rouges, 11,5° pour les blancs.

Merlot. Ce cépage rouge de la famille des Cabernets est très cultivé en Gironde, surtout à Saint-Emilion et à Pomerol, mais on le rencontre encore en Dordogne, en Lot-et-Garonne et dans divers vignobles du Sud-Ouest. Il a aussi été introduit en Italie du Nord, en Suisse, au Chili, en Californie et jusqu'en U. R. S. S. Son extension date de la seconde moitié du XIXe siècle.

Le Merlot craint plus la sécheresse que les

Cabernets; il est aussi sensible au froid, surtout aux gelées de printemps. Le raisin mûrit vite, mais doit être vendangé tôt, car il pourrit très rapidement. Il donne un vin d'une très belle couleur, allant du rubis clair, quand il est peu cuvé, jusqu'au rouge intense. Moelleux, souple, tendre, le Merlot procure un vin plus vite prêt à la consommation que les Cabernets, mais il a moins de corps et de bouquet et supporte moins bien un vieillissement prolongé. C'est un excellent cépage d'appoint pour les Cabernets, auxquels il apporte ses qualités complémentaires.

Mesland. Le vignoble de Mesland, qui se trouve en Loir-et-Cher, est le point final du vignoble tourangeau. Il s'étend sur Mesland, Monteaux, Onzain, Chouzy, Chambon et Molineuf, et donne un important volume de vins blancs, rouges et rosés qui ont droit à l'appellation « Touraine » suivie du nom de « Mesland ». Les vins blancs de Pineau, clairs, légers et fins, sont délicieux en primeur, mais leur production est assez restreinte. Cette région est surtout vouée aux vins rosés, qui ont une réputation méritée. Ils sont issus du Cabernet franc ou breton, du Cabernet-Sauvignon, du Cot et du Gamay, qui peut, ici, s'exprimer avec délicatesse grâce aux sables granitiques qui recouvrent le tuffeau.
Les rosés de « Touraine-Mesland » sont clairs, légers et fruités, surtout dans leur prime jeunesse. Les meilleurs sont secs : les rosés moelleux perdent l'essentiel de leur caractère. Les vins blancs et rosés doivent titrer 10,5⁰, et les rouges 10⁰.

mesures. Officiellement, le litre est la seule mesure de capacité, avec ses multiples, reconnue par la loi. Mais l'habitude de se

servir des mesures de la France d'autrefois subsiste chez les gens de métier : ces mesures sont, en effet, mieux adaptées aux problèmes concrets de rendement et aux différenciations régionales. A la base de chaque unité de mesure, il y avait l'« ouvrée », c'est-à-dire le produit récolté par le travail journalier d'un homme, variable évidemment suivant les vignobles. Cela explique les différences parfois considérables d'une région à une autre entre les capacités d'une même mesure. Toutes les mesures devaient être multiples de cette mesure de base, afin que les fûts soient toujours pleins. C'est ainsi qu'on emploie encore les termes *barrique*, muid*, pièce*, tonneau*, feuillette*, tierçon*.*

Meursault. Le grand vignoble blanc de Bourgogne commence à Meursault. La Côte de Nuits et les communes de la Côte de Beaune situées au nord de Meursault produisent, certes, des vins blancs de grande classe, mais c'est à Meursault que commence vraiment le règne du Pinot-Chardonnay. Les vins blancs de Meursault, qui se classent parmi les plus célèbres vins de France, réussissent le miracle d'être à la fois secs et moelleux. D'une belle couleur d'or pâle, limpides et brillants, corsés et développant un riche bouquet, ils sont réputés pour leur suavité.
Meursault produit également de grands vins rouges, fins, riches en bouquet et très puissants. Éclipsés par la renommée des vins blancs, ils sont relativement peu connus (notons que les vins rouges bénéficiant de l'appellation « Volnay-Santenots » proviennent de Meursault).
Quatorze vignobles de Meursault, classés « premiers crus », ont le droit d'ajouter leur nom à celui de Meursault : Clos des Perrières et les Perrières, les Charmes, les

Genévrières, la Goutte-d'Or, etc. (V. Annexes.) Trois premiers crus, situés sur le hameau de Blagny (la Jennelotte, la Pièce-sous-le-bois, Sous-le-dos-d'âne), ont également le même droit.

Mexique. Ce sont les Jésuites qui ont, au XVIIe siècle, planté au Mexique les premières vignes, afin de faire du vin de messe. Cette première variété de vigne, surnommée « Mission », n'est plus connue en Europe, mais elle prospéra en Basse-Californie. Lorsque les Jésuites furent expulsés du Mexique en 1767, ils remontèrent la côte en direction du nord vers le pays qui devint la Californie, et la légende raconte que c'est sur le territoire de leur mission de San Diego que les Jésuites plantèrent la première vigne de Californie. De nos jours, la vigne occupe 10 000 ha environ, mais la production du vin ne dépasse guère 40 000 hl par an, les trois quarts de la production étant consommés comme raisin de table : la boisson nationale du peuple mexicain est, en effet, à base d'alcool de canne à sucre.

Le climat tropical n'est guère favorable à la culture de la vigne. Les vignobles se trouvent surtout dans la presqu'île de la Basse-Californie. Quelques-uns réussissent toutefois à s'implanter dans la sierra Madre, où l'altitude élevée permet quelque peu de corriger le climat (autour de Durango, Chihuahua).

Les vins mexicains sont, dans l'ensemble, de qualité très médiocre, sauf peut-être ceux qui sont produits à Ensenada, à la frontière des Etats-Unis, autour de la vieille mission espagnole de Santo Tomás — et encore, ceux-ci ne sont-ils rien d'autre que des vins ordinaires assez lourds. Bien que

le vignoble mexicain soit sans doute le plus ancien d'Amérique du Nord, les progrès de la viticulture sont freinés par le climat trop chaud et le manque de formation des viticulteurs, petits propriétaires surtout. Les meilleurs vins, et les plus caractéristiques, sont des vins liquoreux de type Muscat provenant d'Ensenada : ce genre de vin réussit mieux sous un climat chaud que les vins de table. Les vins de table, toujours assez lourds et manquant d'acidité, ont le mérite d'être très bon marché : leur défaut général est leur qualité assez irrégulière. Parmi les principales firmes productrices de vin du Mexique, citons la COMPAÑIA VINICOLA DE SALTILLO, les BODEGAS DEL MARQUES DE AGUAYO, les BODEGAS DE DELICIAS. Les BODEGAS DE SANTO TOMÁS, en Basse-Californie, sont les plus connues, même à l'étranger. Les appellations sont assez fantaisistes : par exemple Jerez, Vino Dulce, Vino de Fruta, Moscatel, Vino Blanco, Vino Tinto, etc.

Midi (vin du). Un vin du Midi désigne habituellement un vin ordinaire, généralement rouge, provenant de la région viticole à grand rendement Languedoc-Roussillon, couvrant les départements de l'Aude, de l'Hérault, des Pyrénées-Orientales et du Gard. Cette région donne à elle seule près de la moitié de la production totale française. La vigne commença à se multiplier en Languedoc-Roussillon à la fin du XVIIIe siècle, chassant les autres cultures; les cépages vigoureux et à grand rendement (Aramon, Carignan, Œillade, Petit-Bouschet) refoulèrent parfois les cépages nobles de jadis (Muscat, Grenache, Maccabéo, Malvoisie). L'avènement du chemin de fer, en ouvrant de nouveaux débouchés, ne fit qu'augmenter le flux des vins du Midi, qui prit parfois de telles proportions qu'on a parlé du « fléau de l'abondance ». Mais cette expression *vin du Midi* n'est pas obligatoirement péjorative. Bien vinifiés, honnêtement préparés, ces vins constituent une boisson saine et familiale.

Il faut, de plus, distinguer les deux sortes de vins produits par le Midi : les vins de plaine, assez médiocres, récoltés dans des terres à fort rendement, et les vins de coteaux, excellents, issus de cépages nobles. Beaucoup de ces vins sont devenus d'excellents « vins de pays* » et ont même accédé au label V. D. Q. S.* (Corbières*, Minervois*, Coteaux-du-Languedoc*) ou, mieux encore, à l'A. O. C. (Faugères, Saint-Chinian*).

mildiou. C'est un cadeau empoisonné que l'Amérique fit à nos vignes, après l'oïdium* et le phylloxéra*. — Ce perfide champignon fut signalé pour la première fois en 1878. Il s'attaque à la face interne des

Les ravages du mildiou
Phot. M.

Minervois

feuilles, qui se dessèchent et tombent. Les grains de raisin brunissent et tombent aussi; les survivants donnent des vins acides et privés d'alcool. Pendant longtemps, la lutte fut sans merci, et, dans bien des vignobles, ce troisième fléau a achevé le désastre que l'oïdium et le phylloxéra avaient déjà commencé. Le traitement consiste en sulfatages de sels de cuivre. Le traitement à base de cuivre fut, dit-on, découvert très empiriquement. Un vigneron qui craignait les rapines avant les vendanges avait pris l'habitude de «bleuir» ses vignes au sulfate de cuivre. Il constata que seuls ses raisins résistaient au mildiou. Il avait, sans le savoir, inventé la célèbre bouillie bordelaise, qui associe le cuivre et la chaux. Pendant l'Occupation, la rareté du cuivre faillit, une fois encore, tout compromettre. Les produits organiques de synthèse (Captane, Dithane), découverts depuis, se montrent eux aussi fort efficaces, mais, au moindre retard de traitement, le terrible mildiou recommence ses ravages.

millerandage, affection causée par la fécondation incomplète des fleurs de vigne, et qui donne des raisins à grains très petits, dépourvus de pépins, clairsemés (appelés «raisins millerands»).

millésime. L'année de naissance du vin permet de guider le choix du gourmet*. Il est des années prestigieuses qui laissent dans la mémoire des œnophiles* un souvenir ébloui. Telles furent 1921, la superbe 1929, 1947 et 1949 (V. tableau p. 327). Certains spécialistes n'ont pas été sans remarquer que les très grandes années portent un nombre impair. En effet, à côté des quatre années exceptionnelles qui viennent d'être citées, nous trouvons encore les excellents millésimes 1943, 1945, 1953, 1955, 1957, 1959, 1961. Néanmoins, ne soyons pas injustes, et quelques bons millésimes pairs peuvent aussi être remarqués : 1942, 1950, 1952, 1962. D'autre part, la distribution des bons millésimes paraît assez constante et à peu près régulière dans le temps, et les œnophiles n'ont sans doute pas à craindre une série d'années noires que nulle bouteille marquante ne jalonnerait! En général, on estime qu'il existe, en dix ans, de trois à cinq excellents millésimes, dont un exceptionnel. Toutefois, le véritable amateur ne se laisse pas obnubiler par le millésime et, surtout, il se garde bien d'assigner une valeur péremptoire et définitive au millésime qui vient de naître. Certaines années peuvent passer inaperçues à leur entrée dans le monde et se révéler par la suite : celles qui succèdent à des années fameuses sont souvent ainsi déconsidérées à tort. D'au-

tres, au contraire, surtout si elles viennent après quelques années médiocres, peuvent être surestimées, faire un départ en flèche et ne pas tenir leurs promesses. Voici le conseil judicieux qu'un de nos très grands connaisseurs en vin glisse dans l'oreille de l'œnophile qui désire se constituer une belle cave, à bon prix : «Achetez le petit cru dans les grandes années et le grand cru dans les petites années.» Dans la réglementation de la C.E.E., l'année de la récolte ne peut être indiquée que pour les «vins* de qualité produits dans une région déterminée» (pour la France A.O.C.* et V.D.Q.S.*) et les vins de table avec indication géographique (vins de pays*). Bien que le règlement communautaire permette aux Etats membres d'autoriser l'emploi d'un millésime pour les vins qui ont été additionnés de 15 p. 100 de vins n'ayant pas ce millésime, aucune disposition nationale n'admet le recours à une telle pratique pour les vins produits en France.

mince, terme qui qualifie un vin léger en alcool*, qui serait, tout compte fait, relativement correct, mais dont le bouquet et le goût sont insuffisants. Comme pour les hommes, un vin dont la minceur est exagérée est dit «maigre» ou «grêle».

Minervois. Cette appellation du Languedoc, dotée du label V.D.Q.S.*, tire son nom de Minerve, capitale historique du Minervois, qui constitue une espèce d'immense cirque arrondi, entouré de montagnes, au nord des Corbières et à l'ouest et au nord-ouest de Narbonne. Le vignoble occupe des collines et des vallons bien exposés, jouissant d'un climat chaud et sec. Les légionnaires romains, qui colonisèrent la Narbonnaise, introduisirent la culture de la vigne dans le Minervois, et les vins furent très réputés dès cette époque : Pline le Jeune signala les vins du Minervois; Cicéron prononça un plaidoyer en faveur du proconsul de Narbonne, accusé de percevoir des droits illicites sur les vins du Minervois devant être envoyés à Rome. Si le Minervois produit quelques vins blancs et quelques vins rosés secs et fruités, les meilleurs et les plus réputés sont les vins rouges, qui sont, avec les Corbières, les meilleurs vins de la région. A dater des vendanges de 1982, le Carignan doit représenter 80 p. 100 au plus de l'encépagement, 70 p. 100 à partir de 1985, 60 p. 100 à partir de 1990. Grenache noir, Lladoner Pelut, Syrah et Mourvèdre doivent représenter 10 p. 100 depuis 1980 (pourcentage porté à 20 p. 100 en 1985); Syrah et Mourvèdre doivent, ensemble, représenter plus de 5 p. 100. A partir de 1990, ces pourcentages seront portés respectivement à 30 p. 100 et

195

Minerve, vue générale.
Phot. M.

plus de 10 p. 100. Enfin, Grenache gris et Picpoul gris seront interdits en 1990.

Les vins rosés proviennent des mêmes cépages, avec une tolérance de 10 p. 100 de cépages blancs. Le vin rouge du Minervois a une belle robe rouge vif; il est fin, fruité, délicat, bien équilibré, avec un bouquet personnel, une saveur particulière dus à la forte teneur du sol en manganèse. Il vieillit fort bien.

Les vins blancs ne manquent pas de personnalité ; ils sont vifs, chaleureux et issus de cépages nobles : Grenache blanc, Malvoisie, Maccabéo, Muscat, Picpoul, Clairette, Terret blanc et Listan.

Tous les vins rouges, blancs ou rosés de l'appellation « Minervois » titrent 11⁰ au moins.

L'appellation « Vin noble du Minervois » s'applique à des vins de dessert liquoreux issus des cépages Muscat, Malvoisie, Grenache et Maccabéo titrant 13⁰ au moins.

Mireval (Muscat de). Ce Muscat est produit sur un terroir très voisin de Frontignan, situé le long de l'étang de Vic.

Une partie du terroir de Vic-la-Gardiole, d'ailleurs, a droit à l'appellation* contrôlée « Muscat de Mireval », l'autre partie ayant droit, elle, à l'appellation « Muscat de Frontignan ».

Le Muscat de Mireval doit obligatoirement provenir du cépage Muscat blanc à petits grains; il titre au moins 15⁰ d'alcool acquis et contient au moins 125 g de sucre par litre.

Un peu éclipsé par son brillant voisin, le Muscat de Mireval est un excellent Muscat, suave et délicat, qui imprègne bien la bouche de sa chaleur parfumée.

mise en bouteilles à la propriété. Cette indication sur une étiquette jouit d'une faveur justifiée auprès des amateurs. Elle désigne des vins de qualité dont le tirage en bouteilles s'est fait sur le lieu même de la production, par le récoltant. C'est donc une garantie de qualité et d'authenticité : par exemple, un propriétaire ne peut pas se servir de cette mention lorsque son vin est mis en bouteilles dans le local d'un embouteilleur.

D'autres expressions similaires ont autant de valeur. Ce sont : *mis en bouteille au domaine* (ou *mise du domaine*) ou *mis en bouteille au mas* ou, surtout en Gironde, l'expression bien connue *mis en bouteille au château**, à condition que les vins soient mis en bouteilles dans une exploitation viticole qualifiée par les noms de « château », de « domaine » ou de « mas ».

L'expression *mise d'origine*, qui comporte donc une mention relative à l'origine, doit être réservée aux V. Q. P. R. D.* (c'est-à-dire, en France, aux A. O. C.* et aux V. D. Q. S.*).

En Bourgogne, étant donné qu'il y a fort peu de châteaux, c'est généralement au nom de quelques producteurs et négociants* en vins bien connus et dont la réputation est grande que le dégustateur averti se réfère. C'est alors le nom de ces négociants qui constitue pour le consommateur la garantie de qualité et d'authenticité.

Dans une union de coopératives ou un autre groupement de producteurs qui ne procède pas à la vinification, on utilise l'expression *mis en bouteille par les producteurs réunis.*

Toutes ces expressions sont utilisées au stade de la production. Au stade du commerce (et pour une période transitoire jusqu'en 1981) on peut utiliser les mentions *mis en bouteille dans la région de production, mis en bouteille en..., mis en bouteille dans la région de...* (ces deux dernières mentions doivent être suivies du nom de la région déterminée d'où provient le vin).

Pour l'ensemble des vins de la Communauté, la mention *Estate Bottled,* signifiant « mis en bouteille à la propriété », pourra compléter la mention pour les vins embouteillés à la propriété.

mistelle, nom donné aux moûts* de raisin auxquels on a ajouté de l'alcool pur pour en arrêter la fermentation, dans la proportion de 5 à 10 p. 100. — Cette opération est sévèrement réglementée, de même que l'utilisation des mistelles. L'Algérie, avant 1958, était grosse productrice de mistelles. Le climat permet, en effet, d'obtenir des raisins très riches en sucre, qui donnent donc des moûts contenant beaucoup d'alcool en puissance. C'est vers 1880 que les premiers essais furent faits à Mostaganem par un fabricant métropolitain, et, dès 1910, l'Algérie était déjà le principal fournisseur de mistelles pour les fabricants fran-çais d'apéritifs, de faux « Madères » et de « Malagas » de pacotille. Jusqu'en 1940, l'Algérie se contentait d'envoyer les mistelles aux maisons françaises, mais ne fabriquait pas, ou très peu, de vin de liqueur par ses propres moyens.

moelleux. Un vin blanc moelleux est un vin blanc dont la douceur est intermédiaire entre celle d'un vin blanc liquoreux et celle d'un vin sec. Il n'y a pas de réglementation pour l'emploi de ce terme. Toutefois, on peut considérer qu'un vin contenant de 6 à 15 g de sucre naturel non fermenté peut être considéré comme moelleux.

moisi. Certains vins présentent nettement une odeur et un goût de moisi. Ce grave défaut, que rien ne peut effacer, est dû à l'emploi d'un fût mal lavé ou dans lequel l'eau a séjourné et qui a été la proie des moisissures. Le séjour du vin dans un tel fût lui a communiqué cette tare ineffaçable.

A un stade moins avancé, le vin peut avoir le goût de « croupi ». On dit encore parfois que le vin « fûte », lorsqu'il a pris un arrière-goût dû à une futaille mal soignée.

Le goût de moisi peut aussi provenir de vendanges altérées par la pourriture* grise.

Moldavie. C'est la seconde région viticole d'U.R.S.S. du point de vue de la superficie. Elle produit environ un tiers des vins de l'U.R.S.S.

La vigne est cultivée dans les vallées centrales à tchernoziom, ou terres noires, qui sont des terres fertiles, chargées de débris organiques et de silice. La vallée du Dniestr,

Mise en bouteilles dans des caves, à Thuir. Phot. M.

Le château de Monbazillac.
Phot. M.

très profonde et bien abritée du vent, convient spécialement bien à la viticulture. Le vignoble s'étend autour de Kichinev, le long d'une ligne continue Oungheni-Rezina-Tiraspol-Bendery.

Les hybrides* dominent encore actuellement dans l'encépagement, mais ils sont peu à peu remplacés par des plants européens. Le vin blanc le plus réputé de Moldavie est l'« Aligoté ». Mais la Moldavie produit aussi deux bons vins rouges : le « Kaberné », dont l'arôme rappelle la violette, et le « Bordeaux », le meilleur des vins moldaves.

Actuellement, le groupement agro-industriel de *Moldvinprom,* qui possède plus de la moitié des vignobles, produit de nouveaux vins de table de bonne qualité, obtenus par mélange de cépages (Romanetchy, Kodrou, Rochou de Pourkar, Negrou de Pourkar — ce dernier servi à la table royale d'Angleterre), ainsi que des vins non traditionnels en Moldavie : Xérès, vins aromatisés aux herbes (Rosée du matin, Bouquet de la Moldavie) et des mousseux rouges, qui ont remporté la médaille d'or au Concours mondial 1980 en Bulgarie.

Monbazillac. Ce célèbre vin blanc liquoreux de Dordogne est une des appellations contrôlées du Sud-Ouest, que les profanes classent parfois, à tort, parmi les Bordeaux.

Le vignoble s'étend sur des coteaux qui dominent la rive gauche de la Dordogne, au sud de Bergerac, et occupe les communes de Monbazillac, de Pomport, de Colombier, de Rouffignac et une partie de Saint-Laurent-des-Vignes.

Les cépages sont les mêmes que ceux du Sauternais : Sémillon, qui donne saveur et moelleux; Sauvignon, qui assure finesse et corps; Muscadelle, qui parfume le tout d'un léger arôme de Muscat.

Comme à Sauternes, les vendanges sont faites par cueillettes successives, lorsque la pourriture* noble a confit les grains. La fermentation est très lente et dure parfois plusieurs mois : il se produit alors une importante quantité de glycérine*, qui assure au Monbazillac sa merveilleuse onctuosité.

Le Monbazillac titre 13⁰ au minimum, et sa richesse en sucre varie de 30 à 100 g par litre. Toutefois, dans les bonnes années, les Monbazillacs sont les plus riches de nos vins liquoreux : ils titrent de 15 à 16⁰ et atteignent de 80 à 100 g de sucre par litre.

Dès le XIVᵉ siècle, le Monbazillac était renommé et exporté dans le nord de l'Europe. Après la révocation de l'édit de Nantes, les émigrés français de la région, réfugiés en grand nombre en Hollande, contribuèrent à l'extension considérable du commerce : au XVIIIᵉ siècle, tout le vin de Monbazillac partait pour la Hollande.

Les vins de Monbazillac sont soumis à l'appréciation d'une commission de dégustation désignée par l'I.N.A.O.* pour pouvoir bénéficier de l'appellation* contrôlée.

Le Monbazillac possède dans sa jeunesse une jolie robe jaune paille, qui devient plus ou moins ambrée avec le temps. C'est un très beau vin liquoreux, fin et moelleux, avec un incomparable parfum de miel et une suavité très particulière. Il gagne à vieillir. On ne doit pas le comparer au

Sauternes, avec lequel il a, certes, des affinités, mais dont il diffère par des caractères bien particuliers.

Le syndicat des A. O. C. Monbazillac vient de créer la marque distinctive « Taste d'or », qui s'applique uniquement à des vins mis en bouteilles à la propriété, ayant un degré alcoolique supérieur à 15⁰ et au moins trois ans d'âge. Ils doivent être présentés en bouteilles bordelaises blanches, avec le millésime figurant sur le bouchon.

Mondeuse, excellent cépage rouge et blanc, qui pousse presque uniquement en Savoie, mais aussi dans la région voisine du Bugey. — La Mondeuse rouge donne un excellent vin de table, très fruité, léger, avec un agréable bouquet qui se développe avec l'âge et évoque alors la violette, la framboise, parfois la truffe. Le délicieux rosé de Montagnieu, vin du Bugey, frais et léger, est issu principalement des Mondeuses.

Montagne-Saint-Emilion. La commune de Montagne a le droit d'ajouter Saint-Emilion à son propre nom. L'appellation s'étend aux communes de Parsac et de Saint-Georges. Deux portions distinctes du territoire de la commune produisent des vins différents : sur les sommets, au terrain calcaire, le vin récolté est corsé, coloré, robuste; plus bas, les terrains silico-argileux donnent un vin plus léger et plus souple qui rappelle le Pomerol et le vin des graves de Saint-Emilion. Quelques crus mélangent ces deux sortes de vin.

Les meilleurs Châteaux sont Montaiguillon, des Tours, Négrit, Roudier, Corbin.

Montagny. Cette appellation de la Côte chalonnaise s'applique à des vins blancs qui doivent, obligatoirement, provenir du cépage Pinot-Chardonnay, dit « Beaunois » (ou Aubaine), pour avoir droit à l'appellation. Ils sont récoltés sur le territoire des communes de Montagny, Buxy, Saint-Vallerin et Jully-lès-Buxy.

Le « Montagny » est un grand Bourgogne blanc distingué et fin, à la couleur d'or vert, avec un arôme subtil de noisette. Quoi d'étonnant que les moines de Cluny en aient fait leur vin préféré? (Pour les climats*, v. Annexes.)

Montesquieu. Vénéré par les Bordelais, il l'est non seulement pour ses *Lettres persanes* et son *Esprit des lois,* mais aussi et d'abord parce qu'il était le seigneur vigneron de La Brède. Ecrivain et vigneron, deux sources de bonheur pour Montesquieu, qui se félicitait de ce que ses livres fissent vendre son vin, comme de ce que son vin fît vendre ses livres. Il a écrit fort sagement : « Je n'ai pas aimé faire ma

fortune par le moyen de la Cour; j'ai songé à la faire en faisant valoir mes terres. »

Monthélie. Ce village viticole est un des plus pittoresques de Bourgogne, avec ses maisons anciennes étagées à flanc de coteau, ses ruelles en pente et ses pressoirs centenaires. Ses vins peuvent être vendus sous l'appellation « Monthélie » ou « Côte-de-Beaune-Villages ». Les meilleurs vignobles, les « premiers crus », peuvent ajouter leur nom à côté de celui de la commune; leur liste définitive, qui n'a pas encore été établie, comprend : Sur-la-Velle, les Vignes-Rondes, le Meix-Bataille, les Riottes, la Taupine, le Clos-Gauthey, le Château-Gaillard, les Champs-Fulliot, le Cas-Rougeot, Duresse.

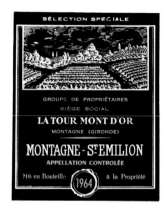

Montilla, excellent vin espagnol récolté sur les collines arides et calcaires situées autour des villages de Montilla et de Los Moriles, au sud de Cordoue. — Jusqu'à ces derniers temps, la majeure partie de la production était vendue à Jerez sous le nom de Xérès (à l'origine, d'ailleurs, le mot *Amontillado* désignait un Xérès ayant le type du vin provenant de Montilla). Désormais, le Montilla bénéficie d'une appellation particulière, et il est regrettable qu'il soit encore trop peu connu.

Le Montilla est issu du cépage Pedro Ximénez : la légende prétend que le plant fut introduit en Espagne au XVIᵉ siècle par un soldat allemand nommé Peter Siemens (d'où le nom espagnol du cépage) et qu'il est, en réalité, le Riesling de la vallée du Rhin. Le vin produit par ce cépage est plus alcoolisé que celui qui provient du Palomino de Xérès; contrairement au Xérès, le Montilla est rarement « fortifié » avec de l'alcool ajouté : le sien lui suffit. Comme le Xérès, c'est un « vin de fleur* » vinifié dans les *bodegas* et mûri dans les *soleras*. Toutefois, il n'est pas gardé en fûts de bois durant sa jeunesse comme le Xérès, mais dans d'énormes jarres, en forme d'amphores romaines, de la hauteur d'un homme, appelées *tinajas*.

Le Montilla peut être du type « Fino » ou du type « Oloroso », comme le Xérès : l'Oloroso, toutefois, est assez rare. Le Montilla est généralement un vin clair et sec, plus facile à boire et peut-être plus agréable que le Manzanilla et le Xérès Fino, bien qu'il possède moins de corps et de bouquet que ceux-ci. Il est délicieux en apéritif et sur les fruits de mer, servi frais, évidemment, comme tous les vins secs de Xérès (certains amateurs prétendent d'ailleurs que tous les Xérès, quels qu'ils soient, doivent être servis frais).

Montlouis. En face de Vouvray, entre Tours et Amboise, le joli village de Montlouis

*La fête des vendanges
à Montmartre en 1973.
Phot. Villeneuve-Rapho.*

se blottit dans un coude de la Loire, sur la rive gauche. Les vins blancs, issus du Pineau de la Loire, sont frères des Vouvrays : ils étaient d'ailleurs, jusqu'en 1938, vendus sous le nom de Vouvray. Terrain, cépage, méthodes de culture et de vinification sont identiques à Montlouis et à Vouvray, mais la Loire les sépare! Après un long procès, Montlouis s'est vu interdire le droit de donner à ses vins l'appellation « Vouvray ». Le volume de la récolte représente un peu moins de la moitié de celle de Vouvray. Les vins de Montlouis offrent la même gamme que les Vouvrays : secs, demi-secs, liquoreux les années fastes, tranquilles, pétillants, mousseux. Moins corsés, moins séveux que les Vouvrays, avec une saveur aromatique moins épanouie, ils se font aussi plus vite et se conservent tout aussi bien. Certains les préfèrent même aux Vouvrays, à cause de leur légèreté et de leur extrême finesse. Il est regrettable qu'ils soient peu connus.

L'appellation* contrôlée « Montlouis » s'étend aux communes de Saint-Martin-le-Beau et Husseau. Elle s'applique à des vins titrant 10,5⁰ au moins.

L'appellation « Montlouis mousseux » s'applique à des vins préparés par la méthode de seconde fermentation* en bouteille à partir de « vins destinés à la prise de mousse », titrant 9,5⁰ avant l'adjonction de la liqueur* de tirage. Ces vins doivent être élaborés à l'intérieur de l'aire délimitée.

L'appellation « Montlouis pétillant » s'applique à des vins présentant une fermentation secondaire en bouteille, titrant au moins 9,5⁰ et préparés à l'intérieur de l'aire

de production dans un délai qui ne peut être inférieur à neuf mois. L'habillage des bouteilles de Montlouis pétillant ne doit prêter à aucune confusion avec celui des Montlouis mousseux (le bouchon, par exemple, doit être celui des vins tranquilles).

Montmartre. Le vignoble de la Butte n'est plus guère, de nos jours, qu'un symbole, courageusement conservé grâce au pieux dévouement de la « Commune libre ». Lorsque Montmartre était encore un village (c'est-à-dire avant son rattachement à la capitale en 1859), ce vignoble produisait, pourtant, des récoltes appréciables.

Les traditions bachiques de la Butte semblent remonter à l'époque gallo-romaine, si l'on en juge par les documents retrouvés dans les monastères : il semble, d'ailleurs, que les colonnes de l'entrée de l'église Saint-Pierre proviennent d'un temple élevé en l'honneur de Bacchus. Le vignoble couvrait la colline dès le XIIᵉ siècle, et son extension est due à la première abbesse de Montmartre, Adélaïde de Savoie : le vin récolté, clairet comme il l'était souvent à cette époque, était une source de revenus pour l'abbaye.

Au Moyen Age, d'ailleurs, toute la région parisienne et Paris lui-même étaient riches en vignobles prospères, donnant des vins « moult précieux et agréables », dont la renommée était répandue jusqu'à l'étranger. Dès le IVᵉ siècle, l'empereur Julien n'appréciait-il pas, déjà, les vins de Paris? Jusqu'à la Révolution, on appelait les vins de Paris les « vins français », pour les

distinguer des vins de Bourgogne et de Gascogne : il s'agissait donc de vins de qualité et qu'on estimait assez pour les mettre en comparaison avec ceux de ces célèbres vignobles. Guy de Bazoches, en 1175, décrivait Paris comme une ville située dans « une délicieuse vallée, couronnée de collines chargées des présents de Cérès et de Bacchus ». Au XIIIᵉ siècle, c'est surtout sur les bords ensoleillés de la rive gauche que la vigne prospérait; la Montagne Sainte-Geneviève et ses alentours n'étaient alors qu'un immense vignoble, divisé en « clos », dont le souvenir nous a été transmis grâce à des rues du vieux Paris : Clos Bruneau, Clos Garlande, Clos Saint-Hilaire, etc.

Paris avait sa ceinture de vigne, dont le rendement devait être assez conséquent, puisqu'en 1436 la récolte permit à Charle VII de payer la solde de l'armée levée contre l'Anglais. La Courtille, Bagneux, Clignancourt, Marly, Argenteuil, Suresnes, Montmorency, Meudon, Rueil, Auteuil, Clamart, Vanves, Issy et bien d'autres bourgades donnaient alors des crus* qu'on appréciait fort et que les amateurs étrangers disputaient aux autochtones : c'est par le « port de Grève » (à la hauteur de l'actuelle place de l'Hôtel-de-Ville) qu'embarquaient ces vins « français » vers la Flandre, l'Angleterre, la Hollande.

La plus grande partie du vin parisien de l'époque devait être un « clairet », c'est-à-dire un vin rouge pâle issu du Morillon (ou Pinot noir), dont l'exploitation était difficile et onéreuse, mais, à cette époque, les moines, les seigneurs ou les gros bourgeois, qui possédaient les vignobles, ne recherchaient que la qualité, sans se soucier du prix de revient. Ce n'est que par la suite, aux derniers temps de la royauté, que la viticulture parisienne, devenue plus populaire, rechercha le rendement, au détriment de la qualité. Les vins abondants, mais de qualité inférieure, étaient souvent issus d'un plant grossier, le Gouais, et les vignes étaient fumées avec les boues de la ville plutôt qu'avec du fumier.

Le vin de Paris était alors devenu un vin aigrelet, de conservation difficile, qu'on appelait le « Guinguet ». C'est ce Guinguet qui serait, paraît-il, à l'origine du mot *guinguette,* car c'est dans les innombrables tavernes de Paris et de sa ceinture qu'on buvait ces vins verts et acides.

Tout un quartier de Montmartre a conservé le nom de la « Goutte d'Or », rappelant ce beau passé bachique, et des noms de rue en perpétuent aussi le souvenir : du Haut-Coteau, du Bas-Coteau, de la Vigne de l'Église, de la Vigne du Bel Air. C'est en défonçant les tonneaux de la « Mère Catherine », pleins sans doute du vin de Montmartre, que les cosaques, en 1814, en hurlant le mot *bistro* (qui en russe signifie « vite, vite! »), gratifièrent notre langue d'un nouveau mot, équivalent urbain de « guinguette ».

Abandonnée entre les deux guerres, il était à craindre que la vigne de Montmartre dût capituler devant l'urbanisme et qu'il ne restât plus qu'à dire définitivement adieu à ce cru de la Butte chanté par Gérard de Nerval.

En 1961, la ville de Pessac, en Gironde, fut jumelée à la « Commune libre » de Montmartre et une délégation de Bordelais vint planter sur la Butte, en grande cérémonie, des ceps originaires de Haut-Brion et de Pape-Clément (ce vignoble moderne a reçu le nom de la « Bonne Franquette »). Les jardiniers de la Ville de Paris ont replanté le vignoble et la cérémonie des vendanges constitue désormais une des manifestations les plus populaires du quartier. La récolte, vinifiée dans les caves de la mairie, donne chaque année environ quatre cents bouteilles de « Clos-Montmartre ». Les bouteilles sont conditionnées par caisses de six. Ces caisses, décorées par des peintres de la Butte, selon des thèmes bachiques et montmartrois, sont ensuite vendues aux enchères au profit des œuvres sociales.

Montpeyroux, une des appellations des « Coteaux-du-Languedoc* » qui a droit au label V.D.Q.S.*. — Elle donne des vins rouges et rosés, récoltés sur les collines au nord de Béziers, sur la commune de Montpeyroux et sur le lieu-dit les Intillières, de la commune d'Arboras.

Ce sont de très bons vins, surtout les rouges, corsés et de belle couleur. Titrant 12⁰, ils sont issus des cépages Carignan, Cinsault, Grenache, Lladoner Pelut, Mourvèdre et Syrah, dont aucun ne doit représenter plus de 50 p. 100 de l'encépagement. Grenache, Lladoner Pelut, Mourvèdre et Syrah sont soumis, pour l'avenir, aux mêmes obligations que celles des Coteaux-du-Languedoc.

L'appellation est « Coteaux-du-Languedoc-Montpeyroux » ou « Montpeyroux »; les vins peuvent, éventuellement, se replier en « Coteaux-du-Languedoc » simple.

Mont - près - Chambord - Cour - Cheverny. V. CHEVERNY.

Montrachet. C'est le grand seigneur des vins blancs de Bourgogne, et personne ne songerait à discuter son prestige. Ce vin sec, somptueux, puissant et velouté, est d'une perfection indiscutable. Tout est admirable en lui : sa robe d'or pâle mêlé d'une touche de vert, son bouquet suave, son incomparable et riche saveur. Le Montrachet est certainement le premier vin blanc sec de la carte, comme le Château-

A Morey-Saint-Denis,
la coiffe bourguignonne
protège encore les
vendangeuses.
Phot. Niepce-Rapho.

d'Yquem est le premier vin blanc liquoreux. Le Montrachet est récolté sur le territoire de deux communes, Puligny-Montrachet et Chassagne-Montrachet, mais son climat* ne comprend guère plus de 7 ha en tout. Sa production est donc bien limitée et très peu de gourmets peuvent se féliciter d'avoir apprécié sa splendeur. Contentons-nous de croire Jullien*, qui a su si bien vanter son bouquet délicieux, son goût de noisette et d'amande, de raisin très mûr et de miel...

Montravel. Cette appellation* contrôlée du Sud-Ouest groupe des vins blancs dont l'aire de production se situe sur la rive droite de la Dordogne, dans le canton de Vélines. Bien que constituant une enclave en territoire bordelais, Montravel n'est pas une appellation bordelaise. On a dit que la région de Montravel était le «cellier de Montaigne», enfant du pays, né à Saint-Michel, et qui semblait, en effet, être un fervent de ses vins, dont il disait : « En boire peu et modérément, c'est trop restreindre les faveurs de ce Dieu. » Ce sont des vins moelleux ou liquoreux, d'un charme indéniable, fins et équilibrés, avec une sève et un parfum particuliers.
Un excellent vin rouge est produit également autour de Vélines sous l'appellation contrôlée «Bergerac».

Montravel : appellation d'origine contrôlée. L'appellation «Montravel» s'applique à des vins blancs de plaine, titrant entre 10 et 13⁰ et présentant au moins 4 g de sucre résiduel par litre. Ces vins proviennent des cépages Sémillon, Sauvignon, Muscadelle, Ondenc, Chenin blanc, avec une tolérance pour l'Ugni blanc en cépage accessoire, dans une proportion maximale de 25 p. 100

et à condition que le pourcentage de Sauvignon dans l'encépagement soit au moins égal à celui de l'Ugni blanc.
Les appellations «Côtes-de-Montravel» et «Haut-Montravel» s'appliquent à des vins blancs de coteaux, produits sur des communes délimitées, issus uniquement des cépages Sémillon, Sauvignon et Muscadelle, titrant entre 12 et 15⁰, avec une teneur en sucre résiduel comprise entre 8 et 54 g.

Monts-du-Tessala, appellation comprenant un groupe de vins d'Algérie produits au sud d'Oran et qui bénéficiaient du label V. D. Q. S.* avant les derniers événements d'Afrique du Nord (Oued Imbert Lauriers Roses, M'Silah, Crêtes des Berkêches, Parmentier). — Les vins récoltés sur des terrains variés, à 600 m d'altitude moyenne, étaient peut-être les plus fins d'Oranie. D'une belle couleur rouge à reflet un peu doré, avec un subtil parfum de framboise, les vins du Tessala sont corsés, certes, comme tous les vins d'Algérie, mais ils sont fins, délicats, fruités, veloutés et bien coulants.

Morey-Saint-Denis. Les vins de cette commune de la Côte de Nuits ne sont pas très connus malgré leur excellence; il est vrai que, jadis, on ne les vendait pas sous le nom de «Morey», mais comme Gevrey-Chambertin ou Chambolle-Musigny.
Selon leur provenance, les vins rouges de Morey empruntent, les uns, leur virilité aux Gevrey-Chambertins, les autres, leurs délicatesse aux vins de Chambolle, mais, dans l'ensemble, ce sont des vins ayant beaucoup de classe et d'étoffe, avec un bouquet très riche de fraise ou de violette, rappelant aussi parfois la truffe.
Morey-Saint-Denis possède cinq grands crus* : les Bonnes-Mares (qui est aussi sur Chambolle-Musigny), le Clos de la Roche, le Clos Saint-Denis, le Clos de Tart et, depuis le décret du 27 avril 1981, le Clos* des Lambrays.
Le Clos de la Roche cache, sous sa vigueur et sa richesse, une grâce délicate évoquant le Musigny. Le Clos Saint-Denis, subtil et fin, est parmi les plus légers des vins de la Côte de Nuits. On dit parfois que Clos de Tart produit un vin de dames, mais c'est sans doute une allusion à ses anciennes propriétaires, les sœurs bernardines de l'abbaye de Notre-Dame, qui le cultivèrent jusqu'à la Révolution.
En réalité, le vin de Clos de Tart est vigoureux et charnu, comme tous les vins de Morey, mais avec beaucoup de délicatesse et un bouquet subtil. Ces cinq grands crus portent seulement leur nom sur l'étiquette.
Morey-Saint-Denis possède aussi presque

Le vignoble de Moselle s'étend au pied des ruines du « burg » de Bernkastel. Phot. Zefa-Vloo.

une trentaine de *premiers crus,* dont les plus estimés sont les Ruchots, les Sorbets, etc. Ces premiers crus sont vendus sous l'appellation « Morey » suivie du nom de leur cru.

Morey-Saint-Denis produit aussi du vin blanc excellent, mais en très petite quantité.

Morgon. Le Morgon se différencie nettement des autres crus* du Beaujolais. Certains le disent « trop Bourgogne, pas assez Beaujolais ». Avec sa robe foncée couleur grenat, son parfum de groseille et de kirsch, sa généreuse et robuste constitution, sa chair pleine et ferme, et son aptitude à vieillir, il occupe évidemment une place à part dans la gamme si nuancée des Beaujolais. D'ailleurs, pour essayer de définir un vin qui possède les qualités du Morgon, on dit qu'il « morgonne ». Le Morgon, moins fruité que les autres Beaujolais, est surtout le plus résistant et peut se boire après un certain nombre d'années. L'orgueil de Morgon est le lieu dit Le Py, sorte de longue montagne garnie de ceps fameux.

Moselle. Avant de se jeter dans le Rhin à Coblence, la Moselle a caressé bien des pieds de vigne! D'abord en France, où elle salue au passage les aimables V. D. Q. S.* lorrains, qui ont droit au label « Vins de Moselle », puis dans le grand-duché de Luxembourg, où, déjà, le vignoble prend plus d'importance. Mais c'est surtout en Allemagne que la Moselle donne son nom à un vignoble étendu et de réputation mondiale.

Le vignoble allemand, planté presque exclusivement en Riesling, occupe, depuis

Trèves, les pentes d'ardoise escarpées, le long du fleuve; mais les vins les plus estimés proviennent d'une partie de la vallée (Mittel-Mosel), qui va de Trittenheim à Traben-Trarbach et dont les meilleures communes sont Piesport, Bernkastel, Graach, Wehlen, Zeltingen, Brauneberg.

Le vignoble de Moselle s'étend aussi dans les vallées de deux petits affluents de la Moselle (Sarre et Ruwer), avec les communes de Wiltingen, de Kanzem, d'Oberemmel, d'Ockfen, d'Ayl (Sarre), de Maximin Grunhaus, Waldrach, Kasel, Mertesdorf et Eitelsbach (Ruwer). Le nom officiel de cette région viticole est d'ailleurs « Mosel-Saar-Ruwer ».

Dans les mauvaises années, les vins de Moselle, maigres et décevants, sont souvent très acides. Mais ils se rattrapent en bonnes années : ce sont alors, sans doute, les plus parfumés, les plus délicats, les plus racés des vins allemands. Clairs et limpides, avec un bouquet à la fois fleuri et épicé, qui est leur caractéristique, ils montrent aussi une distinction qui n'appartient qu'à eux.

Ils portent les indications habituelles des vins allemands : nom de la commune, nom du vignoble d'origine, indication éventuelle de cueillette sélectionnée ou à surmaturité (*Spätlese, Auslese,* etc.).

Moselle (vins de). Cette appellation s'applique à des vins de Lorraine, qui ont droit au label V. D. Q. S.*, produits dans le département de la Moselle. Ils proviennent de trois zones de production : la région de Sierck, au nord du département, près de la frontière luxembourgeoise; la région de Metz; la région de Vic-sur-Seille, non loin de Château-Salins. Les vins, issus des

*Moulin-à-Vent,
dans le Beaujolais.
Phot. M.*

cépages Gamay de Liverdun, Auxerrois blanc et gris, Pinot Meunier, Pinot noir et Pinot blanc, Sylvaner, Riesling, sont rouges, rosés et blancs. Ils sont différents selon leur région de production : par exemple, Sierck donne surtout des vins blancs, Metz des vins rosés légers (clairet de Moselle), Vic-sur-Seille des vins gris. Les vins blancs et rosés sont très légers, fruités, avec une acidité qui déconcerte parfois; les vins rouges sont légers, mais ont moins de charme (Vic, Ancy).

Mostaganem et Mostaganem-Kenenda. Cette appellation s'appliquait, avant l'Indépendance, à des vins d'Algérie ayant droit au label V.D.Q.S.* et récoltés près de la côte, à l'est d'Oran, autour de Mostaganem, de Mazagran, de Rivoli, de Cassaigne et dans le Dahra (zone comprise entre la mer et le fleuve Chélif). Les meilleurs vins provenaient des terrains calcaires ou argilo-calcaires, situés à 500 m d'altitude moyenne. Les rouges et les rosés, très corsés, titrant au moins 13^0, étaient souples, fruités et délicats.

Ceux qui provenaient de plateaux siliceux, situés entre 100 et 200 m d'altitude, souples et bien constitués comme les précédents, montraient moins de finesse. Dans son livre sur les vins d'Algérie, Paul Reboux a écrit du vin de Saoura (dans le Dahra) qu'il se distinguait par « sa finesse, sa délicatesse, sa puissance », et il ajoute : « De cette bouteille à forme bordelaise, coule un liquide velouté que la Bourgogne ne désavouerait pas. »

mou. Appliqué au vin, cet adjectif a le même sens que pour les hommes. Un vin mou est un vin qui manque totalement de caractère. Faute d'une teneur normale en acidité* et en tanin*, il est plat et insipide.

Moulin-à-Vent. Le Moulin-à-Vent doit son nom au petit moulin ancien, unique en son genre dans la région du Beaujolais, qui domine de loin le vignoble. L'appellation « Moulin-à-Vent » s'applique à des vins produits à la fois par la commune de Romanèche-Thorins et par celle de Chenas. Le Moulin-à-Vent est toujours un vin assez corsé, avec une belle robe rubis foncé. Il est généralement considéré comme le premier du Beaujolais. Certaines années donnent des bouteilles splendides, avec un bouquet, un corps et une classe qui rappellent les vins de la Côte d'Or.

Moulis. Cette appellation s'applique aux vins rouges produits par cette commune du haut Médoc et par des parcelles de six communes environnantes (Listrac surtout). Les vins de Moulis ont un caractère très particulier et un accent tout à fait personnel : cela est dû à la présence, dans le sol du vignoble, d'une quantité de calcaire supérieure à la moyenne du reste du Médoc. Les Moulis sont colorés, corsés et robustes. Leur bouquet est développé, et leur saveur accentuée, ce qui n'exclut pas la finesse.

Moulis ne possède pas de crus* classés en 1855, mais de très bons crus bourgeois supérieurs (dont l'excellent Château Chasse-Spleen, classé « cru exceptionnel » en 1932).

Mourvèdre. Cépage rouge caractéristique de Bandol, le Mourvèdre est une des plus anciennes variétés de cépages cultivées en Provence. Certains le considèrent même comme indigène, étant donné qu'il a été impossible de fixer la date ou les circonstances de son introduction dans le vignoble. On admet souvent, actuellement, qu'il aurait été importé d'Espagne. Le Mour-

vèdre est un cépage résistant à la sécheresse, qui préfère les sols de graviers et de cailloux roulés et les côtes calcaires. Ses grains bleuâtres révèlent, sous une peau épaisse, une pulpe fondante et juteuse. Il donne un vin velouté, d'un rouge profond, bouqueté, avec beaucoup de corps, dont la certaine rudesse est parfaitement corrigée par le Grenache et le Cinsault, avec lesquels on l'associe.

Après la destruction du vignoble de Bandol par le phylloxéra*, la culture du Mourvèdre fut quelque peu délaissée : ce plant, en effet, présentait peu d'affinités pour beaucoup de porte-greffes. Mais, grâce aux efforts de viticulteurs d'élite, le Mourvèdre a repris son importance et il est présent dans les associations de cépages des appellations du sud-est de la France.

mousse. C'est l'âme du Champagne. Elle doit être légère, fine, abondante et prompte à se dissiper sur le verre. Elle doit aussi se conserver dans la bouteille, prête à renouveler notre plaisir chaque fois qu'on remplit les verres. Un Champagne de qualité, rafraîchi à point, n'explose pas bruyamment quand on ouvre la bouteille, ne fait pas sauter le bouchon et ne se projette pas vulgairement au plafond. Le Champagne, élégant et distingué par définition, n'est pas un vin à vous faire de ces plaisanteries de mauvais goût. Une écume grossière, explosive, est l'indice d'une champagnisation mal conduite. Lorsque la mousse est dissipée sur le verre, l'effervescence du vin doit persister en un jaillissement incessant de petites bulles légères, comparables à des perles minuscules. La grosse bulle est si laide qu'on l'appelle « œil de crapaud ».

Mousseux. On englobe maladroitement sous ce terme général différentes sortes de vins, dont certains, affreux et de qualité tout à fait inférieure, ont jeté le discrédit sur l'ensemble de la grande famille des Mousseux. Le Champagne, bien qu'il soit mousseux, n'est, en fait, jamais qualifié ainsi; il occupe une place à part : il est « le Champagne ».

Différents procédés sont employés pour obtenir des vins mousseux. Le plus vieux en date est la *méthode rurale**, utilisée autrefois dans plusieurs régions, y compris la Champagne, et encore pratiquée à Gaillac, à Die et à Limoux. La *méthode champenoise** est, par définition, celle qui vit le jour en Champagne; elle est employée pour tous les vins mousseux français à appellation contrôlée : Anjou, Arbois, Blanquette de Limoux, Bordeaux, Bourgogne, L'Étoile, Montlouis, Saint-Péray, Saumur, Seyssel, Touraine, Vouvray.

Il existe aussi une *méthode allemande**, grâce à laquelle les opérations de remuage* et de dégorgement* sont supprimées, mais qui ne peut être utilisée que pour les Mousseux sans appellation.

La *méthode de la cuve** close (procédé Charmat) permet de fabriquer des Mousseux bon marché; son emploi est interdit pour les Mousseux français à appellation d'origine.

Le *procédé utilisé à Asti** est différent, puisqu'il s'agit de vins mousseux obtenus au cours de la première fermentation : on opère ici à partir du moût* et non à partir du vin tranquille*.

Enfin, signalons l'existence de *vins mousseux gazéifiés*, obtenus par addition sous pression de gaz carbonique, dont les grosses bulles ne rappellent en rien la mousse crémeuse du Champagne, qu'ils prétendent imiter. Aucun de ces Mousseux-là n'est bon; il coûtent toujours trop cher pour ce qu'ils valent.

Dans la réglementation française, les Mousseux étaient caractérisés par le fait que leur effervescence résultait d'une seconde fermentation en vase clos, soit spontanée et naturelle, soit produite suivant la méthode champenoise. La réglementation communautaire a désormais ajouté à ces critères la notion de *surpression*, c'est-à-dire de pression mesurée au-dessus de la pression atmosphérique, laquelle surpression ne doit pas être inférieure à 3 atmosphères, lorsque le produit est conservé à la température de $20\,^0C$. De plus, la réglementation communautaire précise bien que les produits de base mis en œuvre pour obtenir des Mousseux (moûts, vins) doivent présenter le titre alcoométrique total minimal naturel prévu pour la zone de production.

Cette réglementation distingue trois types de produits : les « vins mousseux » sans autre qualificatif, les « vins mousseux de qualité », les « vins mousseux de qualité produits dans une région déterminée » (V. M. Q. P. R. D.) — en France, ils correspondent aux vins mousseux A. O. C. et V. D. Q. S. Pour ces deux dernières catégories de produits, le règlement communautaire permet aux États membres de prévoir des conditions complémentaires ou plus restrictives de production (c'est ainsi, par exemple, que la France peut continuer à exiger pour ses V. M. Q. P. R. D. une seconde fermentation en bouteille et un séjour minimal sur lies de 9 mois).

Mousseux rosé. Certaines régions préparent des Mousseux rosés qui peuvent être de très bonne qualité. Les Mousseux rosés de Touraine proviennent exclusivement des raisins noirs de Cabernet, comme d'ailleurs ceux de Bordeaux. Il existe aussi des Mousseux rosés de Bourgogne, qui furent longtemps populaires aux États-Unis

V. également les illustrations de la p. 52.

et en Angleterre : mais ils n'ont jamais rencontré un succès semblable en France.

moustillant, moustiller, termes qui s'emploient à propos d'un vin qui présente un très léger dégagement gazeux. — Ce défaut se rencontre souvent dans les vins jeunes, qui présentent alors, à la dégustation, un léger picotement sur la langue. Certaines personnes acceptent ce picotement lorsqu'il n'est pas exagéré et qu'il se produit dans un vin nouveau (Beaujolais par exemple). Un vin moustillant est le siège d'une refermentation, due soit à des levures*, soit aux ferments malo-lactiques, et contient donc un peu de gaz* carbonique en solution.
Ce léger dégagement de gaz carbonique est parfois volontairement provoqué lorsqu'il s'agit de vins perlants*.

moût, jus de raisin non fermenté.

Mouton-Rothschild (Château). C'est en 1853 que le baron Nathaniel, appartenant à la branche anglaise des Rothschild, acheta ce domaine, infime partie des vastes terres que possédait, au début du XVIIIᵉ siècle, le marquis Nicolas Alexandre de Ségur. Depuis plus d'un siècle, le domaine est passé entre les mains de quatre générations de Rothschild et appartient actuellement au baron Philippe, arrière-petit-fils de l'acquéreur. « Mouton » était déjà très estimé en 1855 lors du célèbre classement des crus*, mais, injustement, le domaine ne fut pas classé parmi les « premiers crus » avec les autres grands du Médoc : Lafite, Latour et Margaux, on ne sait pour quelle raison exacte : le baron Nathaniel fut-il considéré comme un néophyte, puisqu'il n'avait acquis le domaine que depuis deux ans? Ou bien, habitant l'Angleterre, ne put-il pas plaider sa cause, d'autant que l'anglophobie était encore vivace?... Toujours est-il qu'à la surprise de tous « Mouton » ne fut pas classé parmi les premiers crus, mais on lui reconnut, néanmoins, une place exceptionnelle de premier parmi les seconds crus.
A ce compromis déplaisant, Mouton-Rothschild répondit en adoptant son orgueilleuse devise : « Premier ne puis, second ne daigne, Mouton suis. » La qualité et la réputation du vin ne cessèrent de grandir, malgré la cruelle déception infligée à ses propriétaires. En 1922, Philippe de Rothschild assuma la direction du domaine, auquel il se voua tout entier (c'est à lui qu'on doit les premières « mises en bouteilles au château », en 1924, car, jusque-là, le vin était vendu en barriques* et mis en bouteilles par les négociants acheteurs). Il n'a cessé depuis de se battre pour réclamer réparation de l'injuste classement de 1855.

C'est l'arrêté du 21 juin 1973, mettant en vigueur un nouveau classement pour les « premiers crus » du Médoc, qui consacra enfin sa victoire. En vertu de l'arrêté, le classement des crus du Médoc est désormais légalement le suivant : les « premiers crus » sont, par ordre alphabétique, Château Lafite-Rothschild, Château Latour, Château Margaux, Château Mouton-Rothschild et, par assimilation, Château Haut-Brion (Haut-Brion est, en effet, dans les Graves et non en Médoc, mais il avait été classé en 1855). Pour les crus autres que les premiers, le classement de 1855 reste valable : « deuxièmes crus » sans changement (à l'exclusion de Mouton-Rothschild), troisièmes, quatrièmes et cinquièmes crus sans changement. Pour les cinq « grands », le classement de 1973 se substitue donc au classement de 1855, mais, bien que ce classement de 1855 ne soit plus pour eux qu'un fait historique, qui n'est plus d'actualité, chacun des cinq « grands » concernés garde la faculté d'en faire état, pour sa valeur d'époque.
Après plus d'un siècle de lutte, justice a donc été rendue à ce vin splendide, corsé et puissant, ample et moelleux, au bouquet suave et original, à la sève pleine de la distinction des grands Médocs, où s'épanouit, en arrière-goût, un fumet de truffe. Le vieillissement assouplit et affine ce que sa vigueur peut avoir de légèrement métallique et fait du Mouton-Rothschild une des plus belles choses que nous offre cette terre.
Les étiquettes de Mouton-Rothschild sont illustrées chaque année par un artiste différent; elles énumèrent, en outre, la quantité de bouteilles, demi-bouteilles et magnums donnés par la récolte.
Depuis des années, le baron Philippe et sa femme Pauline ont collectionné des objets ayant un rapport avec le vin (tapisseries, tableaux, vases, verres, etc.) et les ont réunis dans un admirable musée du Vin, ouvert, depuis 1962, aux amoureux du vin.

muid, mesure utilisée pour la vente du vin en gros et très variable d'une région à l'autre : elle vaut par exemple 685 litres dans l'Hérault, 608 litres à Montpellier, 260 litres dans l'Aisne.

Murfatlar. C'est le meilleur vin de dessert de Roumanie, produit dans la Dobroudja, sur des collines ensoleillées non loin de la mer Noire. Contrairement aux autres vignobles de Roumanie, assez dispersés, celui-ci est rassemblé sur plus de 800 ha. Entre 1957 et 1962, le Murfatlar a obtenu quarante-cinq médailles à divers concours. Les cépages sont le Pinot gris, le Riesling, le Chardonnay et le Muscat. Avant 1914, le vin dépassait rarement une teneur en alcool

Le vignoble de Saint-Fiacre, au pays du Muscadet. Phot. M.

de 15⁰, mais, depuis 1945, les méthodes ont changé, et les vins sont désormais doux, avec une forte teneur en alcool (de 16⁰ à 18⁰).

Le Murfatlar est un délicieux vin de dessert, couleur d'or brun, avec un fin bouquet où certains amateurs discernent la fleur d'oranger.

Murfatlar possède un complexe vinicole moderne, doté d'une station expérimentale (qui fonctionne depuis 1960), remarquablement organisé et mécanisé, et qui montre bien le désir d'expansion viticole qui anime les dirigeants roumains.

Muscadelle, cépage blanc du Bordelais, qui participe à l'élaboration des Sauternes et des Graves. — On le cultive aussi en Dordogne, dans le Tarn et en Lot-et-Garonne. La Muscadelle mûrit ses grappes très tôt en saison, et ses raisins sont facilement envahis par la pourriture* noble. Son goût, assez prononcé, est légèrement musqué.

Cultivée en Afrique du Sud, où elle avait été importée par des protestants français exilés, elle donne un vin qui connut une vogue extraordinaire au XIXᵉ siècle : le vin de Constance, suave et fin.

Muscadet. Parti du pays nantais, sa patrie d'origine, vers 1930, le Muscadet a fait la conquête de Paris, de la France et de l'étranger. Son triomphe n'a d'égal que celui du Beaujolais, son rouge rival. Tous deux, en effet, répondent bien à l'évolution du goût des consommateurs, qui préfèrent désormais les vins légers, souples, fruités, qu'on boit en leur charmante jeunesse. Le cépage qui le produit est le Melon de Bourgogne, qui doit son nom à ses feuilles de forme ronde et qu'on ne cultive pratiquement plus en Bourgogne. Importé en

Bretagne au XVIIᵉ siècle, ce cépage fut planté en quantité importante dans la région, après le terrible hiver de 1709, qui détruisit le vignoble. Et ce fut le miracle! Ce cépage, d'assez médiocre qualité en d'autres lieux, devait trouver ici, aux bords de la Loire, son sol et son climat.

On l'appelle ici « Muscadet », sans doute à cause du goût légèrement musqué de son vin, mais il n'a absolument rien à voir avec le cépage Muscadelle du Bordelais, avec lequel il ne faut pas le confondre.

Le raisin doit être vendangé tôt, sans jamais attendre la surmaturité, qui donnerait un vin plat et sans bouquet. La fermentation doit être lente, et le vin est conservé longtemps sur ses lies*. Cette façon de vinifier assure le bouquet, la souplesse, le fruité et aussi la teinte très pâle, presque incolore, du vin. Le Muscadet n'est jamais acide, car, en année froide (1963 par exemple), les vignerons réussissent à réduire l'acidité exagérée par fermentation* malolactique. Sec, mais sans verdeur, avec beaucoup de finesse, un parfum indéfinissable mais personnel, il charme par son éclatante jeunesse et sa limpide fraîcheur. Rien d'étonnant que soient consommés environ 45 millions de bouteilles par an.

Muscadet : appellations d'origine contrôlées. La législation distingue trois appellations contrôlées : « Muscadet », « Muscadet de Sèvre et Maine », « Muscadet des Coteaux de la Loire ». L'appellation « Muscadet » (complétée ou non par les mots « Val de Loire ») s'applique à des vins titrant 9,5⁰ avec un rendement de 50 hl à l'hectare et produits sur l'ensemble de l'aire délimitée.

Les deux autres appellations produisent à elles seules 90 p. 100 du Muscadet.

Le *Muscadet sur lies** n'est pas un vin spécial, résultant d'une méthode de vinification particulière. On ne soutire pas le vin après sa fermentation; on le laisse sur ses lies afin qu'il garde son fruit et son caractère de jeunesse tant appréciés. Le vin conserve alors un peu de gaz carbonique dissous qui picote agréablement la langue. Un récent décret a réglementé de façon très précise les conditions d'attribution de la mention « sur lies ». Les vins doivent n'avoir passé qu'un hiver en cuve et se trouver encore sur leur lie de vinification au moment de la mise en bouteilles. En outre, ils sont mis en bouteilles avant le 1er juillet de l'année qui suit celle de leur récolte et portent obligatoirement l'indication du millésime. Ils doivent aussi être soumis à un contrôle analytique et organoleptique afin d'obtenir le certificat d'agrément de l'I. N. A. O.*, exigé désormais pour leur mise en circulation.

Muscadet des Coteaux de la Loire. L'aire de production se situe autour d'Ancenis, sur les coteaux pierreux de chaque côté de la Loire. La superficie du vignoble est assez restreinte. Les communes productrices de la rive droite sont situées en Loire-Atlantique (Ancenis, Thouaré, Mauves, Le Cellier, etc.). Celles de la rive gauche sont en Loire-Atlantique (Saint-Sébastien-sur-Loire, Barbechat) et en Maine-et-Loire (La Varenne, Liré, Champtoceaux). Le Muscadet des Coteaux de la Loire est en général plus corsé, plus sec et plus fruité que le Muscadet de Sèvre et Maine. Il semble parfois un peu plus acide aussi, mais il garde plus longtemps son caractère de jeunesse. Il doit titrer 10⁰ au minimum, mais ne peut dépasser 12⁰.
Le Muscadet des Coteaux de la Loire « sur lies » est soumis, depuis le récent décret, aux mêmes exigences que le Muscadet sur lies d'appellation simple.

Muscadet de Sèvre et Maine. Située au sud-est de Nantes, la région, qui produit 75 p. 100 de la récolte totale, est véritablement la terre d'élection du Muscadet. Ici, la vigne est reine, occupant des mini-coteaux de 50 m, au sol caillouteux, silico-argileux. La région se divise en quatre cantons principaux : cantons de Vertou, de Vallet, de Clisson et de Loroux-Bottereau. C'est elle qui produit le meilleur Muscadet, le plus renommé aussi. Très fin et léger, il séduit par sa délicatesse et son agréable souplesse. Il doit titrer 10⁰ au minimum, mais ne peut dépasser 12⁰.
Depuis le décret de décembre 1977, les conditions d'attribution de la mention « sur lies » sont les mêmes que pour le Muscadet d'appellation simple et le Muscadet des Coteaux de la Loire.

Muscat blanc. Phot. Larousse.

Muscat. Il existe de nombreuses variétés de ce cépage, dont les raisins vont du jaune pâle au bleu-noir. Mais tous possèdent, à un degré variable, le parfum et le goût « musqués », — caractéristiques inimitables —, tant prisés des amateurs. On trouve, mûrissant au chaud soleil, des Muscats de toutes variétés en Italie, dans le sud de la France, en Espagne, au Portugal, en Grèce, en Tunisie, dans les îles de la Méditerranée (Sardaigne, Sicile, Chypre), dans l'archipel de la mer Égée; mais on les rencontre aussi sous des cieux moins cléments : en Alsace, au Tyrol, en Hongrie. Le plus productif est peut-être le Muscat d'Alexandrie, mais le meilleur est sans doute le Muscat doré de Frontignan. Il y a aussi le Muscat de Hambourg, assez bon raisin de table, mais médiocre cépage à vin, l'Aleatico rouge de l'île d'Elbe, la Muscadelle du Sauternais, le Muscat Ottonel

d'Alsace, le Moscatello d'Italie, d'où provient l'Asti Spumante.

Les Muscats sont délicats à vinifier, car l'essentiel de leur charme, leur suave parfum de fruit, est assez capricieux et fugitif. Par exemple, il ne faut pas vinifier « à sec » les vins mousseux à base de Muscat (Clairette de Die), c'est-à-dire les laisser achever leur première fermentation avant la mise en bouteilles. C'est pour cette raison que la méthode rurale* est nettement supérieure à la méthode champenoise*, car elle conserve intégralement l'arôme et la saveur du raisin. A Asti, les vins mousseux sont obtenus par première fermentation, ce qui donne aussi de bons résultats. Quant aux exquis Muscats liquoreux français, ils gardent tout leur parfum grâce au mutage* des moûts à l'alcool, qui interrompt la fermentation.

Muscat (France). Notre région méridionale s'enorgueillit à juste titre de produire des vins doux naturels parfumés, provenant du raisin Muscat, excellents vins de dessert ou de goûter. Ils proviennent presque tous du Languedoc et du Roussillon. Le plus célèbre d'entre eux est, sans conteste, le Muscat de Frontignan, dans sa robe de soie dorée. Mais il a, autour de lui, d'excellents rivaux qui ont chacun leurs défenseurs : ce sont les Muscats de Lunel, de Mireval, de Saint-Jean-de-Minervois et de Rivesaltes. N'oublions pas aussi le Muscat de Beaumes-de-Venise, suave et parfumé, produit sur la rive gauche du Rhône, dans le département de Vaucluse et qui provient, d'ailleurs, comme le Frontignan, du Muscat doré.

Quant au fin et frais Muscat d'Alsace, c'est un vin blanc sec, le seul Muscat sec de notre viticulture. Il possède un arôme et un goût musqués très caractéristiques, mais avec une grande délicatesse et beaucoup de distinction.

Muscat (Italie). L'Italie prépare, avec différentes variétés de Muscats, des vins fort appréciés. Ils possèdent tous, plus ou moins prononcés, l'inimitable parfum et le goût si caractéristique du Muscat. L'un d'eux, l'Aleatico*, est rouge et donne un vin généralement doux. Le Muscat blanc de Canelli est à la base de l'Asti Spumante* et des Vermouths italiens. Le Muscat Giallo du Trentin et de l'Alto-Adige donne des vins liquoreux, blancs ou rouges, titrant de 13 à 15⁰.

Mais il existe aussi de véritables vins de liqueur, très liquoreux et corsés, 15 à 17⁰, issus des plants locaux de Muscat : en Sardaigne (Moscato di Cagliari*, di Sorso-Sennori*), en Apulie (Moscato di Trani*), sur l'île de Pantelleria, en Sicile (Moscato di Noto*, di Siracusa*).

musqué. Un vin possédant l'arôme spécifique des cépages Muscats est dit « musqué » ou « muscaté ». Cet arôme tout à fait particulier est fort plaisant, mais s'estompe et disparaît même totalement quand le jus de raisin est complètement fermenté, c'est-à-dire lorsqu'il a transformé tout son sucre en alcool. C'est pour cette raison que la fermentation des vins à base de Muscat est toujours stoppée avant d'être terminée, soit par adjonction d'alcool (Muscat de Frontignan, de Rivesaltes), soit par emploi de la méthode rurale*, lorsqu'il s'agit de vins mousseux.

mustimètre, appareil qui permet de rechercher la richesse en sucre d'un moût* en mesurant la densité de celui-ci. — Une table densimétrique permet de connaître la correspondance entre la densité donnée par l'appareil et la quantité de sucre par litre contenue dans le moût.

Le mustimètre est donc utile au moment des vendanges, puisqu'il permet de noter l'évolution de la teneur en sucre et le moment où, celle-ci restant stationnaire, le temps est venu de vendanger. Cette

*Autour de Taormina,
en Sicile,
le Muscat est roi.
Phot. Hétier.*

Tarragone, en Espagne :
vignobles à Muscat.
Phot. Aarons.

méthode, assez simple, n'est pas d'une précision rigoureuse. Le contrôle de maturation*, fait par les stations œnologiques, est beaucoup plus précis, puisqu'il étudie les courbes d'évolution des principaux constituants du moût, c'est-à-dire non seulement le sucre, mais aussi l'acidité.

mutage, opération spéciale employée pour obtenir les vins doux naturels, et par laquelle on rend les moûts* muets en arrêtant la fermentation en cours par l'adjonction d'alcool*. — Les moûts possèdent au départ une richesse en sucre naturel d'au moins 252 g par litre (l'équivalent de 14,8⁰ d'alcool en puissance). Ils proviennent, en effet, toujours de raisins de cépages déterminés, aux grains très sucrés, ayant subi souvent un véritable passerillage*.
On ajoute aux moûts, pour arrêter la fermentation, un apport, évalué en alcool pur, de 5 p. 100 au minimum et de 10 p. 100 au maximum du volume du moût mis en œuvre, à l'aide d'alcool titrant au moins 95⁰. Il reste alors dans le vin une quantité de sucre naturel de raisin (de 40 à 150 g par litre) qui ne s'est pas transformée en alcool, la fermentation ayant été stoppée. Cette quantité de sucre naturel restant varie d'un vin doux naturel à un autre et est fixée par la loi; elle va de moins de 54 g par litre pour le Banyuls Grand Cru (dry, sec ou brut) à 125 g au moins pour les Muscats (de Frontignan, de Lunel, de Mireval, de Saint-Jean-de-Minervois). Le Muscat de Rivesaltes, par contre, peut ne contenir que 100 g par litre au minimum, et celui de Beaumes-de-Venise que 110 g au minimum. Les vins obtenus sont donc plus ou moins liquoreux, toujours généreux et riches en alcool, certains titrant jusqu'à 23⁰ (légalement, les vins faits doivent avoir une richesse minimale totale de 21⁰ —

alcool acquis et en puissance —, avec un minimum de 15⁰ d'alcool acquis). Les vins doux naturels gardent tout le fruit du raisin frais, puisque la fermentation est arrêtée très tôt : cela est très appréciable pour les Muscats, qui perdent leur parfum et leur saveur fruités, si appréciés, au fur et à mesure que la fermentation se poursuit.
C'est donc par adjonction d'alcool que s'opère le mutage des vins doux naturels. Mais, dans d'autres cas, l'arrêt de la fermentation ou la prévention de la refermentation* s'obtient par traitement légal à l'anhydride* sulfureux.

Mycoderma aceti, bactérie de la « mère du vinaigre », décrite par Pasteur*. — Elle forme un voile grisâtre à la surface du vin en présence de l'air (car cette bactérie est aérobie). Puis le voile s'épaissit, se ride, devient rougeâtre. Les bactéries se développent avec une très grande rapidité et transforment peu à peu l'alcool du vin en acide acétique et en eau. C'est *Mycoderma aceti* qui permet d'obtenir le bon vinaigre* de vin. Mais c'est aussi cette bactérie qui donne le vin aigre ou piqué.

Mycoderma vini. A la surface des vins faiblement alcoolisés se développe parfois un voile blanchâtre de *Mycoderma vini*. Il est facile de lutter contre ce voile, qui ne peut vivre qu'en présence d'air : il suffit de remplir le tonneau. Si l'on n'agit pas immédiatement, l'alcool éthylique est transformé en gaz* carbonique et en eau, et l'acidité* fixe diminue peu à peu, par oxydation des acides* malique, lactique, succinique. Le vin deviendra fade, plat, comme s'il était mouillé. De plus, *Mycoderma vini* est fréquemment accompagné de *Mycoderma aceti** (ou le précède). Cette bactérie, plus redoutable, rend le vin aigre ou piqué.

Nahe, importante région viticole d'Allemagne, située autour de Bad Kreuznach, sur les pentes de grès rouge qui dominent la rivière de la Nahe, affluent du Rhin.

Les vins blancs de la Nahe, issus du Riesling et du Sylvaner, assez corsés et riches, sont souvent excellents et mériteraient, dans l'ensemble, d'être mieux connus. Ils peuvent se comparer aux meilleurs vins de la Hesse rhénane, tels les *Niersteiner* et les *Nackenheimer,* avec, en plus, la vivacité qui caractérise les vins de la Nahe. Le plus célèbre vignoble de la région est celui de « Schloss Böckelheim », au sud-ouest de Kreuznach, propriété de l'Etat allemand; mais d'autres vins excellents sont produits autour de Bad Kreuznach, Niederhäusen, Norheim, Roxheim, Münster, Bretzenheim, Winzerheim.

nantais (pays). Patrie de l'espiègle Muscadet, qui a fait, par son charme et sa fraîcheur, la conquête de nos verres et de nos cœurs, la région de Nantes produit aussi deux V.D.Q.S.* renommés : le Gros-Plant et les Coteaux-d'Ancenis. Grâce à ces vins charmants, c'est en beauté que la Loire termine sa longue promenade parmi les vignes.

Napa, comté de Californie, aux vins renommés, situé au nord-est de San Francisco. — Les vignobles se trouvent dans la *Napa Valley.* Dominée à son extrémité nord par le mont Saint-Helena, souvent encore couvert de neige au mois de mars, la vallée aboutit au sud dans la baie de San Francisco. Les vignobles occupent le sol de graviers de la vallée et le pied des collines voisines.

Napa produit presque uniquement des vins de table et fournit un nombre important des meilleurs vins californiens. D'excellents Cabernets-Sauvignons, de bons Pinots noirs et Pinots-Chardonnays, d'agréables vins de Chenin blanc et bien d'autres sont récoltés dans cette heureuse vallée. Même les vins à appellation générique « Burgundy », « Claret », « Chablis » sont généralement supérieurs à ceux qui sont donnés par les autres régions californiennes. Beaucoup de *wineries* renommées, dont certains noms ont une résonance européenne, sont installées dans la vallée de Napa : Beaulieu, Inglenook, Charles Krug, Louis M. Martini, Beringer Bros, toutes vieilles exploitations sérieuses, dont la création remonte, pour certaines, à 1860 environ.

Un peu de Mousseux et de « Sherry » sont aussi élaborés par certains producteurs.

nature (vin). L'appellation « vin nature de la Champagne » a été supprimée. (V. CHAMPENOIS [COTEAUX].)

Vendanges en pays bordelais, près de Néac.
Phot. J. Windenberger.

Néac. Au nord de Pomerol, entre Lalande-de-Pomerol et Montagne-Saint-Emilion, s'étend ce vignoble, qui a droit à l'appellation contrôlée « Néac ».

Il produit des vins de qualité, colorés, généreux, bouquetés, présentant à la fois la sève des Pomerols et la richesse des Saint-Emilions.

Les premiers crus* (Châteaux Tournefeuille, Moncets, Siaurac, Belles-Graves, Teysson) ont une valeur sensiblement égale à celle des seconds crus de Pomerol.

négociant en vins. Le négociant n'est pas un simple « marchand de vins ». Son rôle de négociant est multiple. Il doit d'abord savoir choisir les vins et sélectionner judicieusement ses achats dans les domaines,

Le pays nantais. Phot. M.

Dans le canton de Neuchâtel, un vignoble du Jura.
Phot. Fiore-Explorer.

aidé en cela par les courtiers*. Les bons négociants en vins sont des personnages considérables, d'une honnêteté scrupuleuse et d'une extraordinaire compétence, qu'ils tiennent de père en fils. Ils constituent un véritable corps d'élite, grâce auquel nos tables peuvent s'enorgueillir des meilleurs produits de la vigne.

Les risques sont nombreux, car qui peut prévoir, sans erreurs, ce que deviendra un vin au cours de son évolution? Le négociant doit mener à bien l'«élevage*» des vins élus : d'où le nom d'«éleveur*» qu'on lui donne depuis quelque temps. Cela l'oblige à une grosse immobilisation de capitaux et exige de sa part beaucoup de talent, beaucoup de connaissances. Enfin, il doit répartir le vin, arrivé grâce à lui au sommet de sa qualité, afin que chaque consommateur, à tout moment et en tous lieux, puisse déguster la bouteille de son choix. Certains viticulteurs (dans le Bordelais, par exemple) possèdent parfois un domaine ou un château suffisamment considérable pour qu'ils puissent à la fois assurer la vinification, l'élevage, la mise en bouteilles, l'expédition et la prospection de la clientèle. Ce n'est pas le cas de la plupart de nos vignerons. Sans les négociants, les vignerons risqueraient la mévente, et les consommateurs pourraient ignorer certains vins merveilleux produits par de petits vignobles.

nervosité. Cette qualité d'un vin est liée à son acidité. L'acidité d'un vin, quand elle n'a rien d'excessif et demeure évidemment dans les limites normales, permet à notre goût de percevoir avec plus de vigueur et d'exaltation les différentes sensations que nous procure le vin. Le vin nerveux a toujours du caractère.

Neuchâtel. C'est le canton le plus septentrional de la Suisse romande, bien qu'un poète local affirme «que le pays de Neuchâtel n'est plus du Midi, mais point encore du Nord».

Le vignoble s'étend sur les derniers coteaux du Jura, vers 500 m d'altitude, depuis le lac de Bienne jusqu'aux rives de l'Orbe; ses quelque 600 ha forment un long ruban de 50 km de long sur 1 km de large. Protégé des vents froids du nord par la chaîne du Jura, le vignoble bénéficie, en outre, de l'influence adoucissante du lac et, par beau temps, de la réverbération qui lui apporte lumière et chaleur.

Les vins de Neuchâtel sont très connus à l'étranger, contrairement aux autres vins suisses. Ils sont vendus simplement sous l'appellation «Neuchâtel», car, en fait, le vignoble est très homogène; toutefois, cette appellation est parfois suivie du nom de la localité d'origine (Neuchâtel-Saint-Blaise, Neuchâtel-Cortaillod) ou du nom d'un cru* (Neuchâtel-Château d'Auvernier, Neuchâtel-Hôpital de Pourtalès). Tous les vins sont soumis à un contrôle de production et de qualité.

Neuchâtel produit trois fois plus de vins blancs que de vins rouges, mais ces vins rouges comptent parmi les meilleurs de Suisse. Issus du Pinot noir, ils ont une superbe robe claire, beaucoup de personnalité et de distinction, de la légèreté et du fruit. Ceux de Cortaillod ont une grande renommée justifiée. On prépare aussi, à partir du Pinot noir, à peine cuvé, un vin œil-de-perdrix, de jolie teinte, frais et plein de charme.

Les vins blancs sont tous issus du Chasselas, planté en sol crayeux. Légers et vifs, mis en bouteilles sur lies*, ils sont légèrement pétillants. Etant très fins et fruités, on leur découvre parfois l'arôme du réséda et le goût de la pierre à fusil. On dit dans le pays que le bon Neuchâtel «fait l'étoile» dans le verre.

Certains vignerons préparent aussi des vins par la méthode champenoise* de seconde fermentation en bouteille.

La petite ville moyenâgeuse de Boudry abrite dans son vieux château un intéressant musée du Vin et de la Vigne : centre vinicole important, elle est aussi le lieu de naissance du plus redouté des révolutionnaires, le tribun Jean-Paul Marat, qui fut assassiné, en 1793, par Charlotte Corday.

New York. Les vignobles de cet Etat ne sont ni nombreux ni très étendus. La production est la seconde des Etats-Unis, après celle, énorme, de la Californie; mais une différence considérable existe, évidemment, entre les volumes produits par la Californie et ceux produits par l'Etat de New York.

On rencontre la vigne dans la région de Buffalo, sur le lac Erié, et dans la vallée de l'Hudson (où elle est, d'ailleurs, en régression). Ces régions produisent surtout du raisin de table, et le vin qu'elles peuvent donner est insignifiant.

La région viticole de quelque importance de l'Etat de New York est située au sud-est de Rochester : c'est celle des « Finger Lakes », ainsi nommée parce que quatre lacs longs et étroits semblent laisser sur la carte l'empreinte de quatre énormes doigts. La vigne s'étend autour de deux de ces lacs, le lac Canandaiga et surtout le lac Keuka.

Les cépages européens ne peuvent être cultivés de façon rentable dans cette région, et les vins proviennent de cépages indigènes, plantés depuis 1829 (Delaware, Catawba, Elvira, Concorde, Niagara, Isabelle), et aussi, depuis la fin de la prohibition, d'hybrides* d'origine française : Baco, Couderc et Seibel. La région produit presque la moitié du mousseux préparé aux Etats-Unis, des vins de liqueur et des vins de table. Ils n'hésitent pas, parfois, à prendre des appellations européennes : « Burgundy », « Sauternes », « Port », « Sherry », en plus de leur appellation « New-York-State ».

nouveau (vin). La réglementation communautaire a établi une distinction entre le moût* de raisin partiellement fermenté (vin bourru*) et le vin nouveau encore en fermentation. Celui-ci, que les dispositions françaises ne distinguaient pas du moût, doit répondre à la définition du vin et présenter un titre alcoométrique acquis supérieur aux trois cinquièmes de son titre alcoométrique total. La mention « nouveau » peut être utilisée pour tous les vins à partir de la date où ils ont droit de sortir légalement des chais et pendant la saison qui suit leur vinification (à partir du 31 août, suivant la récolte, ils ne peuvent plus être sortis sous cette mention).

Nouvelle-Zélande. L'implantation du vignoble de Nouvelle-Zélande est l'œuvre de deux pionniers australiens, James Busby et le révérend Samuel Marsden, qui vinrent s'installer vers 1830 dans la Bay of Islands. Puis, vers 1835, les pères maristes introduisirent la vigne à Hawkes Bay. La production de vin était, toutefois, toujours restée faible et elle n'a augmenté fortement que durant la Seconde Guerre mondiale, quand l'importation des vins étrangers fut réduite. Ce n'est, en fait, que vers la fin des années 1950 que la viticulture a fait de réels progrès à la suite des investissements des compagnies australiennes MAC WILLIAMS et SEPPELTS.

Les deux îles principales de la Nouvelle-Zélande sont situées sur le passage des *Westerlies* (vents humides d'ouest). L'île du Sud, bien que possédant quelques vignobles à Otago et à Nelson, est trop froide pour la viticulture : celle-ci est donc à peu près uniquement établie dans l'île du Nord. La région viticole la plus importante est celle d'Auckland, au nord, avec le district d'Henderson, qui fut créé par quelques grandes familles de viticulteurs et par des colons yougoslaves et dalmates. Plus au sud, autour du vignoble primitif de la mission des pères maristes, les vignobles d'Hawkes Bay occupent à peu près la même superficie qu'à Henderson.

La production vinicole est encore peu importante en Nouvelle-Zélande, mais le pays s'efforce d'améliorer la qualité de son vin et d'ouvrir à celui-ci le marché de l'exportation.

Les vins blancs sont, en général, meilleurs que les rouges. Issus du Müller-Thurgau, du Chardonnay et du Chasselas, ils présentent une agréable acidité qui leur assure une certaine verdeur, caractéristique des vins néo-zélandais. Les vins rouges ont tendance à présenter une acidité excessive; ils n'ont guère de corps et demeurent souvent astringents, même après vieillissement. Ils sont issus du Cabernet et des hybrides* Pinotage et Seibel 5437. La chaptalisation* est admise, en raison de la faible teneur en sucre du raisin produit sous ce climat peu ensoleillé.

Jadis, la production consistait presque entièrement en vins de liqueur et en « Sherrys ». Ceux-ci représentent encore un gros pourcentage de la production totale (le « Sherry » sec, issu du cépage Palomino, est assez valable). Toutefois, le climat trop froid et humide ne permet pas d'obtenir des vins de dessert de qualité, puisque le raisin ne contient jamais assez de sucre. Aussi, à l'heure actuelle, la production de la Nouvelle-Zélande s'oriente-t-elle davantage vers les vins de table, dont les meilleurs, répétons-le, sont blancs et légers.

nuit (vin d'une). C'est un vin obtenu par une macération plus prolongée que celle des vins rosés. Alors que ceux-ci, lorsqu'ils sont obtenus par saignée, restent en contact pendant quatre ou cinq heures avec les matières solides du raisin, on prolonge la macération jusqu'à dix ou douze heures pour les vins d'une nuit. Ceux-ci sont donc plus riches en arômes et en tanin*, et plus corsés que les vins rosés. On les appelle aussi « vins de café », car, dans certaines régions, ils se boivent au comptoir dans le courant de la matinée ou de l'après-midi. Le département de l'Hérault produit de savoureux vins d'une nuit à Saint-Drézéry, à Saint-Christol, à Saint-Saturnin et au pic Saint-Loup.

Nuits-Saint-Georges. Cette commune a donné son nom à la « Côte de Nuits ». Certaines parcelles de vignoble situées sur le territoire du village voisin de Prémeaux sont légalement incluses dans la commune de Nuits.

Il y a une faible production de vin blanc, d'ailleurs excellent. Les vins rouges de Nuits sont généreux, bien équilibrés. Ils

tiennent un peu le milieu entre les Gevrey-Chambertins et les Chambolle-Musignys. Ils ont moins de fermeté, de vigueur que les Gevreys, mais plus de corps et de couleur que les Chambolle-Musignys. Bien qu'ils soient faits plus tôt que les Gevreys, ils n'en ont pas moins une remarquable faculté de vieillissement.

Les « climats* », situés sur les deux communes de Nuits et de Prémeaux, sont fort nombreux : les Saint-Georges, les Vaucrains, les Cailles, les Pruliers, les Porrets, Clos de la Maréchale, Clos des Argillières, etc. (V. Annexes.)

L'appellation* contrôlée est « Nuits » ou « Nuits-Saint-Georges » suivie éventuellement de « premier cru » ou du nom du climat d'origine pour les climats classés en premiers crus.

MᵉᵒⁿFONDÉE EN 1780
NUITS-SAINT-GEORGES
APPELLATION CONTROLÉE
Chanson Père & Fils
CHANSON PÈRE & FILS, NÉGOCIANTS A BEAUNE (CÔTE-D'OR)

Le vignoble de Nuits-Saint-Georges. Phot. Aarons-L. S. P.

œil-de-perdrix, couleur très légère, assez indécise, qu'ont les vins gris* très peu colorés.

œnologue (du grec *oinos*, vin, et *logos*, science), technicien dont les connaissances scientifiques sont sanctionnées par un diplôme national. — Le titre d'œnologue est officiellement reconnu par la loi du 19 mars 1955. Un arrêté ministériel récent a élevé le niveau des études pour l'obtention de ce diplôme en le portant à quatre ans après le baccalauréat. Le savoir technique et pratique de l'œnologue est étendu. Il lui permet de prendre la responsabilité totale de la vinification et de l'élevage* des vins, de procéder aux analyses les plus délicates sur le raisin et le vin, et, évidemment, de faire l'interprétation de ces analyses. L'œnologue se tient constamment au courant des nouvelles acquisitions scientifiques dans le domaine de l'œnologie; il est devenu, de nos jours, le technicien de la vigne et du vin.

œnophile, personne qui aime le vin et lui rend hommage. — De tout temps, le peuple de France a été spécialement doué pour exercer ce penchant. Polybe, historien grec et grand voyageur, né vers 210 avant notre ère, avait déjà relaté l'amour des Celtes pour le vin, en même temps que l'existence d'auberges celtiques fort accueillantes, où « le repas ne laisse absolument rien à désirer ». Puis, au Ier siècle av. J.-C., l'historien grec Diodore de Sicile constatait que les prospections commerciales des marchands de vin grecs sur toute l'étendue de notre territoire, jusqu'en Belgique, étaient extrêmement rentables « étant donné la philoïnie des indigènes ». D'ailleurs, on sait que la colonie phocéenne de Massalia (Marseille) fournissait du vin aux Gaulois riches six siècles av. J.-C. Dans le fameux « trésor de Vix » de Châtillon-sur-Seine, datant du VIe siècle av. J.-C., les archéologues ont constaté la beauté de la luxueuse vaisselle vinaire, ce qui semble prouver tout l'intérêt que son propriétaire attachait au vin.
Ce que les auteurs grecs appelaient « philoïnie » est devenu le mot moderne *œnophilie*, mais l'amour des Français pour « la plus saine et la plus hygiénique des boissons » ne s'est pas démenti.

œufs pourris. A tous les stades de l'élaboration du vin, le vigneron utilise le soufre comme antiseptique. L'anhydride* sulfureux en excès peut se transformer, par des phénomènes de réduction, en hydrogène sulfuré, qui communique au vin un goût extrêmement désagréable d'œufs pourris. Cet accident est heureusement peu fréquent. On observe surtout ce phénomène dans les premières semaines qui suivent la vinification; il disparaît généralement, heureusement!, après un soutirage* à l'air.

Office international de la vigne et du vin (O. I. V.). Cet organisme fut créé en 1924 grâce à l'initiative de onze états viticoles (il groupe actuellement 24 pays représentant plus de 90 p. 100 du vignoble mondial). Il jouit d'un grand crédit et d'une influence considérable auprès des gouvernements et des milieux œnologiques. Cela se conçoit parfaitement quand on connaît le renom de ses experts, la valeur remarquable de leurs travaux et leur absolue impartialité. Les travaux sont réalisés à l'échelon mondial grâce aux contacts fréquents de ses membres. L'O.I.V. est avant tout un organisme de renseignements, qui met à la disposition des gouvernements une documentation considérable, à caractère officiel. C'est aussi un organisme technique, au sein duquel s'échangent les résultats des recherches et des expérimentations internationales. C'est enfin un organisme économique, dont tous les efforts tendent à uniformiser les législations et les réglementations des différents pays viticoles, afin d'arriver à une politique rationnelle mondiale de la viticulture. Et cela n'est qu'un résumé des activités innombrables et bénéfiques de l'O.I.V. en faveur du vin.

Ohio. Les premiers vignobles de cet Etat viticole des Etats-Unis furent plantés à l'est et à l'ouest de Cincinnati, le long de l'Ohio, par des colons allemands. Les berges escarpées de ce fleuve torrentueux n'étaient pas sans leur rappeler,

Le laboratoire d'œnologie à Saint-André-de-Cubzac (Gironde). Phot. M.

215

oïdium

sans doute, leur Rhin. L'un d'eux, Nicholas Longworth, ne tarda pas à donner à l'exploitation du vignoble et des vins une impulsion considérable, si bien qu'avant la guerre de Sécession (et jusqu'à la traversée du continent américain, de part en part, par le premier chemin de fer) l'Ohio était, de loin, le premier producteur de vin des Etats-Unis et donnait des vins et des mousseux fort estimés, issus du cépage Catawba.

De nos jours, il n'existe plus grand-chose de ce vignoble historique des bords de l'Ohio. Les vignes de l'Etat sont maintenant installées sur les rives méridionales du lac Erié, surtout autour de Sandusky, et dans les îles de ce lac, qui a une influence adoucissante sur le climat et épargne au vignoble gelées printanières et froids précoces. Bien que produisant toujours plusieurs dizaines de milliers d'hectolitres, le vignoble de l'Ohio a beaucoup perdu de son importance d'autrefois.

oïdium, maladie d'origine américaine, provoquée par un champignon microscopique et qui s'attaque aux feuilles, aux fleurs et aux grains. — Elle s'abattit sur tout le vignoble français dès 1846 et y fit d'énormes ravages : la récolte passa de 45 mil-

lions d'hectolitres en 1850 à 10 millions en 1854; la maladie s'étendit rapidement à la vallée du Rhin et à tout le vignoble méditerranéen. Elle couvre, d'une poussière farineuse blanchâtre, les organes atteints. Les raisins attaqués se fendent, se dessèchent ou sont envahis par la pourriture* grise.

Heureusement, on trouva relativement vite le remède, qui consiste en soufrages préventifs à dates régulières. Mais le mal était fait, et plusieurs de nos vignerons, ruinés, avaient déjà émigré au Canada, en Amérique, en Algérie.

Orléanais. L'origine de ce vignoble est fort ancienne : dès le VIIe siècle, le vin d'Orléans partait à la conquête de Paris. Un vignoble considérable, créé par saint Mesmin, dans le domaine reçu en cadeau de Clovis, aux environs de l'an 500, donnait des vins réputés. Très vite, Orléans devint le grand « marché au vin » de toute la région, et le vignoble orléanais pouvait, sous Louis XIII, être comparé au Bordelais actuel au point de vue de la richesse et de la réputation. A cette époque, le vin rouge surtout était célèbre, bien qu'on nous assure que Villon prisait le vin blanc de Mauves (Meung-sur-Loire).

Très important encore jusqu'à la fin du siècle dernier, le vignoble ne subsiste plus guère actuellement que sur vingt-cinq communes en aval d'Orléans, situées la plupart sur la rive droite (Baule, Messas, Meung-sur-Loire, Beaugency). Et encore, il n'y règne pas en maître : il doit partager avec les légumes, les fruits et les asperges un domaine de 60 km de long sur 3 à 4 km de largeur.

Les vins, qui ont droit au label V.D.Q.S.*, sont blancs, rouges ou rosés. Le Pinot Meunier est de loin le cépage le plus cultivé : on l'appelle « Gris-Meunier ». On rencontre encore le Pinot noir, nommé ici « Auvernat », parce qu'il passait pour être venu d'Auvergne, et qui a été supplanté depuis plus de cent cinquante ans par le Gris-Meunier. Enfin, on trouve encore, en quantité minime, le Cabernet et les Auvernats blanc et gris.

Les vins rouges, peu cuvés, sont frais, légers et d'une jolie couleur rouge clair. Ils doivent être bus dans l'année qui suit la récolte.

Mais, depuis une trentaine d'années, le Pinot Meunier est souvent vinifié en rosé : c'est le fameux Gris-Meunier, obtenu par pressurage*, après courte macération de la vendange, très bouqueté et fort apprécié sur place ou à Paris, qu'il soit de Beaugency ou d'Orléans.

Enfin, Orléans est redevable au vin d'une industrie qui l'a rendu célèbre : la fabrication du vinaigre*.

Périthèces d'oïdium sur grains. Phot. M.

Orvieto, vin blanc très populaire en Italie, produit autour de la ville d'Orvieto, en Ombrie. — Les vignobles d'Orvieto sont sûrement uniques au monde. La plupart des raisins proviennent de ce que les Italiens nomment *coltura promiscua :* les vignes font bon ménage avec les arbres, les pommes de terre et les carrés de choux, grimpent au hasard des pergolas ou à l'assaut des murs. Le vin, cependant, est souvent bon, malgré ce mode de culture plutôt fantaisiste. Toujours assez léger, titrant 11,5⁰, il est généralement *abboccato* (demi-sec), plus rarement *secco* (sec). Il est présenté en petite bouteille trapue gainée de paille : la *pulcianelle.*

ouillage ou **remplissage,** opération qui consiste à tenir constamment les fûts pleins lors de leur séjour en cave. — Le vin doit arriver jusqu'à l'« œil » (c'est-à-dire jusqu'à la bonde), d'où l'origine du mot *ouiller.* Le premier ouillage se fait dès que le vin a cessé toute activité fermentaire. On remplit le tonneau avec du vin de même qualité, d'abord environ deux fois par semaine, puis une fois, puis tous les quinze jours. Il se forme, en effet, au sommet des fûts, une poche d'air due à plusieurs raisons : d'abord le vin diminue de volume sous l'influence du froid de la cave; il imbibe aussi le bois du tonneau dans lequel il a été versé; enfin, il se produit une évaporation constante à travers le bois, relativement importante, puisqu'elle est de 1 p. 100 par mois. Les ouillages sont indispensables si l'on veut éviter le développement des ferments nuisibles, qui se manifeste d'abord par un commencement d'altération, qu'on appelle la « fleur », puis par une augmentation dangereuse de l'acidité (piqûre). Ces troubles sont surtout à redouter aux époques de l'année où le vin « travaille » (équinoxes, montée de la sève).

Vignoble à Orvieto. Phot. M.

217

Pacherenc-du-Vic-Bihl. C'est le frère blanc du Madiran, qui partage avec celui-ci le même terroir. Il est issu des cépages blancs Arrufiac, Courbu, Gros Manseng, Petit Manseng, Sauvignon et Sémillon. Les vignes sont taillées très haut et conduites jusqu'à 2 m et plus, comme pour le Jurançon. C'est de ce procédé que le vin tire son nom : *pachet-en-renc,* dans le dialecte local, veut dire « piquets en rang », et les vignobles qui occupent le petit pays de Vic-Bihl, autour de Portet, ont été les premiers de la région à adopter cette méthode de culture.

Le Pacherenc-du-Vic-Bihl, qui a droit à l'appellation* d'origine contrôlée, doit titrer au minimum 12⁰. Vif et moelleux à la fois, il n'est pas sans évoquer le Jurançon, son glorieux rival, en plus liquoreux généralement. Celui qui est originaire de Portet est sans doute le plus fin.

Comme pour le Madiran, la vendange du vignoble ne peut commencer qu'après la publication du ban* de vendanges faite par le syndicat de défense et de contrôle. Le rendement ne peut dépasser 40 hl à l'hectare, mais certaines années ne donnent guère plus de 25 hl à l'hectare. La vinification est faite soit en blanc sec, soit en moelleux, donnant alors des bouteilles incomparables, au fruité caractéristique.

paille (vin de). Cet étonnant vin de dessert est produit de nos jours presque uniquement par la région du Jura. L'Hermitage a cessé pratiquement sa production, et l'Alsace n'en fait plus. Les raisins, récoltés avec soin et provenant des cépages nobles du Jura (Savagnin, Trousseau, Chardonnay, Poulsard), sont placés sur des lits de paille (d'où le nom donné à ces vins) pendant au moins trois mois. On les dispose aussi sur des claies ou on les suspend dans des locaux sains et aérés. Une lente concentration des sucres s'effectue durant ce temps. Après la longue et souvent difficile fermentation des moûts* exceptionnellement riches en sucre, on obtient un vin liquoreux titrant de 14 à 15⁰. Le vin de paille est une rareté que seuls quelques privilégiés ont parfois le bonheur de déguster sur place. C'est un nectar suave, très parfumé, au bouquet pénétrant.

Jusqu'au moment où les vins voyagèrent enfin facilement, les curés du nord de la France obtenaient leur vin de messe en recourant à cette maturation sur paille, qui leur permettait d'obtenir, surtout en année humide ou froide, des vins honnêtes, moins acides que ceux qu'ils auraient pressés dès la vendange.

Palatinat ou Rhénanie-Palatinat (Rheinpfalz), une des quatre grandes régions viticoles d'Allemagne et, dans les bonnes années, bien souvent la première au point de vue de la production. — Le Palatinat avait déjà la réputation d'être le « cellier du Saint Empire romain ». Le nom de Palatinat est dérivé, d'ailleurs, de celui de mont Palatin, une des sept collines de Rome, où les empereurs romains avaient établi leur résidence.

Le Palatinat actuel est limité au nord par la Hesse rhénane, à l'est par le Rhin, au sud et à l'ouest par l'Alsace et la Lorraine.

Grappes de raisin suspendues pour « passeriller » et produire un vin de paille. Phot. Cuisset.

Les vignobles occupent le bas des pentes d'une chaîne de petites collines (Hardt), espèce de prolongement des Vosges, et une bonne partie de la plaine fertile qui avoisine le Rhin à l'est. Les meilleurs vignobles se trouvent à Wachenheim, à Forst, à Deidesheim et à Ruppertsberg, suivis de près par ceux de Bad Dürkheim, de Kallstadt, de Leistadt et de Königsbach. La région produit surtout des vins ordinaires rouges et blancs avec, évidemment, prédominance des vins blancs. Bien des vins embouteillés pour l'exportation proviennent de la région appelée « Mittel-Hardt », entre Neustadt et Bad Dürkheim : cette région produit quelques vins rouges ordinaires et, surtout, beaucoup de vins blancs; ceux qui méritent d'être signalés sont issus principalement du Riesling, et quelques autres du Sylvaner.

Les Rieslings des meilleurs vignobles sont de très grande qualité et sont presque comparables aux bons vins du Rheingau. Corsés et fins, ils sont capiteux, aromatiques, racés, avec un très beau bouquet. Comme dans tous les vignobles allemands, les *Beerenauslesen* et autres atteignent des prix élevés et sont remarquables.

Palette, appellation* d'origine contrôlée de Provence qui s'applique au vin d'un terroir délimité sur les communes de Meyreuil, du Tholonet et d'Aix-en-Provence.

Le vignoble s'étend dans un cirque protégé des vents, non loin de la montagne Sainte-Victoire, qu'aimait Cézanne; cette situation privilégiée est véritablement exceptionnelle et participe déjà à l'extraordinaire qualité de la production. Les vins sont récoltés sur des sols dérivés de la formation géologique appelée « calcaire de Langesse », ce qui leur assure une finesse digne des plus grands crus*. Les vins rouges, rosés et blancs jouissent tous, depuis fort longtemps, d'une très grande et très légitime réputation. Les vins rouges et rosés proviennent en majeure partie (50 p. 100 au moins de l'ensemble) du Grenache, du Cinsault, du Mourvèdre (10 p. 100 au moins pour ce dernier) et de quelques cépages locaux avec une tolérance de 15 p. 100 au plus de cépages blancs. Les vins blancs sont issus, pour 55 p. 100 au moins, des différentes variétés locales de Clairettes (à gros grains, à petits grains, Clairette de Trans, Picardan, Clairette rose) et de divers cépages secondaires (Ugni, Grenache, Muscats, etc.).

Les vins rouges titrent 10,5°, les rosés 11° et les blancs 11,5°.

Les Palettes, qu'ils soient blancs, rouges ou rosés, ont en commun la finesse, l'élégance et la distinction : leur caractère particulier, leur fraîcheur, leur légèreté, leur corps et leur souplesse frappent toujours les connaisseurs.

Palatinat-Rhénanie : une vue des vignobles qui accompagnent le « Rhin héroïque » dans sa traversée du massif rhénan. Phot. Candelier-Lauros.

Les rouges sont chaleureux, bien charpentés, avec un bouquet délicat et original, une saveur nuancée et suave qui signent les très grands vins. Ils vieillissent admirablement et l'âge affine encore leur exquise plénitude.

Les rosés ont une robe ravissante de satin rose foncé; fruités et bouquetés, ils ont aussi une fermeté et une nervosité exceptionnelles qui les classent, sans nul doute, parmi les meilleurs rosés actuels.

La qualité des blancs est encore plus étonnante, étant donné la latitude : ce sont des vins de race, bouquetés, fins et nerveux, totalement différents des autres vins du sud-est de la France.

C'est le merveilleux domaine du Château Simone, véritable joyau des vignobles de Provence, qui donne tout son prestige à l'appellation « Palette ». Cette ancienne « bastide de Meyreuil » des Grands Carmes d'Aix est, depuis près d'un siècle et demi, dans les mains de la famille Rougier, qui, avec passion, de génération en génération, a amené ses vins à leur perfection actuelle. Admirablement vinifiés, les vins du Château-Simone vieillissent plusieurs années en petites futailles dans les vieilles caves centenaires creusées dans le roc au XVIᵉ siècle par les moines Grands Carmes d'Aix, caves qui peuvent rivaliser avec celles des plus grands crus de Bordeaux ou de Bourgogne. Qui n'a jamais bu de « Château-Simone » ne peut comprendre l'âme de la Provence...

Le Château-Simone est présenté en classique bouteille bordelaise.

Le terroir produisait jadis un vin cuit liquoreux, fort apprécié dans la région et qu'on buvait traditionnellement à Noël avec les treize desserts. On obtenait cette exquise gourmandise en concentrant le moût* par ébullition dans des chaudrons en cuivre avant de le faire fermenter.

palus. Ce mot, qui veut dire « marais », s'emploie dans la région du Bordelais pour désigner le sol fait d'alluvions récentes, qui longe les rives des fleuves.

Peu de terres de cette nature sont plantées en vignoble, et, presque toujours, les palus sont spécifiquement exclus de la zone délimitée des appellations* contrôlées. Les vignes qui poussent sur les palus sont habituellement très productives, mais ne donnent jamais de vin de qualité.

panier verseur. L'usage en est fortement recommandé lorsqu'il s'agit d'un vieux vin rouge qui contient toujours un peu de dépôt. Ce dépôt, formé surtout de tanins*, de matière colorante*, de bitartrate de potassium, colle et adhère parfois aux parois de la bouteille, mais, le plus souvent, il tombe au fond de celle-ci : il est alors mobile, et tout changement de position le met en suspension dans le vin. Une bonne précaution, lorsqu'on prépare une vieille bouteille, est donc de déposer celle-ci, avec précaution et à la cave même, dans le panier verseur, en lui conservant la position couchée qu'elle avait dans le caveau. Grâce au panier, chaque verre peut être servi avec toute la délicatesse nécessaire, sans que les dépôts viennent se mêler au vin. Certains de ces paniers, très perfectionnés, permettent même, en actionnant une petite manivelle, d'incliner peu à peu la bouteille, qui livre ainsi, jusqu'à la dernière goutte, son merveilleux secret, en gardant le dépôt.

Toutefois, lorsque la vieille bouteille a été montée à l'avance de la cave et conservée debout, la coucher dans un panier, au moment du service, risquerait de déplacer de nouveau le dépôt : il vaut mieux alors la laisser debout sur la table et verser son contenu précieux avec toute l'onction qu'il mérite (à moins, évidemment, qu'on soit partisan de la décantation*). D'autre part, lorsqu'il s'agit d'un vin jeune, donc sans dépôt, il est superflu de le présenter dans un panier verseur, aussi élégant soit-il.

Panisseau, vin blanc sec produit autour de Sigoulès et qui a droit à l'appellation* contrôlée « Bergerac ». — C'est un des rares vins secs de la région. Contrairement aux vins moelleux du Sud-Ouest, il est vendangé précocement. C'est un vin parfumé, nerveux, très agréable.

Parsac-Saint-Emilion. La commune de Parsac est une des communes qui a le droit d'ajouter Saint-Emilion à son propre nom. Ses coteaux pierreux produisent des vins colorés, corsés et assez bouquetés. Les principaux Châteaux sont Langlade, Binet et Piron.

passerillage, surmaturation de la vendange, qui ne peut être réalisée que dans des conditions climatiques exceptionnelles et avec certains cépages à peau épaisse. — Il faut, en effet, laisser le raisin sur souche après l'état de maturation normale. Le raisin se déshydrate et prend alors un aspect flétri. Il se produit une véritable concentration de tous les éléments du raisin et particulièrement du sucre. La qualité du moût* est donc remarquable. On recherche la surmaturation pour obtenir des Muscats fort concentrés, qui serviront ensuite à la préparation des vins doux naturels. La préparation des vins de paille* exige aussi le passerillage des raisins, non sur pied, mais dans des locaux fermés et chauffés. Les grappes sont suspendues à des fils de fer dans les greniers ou étendues sur des claies ou des lits de paille.

CHATEAU
GRAND-PUY-DUCASSE
APPELLATION PAUILLAC CONTROLEE
SOCIÉTÉ CIVILE DE GRAND-PUY-DUCASSE, PROPRIÉTAIRE A PAUILLAC (GIRONDE)

La surmaturation se produit également, certaines années, à Sauternes, en Anjou et en Touraine, mais les vins obtenus n'ont jamais le caractère ni la qualité de ceux qui proviennent de raisins atteints par la pourriture* noble.

Pasteur (Louis) [1822-1895]. On le considère, à juste titre, comme le père de l'œnologie moderne. Cet illustre savant commença ses études sur le vin à la demande de Napoléon III, qui s'inquiétait des dommages causés aux vins par les altérations nombreuses qu'ils subissaient alors. Il fut le premier à déterminer la vraie nature de la fermentation* alcoolique, grâce à laquelle le vin est obtenu. Il se pencha aussi sur le problème des maladies* du vin et de leur traitement. La somme de ces travaux considérables fut exposée à l'empereur à Compiègne en 1865 : c'est le fameux ouvrage *Études sur le vin, ses maladies, causes qui les provoquent : procédés nouveaux pour le conserver et le vieillir,* édité en 1866 chez Masson.

pasteurisation, un des procédés de stabilisation* du vin, étudié d'abord par Pasteur, qui lui donna son nom, mais aussi par Appert et Gayon. — On chauffe les vins pendant une minute à une température de 60 °C environ (55 °C pour les vins riches en acidité et en alcool; 65 °C pour les vins pauvres). Ce procédé détruit les bactéries du vin et s'oppose donc aux maladies dues aux bactéries acétiques et lactiques. Il a été souvent employé non seulement pour stabiliser le vin, mais aussi pour le vieillir artificiellement ou traiter la casse oxydasique. La seule pasteurisation valable est celle qui se fait en bouteilles mises au bain-marie : elle coupe court au développement des bactéries, mais aussi, par la même occasion, aux possibilités d'amélioration du vin. Aussi, ce procédé n'est-il employé que pour des vins de table ordinaires, et son utilisation ne s'est pas généralisée. Il est assez délicat, d'ailleurs, à mettre en pratique, car les vins traités doivent garder leurs caractères gustatifs; il faut aussi éviter d'altérer le vin en le chauffant, ne traiter qu'un vin absolument limpide, sous peine d'y découvrir des mauvais goûts dus à la dissolution des dépôts et, enfin, ne « pasteuriser » que des vins ayant terminé leur fermentation* malolactique et dépourvus de traces d'oxygène. La pasteurisation paraît encore moins utile de nos jours, où la vinification soignée, les contrôles bactériologiques, l'emploi de l'anhydride* sulfureux, la filtration* à l'aide de filtres serrés ont presque supprimé les causes de maladies du vin.

Patrimonio. V. CORSE.

Louis Pasteur dans son laboratoire. Peinture d'Edelfeld (1887). Phot. du musée Pasteur, Paris.

Pauillac. Entre Saint-Estèphe et Saint-Julien se trouve la petite ville de Pauillac, capitale viticole incontestée du Médoc (l'appellation « Pauillac » s'étend à quelques terroirs de Saint-Estèphe, de Saint-Julien, de Saint-Sauveur et de Clissac).
Les vins rouges de Pauillac jouissent d'une renommée justifiée. Ils ont, dans les bonnes années, le caractère Bordeaux dans le vrai sens du mot. Corsés, moelleux et séveux, avec un bouquet fin et une incomparable distinction, ils sont de très longue garde.
Seule, de toutes les communes bordelaises, Pauillac peut se glorifier de posséder dix-huit Châteaux classés en 1855, dont les deux prestigieux « premiers crus » : Châteaux Lafite-Rothschild et Latour. (V. Annexes.)
Mais d'autres Châteaux ont aussi une grande classe et une grande réputation : Mouton-Rothschild, classé « premier cru » en 1973, Pichon-Longueville, Pichon-Longueville-Lalande, Pontet-Canet, Batailley.

paulée, tradition très ancienne en Côte-d'Or, qui consistait à prendre en commun un repas après l'achèvement des vendanges. — Ce repas réunissait à la même table les propriétaires et les vignerons. Chacun, dans chaque village, apportait ses meilleures bouteilles, pour déguster de solides

mets régionaux. Après une longue interruption, la paulée de Meursault fut la première à reprendre la tradition en 1923. Créée en 1932, la paulée de Paris réunit de nouveau, depuis 1953, dans un grand restaurant parisien, propriétaires et œnophiles.

pays (vins de). Cette catégorie de vins avait déjà été déterminée par le décret du 13 septembre 1968. Afin qu'il n'y ait aucune confusion avec les « vins à appellation* d'origine », on les appelait « vins de pays du canton de... », à moins que le nom du canton soit une appellation d'origine, auquel cas on lui substituait le nom de la commune. Si le nom de la commune était lui-même une appellation d'origine, on le remplaçait par un nom de localité figurant au cadastre, suivi du nom du département.

Ces « vins de pays », petits vins régionaux n'ayant subi aucun coupage*, honnêtes et souvent très agréables, restaient assez peu connus, et leur renommée ne dépassait guère les limites de leur terroir.

La suppression de l'appellation* d'origine simple a donné une vigueur nouvelle aux « vins de pays », dont le décret du 29 novembre 1973, pris à la demande de l'Institut des vins de consommation courante, a précisé plus strictement les caractéristiques. Les « vins de pays » constituent désormais la seule catégorie de vins de table personnalisés. Ils doivent répondre à une série de critères qualitatifs visant l'encépagement, l'aire de production, le degré alcoolique, les conditions de vinification et les caractères organoleptiques, encore plus sévères depuis le décret du 4 septembre 1979.

Ils se répartissent en trois catégories :
— vins de pays à dénomination départementale produits sur l'ensemble de chaque département considéré et portant le nom du département dont ils sont issus (à condition que ce nom ne soit pas celui d'une appellation d'origine); exemples : vins de pays de Dordogne, du Gard, de Haute-Garonne, etc.;
— vins de pays à dénomination de zone produits sur une aire géographique déterminée par décret; exemples : Coteaux de Miramont, Coteaux Varois;
— vins de pays de grande zone ayant une dénomination régionale; ils peuvent provenir de plusieurs départements déterminés; exemples : vins de pays du Jardin de la France, vins du Pays d'Oc.

Ces vins doivent provenir de cépages recommandés *vitis vinifera,* et leur rendement ne peut dépasser 80 hl à l'hectare pour les vins de zone et 90 hl pour les vins de département. Leur degré alcoolique est modulé : 10^0 pour les régions méditerranéennes, $9,5^0$ pour le Sud-Ouest et le Centre-Est, 9^0 pour le Val de Loire et l'Est.

Leur teneur en anhydride* sulfureux ne doit pas dépasser, pour les vins ayant une teneur en sucre inférieure à 5 g par litre : 125 mg par litre pour les vins rouges, 150 mg pour les blancs et rosés; pour ceux contenant plus de 5 g de sucre : 150 mg pour les rouges, 175 mg pour les blancs et rosés. Leur acidité* volatile doit être inférieure à 0,4 g par litre. Ils doivent présenter des caractères organoleptiques satisfaisants, contrôlés par dégustation*. Il existe, à l'heure actuelle, un nombre de plus en plus important de « vins de pays » (plus de 120).

Certains possèdent des noms adorablement poétiques évoquant les beautés géographiques de nos provinces de France : gorges, sables, balmes, vals, marches, vicomtés, fiefs, etc. Le nom de l'exploitation viticole d'où ils proviennent peut être spécifié sur l'étiquette, mais seuls les mots « Domaine » ou « Mas » sont admis. Le millésime, le cépage (sous certaines conditions), la mention « mise en bouteille à la propriété » sont aussi autorisés sur l'étiquette.

Si, dans le passé, les « vins de pays » étaient considérés comme de petits vins de consommation locale, agréables et authentiques, certes, mais d'une stabilité incertaine et donc destinés à être consommés sur place, ils ont maintenant accédé, grâce à leur réglementation, aux qualités nécessaires à une distribution beaucoup plus large. Ils répondent bien au désir du consommateur de se procurer des vins de tous les jours, cotés néanmoins dans la hiérarchie des vins français, mais de prix abordables. Ils ne sont pas seulement que de bons vins de table, sans personnalité, puisqu'ils possèdent les traits distinctifs de leur région d'origine : par exemple le corps et la chaleur des vins du Roussillon, la souplesse et le fruité des vins du Languedoc, la fraîcheur et la vivacité des vins de Savoie...

Les « vins de pays » sont donc des vins « bien de chez nous », appelés à un bel avenir, lorsque les Français se seront davantage familiarisés avec leurs appellations... Ils illustrent à merveille le désir de nos vignerons de poursuivre une politique de qualité.

D'autres Etats membres de la Communauté produisent aussi des vins de table avec indication géographique.

Le *Vino Tipico* est originaire d'Italie, le *Landwein* provient de la République fédérale d'Allemagne (la désignation du Landwein, portant l'indication géographique *Rhein,* peut être complétée par le mot *Hock* lorsque les vins proviennent des cépages Riesling et Sylvaner). Les vins originaires du Luxembourg portent le nom français de « vins de pays ».

Pécharmant, appellation* contrôlée qui s'applique à des vins rouges produits sur les coteaux proches de la ville de Bergerac, entre la Dordogne et la route de Bergerac-Périgueux. — Certaines parcelles des communes de Saint-Sauveur, de Creysse, de Lembras et de Bergerac ont droit à l'appellation « Pécharmant », qu'on écrit aussi « Pech-Charmant » (c'est-à-dire sommet charmant). Les terrains silico-argileux donnent un vin coloré, corsé, chaleureux, titrant au moins 11⁰, avec une sève caractéristique.

Le Pécharmant du Château de Tiregand, vieilli de vingt à trente mois en fût de bois, est un très grand vin rouge, déjà considéré, il y a plus d'un siècle, comme occupant « sans contredit le premier rang parmi les vins rouges de Bergerac ». Il se bonifie encore en bouteille et peut se garder plus de dix ans. Il provient toujours d'une très bonne année ; en année moyenne, il est commercialisé sous le nom de « Clos-de-la-Montalbanie », déjà de grande qualité.

pelure d'oignon, expression qui désigne, assez irrespectueusement d'ailleurs, la teinte un peu orangée, brun roux ou fauve que certains vins rouges acquièrent avec l'âge. — Toutefois, certains vins rouges légers et certains rosés possèdent aussi cette couleur.

Pérignon (dom). Ce moine fut nommé en 1668 cellérier de l'abbaye d'Hautvillers et occupa ce poste jusqu'à sa mort, en 1715. La tradition populaire lui attribue l'« invention » du Champagne. En réalité, les vins blancs de Champagne n'avaient pas attendu dom Pérignon pour avoir une tendance naturelle à mousser. Cette propriété était même considérée comme un phénomène assez fâcheux par les vignerons, qui essayaient — tant bien que mal — de le limiter. Il faut ajouter que, la vogue étant aux vins rouges, on se préoccupait somme toute assez peu du sort des vins blancs, réservés à la consommation locale. Puis la mode changea, et on se mit à réclamer des vins blancs — qui l'étaient assez peu à l'époque, puisqu'on les qualifiait de « clairets » et « fauvelets ». Dom Pérignon paraît s'être attaché surtout à étudier le comportement de cette effervescence jugée autrefois inopportune, à faire de ce défaut une qualité suprême et à trouver un procédé qui permît d'obtenir à coup sûr une mousse régulière. Le « secret » de dom Pérignon fut sans doute, à la base, l'adjonction au vin tranquille* d'une certaine quantité de sucre exactement dosée. Après sa mort, bien des audacieux, qui essayèrent de produire le vin blond et joyeux, eurent des casses de bouteilles effroyables. Il fallut attendre, un siècle plus tard, les essais de

L'abbaye d'Hautvillers, où dom Pérignon a tenu la charge de cellérier de 1668 à 1715.
Phot. Lauros-Giraudon.

dosage d'un pharmacien œnologue, François de Châlons (au nom bien injustement oublié), pour retrouver la science de dom Pérignon. Le grand mérite de ce dernier — et véritablement authentique — fut aussi d'avoir inventé, ou tout au moins perfectionné, le mélange et le dosage* des crus différents, afin d'additionner leurs qualités. Dom Pérignon avait reçu en partage une finesse de goût extraordinaire, qui lui permettait de discerner non seulement les vins, mais même les raisins : il l'utilisa pour obtenir de savants mélanges, donnant des vins d'une incomparable qualité. Il semble aussi qu'il réussit à faire, dès les premières années de son cellériat, un vin tout à fait blanc, alors que, jusqu'à cette époque, on obtenait un vin gris ou rosé. Il pensa, dit-on, à utiliser la fraîcheur des caves, des fameuses « crayères » creusées dans la craie à l'époque gallo-romaine, pour obtenir le lent mûrissement des vins. On lui attribue encore une méthode de collage* qui permettait d'éclaircir le vin sans le transvaser; cette formule de « collature » à base de sucre candi, de vin et d'eau-de-vie devait, en tout cas, tenir lieu de liqueur* de tirage et contribuer sûrement à la prise de mousse. Certains vont jusqu'à attribuer à dom Pérignon l'invention du verre en forme de flûte, le seul digne en vérité de contenir Monseigneur le Champagne. On lui attribue aussi, sans preuve péremptoire, le remplacement des bouchons de chanvre tordu, imbibé d'huile, qu'on utilisait jusqu'alors, par des bouchons de liège.

perlant, mot qui, n'étant pas légalement défini, veut dire simplement que le vin contient une très légère effervescence gazeuse,

CHATEAU DE TIREGAND
- 1974 -

PÉCHARMANT
APPELLATION PÉCHARMANT CONTROLÉE
Cresse F. de Saint-Exupéry CREYSSE-24100 BERGERAC
Société d'Exploitation du   (Dordogne)
Château de Tiregand   Tél. (53) 58.21.00
MIS EN BOUTEILLE AU CHATEAU

CONCOURS GÉNÉRAL AGRICOLE DE PARIS
1962 Médaille d'Or 1963 Médaille d'Argent
1970 Médaille de Bronze 1974 Médaille d'Or
CONCOURS DES GRANDS VINS DE FRANCE A MACON
1972 Médaille de Vermeil

beaucoup moins prononcée que celle d'un vin pétillant. — Les vins perlants les plus connus sont le Fendant du Valais, le Crépy, le Gaillac perlé. On pratique la mise en bouteilles au moment de la fermentation* malo-lactique, qui transforme l'acide malique contenu dans les vins jeunes en acide lactique et en acide carbonique. L'acide carbonique reste emprisonné dans le vin, et c'est lui qui donne, à la dégustation, le très léger pétillement, fort agréable et recherché, des vins perlants. On favorise le phénomène en laissant les lies* en suspension et en mettant le vin en bouteilles très tôt, par temps froid, après filtration*.

Pernand-Vergelesses, petit village de la Côte de Beaune, situé juste à côté d'Aloxe-Corton. — Certaines parcelles de vignobles de Pernand-Vergelesses, produisant de grands vins blancs ou rouges, ont droit légalement à l'appellation « Corton » et « Corton-Charlemagne ».
Les vins rouges de Pernand-Vergelesses ont du feu, de la fermeté, développent un bouquet de framboise et se conservent longtemps. Les vins rouges produits par le climat « Ile des Vergelesses », lorsqu'ils proviennent d'un bon producteur, peuvent, dans les grandes années, se comparer aux meilleurs Cortons.
Les vins blancs ont de la finesse et sont fort estimables.
Les vins de Pernand-Vergelesses sont vendus indifféremment sous le nom de « Pernand-Vergelesses » ou de « Pernand-Vergelesses-Côte-de-Beaune ». Mélangés à un ou plusieurs autres vins originaires de la Côte de Beaune, ils peuvent être vendus sous le nom de « Côtes-de-Beaune-Villages ».
Le titre de « premier cru » a été provisoirement accordé aux climats suivants : Ile des Vergelesses, Les Basses Vergelesses, Creux de la Net, Les Fichots, En Caradeux.

Pérou. C'est le conquérant espagnol Francisco de Carabentès qui introduisit la vigne au Pérou, dès le milieu du XVIe siècle, aux environs d'Ica. Bien qu'il soit un des plus anciens producteurs de vin de l'Amérique du Sud, le Pérou n'est actuellement qu'au cinquième rang des pays vinicoles sud-américains pour la production. Son sol et son climat ne se prêtent guère à la culture de la vigne, sauf en quelques endroits privilégiés; le vignoble est surtout concentré autour d'Ica, Lima, Cuzco, Arequipa, Chincha, Moquegua, Tacna, Lacumba.
La plupart des vignes péruviennes sont d'origine européenne. Elles donnent des vins blancs assez agréables, légers et parfumés, et des vins rouges sans grande distinction et trop chargés en tanin*. Mais le Pérou produit aussi des vins de liqueur de types Madère, Porto et Xérès.
Les vins du Pérou prennent le plus souvent le nom de leur région productrice : un Ica, un Moquegua, un Chincha, etc.

persistance, qualité d'un vin dont les sensations gustatives se prolongent agréablement au palais. — Si le bouquet d'un vin provient des éléments volatils, les sensations gustatives sont procurées surtout par les constituants non volatils (sucres, tanins, acides et leurs sels).
Un vin « long » est celui dont la persistance dure longtemps; c'est toujours un grand vin; un vin « court » est toujours un vin quelconque. La connaissance de la durée de perception est un moyen infaillible de caractériser les crus*. Le procédé est bien simple : après avoir avalé une gorgée de vin, il suffit de compter mentalement en secondes la durée de l'émotion gustative jusqu'à son évanouissement. Il ne faut pas tenir compte de la sensation tannique, qui se prolonge parfois seule : elle doit être négligée. Les vins rouges ont une persistance gustative moindre que les blancs : celle d'un très grand vin rouge dépasse rarement onze secondes.
Il est amusant de connaître l'échelle des valeurs gustatives suivante : vin ordinaire, de 1 à 3 secondes; vin de qualité, de 4 à 5 secondes; grand vin, de 6 à 8 secondes; très grand vin, de 8 à 11 secondes et plus (de 8 à 11 secondes aussi pour les blancs secs); vin blanc liquoreux, 18 secondes; grand Sauternes, Vouvray et Château-Chalon, de 20 à 25 secondes. En jargon professionnel, « caudalies » désigne la persistance en secondes des sensations perçues.

Pétillant, vin demi-mousseux. — Avant la réglementation communautaire, l'emploi du mot « pétillant » était déjà réglementé de façon précise pour les vins de la Loire à appellation* contrôlée (Vouvray, Montlouis, Touraine, Saumur, Anjou). Il n'en était pas toujours de même pour les vins provenant d'autres vignobles. C'est ainsi que certains vins, qu'on avait coutume d'appeler « pétillants », ne présentaient aucune pression : ils contenaient simplement un peu de gaz* carbonique dissous (vins mis en bouteilles sur lies*, vins mis en bouteilles au moment de la fermentation* malo-lactique).
La réglementation de la C.E.E. prévoit désormais que les vins pétillants, outre qu'ils doivent répondre aux exigences posées pour l'élaboration des vins dont ils proviennent, doivent accuser, à la température de 20⁰C, une *surpression* (c'est-à-dire une pression mesurée au-dessus de la pression atmosphérique) qui ne peut être inférieure à 1 atmosphère ni supérieure à 2,5 atmosphères.

Feuilles de vigne en proie au phylloxéra. Phot. M.

Pétrus (Château-). Bien qu'il n'existe pas de classement officiel des vins de Pomerol, le grand seigneur de cette région est incontestablement le Château-Pétrus, qui peut s'aligner par sa classe avec les «premiers grands crus» du Médoc et de Saint-Emilion.

Le Château-Pétrus est un vin complet, velouté, admirablement équilibré, avec beaucoup de corps et de bouquet. Par un rare privilège, la qualité est remarquablement régulière et, même dans les années médiocres, le Château-Pétrus demeure un bon vin, mais qu'il faut se garder, alors, de laisser trop vieillir.

phylloxéra. Ce minuscule puceron, de tous les ennemis de la vigne peut-être le plus ravageur, comme l'indique trop bien son nom *Phylloxera vastatrix,* vient d'Amérique. Les vignes américaines résistent aux mortelles piqûres de l'insecte, qui fut introduit accidentellement en Europe, à la faveur d'essais expérimentaux. Et, dès 1864, où sa présence maudite fut signalée dans le Gard, va commencer le calvaire de nos beaux vignobles et de leurs vignerons. Tous furent touchés ou presque, certains ne s'en sont jamais remis. Tout fut essayé, car la persévérance est vertu vigneronne. On pratiqua la submersion* des vignes; on tenta la culture dans les sables*; on essaya d'injecter dans le sol du sulfure de carbone.

Ce furent des tentatives courageuses, mais dont le résultat demeura insuffisant. Enfin, on tenta l'expérience du greffage*, avec des vignes américaines aguerries contre l'insecte. On trembla alors pour nos vins, car les vignes américaines ont un goût fauve détestable, et leur vin renarde*.

Quel avenir attendait notre vin français à la suite de cet essai? Tout se passa fort bien heureusement, et le greffage est désormais entré dans nos mœurs. Mais la reconstitution du vignoble avait coûté à l'époque 1 800 milliards de francs-or, entièrement supportés par nos vignerons.

Toute la structure de notre vignoble traditionnel fut remodelée à la suite de cette terrible aventure. Certains vignobles, frappés à mort, ont disparu à jamais ou presque (vignoble de l'Ile-de-France, par exemple). Par contre, le vignoble reconstitué a bénéficié des effets régénérateurs de la technique.

Picpoul-de-Pinet, vin blanc du Languedoc, classé V. D. Q. S.* et provenant presque exclusivement du cépage Picpoul blanc, qui lui a donné son nom (70 p. 100 environ), associé au Terret blanc et à la Clairette. — Il est produit par la commune de Pinet et par quatre ou cinq communes environnantes. C'est un vin sec, mais sans acidité, assez généreux, qui est l'accompagnement rêvé des huîtres de Bouzigues.

Pic-Saint-Loup. Cette appellation des Coteaux-du-Languedoc*, qui a droit au label v. d. q. s.*, s'applique à des vins récoltés sur les communes de Claret, Cazevieille, Corcone, Fontanès, Lauret, Saint-Jean-de-Cuculles, Saint-Mathieu-de-Tréviers, Sauteyrargues, Valflaunés, Les Matelles, Le Triadou, Sainte-Croix-de-Quintillargues et Saint-Gély-du-Fesc.

Les vins produits, blancs, rouges et rosés, titrent 11⁰.

Les vins blancs sont uniquement des blancs de blancs, provenant des cépages suivants : Clairette, Grenache blanc, Maccabéo.

Les vins rouges et rosés sont issus du même encépagement que ceux de Montpeyroux*.

L'appellation est « Coteaux-du-Languedoc-Pic-Saint-Loup » pour les vins rouges et rosés ou « Pic-Saint-Loup » pour les vins rouges, rosés et blancs. Les vins rouges et rosés peuvent, éventuellement, se replier sous l'appellation « Coteaux-du-Languedoc » simple.

pièce, unité de mesure utilisée dans la région bourguignonne et équivalant à peu près à la barrique* (soit 228 litres). — La pièce est de 216 litres à Mâcon, de 214 litres en Beaujolais. A Chablis, on compte en feuillettes*.

pied de cuve. Prévenu, grâce au contrôle de maturation*, de la date des vendanges, le vigneron confectionne auparavant, avec soin, son pied de cuve. A cet effet, il choisit, dans les meilleurs endroits de la vigne, quelques centaines de kilos de raisins mûrs, beaux et sains. Après égrappage* et foulage*, le raisin est déposé dans un récipient très propre. Si nécessaire, le vigneron chauffe le local (ou une partie de la vendange). Il faut que le moût* atteigne de 22 à 25 °C. La fermentation* alcoolique se met en route dans les douze heures, et le vigneron prend soin d'aérer fortement le moût. Il possède alors son « pied de cuve », levain très actif de levures indigènes : ainsi 1 hl de levain fait démarrer 40 hl de vendanges.

On ajoute du moût stérilisé à 70 °C dans le récipient chaque fois qu'on opère un prélèvement.

Pierrevert (Coteaux de). Les vins rouges et rosés de ce vignoble de Provence, qui sont classés v. d. q. s.*, proviennent des cépages habituels de la région avec, en plus, la Petite Syrah. Les vins blancs issus de la Clairette, de la Marsanne, de la Roussanne, du Picpoul et de l'Ugni blanc font un peu penser aux Côtes-du-Rhône. Les vins rouges titrent 11⁰, les blancs et rosés 11,5⁰ avec un rendement de 50 hl à l'hectare. Le « Clairet de Pierrevert » est un vin blanc ou rosé, parfois mousseux, à saveur musquée, récolté à Pierrevert, à Manosque et à Sainte-Tulle.

pinard. Depuis 1943, cette appellation argotique, désignant nos vins ordinaires généralement chargés en couleur et en tanin*, est entrée au Dictionnaire de l'Académie. Elle avait conquis au cours de la guerre 1914-1918 ses titres de gloire, puisque le maréchal Joffre, vainqueur de la Marne, appelait le vin de nos poilus « le général Pinard ». Il est vrai que Joffre connaissait mieux que quiconque les vertus de ce général en bouteille, puisqu'il était lui-même fils d'un tonnelier de Rivesaltes. Des chercheurs n'ont pas manqué d'essayer de trouver l'origine de ce mot populaire. Certains ont pensé à *pinô*, qui signifie « boire » dans la langue d'Homère. D'autres rappellent qu'un nommé Jean Pinard représenta pour les Bourguignons, au XVIIe siècle, le type même du vigneron, comme le prouve un livre imprimé en 1607 à Auxerre, qui eut d'ailleurs l'honneur d'une réimpression à Paris en 1851.

pinçant, mot qui s'emploie pour désigner un vin qui semble pincer la langue à cause de son excès d'acidité* fixe. *Pointu* a le même sens.

Pineau d'Aunis, cépage rouge, cultivé surtout dans le Vendômois et en Loir-et-Cher. — On l'appelle également « Chenin noir ». Comme le Chenin blanc, encore appelé « Pineau de la Loire », il n'a aucun rapport avec la famille des Pinots. Son nom provient de celui du petit hameau d'Aunis, de la commune de Dampierre, non loin de Saumur. Il est admis que c'est du Pineau d'Aunis — descendant sans doute lui-même de vignes sauvages indigènes — que provient le Pineau de la Loire, ou Chenin blanc, résultat de patientes sélections des vignerons du Val de Loire. Le Pineau d'Aunis entre dans l'encépagement des vins rouges et rosés d'Anjou et de Saumur.

Pineau de la Loire, cépage qui produit à lui seul les grands vins blancs de Touraine et d'Anjou. — On l'appelle encore « Chenin blanc » : c'est sous ce nom de « Chenin » que Rabelais le signalait déjà. On écrit parfois, à tort, « Pinot » de la Loire : cela est une erreur, car ce cépage ne fait pas partie de la famille botanique des Pinots. Le Pineau de la Loire est le plant typique du Val de Loire, au climat duquel il est merveilleusement adapté : tous les terrains lui conviennent, pourvu qu'il soit sous son ciel de prédilection! Ailleurs, par contre, il ne donne jamais de grands vins. C'est à lui

que nous devons le Vouvray, le Montlouis, le Saumur, le Savennières, les Coteaux-du-Layon : ce sont là ses titres de noblesse. Le raisin de ce cépage, dans les grandes années, se prête à l'attaque de la pourriture* noble. On le vendange très tard, parfois après la Toussaint : il nous donne alors de belles bouteilles au parfum d'une exquise délicatesse. Le vin de Chenin blanc prend aussi très bien la mousse. Qui s'en plaindrait, après avoir goûté aux vins mousseux de Vouvray, de Montlouis ou de Saumur?

Pineau des Charentes, vin de liqueur, doté d'une appellation* d'origine contrôlée. — Le Pineau des Charentes est le résultat du mutage* à l'alcool de moûts récoltés dans les Charentes, mais, ici, l'alcool employé est du Cognac. C'est vers le XVIe siècle que ce procédé semble avoir fait son apparition dans la région, puisqu'on fait remonter son origine sous François Ier, aux premiers temps de la distillation dans la région de Cognac. Sa découverte est l'effet d'un heureux hasard : un vigneron distrait remplit par erreur un fût qu'il croyait vide — mais qui contenait quelques litres de Cognac — avec du moût de sa vendange. Dans l'obscurité de la cave se produisit le miracle : le Cognac arrêta la fermentation du vin tout en le clarifiant et, quelque temps après, on découvrit une boisson inconnue, mais exquise. On répéta l'expé-

rience à chaque nouvelle vendange et chaque fois le miracle se reproduisit. C'est ainsi qu'est né le Pineau, fierté de l'Angoûmois.

Le Pineau des Charentes, qui peut aussi être appelé « Pineau charentais », existe en blanc et en rosé; le blanc provient des cépages Saint-Emilion, Folle-Blanche, Colombard, Jurançon blanc, Montils, Sémillon, Sauvignon et Merlot blanc; le rosé, lui, est issu du Cabernet-Sauvignon, du Cabernet franc, du Malbec et du Merlot rouge.

La culture de la vigne est très réglementée : tout arrosage est interdit, la fumure utilisée ne comprend que du fumier de ferme et des engrais chimiques non azotés, à l'exclusion de tout autre engrais, et la seule taille autorisée est la taille Guyot simple ou double. Le rendement à l'hectare ne peut dépasser 50 hl.

Le Pineau charentais doit être préparé par mutage, en une seule fois, du moût de raisin par du cognac « rassis », de telle façon que le titre alcoométrique acquis du produit soit au minimum de 16⁰ et au maximum de 22⁰. Le moût doit être employé au fur et à mesure de sa récolte, sans aucun filtrage et sans addition d'anhydride* sulfureux, et il ne peut, au moment du mutage, présenter une teneur en sucre non fermenté inférieure à 170 g par litre. Evidemment, tout emploi de moût conservé, concentré ou chaptalisé est interdit. Le cognac utilisé pour le mutage doit provenir de l'exploitation et titrer au moins 60⁰. Il doit être « rassis », c'est-à-dire provenir de la campagne de distillation précédente ou d'une campagne antérieure, et conservé en fût de chêne.

*Double page suivante :
fresque des « Vendanges »
(détails) de la tour
de l'Aigle,
château du Bon Conseil,
province de Trente, Italie
(vers 1400). Phot. Giraudon.*

*Grappes de Pineau
de la Loire.
Dans les grandes années,
le raisin de ce cépage fameux
se prête à l'attaque
de la pourriture noble,
comme c'est le cas ici.
Phot. M.*

*Ferme dans les Charentes
avec son vignoble à Pineau.
Phot. Lauros - Atlas-Photo.*

PINEAU FRANÇOIS Iᵉʳ
Appellation Pineau des Charentes Contrôlée

234a

Gustave Lorentz
APPELLATION ALSACE CONTRÔLÉE
Tokay d'Alsace
GRANDE RÉSERVE
GUSTAVE LORENTZ, NÉGOCIANT À BERGHEIM (H⁻-RHIN)

Le Pineau ainsi préparé sera stocké dans des récipients de bois, mais ne pourra être livré à la consommation que mis en bouteilles. En outre, chaque bouteille doit porter une capsule ou un timbre de garantie du syndicat des producteurs de Pineau des Charentes.

Toutes ces obligations draconiennes, auxquelles doivent se plier les producteurs, expliquent la très grande qualité du Pineau des Charentes, nectar de miel et de feu, au bouquet enchanteur, dont la merveilleuse mais trompeuse douceur dissimule une certaine traîtrise.

Un des meilleurs Pineaux des Charentes est celui qui est produit par les Rivière au Domaine des Gatinauds, une des plus anciennes exploitations viticoles spécialisées dans l'élaboration du Pineau. D'une perfection inégalable, il est commercialisé sous le nom de « Pineau-François-Iᵉʳ » et offre un bouquet somptueux et une saveur suave fondus en une éblouissante et exquise harmonie.

Pinot blanc. Proche parent du Chardonnay, le Pinot blanc donne un vin moins caractéristique que celui-ci. Il entre dans l'élaboration des bons Bourgognes blancs et est aussi utilisé pour le Champagne. On le rencontre encore en Allemagne, sous le nom de *Klevner* ou parfois de *Weissburgunder* (c'est-à-dire « Bourguignon blanc »), et en Italie du Nord, où il fournit de bons vins mousseux. Il est cultivé aussi en Europe centrale et en Californie.

Pinot gris, cépage d'Alsace, qui appartient à la grande famille des Pinots. — Il est improprement appelé « Tokay », ce qui peut créer une confusion regrettable avec le célèbre vin hongrois. C'est un cépage exigeant, de faible rendement. Il donne un vin blanc corsé, capiteux, puissant, solidement charpenté, mais sans grande délicatesse; il est surtout apprécié dans le pays. Dans les bonnes années, toutefois, il peut se montrer plus gracieux et présenter un agréable velouté. On le rencontre aussi, sous le nom de *Ruländer,* en Allemagne, dans le pays de Bade et au nord de l'Italie. Le règlement C.E.E. du 8 août 1980 avait interdit l'usage de la dénomination « Tokay d'Alsace », pourtant en vigueur depuis plus de quatre cents ans (1565). A la suite de la levée de boucliers des viticulteurs, cette interdiction a été reportée au 30 juin 1984.

Pinot noir, un des très grands cépages rouges. — Il a fait la renommée des grands vins rouges de Bourgogne depuis la création du vignoble bourguignon. C'est à lui que nous devons les vins admirables qui ont nom : Romanée-Conti, la Tache, Musigny, Chambertin, Clos Vougeot, Pommard.

Grappe de Pinot noir, grand cépage de Bourgogne et de Champagne. Phot. M.

Grappe de Pinot Meunier, ou « Gris Meunier », cépage le plus cultivé de l'Orléanais. Phot. M.

Mais c'est à lui aussi que nous devons le Champagne. Car le Pinot noir et le Chardonnay ont pour destin d'être unis en Bourgogne comme en Champagne! Dès le haut Moyen Age, le Pinot noir était déjà, avec le Chardonnay, le principal cépage de la Champagne. On l'appelait « Morillon », sans doute parce qu'il est noir comme un Maure. Il donnait alors des vins rouges réputés, qui pouvaient rivaliser déjà avec les vins de Beaune, et dont seuls le Bouzy et le Cumières ont survécu. Actuellement, la production du Pinot noir, importante surtout dans la Montagne de Reims, est environ quatre fois celle du Chardonnay, contrairement à ce qui se passait à l'époque médiévale. Les raisins de Pinot, petits et serrés, sont d'un beau noir bleu. Ils contiennent un jus sucré, incolore et abondant. En Bourgogne, la matière colorante*, contenue dans la peau, se dissout dans le jus au moment de la fermentation pour donner les beaux vins rouges dont nous admirons la couleur. En Champagne, les raisins de Pinot ne sont jamais foulés avant d'être pressés, pour ne pas tacher le jus. Les pressoirs champenois sont de forme particulière, à surface très large, afin que le pressurage* se fasse très rapidement, dans le but de garder au jus sa pureté et sa limpidité.

Le Pinot entre dans l'encépagement des vins rouges de Saint-Pourçain, de l'Orléanais, de Châtillon-en-Diois, du Jura. C'est lui aussi qui fait les excellents vins rouges d'Alsace et les vins rosés remarquables de Marsannay-la-Côte, des Riceys et de Sancerre.

piquette. Sorti du pressoir, après avoir fourni le vin de presse*, le marc* est remis dans la cuve. On verse alors une certaine quantité d'eau sur ce marc, afin d'obtenir une boisson réservée à la consommation familiale (la loi limite d'ailleurs cette production). Au bout d'une quinzaine de jours, on obtient une première piquette plus ou moins forte. On peut même, en recommençant l'opération, obtenir une seconde piquette. Cette boisson est assez acidulée : d'où son nom de « piquette ». Par dérision, on appelle « piquette » un mauvais vin, pauvre en alcool et riche en acide.

plein, terme qui s'applique à un vin riche en alcool, agréablement corsé et bien équilibré.

Poitou (Vins du Haut-). Cette appellation s'applique à des vins, blancs, rouges ou rosés, auxquels l'arrêté du 23 octobre 1970 a accordé le label V. D. Q. S.*.
Les vins du Poitou, pourtant nombreux, sont peu connus, car ils avaient la réputation de voyager mal. Aussi, c'est sur place

qu'il faut les déguster, d'autant qu'ils ne savent pas non plus vieillir, à quelques exceptions près.
Le Poitou a un passé vinicole prestigieux, injustement oublié aujourd'hui.
Au Moyen Age, tous les vins de la région, aussi bien ceux du Poitou que ceux de la Vendée et de l'Aunis, étaient désignés sous le nom de « vins de Poitou » ou encore sous celui de « vins de La Rochelle » (le Poitou, pour nos ancêtres, désignait tout le pays qui s'étend entre Loire et Gironde). C'est, en effet, du port de La Rochelle que les vins embarquaient à destination de l'Angleterre et des pays nordiques, et on désignait les vins par le nom de leur port d'embarquement et non par celui de leur origine précise. Au XIIe siècle, La Rochelle occupait la première place du rivage atlantique pour le commerce des vins, avant Bordeaux, dont l'activité ne se déclenchera qu'un siècle plus tard. Son port avait le gros avantage d'être d'accès plus facile aux navires, puisqu'il touchait la mer, alors que Bordeaux n'était atteint qu'après une navigation difficile à travers les passes de la Gironde.
Des documents de cette époque décrivent un vaste vignoble, et le moine italien Salimbène, qui visitait la France en 1248, signala grande abondance de vins en trois endroits : La Rochelle, Auxerre et Beaune. Ce sont surtout les vins blancs qui firent la réputation des vins du Poitou au Moyen Age, si bien que les vignerons développèrent la plantation des vignes blanches pour satisfaire leur clientèle.
Ce n'est qu'au XVIe siècle que commença la décadence du vignoble poitevin, avec la désaffection des amateurs anglais.
De nos jours, l'appellation « Vins du Haut-Poitou » s'applique à des vins provenant de quarante-six communes du département de la Vienne et deux communes du département des Deux-Sèvres.
Les vins blancs proviennent du Sauvignon, du Chardonnay, du Pinot blanc et du Chenin blanc (dans la proportion maximale de 20 p. 100).
Les vins rouges et rosés proviennent des cépages Pinot noir, Gamay, Merlot, Cot, Cabernet franc, Cabernet-Sauvignon, Gamay de Chandenay (20 p. 100 au maximum) et Groslot (20 p. 100 au maximum). Les vins blancs et rosés titrent 9,5⁰, les vins rouges 9⁰.
Les vins du Poitou sont des vins régionaux typiques qui accompagnent admirablement la cuisine locale et agrémentent nombre de recettes; cette contrée gastronomique privilégiée, où foisonnent gibiers, volailles, cochonnailles, poissons de rivière, donne des vins gais et légers, qui laissent la tête libre et qui ne sont pas sans ressemblance avec ceux de Touraine. Les vins rouges,

Vignobles de Pomerol,
près de Libourne.
Phot. M. et René-Jacques.

alertes et bouquetés, fleurant la violette, récoltés sur les communes de Marigny-Brizay, Saint-Jean, Saint-Georges, ont une réputation justifiée. Les vins blancs, souvent très secs, sont très désaltérants.

Pomerol. Aux portes de Libourne se situe, sur la rive droite de la Dordogne, le petit vignoble de Pomerol, qui touche à l'est la région des graves de Saint-Emilion. La culture de la vigne dans la région de Pomerol remonte à l'époque gallo-romaine, mais elle reçut vraiment son impulsion des hospitaliers de Saint-Jean, qui y établirent une commanderie au XIIe siècle. Toutefois, longtemps confondus avec les Saint-Emilions, les vins de Pomerol n'établirent leur grande réputation qu'au XIXe siècle.

Le sol de Pomerol est un excellent sol à vigne : silico-graveleux, argilo-graveleux ou sablonneux, avec un sous-sol ferrugineux, qui donne au vin sa sève particulière. Les vins, tous rouges, proviennent des cépages nobles : Cabernet franc, Cabernet-Sauvignon (ou Bouchet), Merlot, Malbec (ou Pressac).

Le Pomerol est un très beau vin, d'une brillante couleur rubis foncé, généreux et corsé, avec une sève caractéristique et un velouté exquis et particulier. C'est un vin au charme complet, dont la saveur tient les promesses du bouquet : un amateur célèbre a dit de lui « qu'il est un engrenage de saveurs et d'arômes ».

Il présente une curieuse analogie avec le Bourgogne, mais il est surtout un compromis des plus heureux entre le Médoc, dont il a la finesse, et le Saint-Emilion, dont il a la sève et la vigueur.

L'appellation « Pomerol » comprend la commune de Pomerol et une faible partie de la commune de Libourne. Il n'existe pas de classement officiel des crus de Pomerol, mais on a l'habitude de placer en tête le Château Pétrus (qui mérite indiscutablement cet honneur), puis les Châteaux Certan, Vieux-Certan, la Conseillante, Petit-Village, Trotanoy, l'Evangile, Lafleur, Gazin, La Fleur-Pétrus. (V. Annexes.)

D'autre part, deux communes voisines prolongent le vignoble de Pomerol et donnent des vins qui ont sensiblement les mêmes caractères. Ce sont Lalande-de-Pomerol et Néac.

Pommard. Le vin de Pommard, rouge uniquement, est peut-être le plus connu des vins rouges de Bourgogne, du moins à l'étranger. Cette commune de la Côte de Beaune, en effet, s'honore de cultiver la vigne depuis fort longtemps, et, au temps où les méthodes de vinification et de conservation étaient encore empiriques, le Pommard se glorifiait de posséder deux qualités fort intéressantes : bien se conserver et voyager sans risque. Il fut donc connu très tôt bien au-delà de la Bourgogne. Mais les vins de Pommard n'ont pas que ces deux qualités : ils possèdent tous du corps, de la vinosité, ils sont colorés et puissants, et prennent en vieillissant un goût de truffe. Ce sont des vins « de mâche », qui emplissent bien la bouche. Ces caractères sont plus ou moins marqués selon le climat : les Argillières sont plus légers, les Rugiens ont beaucoup de corps et de fermeté, les Epenots ont de la finesse et de la race.

D'autres crus* de Pommard ont été classés provisoirement en « premiers crus », à côté des Rugiens-Haut et Rugiens-Bas, des Epenots et Petits-Epenots et des Argillières : Clos de la Commaraine, Clos Blanc, les Arvelets, les Charmots, les Pézerolles, etc. (en tout, vingt-six crus). Les vins provenant de ces crus peuvent donc ajouter le nom du cru ou l'expression « Premier Cru » à côté du nom de « Pommard » (exemple : « Pommard-Rugiens »). [V. Annexes.]

Porto, certainement le plus fameux des vins de liqueur et le plus mondialement connu. — Il provient d'une région du Portugal très strictement délimitée : le haut Douro et ses affluents, comprenant le Cima Corgo et le Baixo Corgo, en amont et en aval du rio Corgo. La région viticole du haut Douro, particulièrement âpre et déshéritée, couvre à peine 2 500 km². Les ravins, brûlants, encaissés dans les montagnes schisteuses et dévorés de soleil, produisent environ de 250 000 à 280 000 hl de ce vin prestigieux, universellement apprécié, sévèrement contrôlé par l'Instituto do Vinho do Porto. L'encépagement n'a, dans cette région vraiment spéciale, qu'une importance toute secondaire : on rencontre environ seize cépages rouges, dont l'Avarelhão et le Touriga, et six cépages blancs, dont le Malvasia Fina, le Moscatel, le Rabigato et le Codega, mais on peut affirmer ici que seuls le sol et le climat, auxquels s'ajoute tout l'art de l'homme, font le Porto, ce noble ambassadeur du Portugal.

C'est aux sources mêmes de son origine qu'on découvre son incomparable perfection, dans cette région où, du vigneron le plus humble au plus riche exportateur, chacun vit dans le culte du vin. Les Anciens croyaient que le rio Douro — le fleuve d'or —, dont les courbes scintillantes serpentent parmi les ravins rocailleux, charriait de l'or. En réalité, si un trésor existe dans le Douro, il se trouve sur ses rives tourmentées, et non dans ses eaux, et c'est à force de sueur et d'inlassable labeur qu'on l'en arrache, tel le trésor du riche laboureur de La Fontaine !

Concassée, émiettée, défoncée au pic, la roche schisteuse et feuilletée a été étagée en gradins afin d'être perméable aux pluies d'hiver et d'offrir à l'infini ses cordons de vigne au grand soleil ardent (c'est dans une fournaise de 40° à 50°, sans un soufle d'air, que le « Pays du vin » élabore en été son précieux nectar).

La légende dit que c'est de notre Bourgogne que viennent les ceps producteurs du Porto. Le croisé Henri de Bourgogne, qui s'était illustré au XIe siècle dans la lutte contre les Infidèles à côté du Cid, reçut en récompense les pays du Douro et du Minho. Devenu comte du Portugal, il eut le

« Les Vendanges » : détail d'une page de « l'Apocalypse de Lorvão » (1189), de Torre de Tombe, Lisbonne. Phot. Y. Loirat.

louable souci de faire valoir ses terres : il est donc probable qu'en bon Bourguignon il cultiva la vigne et qu'il implanta les cépages de sa Bourgogne natale.

Mais bien des années s'écouleront avant que les vignobles du Douro atteignent leur gloire, et, à dire vrai, leur histoire ne commence guère qu'au XVIIIe siècle. Les Anglais furent à l'origine de l'épanouissement du vin de Porto. L'Angleterre avait interdit l'entrée des vins d'Aquitaine après les guerres avec la France sous Louis XIV : elle signa ensuite avec le Portugal, en 1703, le traité de Méthuen, qui échangeait le monopole des laines anglaises contre celui des vins portugais. C'est ainsi que, d'abord négociants, les Anglais installés au Portugal se risquèrent à devenir vignerons et veillèrent jalousement sur la qualité des vins destinés uniquement à la consommation anglaise. Tel fut le cas du fameux baron de Forrester, qui eut le premier l'idée d'amener les fûts du haut Douro jusqu'à Porto en utilisant des barques à fond plat, les *barcos rabelos*.

Le Porto requiert, pour son élaboration, toute une série de soins dévotieux, inspirés d'une rigueur fervente, et toute la subtilité de l'art humain. C'est d'abord la vendange minutieuse qui impose l'élimination, de chaque grappe, du moindre grain malsain ou encore vert. Des équipes

Barque à fond plat spécialisée dans le transport des fûts du haut Douro à la ville de Porto. Phot. Hétier.

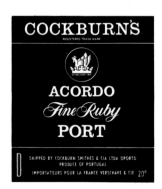

de robustes gaillards, les *barracheiros*, ramassent la vendange au bout de chaque rang et portent jusqu'au pressoir*, ajustées sur leurs épaules et équilibrées sur la tête par un ruban de cuir, des charges de 75 kg de raisin. C'est le seul moyen de transport possible dans ce vignoble abrupt.

Si, de nos jours, le foulage* au pied est remplacé peu à peu par un procédé mécanique non traumatisant, le procédé Ducellier (le bien nommé!), le Porto avait toujours, jusqu'alors, exigé l'épuisant foulage au pied, appelé *corta de lagar,* ou « taille du cellier », seul moyen d'extraire de la pulpe toute sa précieuse substance sans broyer les pépins qui en gâcheraient le goût : une équipe de six hommes mettait vingt heures, jadis, pour extraire 10 hl de moût dans de grandes cuves de granit, les « lagars ».

Puis vient le moment crucial où il faut stopper la fermentation par une certaine quantité d'alcool vinique naturel, provenant obligatoirement des vignobles du haut Douro. On sait que le Porto est un vin muté à l'alcool (v. MUTAGE) comme les autres vins de liqueur ou les vins doux naturels français. Mais nul de ces vins, peut-être, n'exprime mieux que le Porto ce parfait mariage de la fraîcheur du jus de la vigne et du feu de l'eau-de-vie. C'est en vain qu'on rechercherait dans le Porto la morsure de l'alcool, toujours merveilleusement fondu dans un tout harmonieux; jamais ici l'alcool ne se comporte en agresseur des papilles, comme cela se produit parfois dans des vins mal vinifiés et mal équilibrés. Le moment propice de l'adjonction d'alcool,

comme le dosage de cet alcool, dépendent de la richesse en sucre du moût et du produit que l'on désire obtenir : vin liquoreux ou vin sec. Mais le pourcentage d'alcool incorporé, fixé depuis 1907, ne doit jamais être inférieur à 16,5 p. 100.

Bien dosés et assagis, les moûts* sont entreposés au frais dans les celliers et ce n'est qu'au printemps qu'ils entreprendront le voyage vers les chais* de Porto (ou plutôt de sa ville jumelle Vila Nova de Gaia) et vers leur destin. Longtemps ce voyage se fit au moyen de curieuses barques à fond plat, les *barcos rabelos,* menées par un timonier expérimenté, capable de les manœuvrer sur le traître Douro, torrent impétueux coupé de rapides, semé d'écueils et de remous mortels. Leur dernier voyage eut lieu en 1965.

Selon les caractéristiques qu'il présente, le vin entrera dans l'une ou l'autre des deux grandes dynasties du Porto. Sera-t-il jugé digne de faire une bouteille de prestige, un « Vintage* »? Ou deviendra-t-il un « Porto Blend » (appelé aussi « Tawny* »), mûri en fût et résultat de savants mélanges? Les experts hautement qualifiés en décideront durant une surveillance attentive et un affinage de trois ans en fût.

En dehors de cette distinction fondamentale — « Blend » ou « Vintage » —, les Portos se classent selon leurs nuances; les coloris officiels sont blanc pâle, blanc paille, blanc doré, pelure d'oignon, blond doré; les « fulls » sont des Portos assez jeunes, riches, corsés, dont les couleurs vont du rouge, rouge rubis, au rouge grenat sombre. On distingue aussi les Portos très secs et secs (généralement blancs) et les Portos mi-secs et doux (rouges).

Mais n'importe quel Porto, tout au long de sa lente élaboration, a toujours été, de la part des autorités portugaises, l'objet de la plus grande vigilance. Plusieurs organismes officiels se penchent sur lui dès sa naissance, pour qu'il soit cultivé, vinifié et commercialisé selon les règles les plus strictes. Et le très sévère *Instituto do Vinho do Porto* coiffe toutes les activités, contrôle, apprécie... Aussi peut-on être assuré de la perfection et de l'authenticité d'une bouteille de Porto portant le cachet de garantie de l'I. V. P.

Qu'il s'agisse de « Tawny » ou de « Vintage », pour déguster le Porto, le gourmet avisé doit, avant tout, proscrire de sa table les verres fantaisistes, parfois de grand prix, baptisés un peu légèrement « verres à Porto » et qui sévissent sur trop de tables. Un verre classique à pied, de fin cristal, dont le calice en tulipe se referme légèrement, est seul digne de ce grand vin.

La France est actuellement la première importatrice de Porto, avant l'Angleterre. Les Français boivent généralement le Porto

Vignoble du haut Douro,
près de Pinhão.
Phot. Y. Loirat.

à l'apéritif. Les Anglais et les Portugais le servent en fin de repas avec le fromage et les pâtisseries : c'est ainsi que se révèlent le mieux le bouquet, le moelleux, toute la plénitude d'un grand Porto. Seul le Porto blanc, sec et frais, devrait être réservé à la dégustation en apéritif, avec amuse-gueules salés.

Le vin de Porto est exquis et d'une idéale perfection entre vingt et trente ans d'âge. On s'accorde généralement à trouver que son charme se met à décliner après quarante ans; mais il existe de merveilleuses et vénérables exceptions. Une bouteille débouchée doit être achevée : un Porto demeurant au fond d'une bouteille perd tout son arôme.

Portugal. Avec le liège, le vin représente le plus important produit d'exportation du pays. Porto et Madère sont depuis longtemps connus et appréciés du monde entier. Le *Vinho verde,* ou « Vin vert », d'abord goûté sur place par les touristes, a maintenant fait son apparition en France. Mais, à côté de ces trois représentants, porte-drapeaux de sa viticulture, le Portu-

gal produit encore une quantité considérable de vins ordinaires, rouges, blancs et rosés, assez corsés, souvent agréables.

La production totale atteint environ 15 millions d'hectolitres (dont les trois quarts en vin rouge); si la production de Vin vert atteint 3 millions d'hectolitres environ, celle de Porto n'est guère que de 280 000 hl, et celle du Madère est de 80 000 hl seulement. Le Portugal comprend quinze régions viticoles, dont celle de Madère, extérieure à la métropole proprement dite, puisqu'elle est située sur une île de l'Atlantique, au large de l'Afrique.

Les vins portugais sont soumis à une législation vinicole très stricte. Porto, Vin vert, Madère sont depuis longtemps sévèrement contrôlés. D'autres régions, présentant des types de vins caractéristiques, ont été légalement délimitées et ont droit à une *denominação de origem* contrôlée officiellement. Il s'agit des régions du Dao, de Colarès, de Carcavelos, de Sétubal, de Bucelas (voir ces noms). Huit autres régions seront prochainement délimitées et leur appellation sera contrôlée.

La *région de Pinhel* donne des clairets,

V. carte *Espagne-Portugal,*
p. 131.

légers et agréables. Celle de *Lafoes* donne des vins généralement rouges, qui s'apparentent au Vin vert. La *Bairrada,* non loin de la région délimitée du Dao, produit, entre autres, les « Anadia », vins pétillants blancs ou rouges et le « Ruby de Bairrada », récolté près de Coimbra, une des plus vieilles villes universitaires d'Europe. Citons encore : les vins de *Buçaco,* à la fois étoffés, puissants et suaves; les vins de *Sangalhos,* dont les rouges peuvent rivaliser avec ceux du Dao et les blancs avec ceux d'Anadia; les vins d'*Alcobaça,* qui proviennent de vignobles plantés sur d'anciennes landes défrichées au XIIe siècle par des moines cisterciens; les vins du *Ribatejo* (provenant de vignes hautes sur pied, qui échappent ainsi aux crues périodiques du Tage), qui sont en général de bons vins rouges ordinaires, savoureux, nerveux, mais peu alcoolisés (avec en particulier l'« Almeirim » et le « Cartaxo »); les vins de *Torres Vedras,* enfin, qui sont des vins rouges de consommation courante ou des vins de coupage*, riches en tanin*, corsés, assez lourds.

Le Portugal produit également des Mousseux, surtout à *Lamego,* proche du Douro. N'oublions pas aussi les vins rosés du Portugal, qui surclassent tous les autres aux Etats-Unis et en Angleterre. Ils proviennent surtout de la région des Vins verts, du côté du Douro. Le « Mateus » rosé est tellement demandé dans le monde entier (Europe, Etats-Unis, Canada, Hongkong, Australie) qu'il absorbe la vendange bien au-delà des frontières du Trás-os-Montes, sa région d'origine, jusqu'aux alentours d'Anadia.

Le « Faisca » est un rosé aimable, d'une teinte ravissante, dont la fraîcheur désaltérante lui assure à l'étranger le plus vif succès. Sous le nom de « Lancers », il est un des crus les plus demandés aux Etats-Unis.

Pouilly-Fuissé. Cet excellent vin blanc sec du Mâconnais, inutile de le préciser, provient du cépage Chardonnay, qui est celui de tous les grands vins blancs de Bourgogne. Il est produit par les quatre communes de Fuissé, de Solutré-Pouilly, de Vergisson et de Chaintré.

C'est un très beau vin, qui séduit déjà par sa robe d'or vert aux reflets d'émeraude. Mais là ne s'arrêtent pas ses promesses : son bouquet est exquis, fondu et nuancé, avec un caractère très original. Certains, toutefois, lui reprochent d'être un peu lourd et de digestibilité difficile. Sec, mais moelleux, nerveux et vigoureux, le Pouilly-Fuissé supporte le vieillissement : vingt ans de bouteille et plus ne lui font pas peur. Loin de l'épuiser, l'âge le pare au contraire de nouvelles grâces.

Le Pouilly-Fuissé titre 11⁰, mais, lorsque le climat* d'origine est adjoint au nom « Pouilly-Fuissé », il doit titrer 12⁰.

Pouilly fumé, appellation* d'origine contrôlée qui s'applique à des vins de Pouilly-sur-Loire et de six communes voisines provenant uniquement du Sauvignon (ou Blanc fumé). — L'appellation peut être aussi « Blanc fumé de Pouilly ». On ignore pourquoi le Sauvignon a pris à Pouilly le nom de « Blanc fumé »; aucune supposition n'est vraiment valable : couleur du raisin, goût de fumé de la pierre à fusil? Une seule chose est certaine : c'est l'excellence du Pouilly fumé. C'est au Blanc fumé que Pouilly-sur-Loire est redevable de sa renommée ancienne, ce qui ne nous semble pas étonnant. Malheureusement, la production limitée, encore amputée parfois par les gelées printanières, ne permet pas à ce vin racé de connaître tout le succès qu'il mérite. Beau vin clair, titrant 11⁰ au minimum, aux reflets vert pâle, il est fort séduisant et d'une originalité certaine. Il a un parfum prononcé, légèrement épicé et musqué. Bien que sec, il possède toujours une aimable souplesse. Très vite fait, il sait aussi garder longtemps ses qualités. Les meilleurs crus sont les Loges, les Bas-Coins, Château du Nozet, les Bernadats.

Pouilly-Loché, appellation qui s'applique aux vins produits par la commune de Loché, voisine de Pouilly, dans le Mâconnais. — Le Pouilly-Loché, sec et fruité, présente les mêmes caractères que le Pouilly-Fuissé et doit, comme ce dernier et le Pouilly-Vinzelles, titrer 11⁰, sauf pour les vins auxquels est adjoint le climat* d'origine, qui doivent titrer 12⁰.

Pouilly-sur-Loire. Autour de ce village du département de la Nièvre, sur la rive droite de la Loire, s'étend un vignoble renommé, grand producteur de vins dès le Moyen Âge. Les communes de Pouilly-sur-Loire, de Saint-Andelain, de Tracy, de Garchy, de Saint-Laurent, de Saint-Martin et de Mesves ont droit à l'appellation, mais les trois premières sont les plus importantes. Parmi la grande variété de terrains, les marnes et les calcaires du kimméridgien dominent, comme à Chablis.

L'appellation* d'origine contrôlée « Pouilly-sur-Loire » s'applique à des vins issus du Chasselas. L'appellation « Pouilly fumé » est réservée au vin provenant uniquement du cépage Sauvignon (ou Blanc fumé). Le Chasselas occupe, la plupart du temps, les terrains argilo-siliceux, qui ne conviennent pas tout à fait au Sauvignon (butte de Saint-Andelain par exemple), tandis que celui-ci s'octroie en maître les meilleures pentes ou, tout au moins, les plus cal-

caires. Le Chasselas produit ici des vins totalement différents de ceux qu'il donne en Suisse et en Savoie (Crépy).

La région lui convient à merveille, et un œnologue expert a pu dire à ce sujet : « Le terroir de Pouilly est au Chasselas ce que le Beaujolais est au Gamay. » Le Pouilly-sur-Loire est un vin clair, léger et fruité, très agréable en primeur, mais qui n'a ni le caractère ni la distinction du Pouilly fumé. Il titre 9⁰ au minimum. Peu acide, il est fin et délicat, avec parfois un goût de noisette.

Pouilly-Vinzelles. Les coteaux argilo-calcaires de la commune de Vinzelles, dans le Mâconnais (comme d'ailleurs ceux de Loché), produisent un vin blanc sec, justement réputé, qui a beaucoup d'analogie avec le Pouilly-Fuissé. Comme ce dernier, le Pouilly-Vinzelles possède la faculté de se conserver fort longtemps sans rien perdre de son bouquet et de sa saveur.

Poulsard, cépage rouge typique du Jura. — Il présente des feuilles très découpées caractéristiques et de gros grains ronds, à pellicule très mince et peu colorée. Il apporte au vin une grande finesse, mais peu de couleur. On l'appelle aussi parfois « Ploussard ».

pourriture grise. *Botrytis cinerea,* agent de la fameuse pourriture noble qui atteint les raisins mûrs, en s'attaquant au raisin vert va produire cette fois la désastreuse pourriture grise. Celle-ci envahit le vignoble avant la maturité, à la suite d'une longue période d'humidité. Les grains ouverts sont alors nombreux : soit éclatés par l'afflux de la sève, soit perforés par les insectes (cochylis ou eudémis). Le champignon s'installe et se propage très rapidement pour peu que le mauvais temps persiste; les grains atteints brunissent, se recouvrent de poussière grise et tombent. Les dégâts peuvent donc être considérables. De plus, le vin provenant de la vendange altérée sera de mauvaise qualité; il peut prendre le goût de moisi, d'« oxydé », et il sera frappé de sénilité précoce.

On a essayé à plusieurs reprises de tirer parti des vendanges altérées par la pourriture grise. On peut chauffer les moûts* à 80 ⁰C, ce qui détruit les oxydases du champignon. Le vin obtenu est moins médiocre si l'opération a été bien faite. Mais, de toute façon, le bouquet est modifié, et le vin risque d'être vieux avant l'âge.

On peut aussi vinifier en rosé, ce qui diminue les risques de mauvais goût : en effet, le vin ne prend le goût de moisi qu'en restant en contact avec les rafles* et les pulpes de la vendange altérée pendant un jour ou deux. Ce n'est donc pas le cas pour la vinification en rosé.

Les baillis de Pouilly-sur-Loire à Saint-Émilion. Phot. René-Jacques.

Pourriture grise. Phot. M.

237

Pourriture noble.
Phot. Weiss-Rapho.

pourriture noble, pourriture provoquée sur les raisins mûrs par le développement d'un champignon, *Botrytis cinerea,* lorsque les conditions de température et d'humidité sont favorables. — D'abord, de petites taches brunes s'étendent peu à peu à la surface du grain : la pellicule devient couleur «patte-de-lièvre» comme on dit dans le Val de Loire, puis brun-violet. On appelle ce stade le «pourri plein». Puis le grain se ride, se flétrit, devient «rôti». Tous les raisins n'arrivent pas en même temps au stade recherché. C'est pourquoi il est nécessaire de vendanger par tries successives en ne cueillant que les raisins à point : les vendanges durent parfois de la fin de septembre au début de novembre. Des modifications importantes interviennent dans la composition du raisin atteint par la pourriture noble : grande concentration du sucre, diminution des acides, formation de gommes, d'acides citrique et gluconique. Une simple surmaturation, ou passerillage*, n'atteint pas les mêmes résultats. Les meilleures conditions sont réalisées quand *Botrytis cinerea* s'attaque à des raisins déjà très mûrs; une pourriture précoce n'a pas d'aussi bons effets.
La fermentation du vin à partir de ces raisins est très lente, de plusieurs semaines à plusieurs mois. Il se produit durant cette longue fermentation en barrique une importante quantité de glycérine*, qui donnera au vin une onctuosité remarquable. Les ouillages*, les soutirages* doivent être fréquents, et le vin est mis en bouteilles généralement trois ans après la récolte. Toutes ces conditions difficiles et onéreuses font des grands vins blancs liquoreux de pourriture noble des vins rares, exquis, précieux et strictement naturels.
C'est à Sauternes que la pourriture noble se sublime pour donner les plus magnifiques résultats. Mais on produit également des vins de pourriture noble dans les vignobles voisins de Loupiac, de Cérons, de Sainte-Croix-du-Mont, ainsi qu'à Monbazillac, en Touraine, en Anjou, en Alsace et en Allemagne (dans les vallées du Rhin et de la Moselle).

Premières Côtes de Bordeaux. Ce territoire viticole occupe la rive droite de la Garonne, sur une soixantaine de kilomètres, depuis Saint-Maixant jusqu'à Bordeaux. Le vignoble est installé sur des coteaux calcaires, souvent abrupts et creusés de ravins qui dominent la Garonne, et englobe le terroir de trente-six communes, dont deux, Loupiac et Sainte-Croix-du-Mont (qui font géographiquement partie de cette région), ont depuis longtemps leur propre appellation* contrôlée.
La région produit à la fois des vins rouges et des vins blancs; les rouges se récoltent au nord, les blancs au sud, avec la commune de Cambes comme limite séparant les deux zones.
Les vins blancs sont issus des cépages Sémillon, Sauvignon et Muscadelle. La vendange se fait comme à Sauternes. Ces vins sont corsés, fins et parfumés, souvent moelleux, parfois liquoreux. On les vinifie aussi en sec : c'est ainsi que les préfèrent certains amateurs. La commune de Cadillac, qui fut longtemps classée parmi les « Premières Côtes de Bordeaux », a obtenu sa propre appellation contrôlée en 1973, et les communes de Langoiran et de Gabarnac, qui produisent, avec Cadillac, sans doute les meilleurs vins blancs de la région, peuvent revendiquer, elles aussi, l'appellation « Cadillac ».
Les vins rouges des Premières Côtes de Bordeaux sont chaleureux, colorés, généreux. Ils sont un peu fermes et nerveux dans leur jeunesse, mais l'âge les assouplit, leur donne du moelleux et les affine. La réputation de ces vins rouges est très ancienne : Latresne, Camblanes, Cénac, Quinsac donnent des rouges renommés depuis longtemps, toniques, riches en tanin*, ayant de la sève et du corps; Quinsac a aussi renoué avec l'ancienne tradition des Clairets* et des rosés.
Le nom de la commune d'origine peut être ajouté à l'appellation « Premières-Côtes-

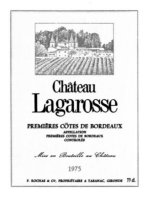

de-Bordeaux » pour les vins rouges titrant au moins 11,5⁰. (V. Annexes.) Les rouges d'appellation « Premières-Côtes-de-Bordeaux » simple doivent titrer 10,5⁰.

presse. Dans la vinification en blanc, le « moût de presse » est le jus qui s'écoule des raisins portés au pressoir, après que ceux-ci ont été séparés du moût de goutte*. En Champagne, le dernier jus extrait, appelé « rebêche » (qui représente au moins 7,5 l par hectolitre de moût), n'a jamais droit à l'appellation.

Dans la vinification en rouge, le « vin de presse » est le vin qu'on extrait du marc* fermenté porté au pressoir, après avoir « tiré » le vin de goutte*. Le vin de presse est plus chargé en tanin* que le vin de goutte. Son acidité* volatile est un peu plus élevée que celle du vin de goutte, mais son acidité* fixe est plus basse. Le vin de presse est mélangé au vin de goutte dans un pourcentage variable. Ce qui reste est vendu sans appellation. Enfin, pour éviter le surpressurage possible des raisins blancs ou des marcs de vin rouge, une réglementation précise oblige les viticulteurs à distiller les résidus et à fournir l'alcool à l'Etat.

pressoir. Il existe des types variés de pressoirs. Ceux-ci doivent, en effet, concilier la recherche de la rapidité et de l'économie de main-d'œuvre avec celle de la qualité : un pressoir brutal, en torturant les rafles*, risque de communiquer un goût désagréable au vin. L'usage du pressoir remonte à l'Antiquité : poches de toile qu'on tordait; pressoirs à levier, à cabestan, puis pressoir à vis (en l'an 23). Les raisins étaient toujours pressés avant fermentation, et les vins étaient donc peu colorés. Aujourd'hui, il existe des pressoirs hydrauliques, mécaniques, horizontaux, verticaux, à vis sans fin. Il y a même le pressoir pneumatique, qui écrase les raisins contre les parois d'une cage au moyen d'une baudruche gonflée à l'air comprimé.

pressurage, opération qui consiste à extraire le jus de raisin ou le vin par pression à l'aide d'appareils de types divers, appelés « pressoirs ». Lorsqu'il s'agit de vins blancs ou de vins gris*, les raisins foulés sont pressés immédiatement après la vendange, sans qu'ils soient fermentés. Lorsqu'il s'agit de vins rouges, le pressurage permet d'extraire, après fermentation, le vin dont le marc* est encore gorgé. Le

Pressoir à vin, en provenance de Hattstatt (1687). Musée d'Unterlinden, Colmar. Phot. Lauros.

vin de presse* ainsi obtenu représente environ de 10 à 20 p. 100 du vin de goutte*. Dans certains crus, le marc n'est pressé qu'une seule fois afin d'éviter d'introduire dans le vin du tanin* en excès. Pour cette raison, le pressurage doit être une opération mesurée, afin de ne pas broyer la rafle* : celle-ci communiquerait au vin un excès de tanin, astringent (goût de rafle).

primeur (vin de). L'appellation peut s'appliquer à des vins avec indication géographique (A.O.C.*, V.D.Q.S.*, vins de pays*) qui ont le droit de sortir des chais sous réserve que leur acidité volatile soit inférieure à 0,60 g par litre et qu'ils aient subi une dégustation préalable.

Les A.O.C. «primeur» ont le droit de sortir des chais le 15 novembre (ils n'ont plus le droit de sortir sous ce vocable, de chez le producteur ou le grossiste, dès le 31 janvier, et le millésime doit être indiqué). Les V.D.Q.S. «primeur», quant à eux, peuvent sortir des chais le 1er décembre, date légale de sortie de ces vins. Tous les vins ne sont pas autorisés à sortir en primeur; seuls certains vignobles ont ce droit. En A.O.C., par exemple, en rouge : Beaujolais (et B. supérieur et B.-Villages), Côtes-du-Rhône (vins de café*), Touraine (Gamay), Gaillac (Gamay); en rosé : Anjou, Cabernets d'Anjou et de Saumur, Touraine, Mâcon, Côtes-du-Rhône, Tavel; en blanc : Bourgogne (et B. grand ordinaire et Aligoté), Mâcon (et M. supérieur et M.-Villages), Muscadet, Gaillac.

privilège de Bordeaux. Bien qu'il fut dépourvu de base légale, ce privilège n'en eut pas moins force de loi durant six siècles. Il consistait à interdire aux vins provenant des autres vignobles de l'arrière-pays aquitain l'accès au port de Bordeaux avant une certaine date (11 novembre, 30 novembre et enfin Noël). Or, à ces dates, les navires étrangers mouillés en Gironde avaient fait leurs provisions — en vins de Bordeaux évidemment — depuis belle lurette. Cette mesure revenait donc à interdire pratiquement tout débouché étranger aux vins de Cahors, de Gaillac, de Moissac et même du Médoc. Le seul vignoble qui échappait à cette loi draconienne, sorte de véritable droit de banvin* bourgeois, était celui de Bergerac, qui, grâce à la voie d'eau de la Dordogne, n'était pas obligé de passer par Bordeaux pour écouler son vin vers la mer. Ledit privilège fut aboli par l'édit de 1776 rendu par Louis XVI, après enquête de Turgot. On s'aperçut alors que, en fait, ce prétendu privilège découlait uniquement de l'interprétation par les bourgeois de Bordeaux d'un statut datant de 1224. Ce statut, accordé par le roi d'Angleterre, donnait simplement aux citoyens de Bordeaux le droit de protéger le commerce de leurs vins personnels, produits uniquement à Bordeaux et dans sa banlieue proche. L'ostracisme des Bordelais eut des conséquences certaines sur les vignobles enne-

Batteurs de pressoirs automatiques, dans une cave coopérative de l'île d'Oléron. Phot. M.

Pressurage automatique. Phot. René-Jacques

mis : Moissac, Agen se « reconvertirent » en producteurs de fruits (pruneaux, raisin de table), et Cahors arracha ses vignes.

Provence. La région viticole de Provence, dans la classification moderne, est beaucoup moins étendue que l'ancienne et historique province du même nom. Elle ne s'étend que sur les départements des Bouches-du-Rhône, du Var et des Alpes-Maritimes. Le vignoble remonte à quelque vingt-cinq siècles, au moment où les premières colonies grecques s'installèrent sur les rives ensoleillées de notre Méditerranée : c'est en effet six cents ans avant notre ère que les Grecs de Phocée fondèrent à Marseille une colonie et y plantèrent leurs vignes. Le vignoble de Provence peut donc se glorifier d'être le plus ancien de France.

Comme dans tous les vignobles méridionaux, les cépages employés sont fort nombreux : Grenache, Cinsault, Mourvèdre, Tibouren, Carignan pour les rouges; Clairette, Ugni blanc, Bourboulenc pour les blancs. L'Institut* national des appellations d'origine les a d'ailleurs classés en cépages autorisés et en cépages d'appoint, dont la proportion est limitée par décret.

La Provence s'honore de cinq appellations* contrôlées : « Palette », « Cassis », « Bandol », « Bellet » et « Côtes-de-Provence ». Mais elle possède aussi de bien sympathiques V. D. Q. S.* qui chantent dans nos mémoires parmi nos souvenirs de vacances : Coteaux-d'Aix-en-Provence, Coteaux-des-Beaux, Coteaux-de-Pierrevert et d'excellents «vins de pays*».

provignage, mode de reproduction de la vigne pratiqué autrefois. — La vigne se multipliait par *provins*, c'est-à-dire par rejetons (ou marcottes). Un sarment était couché à terre jusqu'à ce qu'il prenne racine, puis il était coupé de la souche mère et replanté comme tout nouveau plant raciné.

pruine, sorte de poussière fine, cireuse, qui recouvre le raisin (et certains fruits comme la prune). — Elle s'efface quand on frotte les grains. Les levures* du vin, qui permettront à la fermentation* alcoolique de s'effectuer, séjournent en permanence dans les vignobles et, portées par le vent ou les insectes, adhèrent à la pruine. Elles envahiront le moût* au moment du pressurage* de la vendange. Mais certains ferments nuisibles se déposent aussi sur la pruine en même temps que les levures : d'où l'obligation de stériliser le moût à l'aide d'anhydride* sulfureux.

Puisseguin-Saint-Emilion. La commune de Puisseguin, qui a le droit de faire suivre son propre nom de Saint-Emilion, produit

L'Ugni blanc est un cépage très courant en Provence, particulièrement autour de Cassis. Phot. M.

sur ses coteaux rocailleux des vins colorés, corsés, de ferme tenue et de bonne garde. Ils ont assez de finesse dans les bons crus*, dont les principaux sont : Châteaux des Laurets, du Roc-de-Boissac, Teyssier.

Puligny-Montrachet. Ce village de la Côte de Beaune produit, avec le village voisin de Chassagne-Montrachet, de très grands vins blancs secs, considérés comme étant parmi les meilleurs du monde. Le plus célèbre, le prestigieux « Montrachet », se récolte à la fois sur les deux communes. Il en est de même du Bâtard-Montrachet. Par contre, les crus* de Chevalier-Montrachet et de Bienvenues-Bâtard-Montrachet se récoltent uniquement sur Puligny. Le Chevalier-Montrachet n'est pas loin de la qualité exceptionnelle du Montrachet : il est, en moins corsé, aussi délicat que ce grand seigneur. Bienvenues-Bâtard-Montrachet est plus léger que les précédents, mais il possède autant d'élégance et aussi un goût plus fruité, apprécié par certains amateurs. Ces vins admirables sont vendus sous leur nom de cru et ne portent pas le nom de la commune d'origine. Toutefois, d'autres vins de race, mais avec moins de prestige que les premiers cités, portent le nom de Puligny-Montrachet suivi du nom de leur climat* d'origine (par exemple, Puligny-Montrachet, les Combettes, le Cailleret, les Folatières, les Pucelles, les Chalumeaux). [V. Annexes.]

Les vins rouges, produits en quantité restreinte (le Cailleret, par exemple), ont du corps et de la finesse, et leur bouquet suave se développe en vieillissant.

q

Quarts-de-Chaume, grand cru* blanc d'Anjou, situé sur les coteaux du Layon et qui possède sa propre appellation* contrôlée. — Le nom vient d'une coutume de l'époque féodale, réservant le quart de la récolte au seigneur. Le vignoble occupe une situation véritablement exceptionnelle, qui explique la supériorité des vins qu'il produit. Situé sur la commune de Rochefort-sur-Loire, il descend depuis le petit village de Chaumes en s'élargissant jusqu'aux bords du Layon. Abrité des vents du nord, de l'est et de l'ouest par des coteaux, ce vignoble privilégié élabore au soleil son merveilleux nectar : les grains mûrissent plus vite, la pourriture* noble se développe mieux ici que dans les vignobles voisins. Même les années moyennes donnent déjà un vin remarquable. Les bonnes années procurent à l'œnophile des joies incomparables (telle l'année 1921, qui a laissé un souvenir ébloui dans les mémoires). Le Quarts-de-Chaume est un vin somptueux, liquoreux, puissant et velouté, qui se livre au nez et à la bouche dans un feu d'artifice incroyable de parfums et de saveurs, fondus en une délicate harmonie. Certains y découvrent l'ambre, le tilleul, l'abricot.

Il possède une légère touche d'amertume qui lui est particulière et qui exalte encore mieux son parfum. Il est préférable d'attendre quelques années pour déguster cette splendeur, qui vieillit d'ailleurs magnifiquement. Les principaux Domaines sont l'Echarderie, Bellerive, Suronde. Quant à la production, inutile de préciser qu'elle est très limitée.

Quatourze, appellation des Coteaux-du-Languedoc* qui a droit au label V.D.Q.S.*. — Le vignoble s'étend sur un plateau caillouteux du lieu-dit Quatourze de la ville de Narbonne. Les vins rouges proviennent du même encépagement que ceux des Coteaux-du-Languedoc et doivent titrer 11⁰. Ils sont bien étoffés, chauds et puissants, tout en possédant une certaine finesse. Dès les temps les plus anciens, Quatourze avait la réputation de produire d'excellents vins de garde. Les négociants venaient s'y ravitailler en vins « médecins » riches en couleur, en alcool et en tanin*. De nos jours encore, les vins de Quatourze, qui sont les vins les plus colorés, les plus charpentés et les plus robustes de la région narbonnaise, sont recherchés par le négoce pour améliorer des assemblages* trop ternes.

Grâce à des cuvaisons* longues et à un vieillissement de plusieurs années, certains domaines produisent de très beaux vins corsés, très typés, au bouquet original, alors que d'autres présentent des vins moins corsés, plus classiques et qui se boivent agréablement au bout d'une année seulement.

Les vins rouges de Quatourze vieillissent toujours très bien et sont certainement les meilleurs de cette appellation. Les vins de Quatourze doivent provenir de vignes à taille courte, non arrosées, et résultent d'une vinification soignée, écartant le surpressurage.

Les vins rouges et rosés sont commercialisés sous le nom de « Coteaux-du-Languedoc-Quatourze » et peuvent se replier, éventuellement, sous le nom simple de « Coteaux-du-Languedoc ».

queue. Le « vin de queue » provient du dernier ramassage des raisins du Sauternais. Les vendanges se font par tries, de façon à ne cueillir à chaque reprise que les raisins atteints de pourriture* noble. Au dernier passage, les vendangeurs ne cueillent plus que des grains pour la plupart non atteints et qui ne le seront jamais avec l'arrivée des froids.

On appelle encore « queue » une mesure de capacité qui représente deux pièces (c'est-à-dire deux fois 228 litres). Enfin, la « taille à queue » est une des façons de tailler la vigne.

Quincy. Le petit vignoble de Quincy, qui n'a guère plus de 200 ha, s'étend sur cette commune et sur une partie de Brinay. Situé sur les rives du Cher, à l'ouest de Bourges, il occupe un plateau dont le sol donne aux vins une nette originalité : ancienne terrasse calcaire du Cher préhistorique, ce sol est recouvert par les dépôts de graviers et de sable siliceux de la rivière, sous lesquels se trouve une couche d'argile plus ou moins épaisse. Presque impropre à la culture, ces terrains pauvres conviennent, par contre, fort bien au Sauvignon, seul cépage de ce vignoble de Loire, qui donne un vin ayant droit à son appellation* d'origine contrôlée. Le Sauvignon est greffé ici sur un excellent porte-greffe, le Riparia, qui hâte la maturité : cette particularité procure au vignoble un avantage appréciable sur Sancerre et Pouilly-sur-Loire dans les années humides et tardives. Le Quincy se conserve bien, mais il est si délicieux dans sa jeunesse, si peu répandu, aussi, que mieux vaut le boire dès qu'on le trouve.

C'est un vin très sec, très bouqueté, avec une grande finesse, qu'il puise dans les graviers du sol. Il possède, en plus du caractère des vins de Sauvignon, un goût particulier fort plaisant. Il titre au minimum 10,5⁰, mais dépasse parfois 11 ou 12⁰, ce qui nuit alors à la finesse du parfum.

racé. Un vin racé possède bien les caractéristiques de sa race, c'est-à-dire de son terroir d'origine, de son cépage. Mais il les possède avec beaucoup d'élégance, de panache et de personnalité.
Le vin qui réunit parfaitement les caractères de son origine (mais sans plus) est dit parfois « typé ».

rafle. Elle est constituée par l'ensemble du pédoncule et des pédicelles de la grappe : c'est donc la grappe de raisin sans ses grains (on dit aussi *râpe*).

Rancio, nom qui désigne certains vins qui ont acquis, par le long vieillissement en fûts exposés au soleil, un bouquet particulier et une saveur spéciale. — Ils ont donc subi un genre de madérisation, mais bénéfique, qui leur a apporté une exaltation de leurs qualités, un affinement et un fondu exquis. Le Madère, certains Marsalas ont ces caractéristiques, ainsi que les vieux vins doux naturels français.
Notons que les vins du type « Rancio » ne sont pas légalement définis. Ce sont, en général, des vins qui, par un vieillissement prolongé, en principe au soleil, ont pris la couleur et la saveur du Rancio.
De nos jours encore, certains vignerons traditionnels du Roussillon laissent leurs vins doux naturels vieillir durant plusieurs années, l'été au soleil, à l'air libre, en bonbonnes de verre, l'hiver à l'abri dans des celliers bien chauffés. Le « ranciotage » doit être surveillé avec soin sous peine de déboires. Les bonbonnes, dites « touries », sont à demi remplies afin que l'oxygène de l'air enfermé avec le vin se combine aux radiations solaires et à la chaleur.
En principe, un Rancio est un vin dont l'âge dépasse deux ans et demi pour les blancs et quatre ans pour les rouges.

Rasteau. Commune de Vaucluse, qui fait partie de la région viticole des Côtes du Rhône méridionales et produit des vins doux naturels d'appellation contrôlée.
Le vignoble occupe les coteaux ensoleillés entre l'Aygues et l'Ouvèze, et s'étend sur Rasteau, sur des parcelles de Sablet et de Cairanne. Le Grenache est le cépage principal utilisé (90 p. 100). Comme tous les vins doux naturels, le Rasteau est obtenu par le mutage* des moûts avec de l'alcool durant la fermentation. Les moûts sont mis à fermenter avec ou sans la pulpe, ce qui permet d'obtenir un vin doux naturel rouge ou doré. Le Rasteau est un excellent vin de dessert, généreux et liquoreux, avec un bouquet prononcé. Pour nous permettre d'apprécier toute la subtilité de son parfum, il est préférable de laisser vieillir le Rasteau : trois à huit ans pour le Rasteau doré, dix et même plus pour le rouge.

La dénomination « Rancio* » peut être adjointe à l'appellation* contrôlée « Rasteau » pour les vins doux naturels qui, en raison de leur âge et des conditions particulières à ce terroir, ont pris le goût dit de « Rancio ».
A côté de ses vins doux naturels à appellation contrôlée « Rasteau », la commune produit aussi des vins rouges, rosés et blancs ayant droit à l'appellation contrôlée « Côtes-du-Rhône » simple ou à l'appellation contrôlée « Côtes-du-Rhône-Villages » (ou encore à l'appellation « Côtes-du-Rhône » accompagnée du nom « Rasteau »).

Ratafia de Champagne, vin de liqueur qui s'obtient en ajoutant de l'alcool au moût* de raisins provenant de la région champenoise. — Cet alcool est soit de l'eau-de-vie de Champagne, soit même de l'alcool neutre. Le Ratafia, parfois très agréable, avec un goût très fruité, est peu commercialisé, car il est frappé de taxes élevées. On lui préfère le Pineau des Charentes, dont les moûts sont mutés au Cognac et qui bénéficie de l'appellation contrôlée. La Carthagène, le Riquiqui sont des produits de même genre, préparés encore dans certaines régions pour la consommation personnelle des viticulteurs.

rebêche, dernier jus de pressurage* des raisins de Champagne. — Les premières presses sont seules utilisées et ont droit à l'appellation « Champagne ». Conformément aux lois en vigueur, 4 000 kg de vendanges mises à presser donnent 26,66 hl de

Vignes au voisinage de Rasteau. Phot. Lauros.

jus ayant droit à l'appellation (dont 20 hl de « cuvée » et 666 litres des première et deuxième « tailles »). Le jus restant encore dans le marc* « gras », extrait sous le nom de « rebêche », n'a pas droit à l'appellation : il donne un vin de table, servant comme boisson aux viticulteurs ou à leurs ouvriers. Par la suite, on extraira du marc sec restant l'eau-de-vie de marc.

En ce qui concerne l'appellation « Coteaux champenois », le décret du 8 janvier 1979 précise que les vins ayant droit à l'appellation doivent être séparés des vins dits de « rebêche » lesquels sont obligatoirement obtenus en fin de pressurage, dans la proportion de 5 à 8 p. 100 du volume déclaré.

réchauffement du moût. Une bonne fermentation* alcoolique ne peut se produire qu'entre 22 et 30 ^{0}C. Au-dessus de cette température, les levures* agissent très mal, et le vin peut être altéré : on pratique alors la réfrigération* des moûts. En dessous de 22 ^{0}C, les levures agissent lentement ou même, parfois, pas du tout. Il faut alors réchauffer la vendange, ce qui doit souvent se pratiquer dans les pays froids aux hivers précoces. On chauffe alors une partie du moût à 70 ^{0}C au maximum ou l'on utilise des radiateurs spéciaux à circulation d'eau chaude, appelés « drapeaux* ».

refermentation, accident qui risque d'atteindre les vins blancs liquoreux. — L'importante quantité de sucre naturel que ceux-ci contiennent peut toujours se mettre à refermenter, et les conséquences sont bien fâcheuses : vins troubles, goût de lie, bouchons qui coulent ou qui sautent sous l'influence du gaz* carbonique. Le seul stabilisant autorisé par la loi française est l'anhydride* sulfureux. Il doit être utilisé en doses relativement importantes, car il se combine en partie avec le sucre du vin, et nous savons que seule la forme libre de l'anhydride sulfureux est antiseptique. La quantité à employer varie forcément d'un vin à un autre, puisqu'elle dépend de la teneur en sucre du vin. Actuellement, les laboratoires peuvent déterminer cette quantité de façon précise, permettant ainsi d'éviter les conséquences de l'emploi abusif de l'anhydride sulfureux (goût de soufre, maux de tête), qui sont une des causes de la désaffection du consommateur pour les vins blancs liquoreux et moelleux.

Il arrive parfois que des accidents de refermentation se produisent dans des vins rouges que les producteurs ont mis trop rapidement en bouteilles sans attendre d'être assurés de leur stabilité (Beaujolais par exemple). Si ces vins contiennent encore quelques grammes de sucre, celui-ci refermente ensuite, et le vin picote alors désagréablement à la dégustation. Il n'y a pas

de solution pour rattraper de tels vins, sinon de les remettre en barriques, mais, de toute façon, ils auront perdu tout leur bouquet dans l'aventure.

réfrigération. Depuis bien longtemps, le vigneron sait que le froid pénétrant dans la cave après la fermentation* alcoolique est son allié : sous son influence, le vin se dépouille, les lies* se déposent lentement, les tartres en excès précipitent. A Beaune, on roulait même autrefois les tonneaux au-dehors pendant les grands froids : le vin prenait en glace autour des parois, et il ne restait plus qu'à soutirer le vin non gelé. Depuis ces procédés empiriques, la science est intervenue, et les cuveries frigorifiques ont apporté une aide appréciable et plus sûre. Le vin soumis à une température voisine de 0 ^{0}C précipite ses dépôts et, après filtration*, devient limpide : sa stabilisation* est ainsi assurée. Les cuveries frigorifiques sont indispensables dans les pays chauds (Algérie, midi de la France) au moment de la vinification. En effet, la température ne doit guère dépasser 32 ^{0}C pour obtenir un vin sain et de bonne qualité. Si le moût* provenant d'une vendange surchauffée par le soleil n'est pas réfrigéré, les levures alcooliques, affaiblies, se laisseront supplanter par des bactéries présentes dans la vendange : le vin obtenu serait gravement altéré, présentant une acidité* volatile élevée et une saveur aigre-douce désagréable.

reginglard, petit vin aigrelet.

Reims. Ville historique dominée par sa prestigieuse cathédrale, Reims est, avec Epernay, un des plus gros centres du commerce du Champagne. La Montagne de Reims, qui s'étend au sud-ouest de la ville, est un des vignobles importants du département de la Marne. La Montagne constitue le contrefort sud de la vallée de la Vesle et est exposée au nord et à l'est. C'est ici, selon la tradition, que saint Remi récoltait le vin dont il fit cadeau à Clovis, afin d'entretenir de bons rapports avec lui, pour l'amener, enfin, à la conversion. La Montagne de Reims comprend la Montagne proprement dite (avec Beaumont-sur-Vesle, Verzenay, Mailly, Sillery); la Petite Montagne de Reims (Hermonville, Saint-Thierry); la Côte de Bouzy, versant sud-est de la Montagne, qui rejoint la vallée de la Marne (avec Bouzy, Ambonnay, Louvois, Tours-sur-Marne). Les « vins de Montagne » sont corsés, séveux et bouquetés.

remuage, une des opérations essentielles de l'élaboration du Champagne. — Durant la seconde fermentation, un dépôt, constitué par des levures mortes et des sels minéraux, s'est déposé sur le flanc de la bouteille, couchée à l'horizontale. Il s'agit de rassembler ce dépôt vers le bouchon afin de l'expulser. Pour cela, les bouteilles sont déposées sur des « pupitres », sortes de planches percées de trous, à inclinaison variable. Le travail, très délicat et fort ingénieux, est confié à des ouvriers spécialisés, les « remueurs ».

Chaque jour, le remueur saisit chaque bouteille par le culot et lui fait subir un mouvement de rotation d'un quart de tour, accompagné de petites secousses et suivi d'un passage progressif de la position horizontale à la position verticale sur le pupitre. Un bon ouvrier remueur peut parfois opérer sur quelque trente mille bouteilles par jour. Le remuage dure ainsi de deux à trois mois, pendant lesquels le résultat escompté est enfin atteint : dans les bouteilles placées tête en bas « sur pointe », le Champagne est devenu limpide, le dépôt étant aggloméré sur le bouchon. Les bouteilles vont ainsi attendre « en masse » durant le temps nécessaire pour que le vin s'affine et achève sa maturation (parfois plusieurs années).

Une prochaine épreuve les attend : le dégorgement*.

Renaison-Côte-Roannaise. V. CÔTE-ROANNAISE.

renarder, verbe qui désigne l'odeur et le goût, parfois assez violents, que prennent les vins issus des hybrides* producteurs directs. — La France, en effet, importa des plants américains au moment des ravages du phylloxéra* ; certains de ces plants ont naturellement une odeur et un goût particulier de « sauvage », de « fauve », qu'on retrouve dans le fruit, le jus ou le vin. On dit encore des vins issus d'hybrides producteurs directs qu'ils sont « foxés ».

Mais il arrive que, par suite de maladie, certains vins prennent aussi ce goût très spécial. Il en est de même des Champagnes passés, qui « renardent » d'autant plus vite et d'une façon plus désagréable et prononcée qu'ils comprennent une proportion plus élevée de vins de « taille ».

répression des fraudes. Le Service de la répression des fraudes et du contrôle de la qualité, qui dépend du ministère de l'Agriculture, n'est pas uniquement répressif et préoccupé seulement de mettre au point des tracasseries administratives raffinées, destinées à faire passer des nuits blanches aux viticulteurs et aux négociants. Ses attributions reposent sur la loi du 1er août 1905, qui fait de lui un service constructif autant que répressif. Le vin a toujours joué un rôle à la fois historique et civilisateur : la surveillance de sa production est donc

une mission fort importante, spécialement en France, où le vin et la gastronomie sont deux éléments puissants de notre prestige. Depuis fort longtemps, le Service se préoccupe de la qualité de nos vins, non seulement des nobles vins jouissant d'une appellation* d'origine contrôlée et des V.D.Q.S.*, mais aussi des vins de table, qui représentent une part importante de notre production. Plusieurs décrets récents, élevant le degré minimal des vins de pays*, sélectionnant l'encépagement, abaissant les limites de l'acidité* volatile et les taux d'anhydride* sulfureux, sont ainsi strictement appliqués. Un « casier vinicole », établi par département, permet à l'Administration d'exploiter les renseignements concernant les vins, de prendre les dispositions immédiates au moment de la récolte et de prévoir l'avenir dans l'intérêt de tous, producteurs et consommateurs.

Le Service, organisé par le décret du 22 janvier 1919, comprend le personnel des laboratoires et le personnel administratif (lui-même divisé en service central, en service extérieur d'inspection et en brigades nationales spécialisées). Il veille à réprimer la tromperie sur les marchandises, la confusion dans les esprits faite volontairement dans un but malhonnête,

Le remuage dans une cave champenoise.
Phot. J. Bottin.

interdit la publicité mensongère, détermine les « produits d'addition » autorisés. Sa tâche, on le voit, est immense et s'élargira encore dans le cadre du Marché commun.

République soviétique fédérative socialiste de Russie (R. S. F. S. R.). Dans la partie européenne de cette République, la vigne s'est implantée depuis longtemps aux bords du Don et du Kouban, à Astrakan', à Stavropol', et au sud de Saratov. Des cépages européens ont été importés par Pierre le Grand. Actuellement, les centres viticoles importants sont Tsimlianski, Derbent (Daghestan), la vallée du Kouban (jusqu'à Maïkop), Rostov-sur-le-Don (qui produit un Mousseux : le Tsimlianskoïé), le littoral de la Nouvelle Russie (Novorossiisk, Touapsé, Sotchi), qui donne l'Abraou-Diourso, vin rouge de bonne qualité.

réserve. Le mot « réserve » était, jusqu'à présent, admis pour tous les vins, à condition qu'il ne crée pas de confusion avec une appellation* d'origine. Depuis la circulaire du 21 juillet 1977, relative aux règles générales pour l'étiquetage des vins, ce mot ne peut plus être employé que pour les « vins* de qualité produits dans une région déterminée », c'est-à-dire, en France, les « appellations* d'origine contrôlée » et les « vins* délimités de qualité supérieure ».

Reuilly, vignoble qui, ayant droit à l'appellation* d'origine contrôlée, est situé sur les rives de l'Arnon, affluent du Cher, où il occupe des terrains variés : tantôt des marnes calcaires comme à Sancerre, tantôt des sables graveleux comme à Quincy, commune dont il n'est séparé que par une dizaine de kilomètres. — Les communes de production sont Reuilly et Diou, dans le département de l'Indre, et Chéry, Lazenay, Cerbois, Lury-sur-Arnon et Preuilly, dans celui du Cher. Une longue suite d'années médiocres a découragé les vignerons, et le Reuilly n'est produit qu'en bien faible quantité! Regrettons-le, car ce fils loyal du Sauvignon possède les caractères de sa race, comme ses frères plus favorisés, avec, peut-être, moins de grâce. Fruité, corsé, sec, il évoque le Sancerre et le Quincy. Il est parfois vinifié en demi-sec pour répondre au goût de la clientèle locale. L'appellation s'applique aussi à des vins rouges et rosés issus des Pinots noir et gris.

Rheingau, importante région viticole d'Allemagne, qui donne des vins blancs de très grande qualité. — Les vignobles occupent une situation privilégiée, au pied du Taunus, et regardent le Rhin, qui décrit une courbe presque d'est en ouest. Ils bénéficient d'une exposition véritablement idéale, en plein sud, et captent la chaleur des rayons solaires réverbérés par le fleuve. L'appellation s'applique aussi, légalement, aux vignobles de Hochheim, qui regardent le Main, à l'est du Rheingau proprement dit, et aux vins d'Assmannshausen et de Lorch, plus au nord, sur les pentes escarpées des gorges du Rhin. Entre Hochheim, à l'est, et Rüdesheim, à l'ouest, se rencontrent quatorze villages producteurs, dont neuf ou dix ont fort grande réputation : Erbach, Hattenheim, Winkel, Johannisberg, Rüdesheim, etc.

Le cépage dominant est le Riesling (70 p. 100 de l'encépagement). C'est lui qui fait les fameux vins du Rheingau, que certains connaisseurs classent parmi les meilleurs vins du monde.

Les vins bon marché sont généralement chaptalisés (V. CHAPTALISATION), afin d'obtenir le degré alcoolique minimal : ils ont droit uniquement à l'appellation du village de production (ainsi Rüdesheimer, Johannisberger, etc.). Certains vins, mondialement connus, sont assez fameux pour se contenter de leur seule appellation : « Steinberg » (d'Hattenheim), « Schloss Vollrads » (de Winkel), « Marcobrunn » et « Schloss Johannisberg ».

Les meilleurs vins du Rheingau, les célèbres et rares *Auslesen, Beerenauslesen* et *Trockenbeerenauslesen*, sont des vins de dessert admirables, comparables à nos grands Sauternes, quoique moins riches en alcool (vignobles de Steinberg, de Johannisberg et de Rüdesheim spécialement). Les autres vins du Rheingau sont secs sans excès, extrêmement fruités, avec un bouquet inimitable et caractéristique.

Un vin rouge de bonne qualité est produit à Assmannshausen en petites quantités, mais le rouge est une exception dans ce royaume du vin blanc.

Le vignoble de Johannisberg et son château, dans le Rheingau.
Phot. Lauros - Atlas-Photo.

*Vignoble des Riceys,
en Champagne.* Phot. M.

Riceys (rosé des), excellent vin d'appellation* d'origine contrôlée, produit sur le territoire de la commune des Riceys, dans le département de l'Aube. Bien que cette commune soit dans l'aire délimitée de production du Champagne — et qu'elle en produise d'ailleurs en fait —, le rosé des Riceys n'est pas un Champagne rosé, mais un véritable vin rosé, spécialement délicieux. La vigne fut signalée aux Riceys dès 711, et, de tous les vins produits, le rosé était déjà le plus renommé. La production de ce vin remarquable et tout à fait original est malheureusement, de nos jours, fort restreinte, les vignerons livrant leur récolte pour la préparation du Champagne.

Le vignoble occupe les côtes en pente raide de la vallée de la Laignes, bien exposées au sud et à l'est. Certaines de ces côtes sont renommées dans le pays « pour les vins rosés » : la Velue, la Forêt, Violette. Le sol est très caillouteux, argilo-calcaire, et rappelle celui de Chablis. Beaucoup de vignobles sont équipés de chaufferettes pour lutter contre les gelées.

Le cépage est le noble Pinot noir de la Champagne et de la Bourgogne, auquel on associe une petite quantité de Svégnié rose : ce dernier, variété rose du Savagnin du Jura et du Traminer d'Alsace, donne de la fermeté, de la nervosité, du bouquet à ce rosé exceptionnel.

Puis commence l'aventure de la vinification, fort délicate, du rosé des Riceys. C'est dès que le « goût de rosé » apparaît qu'on arrête la cuvaison*, qui peut durer de moins de deux jours à quatre jours. Seul le goût du vigneron détermine donc ce

moment propice. Parfois c'est l'échec : un retard d'appréciation de quelques heures donne un vin qui n'est plus du rosé et qui n'est pas du vin rouge. Le vin est mis en bouteilles après dix-huit mois à deux ans de fût; là encore des déboires sont à craindre : le vin qui a trop attendu en fût devient pelure d'oignon et n'aura pas la ravissante couleur rose foncé du rosé des Riceys.

En somme, le rosé des Riceys n'a qu'un défaut : sa rareté. Les amateurs le classent à juste titre parmi les meilleurs rosés de France. C'est un vin de race, original, extrêmement fin et délicat, avec un bouquet ample et un goût exquis où se perçoit la noisette et qui imprègne longtemps la bouche.

Riesling. De tous les cépages nobles d'Alsace, le Riesling est sûrement le plus noble. La légende veut qu'il ait été introduit dans la région par Louis le Germanique. Ce cépage à petits grains, de faible rendement, est un grand seigneur difficile, qui exige les coteaux les plus ensoleillés et un sol qui lui convienne parfaitement. Alors il donne sa mesure. Sinon, il se venge en donnant un vin acide et dur. Ses terroirs préférés sont Eguisheim, Riquewihr, Ribeauvillé, Guebwiller. Il produit le meilleur vin d'Alsace, celui que tous les Alsaciens préfèrent, à juste raison. Dans les grandes années, le Riesling atteint la perfection et montre une race et une distinction incomparables. Il n'a que des qualités : c'est un vin blanc sec, nerveux, au parfum délicat et subtil, au goût suave, où

Grappe de Riesling, le plus noble des cépages d'Alsace. Phot. M.

se fondent en une merveilleuse harmonie le tilleul, l'acacia, la fleur d'oranger, avec parfois une pointe de cannelle. Il se boit très facilement, inutile de le préciser! Mais, avec lui, rien à craindre, il laisse la tête libre et fraîche, la bouche parfumée. Le Riesling est cultivé dans différentes parties du globe où il donne des vins de qualité, à condition que ses exigences naturelles soient respectées. On le rencontre en Allemagne, dans les vignobles de Moselle, de la Hesse et du Palatinat, dans le Tyrol italien, où il donne des vins de qualité. Mais on le voit aussi au Chili, où il donne un vin acceptable, et en Californie, où, sous le nom de «Johannisberg-Riesling», il donne un vin bouqueté et distingué.

Rioja, région viticole d'Espagne, située près de Pampelune et non loin de la frontière française des Pyrénées occidentales. — Elle tire son nom d'un petit affluent de l'Ebre, le río Oja. La production de cette région favorisée est la plus importante d'Espagne pour les vins de table, et surtout la meilleure du point de vue de la qualité. C'est une région montagneuse, au climat rude : les montagnes, dénudées, au nord et au sud de la vallée, sont bien souvent encore blanches de neige à la fin d'avril. L'aire de production, officiellement délimitée, englobe Elciego, Fuenmayor, Cenicero, Ollauri, avec, évidemment, Haro et Logroño, centres principaux du négoce des vins de la Rioja.
Les vins de la Rioja offrent une curieuse ressemblance avec nos vins de Bordeaux, plus marquée d'ailleurs dans les rouges

que dans les blancs. Cette similitude est loin d'être une coïncidence! En effet, après la dévastation de leur vignoble par le phylloxéra*, plusieurs centaines de familles de viticulteurs bordelais émigrèrent dans la vallée de l'Ebre, autour de Haro et de Logroño, emmenant avec elles leurs traditions bordelaises et leur science du vin. Les vins de la Rioja sont encore vinifiés actuellement comme on pratiquait à Bordeaux il y a plus de quatre-vingts ans.
Les principaux cépages blancs sont le Viura, le Maturana, le Calgrano, le Turrantés et le Malvasia. Ils donnent des vins blancs secs, sans grande personnalité et parfois assez communs. Les cépages rouges (Garnacho [Grenache], Graciano, Mazuelo et Tempranillo) ne sont pas précisément ce qu'on a coutume d'appeler des «cépages nobles». Pourtant, ils donnent des vins excellents, surtout par rapport à leur prix, toujours abordable. Assez légers et fins, tous ces vins ont néanmoins suffisamment de corps. Depuis la création en 1970 d'un Institut national des appellations d'origine, les Riojas doivent répondre à certaines normes pour obtenir l'appellation contrôlée (ils doivent, par exemple, être obligatoirement logés en fûts de bois pendant deux ans au moins). Mais il est toujours bon de se référer au nom du producteur ou à la marque. Les plus connus sont : Marqués de Riscal, Marqués de Murrieta, Federico Paternina, Bodegas Bilbainas, Bodegas Franco-Españolas, La Rioja Alta, généralement unis sous le sigle C. V. N. E. (c'est-à-dire COMPAÑÍA VINÍCOLA DEL NORTE DE ESPAÑA).
On n'attache pratiquement aucune espèce d'importance au millésime*, qui est très rarement spécifié. Toutefois, beaucoup de producteurs appellent *Clarete* leurs vins jeunes, légers et bon marché. *Gran Reserva* et *Imperial* s'appliquent aux vins plus vieux, souvent de qualité remarquable.

Rivesaltes, célèbre vignoble, aux terres rouges, du Roussillon, producteur de vins doux naturels de qualité, et situé au nord de Perpignan. — Il occupe une douzaine de communes; dont Salses, au centre du vignoble, a toujours produit un vin renommé. Voltaire, écrivant au gouverneur du fort de Salses, disait qu'il éprouvait du plaisir lorsqu'il buvait un coup de vin de Salses, bien que sa faible machine ne fût pas digne de cette liqueur.
Rivesaltes produit deux sortes de vins doux naturels : le Rivesaltes et le Muscat de Rivesaltes.
Le vignoble de Rivesaltes (hautes rives en catalan) couvre avec ses 24 000 ha près des trois quarts du vignoble du Roussillon dans les départements de l'Aude et des Pyrénées-Orientales. Ses 11 000 vignerons

*Le fort des Salses,
au centre du vignoble
de Rivesaltes.* Phot. J. Bottin.

ne produisent que 600 000 hl environ par an, car, sur ces collines caillouteuses, le rendement est l'un des plus faibles de France : 30 hl de moût* à l'hectare pour le Rivesaltes et le Muscat de Rivesaltes.

L'appellation* contrôlée « Rivesaltes » s'applique à des vins récoltés dans l'aire géographique de l'appellation contrôlée « Grand-Roussillon » (à l'exception de Banyuls, Cerbère, Collioure et Port-Vendres) et issus des cépages principaux Grenache, Muscat, Malvoisie et Maccabéo, avec 10 p. 100 au maximum de cépages accessoires. Ils peuvent être vinifiés en rouge, par macération du moût* avec la pulpe, durant tout ou partie de la fermentation*, et en blanc ou rosé, par fermentation des moûts séparés de la pulpe avant la fermentation. Ce sont de très beaux vins qui s'affinent encore en vieillissant.

L'appellation « Rivesaltes Rancio » est réservée aux Rivesaltes qui ont pris le goût de « rancio* » en raison de leur âge et des conditions particulières à ce terroir.

La mention « Muscat » ne peut être ajoutée à l'appellation « Rivesaltes » pour les vins obtenus dans ces conditions.

L'appellation « Muscat de Rivesaltes » s'applique à des vins récoltés dans l'aire délimitée et provenant du Muscat blanc à petits grains (50 p. 100 au moins) et du Muscat d'Alexandrie (le décret du 14 janvier 1980 exige désormais la proclamation du ban* de vendange pour ce dernier, par région ou microclimat homogène).

C'est dans la région de Rivesaltes que l'apparition du Muscat, sans doute d'origine espagnole, fut signalée pour la première fois en France, sur la table du pape Benoît XIII, en 1394 : c'est un vin tout à fait remarquable, très fin, avec un goût très fruité et un parfum exquis, de plus en plus apprécié par les connaisseurs.

La petite ville de Rivesaltes peut être fière de ses vins, comme elle l'est du plus illustre de ses enfants : le maréchal Joffre, fils d'un tonnelier.

Notons que l'ancienne dénomination « Côtes-d'Agly », aujourd'hui disparue, s'appliquait à des vins récoltés sur le terroir de Rivesaltes, sur les coteaux bordant le cours torrentueux de l'Agly. Ces vins sont désormais commercialisés sous l'appellation « Rivesaltes », à condition, évidemment, de répondre aux exigences de cette appellation. Il en est de même pour l'ancienne appellation, aujourd'hui supprimée elle aussi, de « Côtes-du-Haut-Roussillon ».

robe. Si le profane parle de la couleur d'un vin, l'œnophile, tout naturellement, dira « sa robe », sans être prétentieux pour autant. Le vin, matière vivante et noble, a bien le droit, tel un pur-sang, de porter la robe ! La robe d'un vin provient de la matière colorante* du raisin, dissoute lors de la fermentation* alcoolique; elle est plus ou moins prononcée et offre une gamme de teintes très étendue. Les vins rouges peuvent aller du rouge cerise au rouge sombre

249

jusqu'au rouge tuilé et au rouge pelure d'oignon, en passant par les rouges vif, rubis, grenat, pourpre, violacé. Les vins blancs s'échelonnent du blanc au jaune-brun avec les teintes intermédiaires blanc-vert, jaune clair, tilleul, jaune, jaune doré, jaune paille, jaune ambré. Les vins rosés sont gris, rosé vif, rosé safrané, rosé tuilé. Dans les vins rouges, les nuances bleutées signent les vins jeunes (ou provenant de raisins « teinturiers »). La tonalité jaune traduit le vieillissement : fauve, rancio, feuille-morte. Dans les vins blancs, le vert caractérise la jeunesse, et le roux stigmatise la madérisation.

robuste, terme qui s'applique à des vins corsés et puissants qui donnent l'impression de s'imposer à nous avec énergie et autorité. — On dit aussi, dans le même ordre d'idées, « vigoureux », « solide ».

Roche-aux-Moines, cru* de Savennières, qui a le droit, comme la Coulée-de-Serrant, d'ajouter son nom à l'appellation « Savennières ». — Les moines de l'abbaye Saint-Nicolas d'Angers, venus au XIIᵉ siècle planter leurs vignes sur le coteau, lui ont donné son nom. Proche de la Coulée-de-Serrant, le cru de la Roche-aux-Moines comprend environ 25 ha.
Le vin a beaucoup de ressemblance avec celui de la Coulée-de-Serrant; contrairement à celui-ci, il a toujours été vinifié en sec. Il est moins corsé, moins puissant et, en règle générale, doit se boire plus vite que celui de la Coulée-de-Serrant, mais il possède la même élégance et la même délicatesse.

Romanée-Conti. Ce cru* de Vosne-Romanée, gloire de la Bourgogne, est aussi un des crus les plus prestigieux du monde. Il ne s'étend guère que sur un hectare quatre-vingts ares cinquante centiares de surface ou, comme on dit en langage vigneron, quarante-deux « ouvrées ». Selon divers auteurs, le nom de « Romanée » serait un souvenir relatif à la domination romaine, mais on ne peut que formuler de simples hypothèses à ce sujet. Propriété du prieur de l'abbaye de Saint-Vivant, ce climat* était, dès le XVIᵉ siècle, désigné selon un vieux terme bourguignon comme le « cloux » de Vosne. C'est en 1760 que le prince de Conti acheta le domaine (sous le nez de Mme de Pompadour, qui désirait, elle aussi, l'acquérir), et, dès lors, le nom de cette famille princière vint s'adjoindre au nom primitif de Romanée. Aliéné comme bien national au moment de la Révolution, le domaine est, depuis 1869, dans les mains d'une même famille qui se le transmet par héritage.
Le vignoble de la Romanée-Conti était

resté, malgré le phylloxéra*, planté en vignes françaises franches de pied, grâce aux traitements par le sulfure de carbone. Toutes les vignes descendaient en ligne directe, grâce au provignage*, des vignes plantées par les moines douze siècles auparavant. La pénurie de produit chimique, pendant la dernière guerre, amena la destruction du vignoble. Il fallut donc le replanter après la guerre et la première récolte de cette Romanée-Conti reconstituée fut faite en 1952.
La Romanée-Conti est un vin de race, d'une richesse et d'un fondu admirables, à la belle robe d'un rouge profond. D'une suavité exquise, il est aussi magnifiquement équilibré, avec un bouquet ample et pénétrant évoquant la violette. La Société civile de la Romanée-Conti, propriétaire du domaine, possède aussi La Tâche et également de grands ténements dans d'autres grands crus de Vosne-Romanée : Richebourg, Grands Echezeaux et Echezeaux.

rondeur. Un vin qui possède cette qualité est un vin toujours très agréable. Suffisamment riche en alcool* et en glycérine*, il ne possède pas une acidité* prononcée, qui risquerait d'offenser le palais. Il donne l'impression d'être franc, loyal, tout à fait comme l'homme qui possède une sympathique rondeur de caractère.

rosé (vin). Après avoir été jusqu'au XVIIIᵉ siècle le seul type de vin qu'on réussissait à obtenir, le vin rosé subit une éclipse lors de la généralisation de la technique du vin rouge au XIXᵉ siècle. Il a repris de nos jours une très grande vogue. Un vin rosé n'est jamais un mélange de vin blanc et de vin rouge. La législation française l'interdit formellement. Il est toutefois permis de mélanger vendanges blanches et rouges, ou les jus provenant de ces vendanges. En effet, les vins rosés sont, le plus souvent, issus de raisins rouges, mais il est d'usage, pour certains rosés, d'incorporer une certaine proportion de raisins blancs.
Plusieurs méthodes sont employées pour obtenir des vins rosés. La première consiste à traiter la vendange rouge comme une vendange blanche, par pressurage* immédiat et fermentation du moût* débarrassé des parties solides. On procède ainsi en Bourgogne, où ces vins sont appelés « vins gris ». Les rosés très pâles de Saumur et du Val de Loire sont obtenus de cette façon. Pour obtenir des rosés proprement dits, possédant une robe plus soutenue, il faut envoyer les raisins foulés dans une cuve et laisser se déclarer la fermentation. La matière colorante* se dissout rapidement dans le jus, car celui-ci s'enrichit en alcool et la température

s'élève. Toutes les heures, le vigneron recueille du jus et, lorsqu'il estime la couleur obtenue satisfaisante, il décuve le jus dans un autre récipient, où s'achèvera la fermentation. Le marc* restant part au pressurage, mais donne un jus trop coloré (ce jus part avec les rouges).

Le vigneron peut aussi, après au moins deux heures de fermentation, faire des « saignées », c'est-à-dire ouvrir la cannelle à la base de la cuve et soutirer du jus jusqu'à ce que la couleur devienne trop prononcée. Dans les deux cas, il est souvent très difficile d'apprécier sans erreur la coloration, car la teinte s'accentue après le premier soutirage. La durée de la cuvaison* est très variable, cinq ou six heures et même quarante-huit heures comme dans le Jura. C'est ainsi que sont obtenus les rosés de Tavel, de Provence, du Jura et le trop rare Riceys. Les vins sont bien colorés, assez corsés et conservent bien les caractères de leurs cépages (les rosés de Pinot, par exemple, qu'ils soient de la Côte-d'Or, d'Alsace ou des Riceys, sont remarquables).

Il est des rosés traditionnels (ceux des Riceys, de Marsannay-la-Côte, etc.), mais d'autres sont apparus assez récemment pour répondre à l'engouement des consommateurs. Le vigneron vinifie aussi en rosé lorsque sa vendange a été fortement atteinte par la pourriture* grise; ainsi, le goût de moisi ne se communique pas au vin.

Il est très difficile d'obtenir un rosé réussi. Veut-on obtenir une jolie teinte un peu soutenue? Le rosé, plus tannique, risque d'y perdre sa légèreté. Veut-on, au contraire, obtenir un rosé pâle? Il y laissera son bouquet. Malgré l'engouement actuel des consommateurs pour ces vins frais, les vins rosés n'ont pas toujours la qualité requise : ils ont quelquefois une couleur saumonée peu agréable quand ils proviennent de vendanges récoltées trop tard et qu'il y a oxydation de la matière colorante. Dans le Midi, on a parfois tendance à ajouter plus de 20 p. 100 de cépages blancs ou à laisser macérer les raisins avant fermentation, ce qui donne des vins décevants pour le dégustateur. D'autre part, les vins rosés ont l'inconvénient de vieillir mal; ils doivent être mis très tôt en bouteilles (février-mars après la récolte) et être bus dans les deux ans qui suivent, en général.

Rosette, appellation* contrôlée réservée à des vins blancs récoltés sur des coteaux bien exposés au nord de Bergerac. — Les trois cépages classiques du Sud-Ouest, Sémillon, Sauvignon et Muscadelle, trouvent là un sol argileux ou silico-argileux qui leur convient particulièrement. Le vin produit par certaines parcelles des communes de Bergerac, Lembras, Creysse, Maurens, Prigourieux et Gineste a droit à l'appellation « Rosette ». La Rosette est un vin demi-sec, fruité et fin, assez corsé, avec un caractère très original. Il titre au moins 11⁰ avec une teneur en sucre résiduel comprise entre 8 et 54 g par litre.

rouge (vin). L'élaboration d'un vin rouge se fait en plusieurs phases. La vendange est d'abord soumise au foulage* et, éventuellement, à l'égrappage*. Dans quelques cas, la législation permet l'adjonction d'une quantité très limitée de raisins blancs afin de favoriser la finesse (pour les V.Q.P.R.D.* seulement). La vendange foulée est ensuite introduite dans une cuve*, afin d'y subir les phénomènes divers de la fermentation* alcoolique sous l'action des levures* : cette fermentation se fait le plus souvent à cuve* ouverte, mais elle se fait aussi parfois à cuve* fermée. Les levures existent naturellement dans la pruine* des raisins, mais on ensemence parfois le milieu à l'aide de levures* sélectionnées.

Le travail du vigneron consiste à surveiller la fermentation et à assurer le travail des levures par une aération suffisante et une température favorable de 25 à 28 ⁰C. C'est pour cela qu'il est parfois nécessaire, suivant les climats, de pratiquer le réchauffement* ou la réfrigération* des moûts. Il faut aussi faire des « remontages » du moût à la pompe, pour aérer celui-ci, stimuler la fermentation et faciliter la diffusion de la matière colorante* en mettant le jus au contact du chapeau*. Enfin, le vigneron doit aussi aseptiser sa vendange par l'adjonction d'anhydride* sulfureux, et il est parfois nécessaire qu'il apporte des corrections* au moût sur les conseils des stations œnologiques.

La durée de la cuvaison* est variable suivant les régions et le type de vin qu'on désire obtenir : elle varie de deux ou trois jours à trois semaines.

Lorsque le moment sera venu, le vigneron procédera à la décuvaison*; il pourra « tirer » son vin et le séparer du marc* : c'est le vin de goutte*. Le marc subira le pressurage*, qui donnera le vin de presse. Après assemblage* dans un foudre, notre jeune et fringant vin nouveau va subir en cave un élevage* plus ou moins long, jusqu'au moment où le vigneron le jugera assez sage pour être mis en bouteilles.

En résumé, la vinification du vin rouge comporte, en général, les opérations suivantes : foulage - égrappage - mise en cuve - fermentation en présence des peaux - remontages - surveillance de la température et contrôle de la densité des moûts - tirage de la cuve - pressurage - unification du vin de goutte et du vin de presse - mise en fûts de chêne.

Vin Rouge
Cuvée Réservée
CAVE COOPERATIVE DE POLLESTRES-66300 THUIR

EUROPE CENTRALE
ET BALKANS

Régions de vignobles

Frontières

Régions au-dessus de 500 m

0   200 km

Roumanie. Déjà, dans l'Antiquité, les vins de Dacie étaient fameux : des documents du IIIe siècle avant notre ère l'attestent. Au Moyen Age, les Roumains vendaient du vin à la Russie, à la Pologne, à la république de Venise.

Actuellement, la Roumanie est en pleine expansion viticole puisque la superficie du vignoble a doublé depuis quinze ans et que ce pays est devenu le sixième producteur d'Europe. Il est vrai qu'il possède les éléments nécessaires à une production de qualité, puisqu'il est situé presque entièrement au-dessous de la limite septentrionale de culture de la vigne (à la latitude de la France) et que l'effet du climat continental est tempéré par la mer Noire et l'influence des Carpates. Des sols de constitution variée, des séries de coteaux, en pentes douces et abrités des vents, donnent aux vignobles les conditions idéales de prospérité. Et puis, il y a aussi les affinités du peuple roumain avec la vigne et

le vin qu'il honore et chante depuis si longtemps...!

C'est au sud et à l'est des Carpates que s'étendent les plus grands vignobles roumains. Bien que la vigne prenne son essor sur à peu près toute la superficie du pays, le vignoble se répartit actuellement dans six régions viticoles principales.

La *Dobroudja* est celle qui a la plus grande superficie. C'est de cette région aussi que provient le plus fameux vin de Roumanie, le « Murfatlar », récolté près de Basarabi et de Nazarcea. La Dobroudja produit aussi des vins renommés : à Ostrov, dans le sud; à Sarica et à Niculitel, dans le delta du Danube.

La *Moldavie,* au nord-est du pays, prolongement du vignoble de la Moldavie soviétique, donne surtout des vins blancs. Certains vins sont très réputés : Cotnari, Odobesti, Nicoresti, Panciu, Husi et Dealul-Mare (« grande colline »), qui est un vin rouge proche du goût français.

La *Munténie,* région de Bucarest et de Ploieşti, produit des vins de Valea Călugărească, d'Urlati et de Ceptura.

L'*Olténie,* dans la vallée de l'Olt, est célèbre par son vin blanc, le Drăgăşani, et par le Segarcea.

Le *Banat,* situé au nord-ouest du pays, donne deux sortes de vins : les vins de plaine, très abondants, qui sont surtout des blancs de teinte verdâtre; les vins de coteaux, dont le plus connu est le Kadarka de Minis, vin rouge qui se rapproche du goût français, et qui sont récoltés sur des terrasses pierreuses.

La *Transylvanie,* enfin, région centre-ouest de Roumanie, est représentée par les centres viticoles d'Alba Julia, d'Aiud, de Bistriţa Năsăud et de Tîrnave (dont le vin blanc est fort plaisant).

Dans l'ensemble, la Roumanie produit plus de vins blancs que de vins rouges.

Tous les vins accusent un net progrès en qualité depuis ces dernières années. Les vins rouges ne sont jamais de grands vins, mais sont généralement de bons vins de table, malgré une astringence prononcée qui choque le goût français. On vinifie de la même manière en Hongrie, en Bulgarie. Cette volonté d'obtenir des vins chargés en tanin* se comprend fort bien quand on déguste la cuisine épicée de ces pays. C'est là-bas, dans le pays même, qu'on apprécie ces vins à leur juste valeur. Il est amusant de constater, d'ailleurs, que les restaurants de Roumanie n'offrent généralement que les vins de la province dans laquelle ils sont situés, très rarement ceux d'une autre région.

C'est surtout après la Seconde Guerre mondiale que la Roumanie s'est mise à exporter des vins, dont les variétés correspondent au goût des acheteurs : en grande partie vers les pays de l'Est, mais aussi vers l'Allemagne de l'Ouest, l'Autriche, la Suède, le Danemark, la Suisse, la Grande-Bretagne.

Roussillon. Cette ancienne province française, avec comme centre Perpignan, occupe le département actuel des Pyrénées-Orientales et une partie de celui de l'Aude. Sa production ne manque pas d'analogie avec celle du Languedoc voisin, qui lui est souvent uni du point de vue viticole. Les derniers chiffres font état d'une production d'un peu plus de 2 millions d'hectolitres par an rien que pour le département des Pyrénées-Orientales.

Elle fournit une importante quantité de vin ordinaire, mais aussi d'excellents vins, ayant droit à l'appellation* d'origine contrôlée, toujours vifs, corsés et chaleureux, tels le Collioure, les Côtes-du-Roussillon, les Côtes-du-Roussillon-Villages, les Côtes-du-Roussillon-Villages-Caramany et les Côtes-du-Roussillon-Villages-Latour-de-France. Elle nous offre même une curiosité, le « vin vert », analogue au vin vert* portugais, légèrement pétillant, obtenu par la cueillette précoce du Maccabéo. Elle nous donne surtout — et c'est là sa gloire — les trois quarts des vins doux naturels français, tous d'appellation contrôlée : Banyuls, Rivesaltes et Muscat de Rivesaltes, Maury, Grand-Roussillon.

Le terroir des vins doux naturels couvre 29 000 ha en Roussillon, dont 24 000 sont consacrés aux Rivesaltes. La production des vins doux naturels représente 30 p. 100 de la production agricole et 60 p. 100 de la production viticole. Les terres du Roussillon sont maigres et pauvres, presque

Paysage viticole typique du Roussillon.
Phot. Phédon-Salou.

253

stériles par endroit, et la viticulture, pour le Roussillon, est une vocation imposée par la nature : elle est la seule culture possible sur ce sol ingrat.

Il est difficile de fixer une date précise pour l'introduction de la viticulture en Roussillon, mais il semble certain que celle-ci date au moins du VIe siècle av. J.-C. C'est à la colonisation grecque que le Roussillon doit ses vignes : les forgerons corinthiens, venus des rives orientales de la Méditerranée pour exploiter les riches mines de fer du mont Canigou, importèrent avec eux l'art et la science d'une solide tradition viticole déjà établie dans leur pays d'origine.

Les Romains, lorsqu'ils occupèrent la Narbonnaise et y firent régner la *Pax romana*, trouvèrent un pays déjà couvert de vignes, dont les auteurs latins, et Pline en particulier, nous fournirent de nombreux détails.

C'est au XIIIe siècle, grâce, semble-t-il, à l'alchimiste Arnaud de Villeneuve que fut découvert et appliqué le procédé de mutage* des vins par l'alcool, procédé qui reste, dans l'ensemble, à peu près le même encore de nos jours.

Lorsqu'en 1659 le traité des Pyrénées restitua le Roussillon à la couronne de France (la Catalogne française était alors une possession de la couronne de Castille), un arrêté stipula : « La France devient désormais productrice de vins d'Espagne », car c'est sous cette appellation de « vins d'Espagne » qu'étaient connus les vins doux et chaleureux du Roussillon. C'est ainsi que, pendant très longtemps encore, la force de l'habitude maintint cette appellation à nos merveilleux vins doux du Roussillon...

Roussillon-Dels-Aspres. Cette appellation, qui s'appliquait à des vins rouges, corsés et chaleureux, et à des vins blancs et rosés classés V.D.Q.S.*, a été supprimée. Elle a été remplacée par l'appellation* contrôlée « Côtes-du-Roussillon ».

Rully. Commune de la Côte chalonnaise, Rully se trouve en réalité dans le prolongement de la Côte de Beaune : le vignoble de Rully possède le sol, les méthodes de culture, les modes de vinification et les traditions commerciales du vignoble beaunois. D'ailleurs, jadis, avant la création des appellations* d'origine contrôlées, les vins de Rully se vendaient sous le nom de « Côte-de-Beaune » ou de « Beaune ».

Bien qu'il ait toujours produit, selon les climats*, du vin blanc et du vin rouge, Rully était surtout connu, ces dernières années, par son vin blanc très particulier, sec et fruité, d'une jolie couleur dorée, provenant du cépage Chardonnay. Ce vin, qui se

champagnise remarquablement, a été à l'origine des vins mousseux de Bourgogne, assez estimés, surtout à l'étranger. Actuellement, le vignoble est en expansion et la production des vins blancs et des vins rouges s'équilibre à peu près. Les vins rouges de Rully ont la finesse et la distinction de leurs voisins de la Côte de Beaune. Les vins de l'appellation « Rully » titrent au minimum 10,5⁰ pour les rouges et 11⁰ pour les blancs. L'appellation « Rully » peut être suivie de l'expression « Premier cru » ou du nom du climat d'origine sous certaines conditions (V. Annexes) : les vins rouges doivent alors obligatoirement titrer 11⁰ et les blancs 11,5⁰.

rurale (méthode), procédé ancien utilisé avant la mise au point de la méthode champenoise*. — La méthode rurale n'est plus guère employée de nos jours qu'à Gaillac, à Die et à Limoux. C'est uniquement le sucre naturel du raisin resté dans le vin qui fournira le gaz carbonique, sans adjonction de liqueur* de tirage. Le procédé consiste à ralentir la première fermentation, qui transforme classiquement le jus de raisin en vin tranquille*. Par des filtrations* et des soutirages* répétés, on arrive peu à peu à diminuer cette fermentation, sans pour autant l'arrêter complètement. On met ensuite en bouteilles ce vin incomplètement fermenté au moment où il lui reste une teneur en sucre jugée satisfaisante pour une bonne prise de mousse. Le vin repart alors lentement en fermentation dans les bouteilles bien bouchées.

Cette méthode rappelle un peu le procédé utilisé à Asti (qui prépare des vins mousseux de première fermentation, mais en cuve). En effet, il ne s'agit pas ici d'une fermentation secondaire provoquée à partir d'un vin tranquille, comme dans la méthode champenoise. Elle donne des mousseux excellents, moelleux et très finement bouquetés. C'est la meilleure méthode pour garder aux vins à base de Muscat leur arôme si caractéristique (Clairette de Die). Malheureusement, elle est fort délicate, et les déboires sont nombreux : éclatement des bouteilles ou, au contraire, mousse insuffisante ou nulle, refermentation, qualité irrégulière d'une bouteille à l'autre. De plus, le mousseux obtenu n'est jamais limpide, mais, au contraire, plus ou moins louche. Il ne s'agit pas d'un dépôt net de lies* et de levures* qu'on peut rassembler sur le bouchon comme dans la méthode champenoise, pour l'éliminer ensuite par le dégorgement*. Le vin présente un trouble général qu'il faut faire disparaître par filtration isobarométrique. Cette filtration se fait à Die de bouteille en bouteille.

sables (vin de). Encore une péripétie de la lutte héroïque contre le phylloxéra*. Un vigneron de Vaucluse ayant constaté que l'insecte maudit ne pouvait vivre dans le sable, on s'empressa de planter en vignes tout ce qu'on put découvrir comme sable fin (pourtour de Saint-Laurent-de-la-Salanque dans le Roussillon, bordure du bassin de Thau d'Agde à Sète, dunes des environs d'Aigues-Mortes).

Il y avait encore, il n'y a pas si longtemps, un vin de sables produit dans les Landes, aux environs de Soustons.

Quant aux îles sablonneuses d'Oléron et de Ré, elles n'ont pas attendu cette époque pour donner un vin fort estimé et abondant : dès le XIIIe siècle, leur vin était célèbre, et Jean sans Terre l'appréciait déjà. Actuellement encore, ces deux îles produisent, dans leurs sables mêlés de varech, des vins blancs secs appréciés des touristes (l'île de Ré produit aussi un vin rouge au goût très curieux).

Les plus connus et les meilleurs des vins de sables sont actuellement, sans conteste, ceux qui sont produits par les domaines viticoles des salins du Midi, sous la marque déposée « Listel » et qui ont droit à l'appellation « Vin de pays des sables du golfe de Lion ». La mise en culture des sables du Lion, très ancienne (XIIIe siècle), consistait surtout en pâturages. Mais, dès le début du XIVe siècle, on sait, de sources certaines, qu'on cultivait la vigne dans les sables d'Aigues-Mortes : on n'avait pas, par conséquent, attendu l'invasion du phylloxéra pour planter en vignes ces régions sablonneuses, dont le vin était déjà recherché, comme nous l'indique un témoignage datant de 1849. La marque « Listel » évoque le nom d'un lieu-dit plus que millénaire, l'île de Stel : *insula Stelli* (*insula* signifiant « île » et *Stelli* — lui-même dérivé du grec *Theys,* — « amas de sables »). Dès la fin du XVIe siècle, les deux mots n'en formaient plus qu'un, les « Istels » (les îles de sables). Ces îles de sables donnèrent lieu, d'ailleurs, à de vives et interminables procédures entre le roi de France, maître du Languedoc, et le comte de Provence.

Les domaines des salins du Midi sont tous situés sur des sables dunaires, d'apports rhodaniens, marins et éoliens, comme le veut la définition légale de « Vin de pays des sables du golfe de Lion ». Ils sont tous plantés en excellents cépages recommandés. Certains sont situés sur le premier cordon littoral (Mas de la Petite Sylve, Mas de Soult, Mas du Daladel, Château Saint-Jean de la Pinède, Château Villeroy), d'autres sur le deuxième (Domaine du Bosquet) ou sur le troisième — anciennement île de Stel (Domaine de Jarras). Le Domaine expérimental de l'Espignette est installé dans les sables du quatrième cordon littoral.

Le plus populaire des vins produits est sans doute le Listel gris de gris, limpide, très léger et original, à l'arôme à la fois riche et subtil, à la saveur fine et délicate, qui enchante sans fatiguer. Mais il existe aussi des blancs de blancs secs et fruités, à l'arôme plaisant, des blancs moelleux suaves et délicatement musqués, des rouges souples et tendres, finement bouquetés, des rosés fruités et même d'agréables vins mousseux (Grisant de Listel, Brut de Listel). Le Domaine de Saint-Louis-de-la-Mer, situé aux Cabannes-de-Fleury, dont le sol est constitué de sables dunaires pyrénéens, d'apports marins et éoliens ainsi que de sables alluvionnaires de l'Aude, produit un excellent rosé qui a droit à l'appellation « Vin de pays de l'Aude ».

Sables-Saint-Emilion. Cette appellation a été supprimée. Les vins de ce terroir ont droit, désormais, à l'appellation « Saint-Emilion ». (V. SAINT-EMILION.)

Saint-Amour. Cette commune, la plus septentrionale du Beaujolais, produit un vin rouge fort apprécié. Le Saint-Amour est un des crus* les plus aimables du Beaujolais : d'une jolie couleur rubis, avec un bouquet délicat, plutôt léger.

Saint-Aubin. Situé sur les coteaux derrière Puligny-Montrachet et Chassagne-Montrachet, ce village ne produit pas d'aussi grands vins que ces deux crus* célèbres. Un hameau de la commune de Saint-Aubin porte un nom bien connu : il s'agit de Gamay, qui donna son nom au cépage dont est issu le Beaujolais. Les vins de Saint-

La vendange à Oléron donnera un vin de sables fort estimé.
Phot. Léah Lourié.

Aubin, rouges ou blancs, sont vendus sous l'appellation « Saint-Aubin » ou « Saint-Aubin-Côte-de-Beaune » ou « Côte-de-Beaune-Villages ». Les meilleurs vignobles, les « premiers crus », portent le nom de leur cru en plus de celui de la commune sur l'étiquette. Ce sont : La Chatenière, Les Murgers-des-Dents-de-Chien, En Remilly, Les Frionnes, Sur le-Sentier-du-Clou, Sur Gamay, Les Combes, Champlot.

Saint-Chinian. Cette appellation des « Coteaux-du-Languedoc* », jadis V.D.Q.S., vient d'accéder à l'appellation contrôlée, comme sa voisine Faugères*, depuis le décret du 5 mai 1982.
Le vignoble s'étend sur les pentes caillouteuses au nord-ouest de l'Hérault, sur le territoire de dix-huit communes voisines de Saint-Chinian.
Les vins de coteaux, rouges et rosés, sont issus des cépages Cinsault, Grenache, Lladoner Pelut, Mourvèdre, Syrah et Carignan (par étapes successives, le pourcentage de ce dernier dans l'encépagement devra être inférieur à 50 p. 100 en 1985). En 1985, Mourvèdre et Syrah devront représenter au moins 5 p. 100, et Grenache et Lladoner Pelut au moins 10 p. 100. En 1990, ces quatre cépages devront représenter ensemble 35 p. 100 (Mourvèdre et Syrah représentant ensemble au moins 10 p. 100, Grenache et Lladoner Pelut ensemble au moins 20 p. 100).
Les vins doivent titrer 11,5° avec un rendement de 50 hl à l'hectare.
Les rouges sont d'une jolie couleur rubis, charnus, assez corsés mais sans dureté et possèdent un bouquet délicat qui s'affine avec l'âge. Les vins rosés, issus des mêmes cépages, doivent être élaborés par saignée, égouttage ou pressurage direct, mais avec au moins 50 p. 100 de vin issu de saignée.

Saint-Christol. Les vins de cette appellation « Coteaux-du-Languedoc-Saint-Christol » ont droit au label V.D.Q.S.*. Ils jouissaient, au siècle dernier, d'une très bonne réputation régionale.
Ce sont des vins rouges et rosés répondant aux normes d'encépagement et de degré des « Coteaux-du-Languedoc* », mais récoltés sur l'aire délimitée de la commune de Saint-Christol.
Ces vins peuvent aussi être commercialisés, éventuellement, sous l'appellation « Coteaux-du-Languedoc » simple.

Saint-Drézéry. Les vins rouges et rosés, récoltés sur cette commune, classés V.D.Q.S.*, doivent faire précéder leur nom de celui de « Coteaux-du-Languedoc* ». Ils répondent aux mêmes conditions d'encépagement et de degré que les vins de l'appellation « Coteaux-du-Languedoc »

simple, sous laquelle, d'ailleurs, ils peuvent éventuellement se replier.
Les vins, obtenus par une cuvaison de courte durée qui n'excède pas vingt-quatre heures, sont très plaisants, fruités et légers. On les boit frais pour en apprécier le fruit.

Sainte-Croix-du-Mont. Les coteaux assez escarpés de cette pittoresque commune dominent la rive droite de la Garonne, en face de la région des Sauternes.
Les règles de production sont les mêmes — et aussi strictes — que dans le Sauternais, ce qui fait du Sainte-Croix-du-Mont un vin très réputé parmi les grands vins blancs de la rive droite.
D'une belle couleur dorée et limpide, liquoreux et onctueux, fin et fruité, le Sainte-Croix-du-Mont est digne de son vis-à-vis le Sauternes.

Sainte-Foy-Bordeaux, région qui occupe l'extrémité nord-est du département de la Gironde, sur la rive gauche de la Dordogne. — Bien qu'elle fasse partie géographiquement de l'Entre-deux-Mers, elle produit des vins tout à fait différents et a droit à sa propre appellation.
Les vins blancs sont moelleux ou demi-liquoreux, avec un parfum agréable qui les fait parfois surnommer « les Sauternes du pauvre ». Ils sont aussi parfois, mais plus rarement, vinifiés en secs ou en demi-secs et rappellent alors quelque peu les Anjous ou les Saumurs.
Les vins rouges sont colorés, corsés, et vieillissent rapidement. A partir de la récolte de 1978, ces vins rouges doivent obligatoirement obtenir un certificat délivré par l'I.N.A.O. relatif aux examens analytique et organoleptique pour avoir droit à l'appellation (décret du 3 janvier 1979).

Saint-Emilion. La région de Saint-Emilion domine de ses coteaux la verte vallée de la Dordogne, sur la rive droite, à quelques kilomètres de Libourne. Le vignoble serait l'un des plus anciens (avec celui des Graves) si l'on en croit le poète Ausone, qui, déjà, le glorifiait au IVe siècle. C'est, en tout cas, le plus important vignoble producteur de vins fins du Bordelais.
L'appellation « Saint-Emilion » s'étend à plusieurs communes : Saint-Laurent-des-Combes, Saint-Christophe-des-Bardes, Saint-Hippolyte, Saint-Etienne-de-Lisse, Saint-Sulpice-de-Faleyrens, Vignonet, Saint-Pey-d'Armens et Libourne.
Tous les vins de Saint-Emilion sont généreux, corsés, chaleureux, avec une belle robe grenat foncé, un parfum de truffe. Plus puissants que les Médocs, on dit qu'ils sont les « Bourgognes du Bordelais ». Une richesse moyenne en tanin* leur assure une vieillesse heureuse (de 30 à

Les Grandes Murailles de Saint-Emilion.
Phot. René-Jacques.

Les jurats de Saint-Emilion,
lors du ban des vendanges.

40 ans parfois) sans leur donner l'astringence des vins trop tanniques.

Louis XIV, en appelant le Saint-Emilion le « nectar des dieux », lui a donné depuis longtemps ses titres de noblesse.

Les amateurs distinguent deux sortes de Saint-Emilion : le vin de côtes et le vin de graves (il s'agit là du terrain et non de la région des Graves). Le vin de côtes est généreux, corsé, charpenté; le vin de graves a une finesse, une souplesse, un bouquet particulier et se rapproche du Pomerol (le Château Ausone, par exemple, est un vin de côtes, tandis que le Château Cheval-Blanc est un vin de graves).

Les vignobles des côtes ont l'avantage de jouir d'une certaine immunité vis-à-vis du gel. Ainsi, lorsqu'en 1956 survint le plus terrible hiver subi par le Bordelais depuis 1709, les vignobles des coteaux — dont Château Ausone — survécurent, alors que les vignobles de plaine, Château Cheval-Blanc en tête, furent terriblement frappés (pour certains les conséquences désastreuses durèrent plusieurs années encore tant la vigne avait été atteinte).

Comme dans tous les vignobles de qualité du Bordelais, les palus* sont exclus de l'appellation. Seuls sont cultivés les cépages nobles : Cabernet franc, Cabernet-Sauvignon (ou Bouschet), Merlot, Malbec (ou Pressac). Il est curieux de remarquer que le cépage blanc appelé Saint-Emilion (ou Ugni blanc) est, malgré son nom, très rare dans la région.

Jusqu'en 1954, Saint-Emilion ne possédait pas de classement pour ses crus* : jusqu'à cette date on se contentait simplement de considérer Château Ausone et Château Cheval-Blanc comme « Premiers crus » hors classe. Désormais, Château-Ausone et Château-Cheval-Blanc sont classés en tête d'une liste de douze « Premiers grands crus » dont les dix autres, classés par ordre alphabétique, sont : Châteaux Beauséjour-Becot, Beauséjour-Duffau-Lagarosse, Belair, Canon, Clos Fourtet, Figeac, La Gaffelière, Magdelaine, Pavie, Trottevieille. Viennent ensuite soixante-douze « Grands crus classés », énumérés, eux aussi, par ordre alphabétique. (V. Annexes.) Les Saint-Emilions « Grands Crus », eux, doivent titrer $11,5^0$ au minimum (11^0 pour les Saint-Emilions simples) et ne peuvent être livrés à la consommation qu'à partir du 1er juillet de l'année suivant la récolte.

Tous les domaines de Saint-Emilion peuvent être candidats à l'appellation «Saint-Emilion Grand Cru», qui est accordée chaque année par les commissions de dégustation après que les vins ont été soumis à un contrôle de qualité.

D'autre part, cinq communes de la périphérie de Saint-Emilion ont le droit de faire suivre leur nom de celui de Saint-Emilion (mais leur propre nom doit figurer obligatoirement avant Saint-Emilion et en caractères identiques sur les étiquettes). Ce sont : Saint-Georges, Montagne, Lussac, Puisseguin, Parsac, au nord de Saint-Emilion.

L'appellation «Sables-Saint-Emilion», quant à elle, a été supprimée par une loi de décembre 1973, confirmée par le décret du 14 décembre 1977. L'ancienne aire délimitée de Sables-Saint-Emilion, située à l'est de Libourne, au pied des coteaux de Saint-Emilion, a été rattachée à Saint-Emilion. Les vins de ce terroir, provenant, comme son nom l'indique, d'un terrain sablonneux, se situent entre les Pomerols et les Saint-Emilions : généreux comme les Saint-Emilions, ils ont une souplesse et un bouquet qui évoquent le Pomerol. Ils ont l'avantage de se faire vite; les Châteaux Cruzeau, Martinet, Doumaine, Gaillard sont les principaux crus.

Saint-Estèphe. Située tout à fait au nord du haut Médoc, cette localité est la plus grande productrice de vin rouge ayant droit à l'appellation* contrôlée de toutes les communes du Médoc. La gamme des Saint-Estèphes est donc très étendue et chaque vin est différent d'un autre, mais, dans l'ensemble, les vins de cette appellation sont d'une belle couleur rubis, à la fois généreux et tendres, très fruités dans leur jeunesse, corsés et bouquetés. Saint-Estèphe ne compte que cinq crus* classés en 1855.

«Château Cos d'Estournel», classé «Second cru», est un domaine pittoresque couronné par un manoir, unique dans le Médoc, aux allures de pagode chinoise. Le nom de Cos lui aurait été donné par les Templiers de retour de Rhodes et de l'île de Cos. Plus léger et plus souple que les autres Saint-Estèphes, c'est un très beau vin vigoureux, qui n'est pas sans évoquer ses voisins de Pauillac.

«Château Montrose», lui aussi classé «Second cru» en 1855, donne un vin corsé, d'un beau rouge profond, charnu et de grande longévité, très apprécié en Angleterre.

«Château Calon-Ségur», classé «Troisième cru» en 1855, donne un vin très corsé et viril, sans doute le plus puissant des Saint-Estèphes et celui qui est doté de la plus longue existence. Les vignes produisent jusqu'à ce qu'elles soient devenues presque centenaires et sont remplacées une à une, et non par secteur : elles donnent donc un vin de grande qualité (puisque le vin des vieilles vignes est réputé meilleur, mais, évidemment, moins abondant). Le Château devint au XVIIIe siècle la propriété du marquis de Ségur-Calon, déjà propriétaire de Château Lafite et de Château Latour, et qui disait : «Je fais du vin à Lafite et à Latour, mais mon cœur est à Calon.» La devise figure sur une voûte... et le cœur est sur l'étiquette.

«Château Lafon-Rochet» a été classé «Quatrième cru» et «Château Cos-Labory» «Cinquième cru» en 1855.

L'appellation Saint-Estèphe s'applique

Cave de vieillissement de Saint-Emilion.
Phot. M.

aussi à de nombreux crus secondaires. Les crus bourgeois, très nombreux au sud et à l'ouest du village, donnent de très bons vins corsés, bien qu'ils n'aient ni la finesse ni la distinction des crus classés : Châteaux Phélan-Ségur, de Pez, Meyney, Haut Marbuzet, Les Ormes de Pez, Tronquoy-Lalande, etc. En outre, la production de quelque deux cents propriétaires de Saint-Estèphe est vinifiée par une coopérative, la SOCIÉTÉ DE VINIFICATION COMMUNALE, et commercialisée sous le nom de « Marquis de Saint-Estèphe ».

Saint-Georges-d'Orques. Ce cru des « Coteaux-du-Languedoc* » a droit au label V.D.Q.S.*. Le vignoble s'étend aux portes de Montpellier, sur le village de Saint-Georges et sur quelques parcelles de communes voisines (Murviel-lès-Montpellier, Juvignac, Laverune et Pignan). Saint-Georges-d'Orques est en train de retrouver la réputation de son vin rouge, depuis longtemps fort apprécié dans la région; il s'est imposé, pour cela, une sévère discipline, en éliminant de son terroir les cépages sans noblesse qui s'y étaient implantés au temps de la facilité. Les vins rouges et rosés doivent répondre aux conditions d'encépagement et de degré de l'appellation « Coteaux-du-Languedoc » simple et être conformes aux méthodes de vinification imposées à ce terroir.
Les vignes doivent subir une taille courte et ne peuvent être conduites sur fil de fer. Les vins rouges sont redevenus de très beaux vins, ayant de l'étoffe et de la finesse, et s'améliorant beaucoup avec l'âge.
L'appellation légale de ces vins est « Coteaux-du-Languedoc-Saint-Georges-d'Orques ». Ils peuvent, éventuellement, se replier sous l'appellation « Coteaux-du-Languedoc » simple à condition, évidemment, de répondre aux normes de cette appellation.

Saint-Georges-Saint-Emilion. La commune de Saint-Georges a le droit d'ajouter Saint-Emilion à son propre nom. C'est un fait que les vins de Saint-Georges-Saint-Emilion ont tous les caractères des « vins de côtes ». D'une belle couleur de pourpre, ils sont corsés et puissants, mais sans être communs. Robustes et bien charpentés, ils supportent un long vieillissement en gardant un bouquet remarquable, rappelant la truffe.
Les meilleurs crus sont les Châteaux Saint-Georges-Macquin, Saint-Georges, Saint-André-Corbin, Samion, Tourteau.

Saint-Jean-de-Minervois. Encore assez peu connu, ce Muscat d'appellation* contrôlée de la région du Languedoc est pourtant un vin doux naturel de classe et de grande qualité.
Il est récolté sur le territoire de la commune de Saint-Jean-de-Minervois, dans l'Hérault, et issu uniquement du Muscat doré de Frontignan. Titrant 15[0] au moins, délicieusement parfumé et délicat, le vin contient au moins 125 g de sucre par litre. Le rendement ne peut dépasser 28 hl à l'hectare. Les amateurs le classent, par son fruit et son élégance, parmi nos meilleurs Muscats actuels.

Saint-Joseph, appellation des Côtes du Rhône septentrionales, qui concerne les vignobles situés sur la rive droite du Rhône, en face de l'Hermitage.
Leur production consiste essentiellement en vins rouges, provenant de la Syrah (10 p. 100 de raisins blancs issus des cépages Marsanne et Roussane sont toutefois admis).
Ceux-ci sont très corsés, fortement colorés et un peu amers dans leur jeunesse; l'âge affine leur bouquet et en fait souvent de grandes bouteilles. L'appellation produit aussi, mais en petite quantité, des vins blancs, issus de la Marsanne et de la Roussanne. Les blancs, nerveux et parfumés, sont, certaines années, remarquables.
L'appellation* contrôlée a été accordée à Saint-Joseph le 15 juin 1956 (le Cornas, lui, classé en 1938, a été le premier de l'Ardèche à bénéficier de cette appellation).

Saint-Julien, petite commune située en plein cœur du haut Médoc (l'appellation « Saint-Julien » s'étend aussi sur quelques parcelles des communes de Pauillac, de Cussac et de Saint-Laurent).
Le Saint-Julien est un grand vin rouge, souple, fin, très bouqueté. Il est en quelque sorte l'intermédiaire entre le Margaux et le Pauillac. Il est plus corsé que le Margaux, tout en ayant sa finesse, mais, s'il a moins de corps que le Pauillac, son bouquet se développe plus rapidement que celui-ci. Il a une excellente tenue en bouteilles.
Les châteaux les plus réputés sont Léoville-Lascases, Léoville-Poyferré, Léoville-Barton, Gruaud-Larose et Ducru-Beaucaillou, classés « Seconds crus » en 1855; Lagrange et Langoa Barton, classés « Troisièmes crus »; Saint-Pierre, Talbot, Branaire-Ducru, Beychevelle, classés « Quatrièmes crus ».
Les rares crus bourgeois de Saint-Julien donnent aussi d'excellents vins : Château Gloria, Château du Glana jouissent d'une solide réputation.

Saint-Nicolas-de-Bourgueil, commune de Touraine, toute proche de Bourgueil, qui produit des vins semblables à ceux de Bourgueil. — Toutefois, le législateur lui a

*Vue générale de Saint-Péray.
Phot. M.*

accordé une appellation* contrôlée particulière. En effet, son terrain permet au Cabernet breton d'atteindre l'épanouissement maximal de ses qualités, et l'on classe généralement en tête le Saint-Nicolas-de-Bourgueil, plus tannique et qui vieillit encore mieux que le Bourgueil.

Saint-Péray. Face à Valence, sur la rive droite du Rhône, cette commune des Côtes du Rhône produit d'excellents vins blancs issus de la Roussanne et de la Marsanne. Le Saint-Péray est un vin nerveux et fin, avec un arôme de violette très apprécié. Au début du siècle dernier, on a appliqué avec bonheur au vin de Saint-Péray la méthode champenoise* de seconde fermentation en bouteilles : il porte alors l'appellation « Saint-Péray-Mousseux » et est beaucoup plus répandu que le Saint-Péray traditionnel. Le Saint-Péray-Mousseux est un des meilleurs vins mousseux français,

que certains amateurs placent immédiatement après le Champagne : plus doré, plus corsé que le Champagne, il garde avec élégance son arôme caractéristique de violette.

Les vins destinés à être rendus mousseux doivent posséder au minimum 153 g de sucre naturel par litre et présenter un titre alcoométrique minimal de 9^0 avant l'adjonction de la liqueur* de tirage (décret du 3 janvier 1979).

Saint-Pourçain. Le vignoble de Saint-Pourçain s'étend sur une trentaine de kilomètres de coteaux, à une altitude de 300 m environ, sur les rives de la Sioule, de l'Allier et de la Bouble. Une vingtaine de communes produisent le Saint-Pourçain (considéré comme « vin du Val de Loire »), qui a droit au label V.D.Q.S.*. Les principales sont Saint-Pourçain, Besson, Bransat, Contigny, Chemilly, Bresnay. Servis il

*Le vignoble de
Saint-Pourçain-sur-Sioule
s'étend au bord de l'Allier,
à la hauteur
de Châtel-de-Neuvre.
Phot. M.*

y a plusieurs siècles à la table des rois de France, les vins de Saint-Pourçain n'ont plus, et depuis longtemps déjà, qu'une réputation régionale.

Les vins blancs sont issus d'un cépage caractéristique, le Tresallier (qui n'est autre que le Sacy de l'Yonne), dont le pourcentage maximal doit être de 50 p. 100. On lui ajoute des cépages complémentaires : Aligoté, Sauvignon, Chardonnay et enfin le Saint-Pierre-Doré, cépage d'ailleurs sans intérêt, dont la proportion ne doit pas dépasser 10 p. 100.

Ces vins blancs sont délicieux, limpides, d'une jolie couleur claire nuancée de vert. Secs et légers, ils sont parfumés et fins; leur saveur fruitée rappelle curieusement la pomme. L'Allemagne en achète une quantité appréciable pour servir à la fabrication de Mousseux.

Les vins rouges et rosés proviennent du Gamay et du Pinot noir. Les rouges sont fort aimables et coulants, et évoquent un peu le Beaujolais, mais avec un agréable goût de terroir. Les rosés sont excellents, frais et fruités, avec une jolie teinte parfois très pâle (vins gris*). Les curistes des villes d'eau toutes proches les boivent en été avec agrément. Rouges et rosés doivent se boire jeunes, comme les blancs d'ailleurs.

Saint-Romain. Etagé sur la colline et sur un piton rocheux, le village de Saint-Romain donne un vin, rouge ou blanc, vendu sous l'appellation* d'origine contrôlée « Saint-Romain ». Le reste de la production porte l'étiquette « Côte-de-Beaune-Villages ». Robuste, fin et fruité, le vin de Saint-Romain, sans pouvoir s'aligner avec ses prestigieux voisins de la Côte de Beaune, jouit néanmoins d'une gentille réputation. Il a le grand mérite d'être d'un prix abordable.

Saint-Saturnin. Les vins de cette appellation des Coteaux-du-Languedoc qui ont droit au label v.d.q.s.* sont rouges et rosés et sont récoltés sur les communes de Saint-Saturnin, Jonquières, Saint-Guiraud et Arboras.

Saint-Saturnin est renommé depuis longtemps pour son « vin d'une nuit », léger et agréable, le type même du vin de carafe. Ces vins répondent aux mêmes conditions d'encépagement que leurs voisins de Montpeyroux* et de Cabrières*. Ils doivent titrer 12 degrés.

L'appellation est « Saint-Saturnin » ou « Coteaux-du-Languedoc-Saint-Saturnin ». Elle peut se replier en « Coteaux-du-Languedoc » simple.

Saint-Véran. C'est le 6 janvier 1971, après dix-huit ans de gestation, que ce nouveau cru* du Mâconnais a reçu ses lettres de noblesse, en accédant à l'appellation* contrôlée. Il a déjà fait une entrée remarquée sur le marché du vin. Le petit village, qui s'appelait jadis Saint-Véran-des-Vignes, occupe la même position que le vignoble voisin de Pouilly-Fuissé et l'aire d'appellation regroupe sept communes : Chânes, Chasselas, Davayé, Prissé, Leynes, Saint-Amour, Saint-Véran.

Le vignoble de Saint-Véran touche au Beaujolais (à Saint-Amour) et au Mâconnais (région de Pouilly-Fuissé).

Le cépage est le Chardonnay, comme pour tous les grands vins blancs de Bourgogne. La presque totalité de la production est vinifiée en caves individuelles, mais la coopérative de Prissé réussit un vin particulièrement fin qui remporte la palme dans bien des concours.

Le Saint-Véran est déjà très agréable quand il sort du fût, à la fin de l'hiver, mais il est dommage de le consommer ainsi, en vin de carafe. En effet, c'est en bouteille que ses qualités se fondent et se révèlent le mieux; il s'apparente alors à son voisin le Pouilly-Fuissé, dont il partage le bouquet subtil et la saveur de noisette. Il vieillit remarquablement en conservant la fraîcheur de sa jeunesse.

Le Saint-Véran doit titrer 11°, mais les vins auxquels est adjoint le nom du climat* d'origine doivent titrer 12°.

saints de glace (*Eis Heiligen*). Ce sont, en Allemagne, les patrons des quatre jours de mai durant lesquels les vignerons considèrent que de gros risques de gelée* blanche existent pour leurs vignobles, et spécialement pour ceux de la Moselle et de la Sarre. Du 12 au 15 mai, saint Pancrace, saint Servais, saint Boniface et, finalement, la froide sainte Sophie (*die kalte Sophie*) font trembler les vignerons. En général, après cette date fatidique du 15 mai, il semble bien, en effet, que les gelées ne soient plus à craindre dans les vignobles.

Sampigny-lès-Maranges. Comme Dezize et Cheilly-lès-Maranges, cette commune est située à l'extrême-sud de la Côte de Beaune. Ses vins sont généralement mélangés à d'autres vins de communes voisines et vendus sous l'appellation « Côte-de-Beaune-Villages ». Mais certains ont droit à l'appellation « Côte-de-Beaune » suivant le nom de la commune. Les deux meilleurs crus* de la commune, Les Maranges et le Clos du Roi, peuvent être étiquetés « Sampigny-lès-Maranges » et « Sampigny-lès-Maranges-Clos-du-Roi ».

San Benito, comté viticole de Californie, situé à l'est de la baie de Monterey, au sud de San Francisco. — Les vignobles s'étagent sur les pentes escarpées des collines

Sancerre et ses vignobles.
Phot. Lauros-Beaujard.

et occupent les hautes vallées. Ils se sont considérablement étendus depuis ces dernières années, en raison de l'implantation, autour de Paicine, du nouveau vignoble d'Almadén, chassé de Santa Clara par la construction immobilière. Almadén est actuellement le plus important vignoble de Californie du point de vue de la production de « Premium Wines » (vins fins), de Mousseux et de « Sherry », préparé par l'authentique méthode espagnole. Plus de la moitié des vignes de San Benito est constituée par des plants français ou allemands (Chardonnay, Pinot noir, Cabernet, Gewurztraminer) non greffés, et il semble que cette région soit promise à un bel avenir viticole. Plus récemment, PAUL MASSON, de Saratoga, et WENTE BROTHERS, de Livermore, se sont réfugiés dans la vallée de Salinas : la superficie du vignoble dépasse maintenant celle de Napa et, grâce à de très bons cépages, Emerald Riesling et Ruby Cabernet, ils donnent déjà certains des meilleurs vins californiens. Dans les années 1950, Almadén a lancé l'étiquetage des bouteilles au nom du cépage. Une gigantesque entreprise, construite dans la vallée de Salinas, les MONTEREY VINEYARDS, a obtenu en 1974 un premier vin très prometteur sur ses 4 000 ha plantés en cépages de premier choix.

La région de San Benito est donc en pleine poussée, tant au point de vue quantité qu'au point de vue qualité.

Sancerre. Serrée autour des vestiges de son château féodal et perchée sur une butte de la rive gauche de la Loire, la petite ville pittoresque de Sancerre domine les eaux du fleuve, presque en face de Pouilly-sur-Loire. Le vignoble occupe les pentes avoisinantes, où se rencontrent deux types de terrains : l'un, constitué de marnes kimméridgiennes et nommé « terres blanches »; l'autre, fait de calcaires secs et appelé « caillotes ».

Sancerre
Appellation Contrôlée
Vignoble de Chavignol   75 cl
Edmond VATAN, vigneron   à Chavignol (Cher)

L'appellation* d'origine contrôlée s'étend sur quatorze villages autour de Sancerre; les crus* de Bué et de Chavignol produisent les vins les plus renommés. La supériorité de ceux-ci par rapport à ceux qui proviennent du reste du vignoble, bien qu'indéniable, se démontre surtout en années médiocres.

C'est sur le territoire de la commune de Bué que se trouvent les crus biens connus de Chêne-Marchand, de Chemarin et de La Poussie. (La Poussie est l'ancienne propriété de l'abbaye de Bué.)

Chavignol, hameau de la commune de Sancerre, est aussi réputé pour l'abondance et l'excellence de ses vins que pour ses « crottins », délicieux fromages de chèvre; il possède quelques crus renommés : la Comtesse, Cul de Beaujeu, La Garde, Monts Damnés, la Grande Côte.

Sancerre doit sa réputation à son vin blanc sec, issu du Sauvignon.

Les vins provenant des « terres blanches » sont lents à prendre leur caractère et leur bouquet, mais ils les conservent bien. Fruités et souples, ils ont aussi du corps. Ceux qui proviennent des « caillotes » sont très fins et très bouquetés dès l'année qui suit la récolte, mais leurs charmantes qualités diminuent plus rapidement. Cependant, tous nous donnent envie de prononcer le serment des vignerons d'honneur de Bué : « Je jure que je boirai pur le premier verre de vin, le second sans eau, le troisième tel qu'il sort du tonneau. »

Sancerre produit aussi des vins rouges et rosés qui doivent provenir obligatoirement du Pinot noir pour avoir droit à l'appellation. Ces vins de Pinot étaient déjà renommés à la fin du Moyen Age, mais, actuellement, le Pinot n'est cultivé que sur les pentes impropres au Sauvignon. Le rosé est excellent; dans sa robe rose pâle, fruité, corsé, il est sans doute un de nos meilleurs rosés de Pinot. Le faible volume de vins rouges est surtout consommé localement et n'est produit que dans les bonnes années.

sangria. Dans presque toute l'Espagne, on prépare à partir d'oranges et de citrons coupés, additionnés de vin, une boisson à laquelle on ajoute de la glace pour la servir très fraîche sur la table, ou entre les repas, pendant les grandes chaleurs d'été. Du sucre en poudre est souvent ajouté à la sangria, qui, très fraîche et très agréable, a souvent plus de traîtrise qu'il n'y paraît au premier abord.

San Joaquin. La vallée de San Joaquin est la grande vallée centrale de Californie (qui produit quatre bouteilles sur cinq du vin de Californie) et qui s'étend sur 640 km du nord au sud et sur 160 km de l'est à l'ouest. Le climat, constamment chaud, ne permettait de produire jusqu'à ces dernières années que des vins sucrés et forts, issus de raisins extraordinairement sucrés et dénués pratiquement d'acidité. Heureusement, la technique vinicole est venue au secours de la vallée, qui s'est adaptée avec une rapidité prodigieuse aux nouvelles exigences du consommateur, qui inclinent vers les vins légers. D'anciens cépages ont été éliminés, au profit de nouvelles variétés (Emerald Riesling, Ruby Cabernet, notamment) conseillées par l'université de Californie. En même temps, de nouvelles méthodes de culture furent adoptées, du nouveau matériel fut introduit dans les entreprises et, surtout, on généralisa l'emploi de la réfrigération* des moûts. L'honneur de ce mouvement vers le renouveau revient aux frères Gallo, qui en furent les pionniers. Les Gallo possèdent la plus grosse entreprise mondiale de vinification et la plus grande verrerie de l'ouest du Mississippi, mais ils ne se contentent pas de leur réussite matérielle : ils s'occupent aussi de l'évolution du goût de leur clientèle en la faisant accéder graduellement aux meilleurs vins.

Les deux autres grosses entreprises de la vallée sont UNITED VINTNERS, qui en groupe quelques autres, et GUILD, sise à Lodi, qui est une coopérative de vignerons.

Santa Clara, vallée et comté situés au sud de la baie de San Francisco et d'Alameda, en Californie. — Le nom provient de celui d'une vieille Mission espagnole installée près de San José. Hélas! il ne restera bientôt plus rien des bons vins renommés de Santa Clara. L'augmentation spectaculaire de la population dans cette partie de la Californie chasse peu à peu les noyers de la vallée et les vignobles des collines environnantes : inexorablement, des habitations les remplacent. De nombreux vignobles ont cessé d'exister, ou d'autres, comme celui d'Almadén par exemple, ont été dans l'obligation d'être transplantés plus au sud, dans des régions moins populeuses.

Il ne reste plus guère du beau vignoble de Santa Clara qu'un lambeau de l'ancien Almadén, quelques parcelles de vignes sans importance et le vignoble du « Noviatiate of Los Gatos ». Ce dernier, appartenant aux jésuites, produit surtout du vin de messe, un peu de bon vin de table et des vins de dessert *(Muscat Frontignan, Black Muscat).*

Santa Maddalena, excellent vin rouge du Tyrol italien, d'appellation contrôlée (D. O. C.), aussi populaire en Suisse et en Autriche qu'en Italie même. — On le récolte au nord-est de la ville de Bolzano. Il provient

Santenay

*Santenay, frontière
de la Côte-d'or.*
Phot. Aarons-L. S. P.

principalement de trois variétés du cépage Schìava (Schiava Gentile, Meranese et Grigia), et la vigne doit être obligatoirement conduite en pergolas sur des versants abrupts.
Le vin, d'un rouge cerise très clair, est frais, tendre, léger, fruité, mais avec suffisamment de corps (11,6° au moins).

Santenay. C'est à Santenay, vieille cité pittoresque, que se termine la Côte d'Or. Les vins blancs et surtout les vins rouges, de premier ordre, produits par cette commune permettent vraiment de dire : « A Santenay, la Côte d'Or meurt d'une belle mort. »
La commune produit en majorité des vins rouges excellents, qui ressemblent quelque peu aux Chassagne-Montrachets. Ils sont fermes et corsés, moelleux, avec un bouquet original qui s'affine encore en vieillissant, et ils sont de très bonne garde. Le meilleur cru* est « les Gravières ». (V. Annexes.)
Les vins blancs, produits en faible quantité, sont secs et fins, mais ne jouissent pas de la même réputation que les vins rouges. Mieux vaut les boire dans leur jeunesse.

Saumur. Bien que le vignoble de Saumur soit classé en Anjou, il est plutôt le prolongement de la Touraine : paysages au relief semblable, méthodes identiques de culture et de vinification, et surtout sol de même nature (sous-sol de craie tuffeau, creusé de caves profondes comme à Vouvray, recouvert de cailloux et sables siliceux). Les vignobles du Saumurois occupent deux lignes de coteaux qui se rejoignent à Saumur et où se trouvent les crus* les plus renommés : l'une part de Montsoreau et suit les bords de la Loire; l'autre va de Saix à Saumur, sur les rives du Thouet et de la Dive. Il existe aussi d'autres vignobles : sur la rive droite de la Dive, de Ranton à Pouançay; sur la rive gauche du Thouet, de Montreuil-Bellay à Saint-Hilaire-Saint-Florent; et sur une butte crayeuse située à l'ouest (le Puy-Notre-Dame, le Vaudelnay). Au total, trente-huit communes ont droit à l'appellation* d'origine contrôlée « Saumur », dont les plus renommées sont Montsoreau, Turquant, Parnay, Souzay, Dampierre, Saumur, Varrains, Chacé, Saint-Cyr-en-Bourg, Brézé, Épieds (coteau de Bizay) et Saix.
Les vins de Saumur jouissaient dès le XIIᵉ siècle d'une très grande renommée et faisaient l'objet d'un important commerce avec les Pays-Bas.
Les vins blancs, issus du Pineau de la Loire, sont toujours secs ou demi-secs (puisque, pour obtenir l'appellation contrôlée « Saumur », ils ne peuvent conserver plus de 10 g de sucre par litre). Ils titrent 10° minimum. Ce sont des vins remarquablement légers et fins, vigoureux et de longue conservation : autrefois, on enterrait les bouteilles des grandes années dans le sable, où elles conservaient très longtemps leur belle jeunesse. Fruités et frais, ils possèdent un parfum suave qui s'amplifie avec l'âge, et aussi un goût particulier, « le goût de tuf », qu'ils doivent au sous-sol et qui les distingue nettement des autres vins d'Anjou. Certaines années fastes, des vins blancs moelleux, très riches et parfumés sont parfois obtenus lorsque le raisin se confit sur pied ou, mieux, lorsqu'il est atteint par la pourriture* noble.
A côté des vins blancs tranquilles, Saumur donne aussi, depuis 1830, des vins mousseux renommés, fins et distingués, dont la production vient en tête des vins mousseux français. Il est vrai que Saumur est spécialement doué pour cela : vin léger qui prend facilement la mousse et caves profondes taillées dans la craie réalisent des conditions naturelles éminemment favorables. Ces vins sont obtenus par la méthode champenoise* de seconde fermentation en bouteille, effectuée obligatoirement dans l'aire de production, et doivent être conservés au moins neuf mois entre l'adjonc-

tion de la liqueur* de tirage et le dégorgement*. Leur appellation contrôlée est « Saumur mousseux ». Ils doivent provenir de « Vins pour Saumur Mousseux », récoltés sur le territoire de quatre-vingt-douze communes délimitées du Maine-et-Loire, de la Vienne et des Deux-Sèvres, contenant au moins 145 g de sucre naturel par litre et titrant 8,5⁰. Ces vins, lorsqu'ils sont blancs, doivent être issus du Chenin blanc et, pour 20 p. 100 de l'ensemble de la cuvée, du Chardonnay et du Sauvignon. Les cépages noirs suivants peuvent entrer dans la cuvée : Cabernet franc, Cabernet-Sauvignon, Cot, Gamay noir, Groslot, Pineau d'Aunis et Pinot noir pour 60 p. 100 de l'ensemble au maximum. Les vins rosés doivent provenir des cépages Cabernet blanc, Cabernet-Sauvignon, Cot, Gamay, Groslot, Pineau d'Aunis et Pinot noir.

L'appellation « Saumur pétillant » est réservée à des vins blancs uniquement, présentant une fermentation secondaire en bouteille, mais l'habillage de ces vins ne doit prêter à aucune confusion avec celui des vins « mousseux ».

Saumur produit des vins rouges en quantité très faible (à Turquant, à Montsoreau, à Montreuil-Bellay), issus du Cabernet franc et du Cabernet-Sauvignon, et qui ne se récoltent que dans les conditions particulières exigées par ces cépages. Mais le plus connu provient de Champigny et a droit à l'appellation d'origine contrôlée « Saumur-Champigny ».

Depuis le début du siècle, Saumur élabore sous le nom de « Cabernet de Saumur » un vin rosé de Cabernet, vif et frais, généralement peu coloré, de teinte très pâle, car la vendange est immédiatement pressée sans foulage. Les yeux fermés, il n'est pas toujours possible, d'ailleurs, au dégustateur d'affirmer qu'il s'agit d'un vin rosé ou d'un vin blanc.

Le Cabernet de Saumur doit titrer 10⁰ d'alcool acquis. Plus sec que le Cabernet d'Anjou, il ne doit pas présenter plus de 10 g par litre de sucre résiduel. Fruité et fin, il bénéficie, à juste titre, de la vogue actuelle des vins rosés; il est de plus en plus demandé. Les vins déclarés avec l'appellation « Cabernet de Saumur « ne peuvent être vendus sous l'appellation régionale « Cabernet d'Anjou ».

Saumur (Coteaux-de-). Cette appellation s'applique uniquement à des vins blancs récoltés sur le terroir de treize communes : Brézé, Chacé, Dampierre, Epieds, Fontevrault, Montsoreau, Parnay, Saint-Cyr-en-Bourg, Saint-Hilaire-Saint-Florent, Saumur, Souzay, Turquant, en Maine-et-Loire, et Saix, dans la Vienne. Ces vins ne peuvent provenir que du Pineau de la Loire (alors que l'appellation « Saumur » simple tolère 20 p. 100 de cépages accessoires Chardonnay et Sauvignon).

Les moûts* doivent avoir une teneur minimale en sucre de 214 g par litre et provenir de raisins récoltés à bonne maturité, par tries successives. Les vins doivent titrer 12⁰ au minimum (au lieu de 10⁰ pour l'appellation « Saumur ») et présenter une teneur en sucre restant au moins égale à 10 g. Ce ne sont donc jamais des vins secs, mais demi-secs et moelleux.

Les « Coteaux de Saumur » sont toujours fins et distingués et, dans les grandes années, donnent des vins très riches et suaves, ayant un bouquet original.

Sauternes. La petite région du Sauternais, qui produit d'illustres vins blancs liquoreux, occupe la rive gauche de la Garonne, à quelques kilomètres de Langon. L'appellation* contrôlée « Sauternes » s'applique non seulement à Sauternes, mais aux communes de Bommes, de Preignac, de Fargues et aussi de Barsac. Le sol, véritablement privilégié, ne peut donner que des vins exceptionnels : c'est un mélange harmonieux de silice (cailloux et sable), qui assure la finesse, de calcaire, qui donne la

Le château de Saumur.
Phot. Hétier.

*Le château de Malle,
dans le Sauternais.
Phot. René-Jacques.*

*Grappe de Sauvignon,
cépage blanc qui règne
sur le centre de la France.
Phot. M.*

puissance, et d'argile, qui procure l'onctuosité. Les cépages nobles ne donnent qu'une faible production, encore restreinte par une taille sévère : le Sémillon, cépage dominant, apporte la suavité et l'onctuosité; le Sauvignon, du corps et un arôme spécial; un peu de Muscadelle communique à l'ensemble un bouquet subtil. Mais le grand secret de ce vin exceptionnel réside dans le procédé particulier de vendange : car le Sauternes, vin unique, se vendange d'une manière unique, grain par grain, par tries successives échelonnées sur un à deux mois. L'automne, chaud et humide, provoque sur les grains le développement d'un champignon, *Botrytis cinerea*, agent de la fameuse « pourriture* noble ». Les grains atteints présentent une surmaturité spéciale et donnent un moût* riche en sucre, en glycérine*, en pectines et en bien d'autres substances, d'où naîtront un bouquet et une saveur incomparables. Le vin obtenu est un vin liquoreux, riche en alcool (13^0 au moins, légalement, mais bien plus la plupart du temps). Il est strictement naturel, sans addition de sucre ni d'alcool : pour le Sauternes, toute opération, même légale, d'enrichissement des moûts entraînerait automatiquement la perte de l'appellation.
Le somptueux Sauternes, véritable fierté nationale, ne peut se comparer à aucun autre vin. C'est un vin d'or, onctueux, liquoreux, d'une rare puissance, mais élégant et fin, très richement et délicatement parfumé dans une gamme évoquant le miel, le tilleul, l'acacia. Les crus* de Sauternes ont été classés en 1855 : d'abord le

prestigieux Château d'Yquem, de renommée universelle, puis les Châteaux la Tour-Blanche, Lafaurie-Peyraguey, Clos-Haut-Peyraguey, Rayne-Vigneau, Suduiraut. (V. Annexes.)

Sauvignon. Ce cépage blanc, qui communique aux vins un goût spécial, un peu épicé, est un de nos meilleurs cépages. C'est surtout dans le Nivernais et le Berry

qu'il a trouvé en France son terroir d'élection et, en quelque sorte, son véritable « Royaume ». C'est lui, et lui seul, qui donne naissance à ces célèbres « vins de Sauvignon » : Pouilly-Fumé, vins blancs de Sancerre, Ménetou-Salon, Quincy et Reuilly. Il tisse entre ces vins de Loire des liens de parenté indiscutables et leur donne une commune originalité.

Dans le Bordelais, il s'unit au Sémillon et à la Muscadelle pour nous offrir les Graves et les grands vins liquoreux du Sauternais. Mais on le rencontre aussi à Bergerac, à Vic-Bihl, à Cassis, et sa présence apporte toujours distinction et parfum. En Californie, il donne un vin assez corsé, mais possédant aussi le parfum et la saveur délicate de nos vins de Sauvignon.

Sauvignon de Saint-Bris. Cette nouvelle appellation, qui a droit au label V.D.Q.S.*, est assez récente puisqu'elle n'a vu le jour qu'après l'arrêté du 20 août 1974. Saint-Bris a derrière lui un prestigieux passé vineux, lorsque le vignoble de la région d'Auxerre dépassait en importance et en renommée celui de Beaune. En effet, au XIIIe siècle, les vins dits de Bourgogne provenaient, en réalité, de la basse Bourgogne et ce n'est qu'après 1416 que l'appellation « Bourgogne » s'étendit « à toutes manières de vin..., tant ceux du pays de l'Auxerrois comme ceux du pays de Beaunois ». Un vieux dicton ne proclame-t-il pas : « Le royaume des pots de vin est au pays d'Auxerre; Saint-Bris, Irancy, Vermenton, vous font la trogne rouge, et non pas vert menton. »

Saint-Bris se consacre de nos jours à la culture du Sauvignon (la fête du Sauvignon est célébrée le 11 novembre). Ses nombreuses caves, très vastes, qui s'étendent partout, sous les rues et les maisons voisines, témoignent de sa prospérité de jadis.

Le « Sauvignon de Saint-Bris » provient de l'aire de production délimitée du département de l'Yonne : Saint-Bris-le-Vineux, Chitry, Irancy, Vincelottes, Quenne, Saint-Cyr-les-Colons et Cravant (partiellement pour ces quatre dernières communes). Le cépage autorisé évidemment, est uniquement le Sauvignon. Le vin titre 9,5⁰ et la production ne peut dépasser 50 hl à l'hectare.

Savagnin. On appelle aussi parfois « Naturé » ce cépage blanc du Jura : ce nom semblerait donc indiquer que le Savagnin descend des vignes sauvages indigènes. Il est semblable au cépage Traminer d'Alsace. Il préfère les marnes bleues, grises et noires du lias où il puise la sève généreuse d'où naîtra l'incomparable vin jaune. Son feuillage ressemble à celui du Trousseau, mais il est plus cotonneux et

d'un vert plus foncé. Il produit des grappes courtes dont les grains ronds, à peau épaisse, se conservent très bien. On le vendange une quinzaine de jours après les autres cépages, car sa maturité est tardive.

Savennières, petit village des Coteaux* de la Loire, qui a droit à sa propre appellation* contrôlée. — Sur la rive droite de la Loire, la vigne couvre des coteaux perpendiculaires au fleuve, magnifiquement exposés, entre la Pointe et la Possonnière, et dont les vins jouissent depuis longtemps d'une juste célébrité. Ce sont des vins d'une superbe élégance, nerveux, corsés, délicats et fins dans leur robe d'or. Ils emplissent la bouche d'un parfum exquis de tilleul et de coing. Le plus souvent secs, ils savent parfois être tendres; ils peuvent se livrer vite ou se faire attendre. Savennières possède deux grands crus* exceptionnels : la Coulée-de-Serrant* et la Roche-aux-Moines*. Les autres crus les plus renommés sont Bécherelle, la Goutte-d'Or, Clos du Papillon, Clos de Saint-Yves, les Châteaux d'Epiré, de Chamboureau, de Savennières, de la Bizolière.

Savigny-lès-Beaune. Située au nord-ouest de Beaune, cette commune produit principalement des vins rouges (95 p. 100). Les vins sont légers, tendres et bouquetés avec

Savigny-lès-Beaune.
Phot. Lauros-Beaujard.

Mon FONDÉE EN 1750

SAVIGNY-MARCONNETS

Chanson Père & Fils

73 cl
MISE DE CHANSON PÈRE & FILS, NÉGOCIANTS A BEAUNE (CÔTE-D'OR)

grâce. Si l'on en croit l'inscription de la porte du cellier du château de Savigny, ils sont aussi « nourrissants, théologiques et morbifuges ». Ils se boivent plutôt jeunes. Savigny possède vingt « Premiers crus » qui peuvent ajouter leur nom à celui de la commune : Vergelesses, Marconnets, Dominode, Jarrons, etc. (V. Annexes.) Les autres vins de Savigny se vendent sous le nom de la commune avec ou sans la mention « Côte-de-Beaune ». Mélangés aux vins d'autres communes de la Côte de Beaune, ils sont vendus sous l'étiquette « Côte-de-Beaune-Villages ».

Savoie. Depuis la généralisation des sports d'hiver, le grand public commence à connaître et à apprécier l'original vignoble de Savoie, pourtant fort ancien. Ne dit-on pas que l'excellent cépage Altesse a été rapporté de Chypre par un croisé, le comte de Mareste, qui le répandit en Savoie? Mais, bien avant cette époque, Pline l'Ancien et Columelle célébraient déjà les vins de l'Allobrogie servis sur la table des gourmets romains et appréciés par le plus célèbre d'entre eux, Lucullus le Raffiné. Au XIᵉ siècle, le vignoble de Monterminod fut donné à l'abbaye de Cluny, afin de réconforter les bons moines qui venaient de fonder un monastère sur les bords du lac du Bourget. Il semble incroyable que les grappes réussissent à mûrir si rapidement au pied même des montagnes neigeuses. Il est vrai que les cépages sont exceptionnels, aguerris et adaptés au climat rude; ces cépages particuliers, un sol d'éboulis caillouteux, l'air vif des montagnes et des méthodes traditionnelles de culture et de vinification font du vignoble savoyard un vignoble plein de personnalité, de diversité et de charme. « Subtils et quelquefois perfides... », a dit Henri Bordeaux des vins de Savoie : sans doute parce qu'ils sont tellement agréables qu'on a tendance à en boire un peu trop. En tout cas, ils ont la qualité d'être toujours digestes, qualité qu'on leur reconnaissait déjà au XVIIᵉ siècle, puisqu'ils étaient reconnus comme « n'agitant pas le tempérament ». Jusqu'en 1973, seuls les deux crus* de Savoie Crépy et Seyssel avaient droit à l'appellation* d'origine contrôlée. Les autres délicieux vins de Savoie étaient classés V. D. Q. S.* : le décret du 4 septembre 1973, en leur donnant accès à l'appellation contrôlée, a déterminé de façon extrêmement précise les conditions d'obtention de cette appellation. Les appellations « Vin de Savoie » et « Roussette de Savoie » s'appliquent à des vins récoltés sur les territoires de vingt-neuf communes du département de la Savoie, vingt-deux communes du département de Haute-Savoie (plus quatre communes pour

les vins rouges seulement), de deux communes de l'Isère et, pour les vins rouges seulement, de Seyssel et de Corbonod dans le département de l'Ain. Pour avoir droit à l'appellation « Vin de Savoie », les vins rouges, clairets ou rosés doivent provenir du Gamay, de la Mondeuse et du Pinot noir, avec des cépages accessoires locaux, différents selon qu'il s'agit de la Savoie ou de l'Isère; les vins blancs doivent provenir des cépages Aligoté, Altesse (ou Roussette), Jacquère, Chardonnay (ou Petite Sainte-Marie), Malvoisie (ou Velteliner rose), Mondeuse blanche, avec des cépages accessoires différents pour les départements de l'Ain, de la Haute-Savoie et de l'Isère. Pour avoir droit à l'appellation « Roussette de Savoie », les vins doivent provenir des cépages Altesse, Chardonnay et Mondeuse blanche, avec au maximum 50 p. 100 de Chardonnay. Le « Vin de Savoie » doit titrer 9⁰ au minimum, la « Roussette de Savoie » 10⁰. L'appellation « Vin de Savoie » suivie d'un nom de cru s'applique aux vins tranquilles blancs, rouges ou rosés de quinze crus : Abymes, Apremont, Arbin, Ayze, Charpignat, Chautagne, Chignin, Chignin-Bergeron ou Bergeron, Cruet, Marignan, Montmélian, Ripaille, Saint-Jean-de-la-Porte, Saint-Jeoire-Prieuré, Sainte-Marie-d'Alloix. L'encépagement de ces crus est différent d'un cru à l'autre et doit être respecté pour donner droit à l'appellation. Ces vins doivent titrer 9,5⁰ au minimum. Les vins rouges et rosés sont légers et fruités. Arbin, Chignin, Cruet, Montmélian, Saint-Jean-de-la-Porte cultivent plutôt le cépage Mondeuse qui leur donne des vins curieux et parfumés, aux senteurs de framboise, alors que la Chautagne se consacre davantage au Gamay, qui prend ici tout son relief et son fruit, associé au Pinot. Frais, légers, vifs et fruités, gentiment acidulés (parfois même un peu acides en mauvaise année), les crus blancs de Savoie sont les compagnons rêvés des poissons des torrents ou des lacs de montagne; leurs vertus apéritives sont depuis longtemps reconnues. Certains jouissent d'une très ancienne réputation, même en dehors de leur terroir d'origine, tels le Ripaille, issu du Chasselas, sec et acidulé, à l'arôme de violette (et au nom évocateur de joies bachiques médiévales), ou l'Apremont, un peu rugueux comme son nom l'évoque, mais qu'on dit « âpre et divinement bon », etc. L'appellation « Roussette de Savoie » suivie d'un nom de cru s'applique aux vins tranquilles récoltés sur les terroirs de Frangy, Marestel, Monterminod et Monthoux, et plantés uniquement en cépage Altesse, dite Roussette. Ces vins doivent titrer 10,5⁰.

Ce sont des vins racés, bouquetés, assez corsés. Le Frangy fait penser au Seyssel, mais avec peut-être plus de finesse et de bouquet, et une saveur légèrement miellée. Le Marestel, très prisé dans la région lyonnaise, dont le goût évoque encore plus le miel, possède un moelleux qui l'apparente aux vins d'Anjou. Le Monterminod et le Monthoux ont, eux aussi, une personnalité pleine de distinction et de grâce.

L'appellation « Vin de Savoie pétillant » (ou « Pétillant de Savoie ») et l'appellation « Vin de Savoie mousseux » (ou « Mousseux de Savoie ») s'adressent à des vins préparés par la méthode de seconde fermentation en bouteille et titrant 9⁰ au minimum avant cette seconde fermentation. Ce sont des vins légers et fins, très bien élaborés.

L'appellation « Vin de Savoie Ayze » (mousseux ou pétillant) s'adresse à des vins récoltés sur le terroir d'Ayze, Bonneville et Marignier et provenant des cépages Gringet, Altesse, Roussette d'Ayze, Mondeuse blanche (avec 30 p. 100 au maximum de Roussette d'Ayze). Ces vins peuvent être obtenus soit par la méthode de seconde fermentation en bouteille, soit par la méthode locale de fermentation spontanée en bouteille, telle la méthode gaillacoise.

Ce sont d'excellents vins mousseux, ayant beaucoup de caractère, clairs et délicats, avec un parfum original qui séduit toujours. Ils ont la charmante réputation de « casser les jambes »; mieux vaut donc les réserver pour le retour d'une course en montagne!

sec, terme employé pour les vins blancs et désignant un vin qui ne contient pas du tout de sucre ou, du moins, qui ne donne pas l'impression d'en contenir. — En réalité, l'impression sucrée n'apparaît qu'à partir de 5 g par litre pour la plupart des consommateurs; on peut considérer qu'un vin vraiment sec contient malgré tout de 1 à 2 g de sucre par litre. Ainsi, l'Entre-deux-Mers, qui doit être obligatoirement vinifié en sec pour mériter l'appellation, n'est pas agréé par le contrôle de dégustation s'il contient plus de 3 g de sucre par litre.

D'autre part, l'impression sucrée est en relation étroite avec l'impression acide : ainsi, un vin peu acide paraît moins sec qu'un vin plus acide. De même, un vin riche en glycérine* paraîtra presque moelleux même s'il ne contient pas de sucre (cas des vins provenant de vendanges tardives, qui ont fermenté lentement).

Les vins blancs très secs ne risquent pas de faire une refermentation* secondaire en bouteilles, puisqu'ils ne contiennent que très peu de sucre résiduel.

Inutile donc de les protéger par une dose importante d'anhydride* sulfureux : ils sont toujours agréables et faciles à boire.

Le vignoble de Saint-Jean-de-la-Porte, en Savoie. Phot. Serraillier-Rapho.

Enfin, lorsqu'il s'agit de Champagne, le mot *sec,* a un sens précis. Le Champagne sec (ou goût américain) contient de 2 à 4 p. 100 de liqueur* d'expédition et n'est donc pas aussi « sec » que l'extra-dry et le brut. Le Champagne demi-sec contient, lui, de 4 à 6 p. 100 de liqueur.

Le règlement communautaire permet d'employer l'épithète « sec » lorsque le vin ne contient plus que 4 g de sucre par litre. Toutefois, l'impression de sec ou de doux étant en relation avec l'acidité* totale du vin, il a été prévu que jusqu'à 9 g de sucre résiduel par litre, l'indication « sec » peut être employée, dès lors que la teneur en sucre ne dépasse pas le chiffre de l'acidité totale (exprimée en acide tartrique) augmenté de 2.

L'emploi des qualifications « demi-sec », « moelleux », « doux » est laissé à l'appréciation de l'embouteilleur, compte tenu des usages commerciaux.

séché, terme qui s'applique à un vin qui a séjourné trop longtemps en tonneau et a perdu sa fraîcheur et son fruit. — Le vin paraît alors fané et sans charme. Parfois même, il laisse un arrière-goût d'amertume.

Il en est de même des très vieux vins, anéantis par trop d'années de bouteille, où la matière colorante* s'est insolubilisée, le bouquet et le goût évanouis. Le vin séché donne au palais une sensation d'âcreté desséchante et même irritante, comme celle d'une pomme verte.

sélection de grains nobles. Cette expression, qui s'applique à des vins issus de grains choisis, provenant de raisins passerillés (v. PASSERILLAGE) ou atteints par la pourriture* noble, est réservée, selon les règlements de la Communauté européenne, aux «vins* de qualité provenant d'une région déterminée» suivants : Alsace, Sauternes, Barsac, Cadillac, Cérons, Loupiac, Sainte-Croix-du-Mont, Monbazillac, Bonnezeaux, Quarts-de-Chaume, Coteaux-du-Layon, Coteaux-de-l'Aubance, Jurançon et Graves supérieures.

Sémillon, cépage blanc du Bordelais, où on le trouve surtout dans la région de Sauternes et des Graves. — Sa culture s'est aussi beaucoup étendue, depuis le début du siècle, en Dordogne et en Lot-et-Garonne. Il aime les terrains graveleux, argilo-calcaires. Il donne des moûts* peu acides et très sucrés, et ses raisins sont facilement sujets à la pourriture* noble lorsque les conditions atmosphériques s'y prêtent. On l'associe avec deux autres cépages blancs classiques du Bordelais : Sauvignon et Muscadelle. On cultive aussi le Sémillon en Californie.

Sétubal. Située au sud de Lisbonne, cette région viticole du Portugal, à côté des vins rouges ordinaires, se glorifie du célèbre «Moscatel» de Sétubal, de réputation séculaire, déjà fort apprécié à Paris au XVe siècle : Rabelais le mentionne dans sa description du «Temple de la dive bouteille», Louis XIV en exigeait pour ses caves de Versailles et Voltaire en faisait venir à Ferney, sans doute pour adoucir son exil. Pour obtenir le Moscatel, on laisse séjourner les rafles dans le moût*, ce qui procure au vin un arôme très prononcé, une robe très colorée et un goût fruité et parfumé. On le consomme après cinq à six ans de cave. Selon les experts, le Moscatel de Sétubal est la «quintessence des vins de liqueur». Moins musqué que le Frontignan, il est doux et léger, et se révèle excellent à l'apéritif, bien rafraîchi. Il est délicieux aussi comme vin de dessert et même en accompagnement des fromages.

séveux. Un vin séveux est un vin qui possède une saveur aromatique prononcée, en même temps qu'une force alcoolique certaine. — Il laisse dans la bouche une impression d'épanouissement. Il s'agit toujours d'un vin dans la force de l'âge, car un vin trop vieux perd sa sève.

Seyssel. Les vins blancs de cette appellation* contrôlée de Savoie se récoltent dans la pittoresque vallée du Rhône, sur le territoire des communes de Seyssel (Haute-Savoie) et de Seyssel-Corbonod (Ain). Le vignoble, très ancien, occupe des coteaux de 200 à 400 m d'altitude, au sol silico-calcaire ou silico-argileux, très bien orientés au sud et au sud-ouest. Ce sol semble, paraît-il, jouir d'une grâce spéciale : il aurait le privilège de faire naître le parfum pénétrant de violette qui caractérise le Seyssel; on en donne comme preuve le fait que l'iris fut longtemps cultivé sur la rive droite du Rhône, cet iris dont les parfumeurs de Grasse extrayaient l'essence de violette. Le seul cépage autorisé est la Roussette ou Altesse. Comme pour le Crépy, les vendanges se font tard, à maturité totale. Le vin titre 10⁰ au minimum, et le rendement ne dépasse pas 40 hl à l'hectare. Le Seyssel est un vin exquis, couleur d'or pâle, délicat et souple, avec un bouquet fin et caractéristique de violette.

Seyssel mousseux. Lorsqu'il s'agit de cette appellation, les cépages Molette et Bon blanc (ou Chasselas) sont autorisés. Toutefois, le vin doit comporter une proportion minimale de 10 p. 100 de Roussette. Le vin doit titrer 8,5⁰ au minimum avant l'adjonction de la liqueur* de tirage et le rendement maximal à l'hectare est de 50 hl.

Le Seyssel mousseux, obtenu par la méthode champenoise*, est un vin excellent et fin qui a beaucoup d'amateurs.

Soave, un des meilleurs vins blancs secs d'Italie, produit à l'est de Vérone et issu principalement des cépages Garganega (70 à 90 p. 100) et Trebbiano. — La vigne est conduite en hauteur, sur pergolas. Treize communes se partagent la production, mais la mention «classico» est réservée aux plus anciens vignobles. La récolte est presque entièrement vinifiée par la coopérative locale (CANTINA SOCIALE), une des mieux équipées d'Italie. Le Soave, présenté en hautes bouteilles vertes comme celles à vin d'Alsace, a une jolie couleur de paille à reflets verts. Léger et frais, titrant 10,5⁰, il est sec sans acidité. Ce vin délicieux, où se perçoit un léger goût d'amande, doit être bu dans les trois ans. Le Soave titrant 11,5⁰ et âgé d'un an a droit à la mention «superiore».

sommelier. Dans les restaurants de quelque importance, c'est le personnage compétent chargé de tout ce qui concerne la cave et les boissons. Réception, rangement et surveillance en cave, conseils au client et service en salle sont les attributions du sommelier. Depuis la Belle Epoque, le sommelier porte traditionnellement le grand tablier et la veste courte et noire, frappée sur le revers d'une grappe d'or symbolique. Sa responsabilité est aussi importante que celle du chef cuisinier. Cette honorable charge trouve de moins en moins d'amateurs chez les jeunes et la profession tend à disparaître. Le maître d'hôtel conseille le client sur son menu, mais seul un sommelier peut lui suggérer habilement les vins qui conviendront. Un concours du « meilleur sommelier de France », organisé chaque année, relance cette belle vocation, dont l'origine est fort lointaine : d'aucuns la font remonter à Ganymède, qui versait l'ambroisie aux dieux de l'Olympe. En tout cas, les cours de nos rois mérovingiens et carolingiens s'empressèrent de copier cet important office sur celles de Rome et de Byzance. Toutefois, si la fonction est indiscutée, l'origine du mot reste controversée. Certains prétendent que l'office de sommelier consistait à recevoir le vin qu'apportaient les sommiers, ou bêtes de somme; d'autres que le mot *somme,* en vieux français, signifiait « charge » et qu'un sommelier, dans les grandes maisons, était l'officier qui avait la charge des provisions (il y avait le sommelier de panneterie et le sommelier d'échansonnerie). Quoi qu'il en soit, si les limites ne semblent pas très nettes entre la charge de sommelier et celle d'échanson, aucune grande maison de l'ancienne France ne s'est jamais passée des services d'un personnage aussi considérable.

De nos jours, quand le restaurant moyen ne s'attache pas un sommelier, il est souhaitable que le patron assure cette noble charge.

Sonoma, un des plus importants comtés viticoles du nord de la Californie, situé au nord de San Francisco, et dont la partie sud est baignée par la baie de San Francisco. — Il tire son nom d'une mission espagnole de moines franciscains, qui y introduisirent la vigne au XVIIIe siècle. Mais il fallut attendre l'arrivée du « père de la viticulture californienne », le pittoresque « Colonel » Haraszthy, pour lancer en grand, à partir du vignoble désormais historique de Buena Vista, la viticulture dans la région. Sonoma possède des climats et des sols variés, et ne cultive la vigne qu'en certains endroits. La côte ouest, le long du Pacifique, est trop froide et trop pluvieuse pour l'accueillir. La partie nord, dans la val-

lée de Russian River, de Healdsburg à Asti, jouit d'un climat comparable au centre de l'Italie et récolte, sur ses collines caillouteuses, une grande quantité de vins rouges ordinaires, de bonne qualité, issus des cépages Zinfandel, Carignan, Petite-Syrah, Grenache, Mataro, et quelques vins blancs assez médiocres. La meilleure région est celle de l'intérieur du pays, qui va de la baie de San Francisco à Guerneville, en passant par Sonoma et Santa Rosa. Cette région jouit d'un climat comparable à celui de notre Bourgogne, qui fait d'elle une zone viticole par excellence.

Les grandes *wineries* (exploitations vinicoles) sont celle de Buena Vista et la *winery* Korbel, fondée en 1881 par des émigrés tchécoslovaques de ce nom. Cette dernière produit presque uniquement des Mousseux d'excellente qualité, préparés par la méthode champenoise* : les frères Korbel avaient emporté avec eux, de Tchécoslovaquie, des méthodes très strictes pour obtenir la qualité (dont l'école de viticulture de Mělník, près de Prague, les avait imprégnés); cette loi est toujours de règle dans l'exploitation.

Actuellement, le vignoble est en pleine expansion dans la vallée de Russian River et de nouvelles entreprises vinicoles se joignent aux anciennes. L'ITALIAN SWISS COLONY, fondée en 1881, a lancé la première sur le marché des vins de type nouveau, nets et fruités, qui remportent beaucoup de succès. D'autres vignerons accordent désormais aux appellations locales une importance qui augure bien de l'avenir.

souple. Un vin souple procure au palais une sensation analogue à celle qu'on éprouve en manipulant une étoffe souple. Il donne l'impression très agréable d'être glissant, doux aux muqueuses. Il s'agit toujours d'un vin dont l'équilibre alcool*-acidité* est excellent, qui ne contient pas de tanin* en excès et qui possède une certaine proportion de glycérine* naturelle. C'est le type même du vin que l'on apprécie actuellement.

soutirage, opération par laquelle le vin clair est séparé de ses dépôts (ou lies). — Le premier soutirage se nomme « débourbage* ».

Soutirage au soufflet.
Phot. M.

Le soutirage est une opération délicate et patiente. Le vin clair est tiré dans des fûts méchés au soufre. Après les grands froids, en mars-avril, a lieu le deuxième soutirage. Les lies présentent alors un dépôt de cristaux de tartre. Habituellement, le troisième soutirage a lieu vers septembre dans le cas, évidemment, des vins qui doivent encore s'affiner en fûts. Lorsque les vins restent plus d'un an en fûts, on soutire deux ou trois fois et on procède en même temps à l'ouillage* des barriques.

stabilisation. Le vin, noble matière vivante, n'est, en réalité, jamais stable. Tout l'art du vigneron ou du maître de chai* consiste donc à éliminer les ferments du vin, à empêcher leur développement, tout en gardant intégralement les qualités du vin sans entraver son évolution vers le meilleur.
Le froid de l'hiver a toujours été l'allié naturel du vigneron, qui a maintenant aussi à sa disposition la réfrigération* moderne. Le chaud, par l'intermédiaire de la pasteurisation* et du chauffage infrarouge, est aussi un allié, mais dont il faut se méfier, car il est délicat à employer. Le vigneron dispose encore des soutirages*, qui séparent le vin clair des lies chargées en ferments. Il dispose surtout du soufre, connu déjà des Romains, compagnon indispensable des travaux de la vigne et du vin.
Mais là ne se borne pas le rôle de l'homme de l'art; la stabilisation est aussi la réalisation, combien difficile, d'un constant équilibre du vin : équilibre de l'acidité présente et future, du sucre, de la couleur; élimination des troubles possibles, des voltigeurs*. Et chaque cuvée, chaque année et dans chaque cru, pose des problèmes différents, qu'il faut toujours traiter avec la plus grande prudence, sous peine de réactions parfois imprévisibles.

Steinberg, célèbre vignoble historique d'Allemagne, situé au cœur du Rheingau. — Il fut créé au XIIe siècle par l'ordre des Cisterciens. Le même ordre est à l'origine de la création du Clos Vougeot, et c'est saint Bernard de Clairvaux qui supervisa la création des deux merveilles. La muraille qui entoure le vignoble allemand date de cette époque.
Les vins de Steinberg sont livrés sous différentes appellations, qui présentent entre elles des différences considérables, jusque dans les mêmes millésimes* : « Steinberger », « Steinberger Kabinett », « Auslese », « Trockenbeerenauslese », etc. Toutefois, tous les vins ont un air de famille qui ne trompe pas : ils sont corsés, puissants, avec un bouquet tellement prenant et épanoui qu'on peut parfois leur reprocher de manquer de délicatesse. Ils sont admirables et parfaits les grandes années.

suave. Un vin suave procure toujours à l'œnophile des joies d'esthète. Il possède au maximum des qualités raffinées et exquises : parfum extrêmement délicat, harmonie de tous les constituants et surtout merveilleuse douceur. Ce qualificatif s'applique, avec le plus grand bonheur, à nos grands vins blancs liquoreux.

submersion. A l'époque héroïque de la lutte contre le phylloxéra, on s'est aperçu que le terrible insecte hibernait sur les racines de la vigne. On eut donc l'idée, partout où cela se révélait possible, de submerger les vignes afin de noyer l'ennemi. On assista alors à la « course à la submersion », les régions favorisées se trouvant être, évidemment, les basses plaines de l'Hérault, de l'Aude, du Gard, des Bouches-du-Rhône. Il existe encore de nos jours, au bord de la Méditerranée, quelques hectares de ces vignes « submersibles ».

sucre. Le jus de raisin contient deux sucres simples, le glucose et le fructose, qui vont se convertir en alcool sous l'action des levures*. Il restera toujours dans le vin une certaine quantité de sucre non fermenté (même lorsqu'il s'agit d'un vin « sec », il reste encore, malgré tout, de 1 à 3 g de sucre par litre). Dans le cas des vins blancs liquoreux, provenant de moûts* très sucrés, une grande quantité de sucre non fermenté demeure dans le vin, car les levures ne peuvent plus continuer leur travail lorsque 15° d'alcool environ sont obtenus. La fermentation cesse donc alors d'elle-même. Dans le cas des vins doux naturels, c'est l'homme qui arrête le travail des levures en ajoutant de l'alcool au vin, afin de conserver une partie du sucre naturel non fermenté.
Un autre corps, toujours présent dans le vin, donne aussi un goût « sucré » à celui-ci, c'est la glycérine*, qui assure avant tout le moelleux du vin, mais contribue aussi à lui donner l'impression de « sucré ».

sucre (vin de). On n'ose donner le beau nom de « vin » à une telle mixture. C'est surtout vers 1903 que de tels breuvages furent fabriqués artificiellement, sans aucun grain de raisin. Les fraudeurs mélangeaient de l'eau, du sucre et de l'acide tartrique. Après fermentation du mélange, ils ajoutaient du tanin et des colorants. La commune d'Aimargues, dans le canton de Nîmes, utilisa à ces fins, de septembre à octobre 1903, près de 450 000 kg de sucre, et elle ne fut pas la seule. Ces tristes méthodes durèrent jusqu'aux manifestations de 1907, déclenchées par des viticulteurs honnêtes. Cette « guerre » du Languedoc aboutit enfin à une loi de juillet 1907 contre le mouillage des vins, et au décret du 3 septembre 1907, qui donnait au vin sa définition* légale. La « guerre » de 1907 eut aussi un effet psychologique : les viticulteurs comprirent qu'il leur fallait s'unir pour défendre leur honnête production, et la « Confédération générale des vignerons », premier organisme professionnel, est née de ces moments difficiles.

Sud-Ouest. La région viticole du Sud-Ouest comprend un ensemble de vins fort différents, provenant de l'ancienne province d'Aquitaine, du Béarn, du Pays basque et même du Languedoc (Gaillac et Blanquette de Limoux). Cette région ne présente donc aucune unité. La législation vinicole divise les vins du Sud-Ouest en deux catégories : les appellations* d'origine contrôlées et les vins* délimités de qualité supérieure. Ont droit à l'appellation d'origine contrôlée les vins du Bordelais, les vins de Dordogne (Monbazillac, Bergerac, Montravel, Pécharmant, Rosette), les Côtes-de-Duras, les vins de Gaillac et la Blanquette de Limoux, le Cahors, les Côtes-de-Buzet, les Côtes-du-Frontonnais et, dans les Pyrénées-Atlantiques, les vins de Béarn, l'Irouléguy, le Jurançon, le Madiran et le Pacherenc-du-Vic-Bihl.
La région du Sud-Ouest ne comprend plus que six V.D.Q.S. : Côtes-du-Marmandais, Tursan, vins d'Entraygues et du Fel, vins d'Estaing, vins de Lavilledieu, vins de Marcillac.

Suisse. Ce n'est pas sans raison que la Suisse est très fière de ses vins : le climat limite la culture de la vigne aux endroits abrités, dans les creux des escarpements et le long des lacs. Les fortes pentes imposent la culture en terrasses, donc un travail considérable pour la création comme pour l'entretien des vignobles. Porte-drapeau de cette volonté opiniâtre, la Suisse possède même, près de Visp, le vignoble le plus haut d'Europe, celui de Visperterminen, à 1 100 m d'altitude, au-dessus du chemin de fer qui conduit les touristes à Zermatt. On peut donc dire que les vins suisses sont la légitime récompense du labeur pénible et de l'obstination des vignerons.
Les vignobles sont, la plupart du temps, divisés en petites parcelles, mais leurs propriétaires ont désormais tendance à se grouper en coopératives, toutes remarquablement équipées. La vigne occupe environ 12 000 ha et la production annuelle varie généralement autour du million d'hectolitres. Les deux tiers environ de la production consistent en vin blanc : celui-ci suffit à la consommation locale; le superflu,

Technique de la submersion, naguère utilisée pour lutter contre le phylloxéra.
Phot. M.

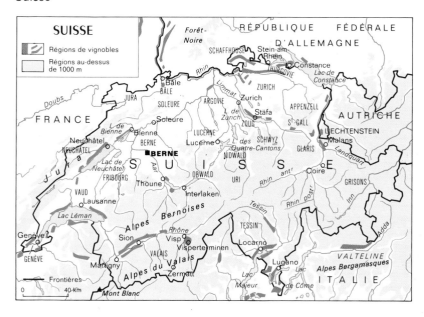

SUISSE
- Régions de vignobles
- Régions au-dessus de 1000 m
- Frontières
- 0   40 km

assez mince, est exporté vers l'Allemagne, l'Angleterre et les Etats-Unis, mais très rarement en France. Par contre, la Suisse, en dépit de sa petite superficie, importe environ 1 500 000 hl de vin par an.

La vigne existe dans une douzaine de cantons (en réalité, sur vingt-trois cantons, trois seulement n'en cultivent pas du tout). Elle prospère surtout sur les rives du Rhône, autour des lacs Léman et de Neuchâtel*, et dans le canton italien du Tessin* : c'est la Suisse romande qui se signale par la plus grande production, le Valais* d'abord, puis les cantons de Vaud* et de Genève*.

Depuis une vingtaine d'années, le monopole du vin blanc est un peu en déclin devant l'offensive des plants rouges; les cépages bourguignons, Pinot et Gamay, partent à l'assaut des cantons de Vaud, du Valais et de Genève, tandis qu'au Tessin, c'est le Merlot de Bordeaux qui attaque.

Les vignobles du bassin du Rhin, c'est-à-dire de Suisse orientale et septentrionale, semblent plus menacés actuellement que les vignobles rhodaniens : industrialisation, urbanisation, importation de vins étrangers font reculer la vigne, qui était pourtant d'implantation aussi ancienne. Les vieux cépages blancs ne font plus figure que de curiosité et ont été remplacés par le Riesling-Sylvaner, dont le rôle est, ici, aussi prépondérant que le Chasselas en Suisse occidentale. Le cépage rouge le plus répandu est le Pinot noir, appelé dans la région *Blauburgunder,* introduit vers 1630 dans les Grisons par le duc de Rohan.

Les vins de ces cantons ne circulent guère..., même jusqu'à Genève, et c'est sur place qu'il faut les découvrir. Beaucoup en

valent la peine. Les deux cantons viticoles principaux de Suisse allemande sont actuellement le canton de Zurich et le canton de Schaffhouse.

Le *canton de Zurich* voit, de jour en jour, son vignoble rongé par l'urbanisation et l'industrialisation, et sa superficie est passée de 5 000 ha au début du siècle à 300 actuellement. Peu favorisé par le climat, exposé aux gelées printanières, le vignoble continue, néanmoins, à s'accrocher gaillardement aux pentes les plus ensoleillées. Au nord, le vignoble zurichois fait suite à celui de Thurgovie (on appelle cette région le *Weinland*) et produit des vins rouges de Pinot et des vins blancs de Riesling-Sylvaner. Il en est de même à l'ouest, dans l'Unterland zurichois. Au sud, le vignoble s'étend sur les rives du lac de Zurich et au bord de la Limmat. Stäfa, la plus grande commune viticole du canton, est fière de son Lattenberg et de son Sternenhalde; Herliberg s'enorgueillit d'un Clevner Schipfgut, très prisé des amateurs locaux.

Le *canton de Schaffhouse,* le plus septentrional de la Suisse, cultive le Pinot noir sur les terres lourdes (90 p. 100) et le Riesling-Sylvaner sur les terres calcaires du reste du vignoble. Ce vignoble a vu sa superficie réduite du tiers depuis 1900 (un peu moins de 400 ha actuellement). Le plus important secteur viticole est celui de Stein-am-Rhein, admirablement situé. Le Pinot noir y donne un vin frais, agréablement bouqueté, l'Hallauer « Im Hintere Waatelbuck » et le Munot, tous deux rouges, sont excellents.

Mais d'autres cantons de la Suisse alémanique cultivent aussi la vigne, bien que celle-ci y soit en nette régression.

Le *canton des Grisons.* On y trouve la vigne le long du cours supérieur du Rhin, en aval de Coire (vignobles de Costamser, Trimmis et Zizers). Mais c'est surtout après le confluent de la rivière Landquart, dans la Bündner Herrschaft, que s'étend le vignoble, sur les communes de Malans, Jenins, Maienfeld et Fläsch. Ici règne le Pinot noir (99 p. 100 de l'encépagement), introduit pendant la guerre de Trente Ans. Le raisin mûrit dans les conditions sûrement les plus favorables de toute la Suisse alémanique : très bel automne sec et ensoleillé, action du fœhn, vent chaud du sud. Les vins rouges sont remarquables, fruités, harmonieux, sûrement les meilleurs vins rouges de Suisse, avec ceux de Neuchâtel. Sur la commune de Malans, on cultive encore un cépage blanc d'origine inconnue, le *Completer,* qui donne, vendangé en novembre, un vin très original rappelant le *Beerenauslese* allemand.

Le *canton de Saint-Gall* produit surtout des vins rouges, dont certains, comme le Schloss Werdenberg, le Portaser, le

Buchenberg, le Forstwein sont très réputés.
Le *canton de Thurgovie* donne surtout des
vins rouges de Pinot (80 p. 100 de la production). Presque tous sont consommés
sur place. L'Arenenberg Domane et le Son-
nenberg méritent le déplacement.
Le *canton d'Argovie* produit, sur ses 300 ha
de vignoble, de bons vins de table blancs
ou rouges, légers, fruités, peu alcoolisés,
issus eux aussi des deux cépages dominants Pinot et Riesling-Sylvaner.
Le *canton de Bâle* n'a plus guère que
50 ha de vignobles, donnant uniquement,
ou presque, des vins blancs issus du Chasselas et du Riesling-Sylvaner, destinés aux
initiés locaux.
Le *canton de Berne* n'est planté exclusivement qu'en Chasselas et un peu en Pinot
noir. Les vins sont légers, fruités, apéritifs;
les crus les plus connus sont le Twanner
et le Schafiser.
Le *canton de Soleure* produit quelques
vins de pays blancs (issus du Chasselas) et
rouges (issus du Pinot) sur un vignoble
tellement amenuisé depuis quatre-vingts
ans qu'il ne couvre plus que 4 ha...
Si, dans l'ensemble, la Suisse n'a pas de
grands vins, au sens strict du terme, elle
possède néanmoins nombre de petits vins
charmants, offrant une gamme infinie de
variétés, puisqu'on dénombre environ deux
cent trente crus.
Ces vins, légers et frais, sont souvent
délicieux et bon marché : aux touristes de
les découvrir et de les apprécier.

Suresnes. Ce vignoble légendaire, que la
Seine sépare du bois de Boulogne et de
Paris, n'est plus guère qu'un souvenir. Qui
croirait qu'au Moyen Age les bénédictins de
Saint-Germain-des-Prés firent entourer de
murs l'enclos qu'ils possédaient à Suresnes, tant le raisin était estimé et convoité
des maraudeurs? De ce beau passé vineux,
il nous reste des noms : rues des Bons-
Raisins, du Verjus, Port au Vin, rue du
Clos-des-Seigneurs (ancien clos des moines bénédictins), rue du Clos-des-Ermites
(ancien clos des ermites du mont Valérien).
Le vin de Suresnes, dès le Moyen Age,
jouissait d'une grande réputation, comme
l'attestent nombre de témoignages, et était
mis à égalité avec les vins d'Ay, de Beaune
et de Bordeaux. Pendant le siège de Paris,
sous Henri IV, celui-ci laissa sortir les
bourgeois, qui purent rentrer leur vendange
de Suresnes, de Saint-Cloud et de Sèvres,
et on prétend, évidemment, qu'Henri IV
appréciait fort ce vin de Suresnes : en réalité, il semble qu'il s'agissait du vignoble
de Surin, en Vendômois, que possédait le
père du Vert-Galant, et c'est au fort accent
béarnais d'Henri IV qu'est due cette confusion entre Surin et Suresnes.
Au siècle dernier, la récolte était encore

*Vendanges à Gontscharoff,
en Suisse alémanique.
Phot. Aarons.*

assez importante, et assez grisante, pour
inspirer Béranger, louant le « petit bleu »
de Suresnes, et Victor Hugo qui, écrivant
à Edmond de Goncourt, évoquait « ce petit
vin qui a une si jolie couleur de groseille
et qui n'a jamais fait de mal à personne ».
En 1913, la récolte n'atteignait plus que
35 hl. Il devait, d'ailleurs, exister deux qualités de vin de Suresnes, ce qui explique
qu'il est tantôt louangé, tantôt décrié. Le
vin ordinaire, acide et « détestable », provenait de cépages communs, mal vinifiés,
alors que le bon Suresnes, célébré par les
poètes, était issu de bons cépages, cultivés
sur les parties bien exposées des coteaux,
bien vinifiés, avec des raisins égrappés.
En 1925, il restait encore quatre propriétaires produisant du vin de Suresnes, dont
deux possédaient un pressoir*. Il subsiste
de nos jours quelques vestiges de vignobles, qui donnent des vins piquants et
acidulés, issus du Seibel blanc pour les
vins blancs et du Seibel noir et du Baco
noir pour les rouges.
Ces derniers temps, un Bordelais, œnologue averti, s'est lancé dans une merveilleuse aventure afin de redonner au vin de
Suresnes sa qualité et sa renommée d'antan. À partir du Clos du Pas-Saint-Maurice,
bonne terre à vigne ensoleillée et de sol
calcaire, il a planté de l'Auxerrois, puis de

la Muscadelle, du Sauvignon et du Sémillon en adaptant une taille appropriée (après avoir constaté que, sous cette latitude, les cépages blancs ont de meilleures chances que les rouges). Il produit ainsi, chaque année, environ 4 000 bouteilles d'un vin fin déjà très demandé.

Sylvaner. C'est un des cépages nobles d'Alsace, un des plus répandus de la région. Il donne un bon vin moyen qui ne manque pas de charme. Très clair, avec des reflets verts, ce vin est frais, léger, désaltérant, surtout lorsqu'il conserve encore le léger pétillement de sa prime jeunesse. Mais il est peu parfumé et de goût assez neutre. Le meilleur provient de Barr et des environs de Rouffach, où il prend parfois une certaine distinction qui l'apparente un peu au Riesling. Le cépage Sylvaner est aussi très répandu en Allemagne, dans le Tyrol italien et en Autriche, où il donne des vins ayant à peu près les mêmes caractères qu'en Alsace. Mais on le rencontre aussi en Californie et au Chili. Dans son voyage à travers le monde, il prend souvent des noms différents.

Syrah. Selon une pieuse légende, ce cépage rouge des Côtes-du-Rhône, qu'on appelle aussi « Serine », serait le même plant que celui qui aurait engendré le vin des Noces de Cana. Il aurait été apporté de Syracuse par les légions romaines de Probus, qui s'empressèrent de l'implanter dans la haute vallée du Rhône, vers le IIIe siècle. Mais d'autres historiens assurent que la Syrah serait originaire de la province de Shiraz, en Perse, et qu'elle aurait été apportée par le chevalier de Sterimberg, au retour d'une croisade. Gaspard de Sterimberg vécut en ermite au sommet de l'Hermitage (d'où le nom de ce cru), où il s'était retiré pour faire pénitence après la croisade de 1224 contre les Cathares.
La Syrah aime les terrains caillouteux et

SYLVANER

LÉON BEYER, NÉGOCIANT A EGUISHEIM (Ht-Rhin)

pauvres et les climats chauds. Elle est peu fructifère, mais c'est elle qui engendre tous les grands vins des Côtes-du-Rhône : Côte-Rôtie, Cornas, Hermitage, Crozes-Hermitage. Elle entre aussi dans l'encépagement des autres Côtes-du-Rhône, et des vignobles du sud de la France. On l'a implantée à l'étranger, surtout en Californie, en Australie et en Afrique du Sud.
Un peu âpre et astringent dans sa jeunesse, le vin de Syrah atteint toute sa splendeur au bout de quelques années. C'est alors un vin d'une grande élégance, capiteux, velouté et puissant, avec un arôme pénétrant, rappelant, selon les terroirs, la framboise et la violette.

Syrie, Liban, Jordanie. La vigne prospère depuis les temps les plus anciens sur les côtes orientales de la Méditerranée et il est probable qu'on y fit très vite du vin. Damas était un grand centre viticole, comme nous l'apprend la Bible au chapitre d'Ezéchiel; les vins d'Helbon et le célèbre « Chalybon » étaient expédiés au loin par les vieilles pistes de caravanes.
Ces trois pays étant de religion musulmane, la production est surtout consommée et exportée sous forme de raisins de table ou de raisins secs : il en reste donc fort peu pour faire du vin. Ce sont généralement les chrétiens qui s'occupent de la production de vin — et le consomment : ils font un vin de table ordinaire et un peu de mousseux. Pendant la dernière guerre, la production de vin augmenta en Syrie, à la demande des troupes françaises, cantonnées dans le pays. La vinification fit alors des progrès, mais la production baissa à nouveau dès le départ des troupes.
Le centre viticole du Liban se trouve à Ksara, dont les grandes installations de vinification ont été fondées en 1857 par les Jésuites : on y fait des vins rouges ordinaires provenant du Cinsault, du Carignan et de l'Aramon.

table (vin de). La dénomination « vin de table » désigne une nouvelle catégorie de vins qui se substitue en partie à celle qui était connue antérieurement sous le vocable de « vins de consommation courante ». Le vin de table doit présenter un titre alcoométrique acquis, après enrichissement éventuel, non inférieur à 8,5⁰ et un titre alcoométrique total non supérieur à 15⁰. Le vin de table doit présenter, en outre, une acidité* totale non inférieure à 4,5 g par litre exprimée en acide* tartrique. Certains vins de table supérieurs sont individualisés par leur région de production et une discipline plus sévère (cépages spécifiques, analyse et dégustation obligatoires avant commercialisation). On les appelle alors « vins de pays* ».

Les vins de table sans indication de provenance sont, le plus fréquemment, le résultat d'un assemblage*. Ils n'ont donc pas un caractère régional particulier ni de personnalité marquée. Cela ne les empêche pas, lorsqu'ils sont bien élaborés, d'être plaisants et équilibrés et de constituer une honnête boisson familiale peu onéreuse.

Les vins de table doivent obligatoirement mentionner leur titre alcoométrique suivi du symbole « % Vol », alors que cela n'est pas obligatoire pour les vins de pays. Toutefois, jusqu'en 1980, l'ancienne façon d'indiquer le degré a encore été tolérée (par exemple : 12⁰, au lieu de 12 % Vol). Ils ne peuvent pas porter de mention de cépages ni de millésime*, mais leur couleur peut être indiquée (blanc, rouge ou rosé).

Leur pays de provenance, lorsqu'il s'agit de vins de table provenant d'un des pays de la C.E.E., doit être obligatoirement spécifié. Depuis le décret du 23 août 1982, les vins français doivent aussi porter l'indication « vin de table français » ou « vin de table de France ». (Cette mention n'était pas obligatoire, auparavant, pour les vins consommés en France.) Lorsqu'un vin de table est issu du coupage* de vins, provenant de plusieurs Etats membres, l'étiquetage devait comporter la mention « vin de différents pays de la Communauté européenne ». Le règlement du 24 décembre 1981 de la C.E.E. a remplacé ce vocable par « mélange de vins de différents pays de la Communauté européenne » en langues française, néerlandaise et italienne, *Verschnitt* en allemand, *blanding* en danois, *avarez* en grec, *blend* en anglais. Lorsque le vin de table n'a pas été vinifié dans l'Etat membre où les raisins dont il est issu ont été récoltés, la mention « C.E.E. » ou « vin de la C.E.E. » est indiquée.

En France, l'*Institut des vins de consommation courante* a déjà beaucoup œuvré, depuis plusieurs années, pour l'amélioration du vignoble, à la fois sur le plan des terroirs et sur celui de l'encépagement, pour favoriser la production de vins de table de qualité. Il a réalisé le *Cadastre viticole*, c'est-à-dire l'inventaire complet du vignoble français, remarquable outil de travail et source de renseignements statistiques. L'I.V.C.C. poursuit, par ailleurs, une œuvre d'amélioration de la vinification et étudie les problèmes d'assemblage : c'est ainsi que les hybrides producteurs directs ont totalement disparu depuis le 31 décembre 1979 et que d'autres variétés ont temporairement été tolérées jusqu'au 31 décembre 1983.

Vins de tous les jours, les vins de table ne fatiguent ni l'estomac ni la tête et permettent de mieux goûter, par contraste, les vins à appellations des jours de fête.

tanin, groupe de produits organiques qui existent dans les pépins, la peau et la rafle* du raisin. — Normalement, le tanin du vin provient surtout des pellicules et des pépins; celui qui provient de la rafle a une saveur assez amère, très prononcée, qui donne au vin le « goût de rafle ».

La quantité de tanin varie suivant les cépages (le Cabernet, par exemple, est riche en tanin) et, évidemment, selon la vinification. L'égrappage*, une cuvaison* courte, un pressurage* modéré diminuent singulièrement la teneur en tanin du vin. Le vin blanc est pauvre en tanin, ce qui se conçoit aisément. Le vin rouge en contient beaucoup plus, surtout lorsqu'il s'agit d'un type de vin à cuvaison longue. Le tanin fait partie des dépôts qui se forment normalement dans les bouteilles de vins rouges vieux : un vin à maturité contient toujours moins de tanin dissous qu'un vin jeune. A dose normale, le tanin est un des éléments indispensables du vin, qui contribue à sa tenue et à sa clarification. Il joue un rôle déterminant dans la pratique du collage*. C'est cette faculté qu'on utilise d'ailleurs lorsque les vins présentent un excès de tanin (surmaturité, cuvaison trop prolongée). Les vins trop tanniques sont astringents et déposent fortement dans les bouteilles : on remédie à cet inconvénient par des collages énergiques, qui entraînent le tanin sans nuire au bouquet du vin.

Lorsque le vin manque de tanin, on procède au tannisage*, afin de lui restituer une teneur normale.

C'est la teneur en tanin d'un vin qui détermine l'emploi de certaines expressions et de certains termes chers aux œnophiles, tels que *de la mâche, âpre, astringent, maigre, épais,* etc.

Tannat. Cépage caractéristique du Madiran, ce plant rouge est cultivé de temps immémorial dans le bassin de l'Adour, c'est-à-dire dans nos départements actuels

277

des Hautes-Pyrénées et des Pyrénées-Atlantiques, des Landes et du Gers. C'est un cépage vigoureux, qui donne des raisins très juteux, au goût légèrement astringent et dont la peau, très foncée, rouge violacé, est riche en matière colorante*.

Le Tannat pur, bien vinifié, est chargé en couleur, assez âpre dans ses premières années, mais donne, après un long vieillissement, un vin généreux au goût franc. On a utilisé jadis le Tannat presque uniquement comme vin de coupage*, donnant à l'ensemble couleur et corps : on allait jusqu'à le mélanger à des vins blancs de qualité inférieure, et la mixture ressemblait toujours à un vin rouge, du moins pour la couleur. Uni au Cabernet franc, son meilleur compagnon, le Tannat donne l'excellent Madiran, vin vigoureux et de longue garde : le Tannat apporte sa couleur et sa générosité, le Cabernet sa finesse. Sous l'influence de l'I.N.A.O.*, qui a fixé les proportions respectives de Tannat et de Cabernet et fait reconstituer les anciennes vignes, on a assisté au renouveau du vignoble de Madiran, qui a déjà retrouvé sa notoriété ancienne.

Le Tannat est aussi le cépage caractéristique des vins de Tursan et des vins du Béarn.

tannisage. Il est parfois nécessaire de le pratiquer lorsque le vin est pauvre en tanin* (vendanges insuffisamment mûres par exemple). On ajoute alors du tanin, produit naturel dérivant de l'acide gallique, afin de favoriser les indispensables collages* et pour compenser une teneur insuffisante, qui donne des vins « maigres ». Mais le bois des tonneaux en chêne neuf suffit parfois à communiquer au vin le tanin nécessaire et participe même, de façon très appréciable, au bouquet final du vin.

taste-vin, petite tasse plate d'argent ou de métal argenté, à bords godronnés, dans

*Tastevin servant
à la dégustation du vin.
Phot. M.*

laquelle on examine le vin que l'on va goûter, surtout en Bourgogne. — Orthographié tantôt « tâte-vin », « tasse à vin », « taste-vin », le mot « tastevin » semble être désormais la nouvelle forme consacrée dans le public, grâce à la popularité que lui a donné la célèbre Confrérie des chevaliers du Tastevin dont la renommée dépasse largement nos frontières.

Pour le profane, le tastevin est surtout un objet d'art, ce qu'il est indiscutablement : les tastevin anciens sont de véritables objets de collection. Pour le Dr Baudoin, qui leur consacra jadis une étude, les coupes à serpent formant anse sont les plus anciennes et datent au moins du début du XVIIe siècle; les coupes sans serpent sont plus récentes et datent à peine du début du XVIIIe siècle; les tasses à cupulettes sont de la fin du XVIIIe siècle ou, en tout cas, antérieures au premier Empire; le serpent est surtout la caractéristique de la tasse à vin bourguignonne, la cupulette étant plutôt celle de la tasse à vin bordelaise.

Encore actuellement, le beau tastevin moderne est un objet de valeur très élégant, avec ses cupules, ses stries et ses boutons autour d'une ampoule centrale, et on conçoit la patience et l'amour de l'art qui devaient guider l'artiste de jadis, outillé du seul repoussoir.

Mais le tastevin n'est pas qu'un objet d'art : il est avant tout un outil technique irremplaçable en matière de dégustation*. Les reliefs et les creux de son ornementation ont une influence très nette sur la couleur du liquide qu'il contient : ils donnent au vin, par transparence, des intensités de nuances différentes, en même temps que le métal l'illumine par l'intérieur. Le même tastevin est généralement orné moitié avec des cupules, moitié avec des stries : en effet, si les stries permettent de mieux apprécier la brillance, grâce aux reflets lumineux des facettes d'argent, les cupules donnent au vin, surtout rouge, une intensité de ton plus profonde et veloutée. Il semble bien, d'autre part, que, dans le mouvement que fait le dégustateur pour humer le vin qu'il va boire, le léger choc que reçoit le vin contre les reliefs du récipient contribue à en exalter l'arôme et le bouquet. La forme évasée et plate du tastevin ne permet pas, par ailleurs, la dégustation à petites gorgées timides et réticentes : elle oblige à prendre une bonne gorgée qui imprègne bien la bouche et révèle d'emblée toute la richesse des sensations gustatives.

Loin d'être un bibelot de fantaisie, le tastevin est donc, par excellence, l'instrument de travail du dégustateur qui lui permet à merveille d'apprécier l'état d'un vin, d'admirer sa belle robe, sa brillance, sa limpidité, de humer toutes les subtilités de son bouquet ou, au contraire, de déceler en lui les défauts dont il peut malheureusement être atteint.

tastevinage. Chaque année, au printemps, la Confrérie des chevaliers du Tastevin procède à l'examen des grandes bouteilles proposées à son appréciation. Les bouteilles qui lui sont soumises se présentent de façon anonyme, sans le nom du propriétaire, et portent uniquement le nom du cru*, un millésime* et un numéro. Cinq groupes de jurés procèdent à l'examen : personnalités de l'Administration, propriétaires, négociants, commissionnaires et consommateurs (ces derniers étant généralement des restaurateurs).

Les meilleures bouteilles ont l'honneur d'être « tastevinées » : elles reçoivent l'étiquetage spécial portant l'année du tastevinage, le numéro de contrôle et le sceau de la Confrérie.

La Confrérie édite un *Armorial des grands crus de Bourgogne,* qui contient la liste mise à jour des crus qu'elle a retenus lors de l'épreuve du tastevinage.

Ardente propagatrice des vins de Bourgogne, de la tradition et de la qualité, la prestigieuse Confrérie contribue ainsi à guider le choix des amateurs.

Tavel, appellation des Côtes du Rhône, qui désigne le plus fameux vin rosé de France, vin favori de François Ier et célébré par Ronsard et dont Philippe le Bel disait déjà « il n'est bon vin que de Tavel ». — Le vignoble de Tavel se trouve dans le département du Gard, sur la rive droite du Rhône, non loin d'Avignon. Les cépages sont multiples : principalement Grenache, puis Cinsault, Clairette blanche et Clairette rouge, Picpoul, Bourboulenc et un peu de Carignan.

Le Tavel doit, obligatoirement, être vinifié en rosé pour avoir droit à l'appellation. C'est un vin de rubis clair, aux reflets de topaze, qui s'accentuent avec l'âge. Capiteux, sec et fruité, il est élégant et frais, avec une saveur légèrement poivrée. C'est, en tout cas, un vin bien différent des autres Côtes-du-Rhône, qui doit être bu frais pour que s'exaltent toutes ses qualités. Certains prétendent qu'il est le seul de tous les rosés à vieillir en beauté : les vignerons, eux, boivent leur Tavel avant qu'il atteigne deux ans et considèrent une bouteille de cinq ans comme une curiosité.

Tavel produit aussi, à partir des cépages habituels, une petite quantité de vin rouge qui a droit non pas à l'appellation « Tavel », mais à celle de « Côtes-du-Rhône ».

Un des meilleurs vignobles est celui du Domaine de la Genestière, propriété de la famille Bernard.

Tavel. Phot. M.

Tawny, Porto vieilli en fût, résultant de mélanges de vins (ou *blends*) provenant de l'aire délimitée et strictement contrôlés. — Le mot *tawny* désigne en anglais la couleur fauve, topaze brûlée, que prennent tous les vins de Porto avec le temps, qu'ils aient été rouges ou blancs dans leur jeunesse. C'est par extension que ce mot s'applique au Porto mûri en fût, contrairement au Vintage, qui vieillit en bouteille. De plus, le Tawny est toujours composé d'un mélange savamment dosé de vins d'âges différents, afin d'assurer une qualité commerciale suivie, alors que le Vintage, provenant d'une année exceptionnelle, est toujours exempt de mélange.

Les fûts où va s'élaborer la précieuse liqueur sont généralement en chêne de la Baltique; à défaut, ils sont en châtaignier de Portugal ou d'Italie. Leur forme, leur volume ont été établis par l'expérience (généralement 550 l). Le vin s'oxyde peu à peu, lentement, sous l'action de l'air qui traverse le bois; il dépose sa matière colorante* sur les parois du fût, se dépouille, devient de plus en plus pâle avec le temps. Au fur et à mesure de l'évaporation, on procède à l'ouillage* du fût, en ajoutant des vins plus jeunes, qui enrichissent la cuvée. On effectue la mise en bouteilles après huit ans de fût au moins.

Une admirable technique scientifique du vin s'améliore encore sous l'impulsion du sévère « Institut du vin de Porto » et fait la gloire de Porto. Non seulement elle garantit une qualité remarquablement suivie, mais aussi elle offre aux amateurs une gamme de plus en plus étendue et variée de bouquets, de saveurs, de nuances (du Ruby au Light Tawny). Le Tawny n'a pas besoin d'être présenté en décanter*, puisqu'il a

*Chai à Tawny, à Vila Nova
de Gaïa, au Portugal.
Phot. Y. Loirat.*

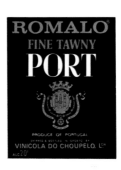

leurs vins italiens et hongrois. A la fin du XIXᵉ siècle, le vignoble de Tchécoslovaquie, ravagé par le phylloxéra*, était diminué de moitié et ce n'est que vers 1920 qu'on reconstitua le vignoble national.

Actuellement, le vignoble se répartit en trois régions : Bohême, Moravie et Slovaquie. Il existe de réelles affinités entre ces vignobles et les vignobles étrangers qui les jouxtent : celui de Bohême a des similitudes avec son voisin allemand, celui de Moravie avec son voisin autrichien, celui de Slovaquie avec son voisin hongrois.

La *Bohême* a pour centre viticole Mělník, dans la vallée de l'Elbe, au nord de Prague. Prague est à la même latitude que le Rheingau et le Palatinat, et on cultive ici les mêmes cépages que dans ces régions viticoles allemandes, c'est-à-dire le Riesling, le Sylvaner et le Traminer pour les vins blancs, le Blauer Burgunder, le Portugieser et le Saint-Laurent pour les rouges. Mělník produit des vins rouges et blancs, considérés comme étant les meilleurs de la région, ainsi qu'un mousseux remarquable; il en est de même de Litoměřice et de Roudnice, sur l'Elbe, de Brezanki et de Velké Zernoseky, plus à l'ouest.

Le vignoble de *Moravie* est presque entièrement situé à la frontière autrichienne, au sud de Brno, dans un petit secteur limité par Hustopeče, Mikulov et Znojmo. On y cultive le Riesling du Rhin et le Riesling italien ainsi que le Veltliner. Poussant sur le même sol de lœss que son proche voisin autrichien, le vignoble donne des vins blancs de qualité comparable : frais, séduisants, légers et parfumés, ils évoquent irrésistiblement les vins autrichiens (tel le Grüner Veltliner).

La *Slovaquie* est la plus viticole des trois régions : elle produit les deux tiers du vin tchèque. Selon une tradition multiséculaire, les coteaux exposés au soleil sont voués à la culture de la vigne, qui est restée l'occupation essentielle des paysans.

L'extrême sud-est de la Slovaquie, autour de Malá Trňa et Novè Mestro, touche la région hongroise de Tokay : on y cultive les mêmes cépages qu'en Hongrie (Furmint surtout, mais aussi Lipovina et Muscat) et on y prépare des vins très valables, copiant ceux de Tokay.

Le secteur viticole le plus vaste de Slovaquie se trouve à l'ouest, aux environs de Bratislava, autour de Modra et Pezinok : là, on cultive surtout le Veltliner, le Riesling italien, le Neuberger Sylvaner et le Muscat; mais on rencontre aussi beaucoup de vignobles au pied des Carpates et des monts Tatras où l'on prépare des vins surtout blancs qui répondent au goût des habitants de l'Europe centrale. La plus grande partie de ces vins est vinifiée en coopératives et vendue sous la marque de

vieilli et déposé en fût. Sa bouteille d'origine, portant le sceau d'une marque réputée, suffit à sa gloire. La tradition anglaise veut, lorsque l'on déguste une bouteille de Porto entre amis, que le flacon circule dans le sens des aiguilles d'une montre. Cette tradition est d'autant plus facile à respecter qu'on peut ainsi servir commodément, avec la main droite, son voisin de gauche, sans perdre un temps précieux — et finir plus rapidement la bouteille.

Tchécoslovaquie. De tous les pays qui formaient jadis l'Empire austro-hongrois, la Tchécoslovaquie est celui qui produit le moins de vin. La production annuelle — 900 000 hl aux derniers chiffres — est consommée sur place : très peu de vins tchèques sont exportés.

Pourtant, la viticulture est une très ancienne activité chez les Tchèques, puisqu'on faisait du vin en Bohême dès le IXᵉ siècle. L'empereur Charles IV implanta des cépages bourguignons à la fin du XIVᵉ siècle, si bien que la vigne était fort prospère autour de Prague au XVIᵉ siècle et au début du XVIIᵉ. La guerre de Trente Ans dévasta le vignoble; néanmoins, les vins tchèques étaient devenus si recherchés au XVIIIᵉ siècle qu'ils concurrençaient les meil-

celles-ci. Le lieu d'origine, le cépage ne sont pas toujours spécifiés, mais, en général, les vins tchèques se sont beaucoup améliorés depuis l'établissement d'un contrôle de leur qualité.

température de service des vins. C'est un des plus importants facteurs d'une bonne dégustation. Un principe doit impérativement être appliqué : qu'il s'agisse de refroidir ou de « chambrer* » un vin, il faut le faire lentement et sans brutalité; le procédé barbare qui consiste à chambrer le vin rouge sur le coin du fourneau, sur le radiateur ou à plonger la bouteille dans l'eau chaude doit être dénoncé comme une grave erreur, tout comme la méthode de refroidissement ultra-rapide de la bouteille logée dans le freezer. Tout se passait bien mieux autrefois quand la température des caves ne dépassait pas 12 °C (ce qui est loin d'être toujours le cas aujourd'hui) et quand les pièces de séjour n'étaient pas surchauffées, comme elles le sont presque toujours actuellement. Deux excès redoutables sont à éviter : tiédir le vin rouge et glacer le vin blanc. Dans la crainte du pire, les œnophiles conseillent de servir tout simplement à la température de la cave. Un vin jeune peut se tirer, tant bien que mal, de l'épreuve brutale du froid ou du chaud, mais une vénérable bouteille n'y résistera pas et sera irrémédiablement compromise. La température de service d'un vin dépend d'abord du vin lui-même, de son âge, du goût personnel des convives et aussi de la température de la salle à manger. Quelques règles générales peuvent, néanmoins, être retenues : les vins jeunes se servent plus frais que les vins vieux; il est toujours préférable de servir le vin à une température légèrement inférieure à sa température idéale de dégustation, puisqu'il faut prévoir qu'il s'échauffera au cours du service; il faut penser aussi que le vin semblera d'autant plus frais que la salle à manger sera très chauffée, et, au contraire, si la pièce est fraîche, il paraîtra d'autant moins frais.

Les vins rouges, sauf exception, doivent être chambrés. En supposant que la bouteille vienne d'une cave* idéale, dont la température ne dépasse pas 12 °C, il suffit pour cela de la laisser deux heures dans la salle à manger, loin de toute source de chauffage. Le convive aura encore le plaisir raffiné de faire épanouir lui-même le bouquet et la saveur du vin en lui apportant la douce chaleur du creux de la main. En général, selon le *code du sommelier,* on estime que les Bordeaux et les Touraines rouges se révèlent vers 15 ou 16 °C, les Bourgognes et les Côtes-du-Rhône vers 13 ou 14 °C. Les Beaujolais, les vins régionaux légers s'apprécient frais, à température de

cave. Les vins doux naturels rouges ont, eux aussi, besoin de fraîcheur en raison de l'alcool et du sucre qu'ils contiennent.

Les vins blancs se boivent frais, jamais glacés : de 6 à 11 °C pour les vins secs, vers 5 °C pour les vins blancs liquoreux. Le Château-Chalon et les vins jaunes font exception, et se boivent à la température d'un vin rouge. Les Bourgognes blancs corsés (Corton-Charlemagne, Montrachet, Meursault) exigent, eux aussi, une température relativement élevée (de 10 à 13 °C) pour développer leurs prestigieuses qualités. Le Champagne se boit frais, à 4 °C environ; le Mousseux se boit plus frais encore, vers 2 °C. Quant aux vins rosés, ils exigent la fraîcheur, même s'ils y cachent leur traîtrise : en effet, cette fraîcheur agréable et glissante dissimule leur teneur en alcool; gare aux imprudents qui s'y laissent prendre! Pour rafraîchir un vin, l'ancien système du seau à glace semble bien préférable au séjour plus ou moins prolongé dans un réfrigérateur.

tendre, terme qui s'applique à un vin peu acide, délicat et frais, toujours léger. — Le caractère de ce vin est peu accentué et il est généralement dans la fleur de l'âge. Un tel vin nous émeut, nous touche, nous « attendrit » par sa douce gentillesse, mais il ne s'impose jamais à nos sens.

tenue. Pour les œnologues, un vin qui a de la tenue est celui qui résiste aux troubles et à la casse. Pour l'œnophile, c'est celui dont tous les constituants sont correctement équilibrés.

Terlano, un des vins blancs d'appellation contrôlée (D.O.C.) les plus réputés du Tyrol italien. — Il est récolté autour du village de Terlano, dans les gorges profondes et pittoresques de l'Adige, entre Bolzano et Merano. Vendu en hautes bouteilles vertes comme celles à vin d'Alsace, le Terlano est un vin blanc sec, d'une pâle couleur d'or vert, délicat et fort agréable, mais sans grand bouquet ni saveur spéciale. Il titre 11,6° au moins et est issu du Pinot* blanc. Les vins provenant de l'aire de production ancienne, située sur les communes de Terlano, Andrian et Nals, ont seuls le droit d'utiliser la mention « classico ».

terroir. Ce mot, qui désigne la terre, le sol, prend, lorsqu'il s'agit des vins, un sens spécial dans l'expression *goût de terroir.* Celui-ci désigne un goût caractéristique, particulier, presque indescriptible, que prennent tous les vins provenant de certains sols.

Tessin, canton du sud-est de la Suisse, situé à la frontière italienne, autour de

Locarno et de Lugano. — La vie était jadis si dure dans ce canton rural que nombre de ses habitants émigrèrent en Amérique et y fondèrent des centres de vinification. Bien que la vigne ne soit pas une des activités principales du Tessin, elle y pousse volontiers.

Le vin type du pays, le « Nostrano », fait avec le cépage Bondola et d'autres variétés accessoires, semble assez dur à la première dégustation. Pourtant, à condition d'être servi frais, il ne manque pas de caractère. Depuis quelques années, on a planté dans le canton du Merlot de la région bordelaise, qui y prospère bien et donne un vin suave et fruité, mais un peu mou. Le meilleur Merlot du Tessin, titrant 12⁰ et répondant à certaines normes, a droit à l'appellation officielle « Viti », qui le distingue des autres vins produits. Cette distinction ne peut qu'avoir une bonne répercussion sur l'avenir vinicole du canton, qui commence depuis peu à exporter ses vins.

Thouarsais (Vins du). Cette appellation s'applique à des vins blancs, rouges et rosés qui ont obtenu le label V. D. Q. S.* depuis 1966.

Leur aire de production s'étend au sud de Saumur, dans la partie nord du département des Deux-Sèvres, et englobe seize communes autour de Thouars. Comme leurs voisins du haut Poitou, les vins de cette région ont connu au XIIᵉ siècle une très grande renommée et ils étaient à cette époque, avec ceux du haut Poitou, de Saintonge et de Vendée, confondus sous le nom de « vins de Poitou » ou « vins de La Rochelle », puisque, pour nos ancêtres, le Poitou était le vieux « Pays des Pictons », situé entre Loire et Gironde.

Depuis l'arrêté du 8 avril 1982, les vins blancs doivent provenir du Chenin blanc et du Chardonnay (20 p. 100 au plus de ce dernier cépage). Ils titrent 9,5⁰ et ne sont pas sans rappeler les vins des environs de Saumur et même, parfois, en bonne année, certains vins mi-doux du Layon, à qui ils empruntent leur velouté et leur parfum de fleur et d'amande; ceux de Bilazais et de Taizé sont particulièrement suaves.

Les vins rouges et rosés doivent être issus du Cabernet franc, du Cabernet-Sauvignon et du Gamay noir à jus blanc. Titrant 9,5⁰ pour les rosés, 9⁰ pour les rouges, ils sont fins et fruités, bouquetés et frais.

tierçon. C'est une mesure qui varie suivant les provinces : dans le Languedoc, c'est le tiers du muid (il vaut 228 litres). Le tierçon est surtout employé pour les Muscats.

tire-bouchon. Il semble vraisemblablement que son invention date de l'époque où l'on prit l'habitude de boucher tous les vins,

même non mousseux, avec des bouchons* de liège. Au début, les bouchons, d'abord employés par dom Pérignon* pour son Champagne, ne nécessitaient sans doute nullement l'usage d'un tire-bouchon, puisqu'il suffisait de les faire sauter. On ignore le nom de l'inventeur de cet objet, dont les premières traces connues sont signalées à la fin du XVIIᵉ siècle. De nos jours, les tire-bouchons sont nombreux, de forme et de conception variées (à vis, à lames, à gaz). Quelle que soit leur présentation, il importe avant tout qu'ils demeurent fonctionnels et, surtout, qu'ils donnent la possibilité d'un débouchage lent, délicat et précautionneux.

tisane à Richelieu. Rassurez-vous, amis du vin, il ne s'agit point là d'une triste infusion : ce surnom fut donné, et pour longtemps, au vin de Bordeaux. Louis XV avait envoyé le duc Armand de Richelieu, maréchal de France, administrer la tranquille Aquitaine et y terminer ses jours, déjà pas mal entamés par une épuisante vie de plaisirs. Comme il fallait s'en douter, le duc apprécia fort le bon vin de Bordeaux, qui lui permit de reprendre sa vie de bon vivant.

Tlemcen (Coteaux-de-), appellation qui s'appliquait, sous l'administration française, à des vins d'Algérie provenant du sud-ouest d'Oran, non loin de la frontière marocaine, et qui bénéficiaient du label V. D. Q. S.*

Les Coteaux-de-Tlemcen sont des vins de montagne, surtout rouges (parfois rosés), produits sur des terrains calcaires à 800 m d'altitude. Très généreux et corsés, bien charpentés et fermes, d'une belle couleur rubis, ils s'améliorent encore avec le temps et prennent un moelleux, une finesse et un velouté très agréables.

Tokay, célèbre vin de Hongrie, un des vins les plus connus du monde entier. — Le Tokay authentique, très rare, est certainement un des meilleurs vins blancs.

Il est produit par la petite région viticole de Tokaji-Hegyalja, située au nord-est de la Hongrie, sur les rives du Bodrog, à 30 km au nord-ouest de Nyiregyhaza. Il est issu principalement du Furmint, cépage à petit rendement, dont le nom vient du vieux français *forment* (le vin de Furmint prend en effet une teinte jaune comme celle du froment).

La région possède un sol composé de débris volcaniques et de lœss; elle jouit d'un automne sec et ensoleillé, favorable au passerillage* du raisin. Ce mode de surmaturation fut découvert au XVIIᵉ siècle à Tokaj, où la vigne est cultivée dès le XIIᵉ s.; devant la menace d'une guerre, la

récolte fut retardée et, de ce retard fortuit, devait naître le merveilleux Tokay.

Le Tokay le plus commun et le moins cher est appelé «Szamorodni». Son nom, d'origine polonaise, veut dire «comme il pousse». Pour l'obtenir, on verse dans le pressoir les grains passerillés, mêlés aux autres grains. Sa qualité dépend du millésime*, et il est toujours assez alcoolisé.

Autre chose est le Tokay appelé «Aszú», merveille de douceur, très rare et très cher. Il contient une certaine proportion fixée de grains soigneusement triés et atteints par la pourriture* noble. Le raisin cueilli est étalé sur de grandes tables; on enlève les grains ridés des grappes les plus mûres. En les pressant, on obtient ce qu'on appelle l'«âme du vin», que l'on pétrit en une sorte de pâte. Cette pâte est ajoutée, en plus ou moins grande quantité, au moût* du raisin normal, déjà pressuré. Cette quantité est spécifiée sur l'étiquette et s'exprime en *puttonyos*. Les puttonyos sont des hottes de 25 litres utilisées dans la région. Suivant le nombre de puttonyos de la précieuse masse ajoutés à un «fût de gönc» (136 l), on obtient un Tokay étiqueté «Aszú 2 puttonyos», «Aszú 3 puttonyos»,... jusqu'à 6 puttonyos. Il va de soi que, plus il y a de puttonyos, meilleur est le vin et plus cher il est (précisons, d'ailleurs, qu'actuellement de tels vins sont introuvables). La fermentation du Tokay a lieu dans les «fûts de gönc». Ces petits tonneaux peuvent tenir dans les caves très basses (celles-ci donnaient aux vignerons la possibilité de cacher leur vin au cours des multiples invasions). Seules les caves basses permettent, dit-on, d'obtenir le bon Tokay, comme le prétend un dicton qui assure «qu'il faut s'incliner devant le Tokay». Celui-ci est exporté uniquement par le gouvernement hongrois, en bouteilles à long col de 50 cl. Son bouquet et sa saveur inoubliables justifient sa réputation d'être un des plus grands vins du monde. Le meilleur Tokay est celui qui est récolté sur la commune de Tallya (dont le nom provient du français «taille»).

Voltaire a fait du Tokay un bien bel éloge :
«Et du Tokay la liqueur jaunissante
En chatouillant les fibres des cerveaux
Y porte un feu qui s'exhale en bons mots.
    Aussi brillants que la liqueur légère
Qui monte et saute et mousse au bord du
                                        verre.»

tonneau. Son invention serait due aux Gaulois. Auparavant, on utilisait pour la conservation des vins les amphores de terre cuite et, pour leur transport, on se servait d'outres en peau. Les amphores devaient être de fort mauvais récipients à vin; on les poissait intérieurement afin de les rendre imperméables, ce qui devait communiquer un goût bizarre au vin (de nos jours, les vins grecs «résinés» nous en donnent un aperçu).

Dès son invention, le tonneau eut à peu près la forme actuelle : déjà, il était véritablement fonctionnel. Le bois permet une certaine évaporation nécessaire au vieillissement du vin. La forme arrondie permet de rouler les tonneaux pour un transport facile et, surtout, facilite les opérations de soutirage* du vin : la lie*, en effet, reste dans la partie ventrue du tonneau pendant qu'on soutire le vin clair.

Les tonneaux sont généralement en chêne, dont le bois joue un rôle important dans la formation du bouquet; dans le cas des vins blancs, les tonneaux de chêne neufs communiquent à ces vins le tanin* dont ils manquent. Les petits producteurs du Bordelais rachètent les tonneaux des grands châteaux, de haute réputation, dont le vin prestigieux a imprégné les douelles, dans l'espoir qu'un peu de l'âme de ce vin se communiquera au leur. Les tonneaux d'expédition, dits «fûts perdus», ne sont pas en chêne, mais en châtaignier. Il n'existe plus — hélas! — que quatre cents tonneliers en France pour cent entreprises (dont un seul à Paris).

Notons enfin que le tonneau est aussi une unité marchande de la Gironde (mais qui n'existe pas réellement dans les chais*). Il vaut 4 barriques* de 225 litres chacune, soit 900 litres.

Un tonnelier au travail.
Phot. René-Jacques.

Touraine. Cette douce et captivante province, aux merveilleux châteaux, n'est pas seulement le « jardin de la France ». Elle possède aussi un admirable vignoble, déjà signalé au VIe siècle et que tant de poètes ont chanté. Rabelais, Ronsard, Vigny, Balzac, Alexandre Dumas, à travers les siècles, ont communié dans le même amour de ses vins, si aimables et si séducteurs. Les vignobles sont en grande partie situés dans le département d'Indre-et-Loire et donnent des vins d'une grande diversité. La Touraine jouit d'un climat véritablement privilégié et possède, par surcroît, des sols singulièrement doués pour la vigne : cailloux et sables granitiques recouvrant le « tuffeau de Touraine », cette craie jaune dans laquelle sont creusées les caves de Vouvray; « aubuis », mélange de sables siliceux, d'argile et de calcaire, qu'on rencontre en bordure des coteaux et dans lequel le Pineau de la Loire épanouit ses plus belles qualités.

Cet heureux pays se glorifie à juste titre de produire les grands vins blancs de Vouvray et de Montlouis, et les rouges suaves de Chinon, de Bourgueil et de Saint-Nicolas-de-Bourgueil.

On peut aussi rattacher au vignoble de Touraine celui des Coteaux du Loir*, situé à la limite de la Touraine, de l'Anjou et du Maine.

Touraine : appellation d'origine contrôlée.

L'appellation « Touraine » s'applique à des vins rouges, rosés ou blancs récoltés sur le territoire de cent vingt-sept communes d'Indre-et-Loire, quarante-et-une communes de Loir-et-Cher et une commune de l'Indre.

Les vins blancs doivent provenir du Chenin blanc, ou Pineau de la Loire, de l'Arbois, ou Menu Pineau, du Sauvignon et, pour 20 p. 100 seulement, du Chardonnay. Ces vins blancs, secs ou moelleux, doivent titrer 9,5⁰.

Les vins rouges doivent être issus des cépages Cabernet franc ou breton, Cabernet-Sauvignon, Cot, Pinot Meunier, Pinot gris, Gamay noir à jus blanc, Pineau d'Aunis. Délicats et parfumés, ces vins titrent 9⁰.

Les vins rosés doivent provenir des cépages Cabernet franc, Cabernet-Sauvignon, Cot, Pinots noir, Meunier et gris, Gamay noir à jus blanc, Pineau d'Aunis et Groslot. Le Gamay de Chaudenay et le Gamay de Bouze sont tolérés, dans la proportion de 10 p. 100, pour ces vins rosés, légers et fruités, qui titrent 9⁰.

Le mot « pétillant » peut être ajouté à l'appellation « Touraine » pour des vins blancs, rosés ou rouges présentant un fermentation* secondaire en bouteille, préparés à l'intérieur de l'aire de production, pendant un délai de neuf mois au moins. Toutefois, les vins rouges pétillants à appellation* contrôlée « Touraine » ne peuvent provenir que de vins rouges ayant déjà l'appellation contrôlée « Bourgueil », « Saint-Nicolas-de-Bourgueil » et « Chinon ».

Les vins pétillants doivent présenter un

Entre Azay-le-Rideau et Chinon, vignoble de Touraine à la fin des vendanges. Phot. Lauros.

degré minimal de 9,5⁰ avant la fermentation en bouteille et leur habillage ne doit prêter à aucune confusion avec celui des vins mousseux.

L'appellation « Touraine mousseux » s'applique à des vins blancs, rouges et rosés présentant un degré alcoolique de 9,5⁰ avant l'adjonction de la liqueur* d'expédition et préparés à l'intérieur de l'aire de production « Touraine », par la méthode champenoise* de seconde fermentation en bouteille. Le « Touraine mousseux » rouge, comme le « Touraine pétillant » rouge, doit provenir de vins rouges à appellation contrôlée « Bourgueil », « Saint-Nicolas-de-Bourgueil » et « Chinon ».

Les mousseux rouges doivent être issus uniquement du Cabernet franc; les mousseux rosés, des cépages Cabernet franc, Cot, Noble, Gamay et Groslot; les mousseux blancs du Chenin blanc, de l'Arbois et de 20 p. 100 au maximum de Chardonnay.

Toutefois sont admis dans les cuvées, dans la proportion de 30 p. 100 au maximum, les vins blancs issus des cépages noirs suivants : Cabernet franc, Cabernet-Sauvignon, Pinots noir, gris et Meunier, Pineau d'Aunis, Cot et Groslot.

D'autre part, certains vins de Touraine ont droit de faire suivre l'appellation « Touraine » du nom de leur commune d'origine : ce sont ceux d'Azay-le-Rideau*, d'Amboise* et de Mesland*.

Depuis 1979, un décret a autorisé la livraison sur le marché de « Touraine primeur* », issu du Gamay, léger, aromatique et d'une originalité certaine.

tourne, maladie qui prend toujours naissance dans des vins mal constitués, trop faibles en alcool, présentant une trop faible acidité* réelle (supérieure à 3,5), contenant encore une certaine quantité de sucre résiduaire ou provenant de vendanges avariées. — Le goût des vins atteints est désagréable, à la fois aigre et fade. L'aspect est trouble; des filaments brillants et soyeux se déplacent dans le vin quand on l'agite.

Les bactéries de la tourne s'attaquent aux acides fixes, au sucre, à la glycérine*, et spécialement à l'acide* tartrique : l'acidité* fixe diminue donc, alors que l'acidité* volatile augmente.

Il se produit aussi un dégagement de gaz* carbonique, qui « pousse » les douelles des fonds du tonneau et fait mousser le vin à la sortie du tonneau.

On peut prévenir la maladie, ou même tenter de l'enrayer au début, par addition d'anhydride* sulfureux et de tanin*, par soutirages* fréquents accompagnés d'addition d'anhydride sulfureux et par pasteurisation*.

Traminer, cépage d'Alsace, qui est le nom alsacien du Savagnin blanc et rosé, un des principaux cépages nobles du Jura. — Selon la tradition, ce nom proviendrait de celui d'un village du Tyrol italien, Termeno, qui s'appelait « Tramin » quand il appartenait à l'Autriche. Ce cépage donne un vin blanc généralement très peu acide, parfois même moelleux, mais toujours très parfumé; corsé et généreux, suave et séduisant, il parfume le nez et la bouche d'une vraie gerbe de fleurs où dominent la rose et le jasmin. On rencontre le Traminer dans la vallée du Rhin, le Tyrol italien et aussi en Californie. Depuis 1973, la dénomination « Traminer » est supprimée en Alsace. Les vins issus de ce cépage portent l'appellation « Alsace » suivie de « Gewurztraminer* ». Ceux récoltés sur une aire délimitée ont droit à l'appellation « Alsace » suivie de la désignation « Klevner de Heiligenstein ».

tranquille. Un vin tranquille n'est ni pétillant ni mousseux. On emploie généralement ce terme pour désigner le vin de base, qui servira ensuite à l'élaboration du vin mousseux, afin de le distinguer du produit fini.

Tricastin (Coteaux du). Bien que la nature du sol et les méthodes de culture y soient comparables à celles des Côtes du Rhône, les vins des Coteaux du Tricastin, d'abord classés v.d.q.s.* en 1964, ont reçu leur propre appellation* contrôlée par le décret du 27 juillet 1973, en hommage à leur personnalité marquée.

Le vignoble de cette région a une origine très ancienne, puisqu'il fut créé par les Phéniciens qui remontèrent la vallée du Rhône après avoir fondé Marseille. La batailleuse peuplade gauloise des Tricastini fut ensuite colonisée par les Romains, grands viticulteurs, eux aussi, et qui ne manquèrent pas de développer le vignoble : les vins du Tricastin furent longtemps appelés « vins de Donzère », en souvenir du temple édifié à Bacchus par les Romains sur les rochers de Donzère. Du château de Grignan, Mᵐᵉ de Sévigné décrivait les ceps produisant des vins exquis; hélas, là aussi, le phylloxéra* vint anéantir presque complètement ce beau vignoble prospère et renommé depuis des siècles...

Mais une poignée de vignerons tenaces et expérimentés ont repris victorieusement en main, depuis quelques années, le destin vinicole du Tricastin, et leurs efforts ont été couronnés de succès.

Le vignoble occupe vingt-deux communes du département de la Drôme, qu'on peut classer en quatre zones selon la nature de leur sol : le centre est constitué d'une chaîne de collines ayant une altitude moyenne de 400 m et des sols hétérogènes; le sud-est (Baume-de-Transit et Colonzelle) est une plaine à forte pente, sèche et caillouteuse; l'ouest (Roussas, Granges Gontardes, Donzère, La Garde-Adhémar) est un ensemble de terrasses formées de cailloutis et d'alluvions anciennes, en bordure de la plaine du Rhône; le nord (Châteauneuf-du-Rhône, Malataverne, Allan) est constitué d'alluvions anciennes sur le versant des collines.

Pour les vins rouges et rosés, les cépages sont les cépages classiques des Côtes du Rhône : Grenache noir, Cinsault, Mourvèdre, Syrah, Picpoul noir, Carignan (20 p. 100 au maximum). On admet aussi 20 p. 100 au maximum de cépages blancs autorisés.

Les vins blancs sont issus de : Grenache blanc, Clairette, Picpoul blanc, Bourboulenc, Ugni blanc (30 p. 100 au maximum).

Comme le dit délicieusement Henry Clos-Jouve, le grand écrivain et chroniqueur gastronome, « le Tricastin a comme pendentif la précieuse perle noire de sa truffe enchâssée dans l'éclat des rubis de ses vins ». Rouges et rosés, les vins du Tricastin ont une très belle robe, beaucoup de finesse et de saveur. Les rouges, charpentés et séveux, révèlent un goût de truffe caractéristique, ce qui s'explique d'autant mieux que les vignes ont été plantées sur les cultures de chênes truffiers arrivés en fin de production.

On trouve très peu de vins blancs, certes, mais, quand on a la chance de les déguster, ils se montrent secs, suaves et agréablement bouquetés.

Les vins sont vinifiés par quelques excellents vignerons particuliers et par huit caves coopératives : ils ont déjà commencé à conquérir le marché français et sont exportés en Belgique, en Suisse et aux États-Unis.

Trousseau. Comme l'indique son nom, ce cépage rouge du Jura a un aspect « retroussé ». Il présente des feuilles arrondies et légèrement bullées ainsi que des petites grappes à grains allongés à pellicule épaisse; il apporte au vin beaucoup de tenue et de couleur. On l'associe dans le Jura au Poulsard, qui donne un vin très fin, mais peu coloré.

tuilé, terme qui s'applique à des vins rouges qui ont pris la teinte rouge brique des tuiles. — Cette couleur prouve que le vin est devenu sénile, que tous les éléments qui le composent sont atteints par l'oxydation. Toutefois, dans les vins appelés « Rancios* », elle est normale.

Tunisie. La production de ce pays a subi, vers 1936, une baisse considérable à la suite de l'attaque du phylloxéra*, qui anéantit une partie du vignoble. La consommation du pays même est très faible, puisque les musulmans ne doivent pas boire de boissons alcoolisées. La production est donc vouée à l'exportation.

Les vins de Tunisie étaient réputés dès l'Antiquité : un Carthaginois du IVe siècle av. J.-C., Magon, est l'auteur du premier manuel de viticulture et le raisin a toujours été une des richesses du pays. Après avoir connu, de 1943 à 1953, dix années catastrophiques, le vignoble tunisien entama une croissance régulière, malgré le départ de nombreux viticulteurs européens, après l'indépendance, en 1956. Les cépages d'origine européenne ont été introduits par les colons européens : Carignan, Cinsault, Alicante-Bouschet, Morastel, Mourvèdre, etc., pour les rouges; Pedro Ximenez, Sémillon, Sauvignon, Clairette, Beldi, Ugni, Muscats pour les blancs.

D'ouest en est, le vignoble tunisien occupe les régions de Bizerte, Mateur et Raf-Raf au nord; de Tebourba, Massicault, Carthage, dans la grande banlieue de Tunis; de Khanguet, Grombalia, Kélibia, dans le cap Bon : il forme donc un vaste croissant autour du golfe de Tunis. Mais il existe aussi quelques petits vignobles de moindre importance au sud : ceux du golfe de Hammamet, de Zaghouan et de Thibar.

La législation tunisienne distingue trois types de vins. En 1942 fut instituée la catégorie « vin supérieur de Tunisie », qui groupe des vins rouges, rosés ou blancs titrant de 11 à 13°, ayant au moins un an et ayant subi une analyse chimique et une dégustation à l'aveugle garantes de leur qualité.

La seconde catégorie est le Muscat, bénéficiant, depuis 1945, de la simple appellation d'origine « Muscat de Tunisie ». Certains Muscats ont le droit d'être vendus sous le nom de la commune qui les produit (« Muscat de Radès », « Muscat de Thibar »).

La troisième catégorie groupe, depuis 1958, les vins fins de pays bénéficiant d'une appellation d'origine : vins de Radès, vins de Kélibia.

Si les vins de table sont assez communs, sauf certains rosés agréables, en revanche les vins de liqueur sont remarquables, spécialement les Muscats. Issus des cépages Muscats d'Alexandrie, de Frontignan et de Terracina, ils titrent au minimum 17° et conservent au moins 70 g de sucre par litre. Ce sont des Muscats parfumés, puissants et fins.

Turquie. La Turquie produit peu de vin : 5 p. 100 de la récolte seulement sont vinifiés; la majorité est vendue comme raisins frais de table, sauf le quart environ,

Pour la carte de Tunisie v., p. 13, la carte *Afrique du Nord.*

qui est mis à sécher. La production du vin est fortement ralentie par l'absence de marché intérieur : en effet, la plupart des Turcs sont musulmans et ne boivent donc pas de vin. Pourtant, Kemal Ataturk avait construit une entreprise vinicole, en 1925, dans l'espoir de stimuler la production et la consommation du vin en Turquie, mais les progrès ne sont pas marquants.

Les vignobles turcs sont d'ailleurs très épars à travers le pays, et leur importance n'est que moyenne. Ils se groupent surtout dans les régions de Bergama (Pergame), d'Aydin-Tire-Izmir (qui fournit le meilleur vin), d'Ankara, de Gaziantep, de Malatya, de Kayseri, de Konya et de Niğde.

La côte de l'Egée et la région de Thrace-Marmara produisent les trois cinquièmes des vins turcs. (V. carte des Balkans, p. 256.) L'est et le centre de l'Anatolie vinifient la plus grande partie des vins destinés à l'exportation dans de nombreuses entreprises vinicoles (l'exportation réclame surtout les vins hauts en degrés destinés au coupage*).

Pourtant, les vins turcs sont bons en général : blancs ou rouges, ils sont secs et plaisants, tels le Buzbag rouge foncé d'Anatolie, le Doluca, le Kavaklidere, le Marmara. Le Trakya, vin rouge clair de Thrace, est agréable et renommé, comme d'ailleurs le Trakya blanc, assez parfumé, fait avec du Sémillon. L'Izmir est un excellent vin blanc, assez léger et fruité, qu'il faut boire très frais. Par contre, les vins doux comme le Miskit, à base de Muscat, sont nettement moins bons que les autres vins turcs.

On n'a pas encore appris à greffer la vigne en Turquie et le phylloxéra* y sévit.

Tursan. Ce vignoble du Sud-Ouest, dont le vin a droit au label v.d.q.s.*, a une origine fort ancienne, puisque, dès le xvᵉ siècle, on le désignait comme étant le cœur du « pays des vignes » basco-béarnais.

Le vin de Tursan existait déjà à l'époque gallo-romaine, et, au Moyen Age, grâce au mariage d'Aliénor d'Aquitaine avec Henri II Plantagenêt, il était connu et apprécié des riches Anglais. Dès le xvᵉ siècle, les Hollandais, toujours à l'affût de bons vins, l'expédiaient vers les pays nordiques.

De nos jours, les vins de Tursan sont récoltés sur le terroir de quarante et une communes des Landes, sur des coteaux caillouteux et ensoleillés, premiers contreforts des Pyrénées, et notamment autour de Geaune et d'Aire-sur-Adour. Comme le dit un poème local, l'aimable Tursan a « les pieds sur le Béarn et la tête en Marsan ». La plupart des vins sont blancs. Ils sont issus d'un cépage local, le Baroque, remarquablement adapté au sol et au climat, et qui représente 90 p. 100 au moins de l'encépagement : secs, nerveux, coulants, ils ont beaucoup de caractère.

Tursan offre aussi des vins rouges et rosés de grande qualité. Ils sont issus du Tannat, le cépage du Madiran, qui donne un vin tannique, coloré et corsé. On associe le Tannat au Fer et aux Cabernets (comme pour le Madiran) dans une proportion de 25 p. 100 au moins. La progression de la proportion des cépages Cabernets, les meilleurs compagnons du Tannat, a encore amélioré la qualité des excellents vins rouges de Tursan. Corsés et chaleureux, ceux-ci se montrent aussi élégants et fins, avec un nez aromatique et un bouquet remarquable. Les rosés présentent le résumé des qualités qu'on recherche dans ces vins sans prétention : frais, fruités, ils sont légers et gais, avec une note plaisante d'agressivité qui les personnalise.

Très bien vinifiés par la cave coopérative de Geaune, qui a su, depuis sa création en 1957, donner une impulsion dynamique au vignoble, les vins de Tursan sont en progrès constants et remportent de plus en plus de succès.

« La Buveuse », par Watteau.
Dessin à la sanguine.
Musée Cognacq-Jay.
Phot. Giraudon.

U

Ugni blanc, cépage très répandu, producteur de vins blancs secs. — On le cultive beaucoup dans le midi de la France, où il prend différents noms : Clairette à grains ronds, Clairette de Vence, Queue-de-Renard, etc. Dans la région des Charentes, on l'appelle « Saint-Emilion », et c'est lui qui fournit la plus grande partie des vins distillés ensuite pour faire le Cognac. On cultive aussi l'Ugni blanc en Californie, en Corse, en Italie, où, sous le nom de « Trebbiano », il entre dans l'élaboration de la plupart des vins blancs secs italiens.

Ukraine. D'après les chiffres de 1959, 379 000 ha en Ukraine sont consacrés à la vigne. Celle-ci est la plus importante région viticole d'U. R. S. S. du point de vue de la superficie et produit annuellement 1 600 000 hl. Autrefois, la viticulture se pratiquait surtout dans les vallées du Dniepr, du Boug et du Dniestr, puis, vers 1800, elle se développa dans les steppes.

Actuellement, il existe trois régions viticoles en Ukraine : la région subcarpatique, à la frontière hongroise, groupée autour du centre de Moukhatchevo; le littoral, près de Kherson, d'Odessa et de Nikolaïevsk; surtout la Crimée, qui se spécialise dans la fabrication en grand du Mousseux soviétique. Cette dernière région produit environ 12 millions de bouteilles de Mousseux par an! Le village de Massandra, près de Yalta, par exemple, est remarquablement outillé pour cette production de masse. La

Crimée produit aussi des vins de dessert : le Portveïn, imitation de Porto, et des Muscats (Massandra et Zolota Balka). Le Muscat de Massandra, cultivé dans ce qui fut la propriété du prince Voronzov, est corsé et coloré, avec un bouquet délicat et une saveur qui évoque le pruneau et le chocolat.

U. R. S. S. D'après les chiffres publiés en 1964, la vigne occupe 1 046 000 ha, et 9 800 000 hl de vin sont produits chaque année. Actuellement, l'U. R. S. S. est au quatrième rang mondial pour la superficie et la production de son vignoble, mais l'expansion de celui-ci mettra sans doute l'U. R. S. S. au deuxième rang, après l'Espagne, vers 1980. C'est essentiellement dans les régions méridionales qu'on rencontre les vignobles, dont les principaux cépages sont le Chasselas, le Cabernet-Sauvignon, le Pinot gris, le Riesling, l'Isabelle et le Concorde. En Extrême-Orient soviétique, on rencontre aussi une variété de cépage, créée par le naturaliste Mitchourine, qui résiste aux gelées de $-40\,^{0}C$ (mais qui est malheureusement vulnérable aux attaques du phylloxéra*). Les principales régions viticoles de la Russie actuelle sont, comme dans le passé : la Géorgie, dont les vins furent toujours renommés; la Moldavie, qui produit un tiers des vins de l'U. R. S. S.; l'Ukraine, qui fournit en Crimée presque tout le Mousseux soviétique; l'Azerbaïdjan, très vieux pays viticole. La République soviétique fédérative socialiste de Russie et l'Arménie possèdent aussi des vignobles importants.

Dans l'ensemble, les vins de Russie sont desservis par la latitude et le climat continental, surtout en ce qui concerne les vins blancs, qui manquent généralement de fraîcheur (les vins blancs de Hongrie, de Roumanie et de Bulgarie atteignent un niveau de qualité nettement supérieur). L'U.R.S.S. fait un très gros effort dans la préparation des vins mousseux, qu'elle n'hésite pas, d'ailleurs, à baptiser « Champagne ». Le Mousseux soviétique est toutefois une honnête imitation du Champagne, et il est assez agréable d'en boire à Moscou, à Leningrad et autres grandes villes, dans des sous-sols aménagés à cet effet.

En ce qui concerne les vins de dessert, l'U.R.S.S. possède une gamme très étendue et très variée de vins fort agréables, et elle pourrait être une concurrente sérieuse si elle exportait sur le marché mondial.

Ces vins de dessert, extrêmement nombreux, peuvent se classer en trois catégories : les vins « demi-doux », les vins « doux » et les vins « forts ».

Les *vins demi-doux* ont une teneur en alcool inférieure à 15^{0}. Les meilleurs proviennent de Géorgie et ont un arôme parti-

Coopérative vinicole ukrainienne, en Crimée.
Phot. Novosti.

culier. Certains sont blancs, comme le Tchkhavéri n° 1 et le Tvichi n° 19; d'autres sont rouges, comme le Khvantchkara n° 20, l'Ousakhe-Laouri n° 21, le Kindzmaréouli n° 22 et l'Odjalechi n° 24. L'Ukraine produit un ersatz de « Château-d'Yquem » et de « Barsac ».

Les *vins doux* sont de plusieurs types. Les Muscats sont la spécialité de la Crimée et surtout du complexe viticole de Massandra. Ils ont une richesse alcoolique de 12 à 16⁰ et contiennent de 20 à 30 p. 100 de sucre. On les laisse vieillir de deux à quatre ans avant de les livrer à la consommation. Les meilleurs d'entre eux sont le Krasnyi Kamen (« Pierre rouge ») et le Tavrida (Muscat noir).

Les « Tokays » sont produits, eux aussi, surtout en Crimée, dans les villages d'Aï-Danil et de Magaratch. L'Asie centrale en prépare aussi.

Les « vins de Cahors », qui sont, en U. R. S. S., des vins de liqueur, sont laissés à vieillir au moins trois ans. Les plus renommés sont le Chemakha d'Azerbaïdjan, l'Artachat d'Arménie et l'Ioujnoberejnyi de Crimée, qui titrent 16⁰ d'alcool et contiennent de 18 à 20 p. 100 de sucre. Le « Cahors » d'Ouzbékistan titre, lui, 17⁰ et contient 25 p. 100 de sucre. Le Kiourdamir d'Azerbaïdjan qui est très velouté possède un arrière-goût curieux de chocolat.

On peut encore citer parmi les vins « doux » des vins liquoreux comme le Pinot gris de Crimée, vin de couleur ambrée contenant plus de 23 p. 100 de sucre et titrant 13⁰, et le Salkhino n° 17 de Géorgie, de couleur café presque noir et qui contient 30 p. 100 de sucre.

Enfin, les vins d'Asie centrale, dont les meilleurs sont l'Iasman Salyk, le Ter Bach du Turkménistan, et le Chirini du Tadjikistan, contiennent beaucoup de sucre.

Les *vins forts* titrent jusqu'à 20⁰. Ils imitent les vins de liqueur célèbres d'Espagne, du Portugal et d'Italie. Parmi les ersatz de « Portos », les meilleurs rouges sont le Livadia et le Massandra de Crimée; les meilleurs blancs sont l'Ioujnoberejnyi et le Souroj de Crimée, l'Aïgechat d'Arménie, l'Akstafa d'Azerbaïdjan et le Kardanakhi n° 14 de Géorgie.

Le meilleur ersatz de « Xérès » est produit en Arménie (dans la région d'Achtarak). Il rappelle assez bien l'authentique Xérès, qu'il veut imiter, avec sa belle couleur dorée, son bouquet fin et fruité, et son léger goût de noix.

Le meilleur ersatz de « Marsala » provient du Turkménistan. Il rappelle quelque peu le Madère et titre de 18 à 19⁰.

Quant au pseudo-« Madère » soviétique, il est surtout produit en Crimée et en Géorgie : l'Anaga n° 16 de Géorgie est appréciable.

Vignobles au bord de la mer Noire, en Ukraine. Phot. Novosti.

Le système soviétique définit les qualités des vins en trois catégories :
- le vin ordinaire, sans indication d'origine ni d'année;
- le vin qui porte un nom, une indication d'origine, mis en vente après un certain vieillissement;
- le vin de classe, provenant de régions et de cépages renommés, vieilli en bouteille pendant au moins deux ans, dit *Kollektsionye*.

Lorsque la bouteille porte une précision de cépage, la variété qui donne son nom doit entrer pour 85 p. 100 au minimum dans la composition du vin.

Uruguay. Il faut aller dans le pays pour goûter au vin d'Uruguay si l'envie nous en prend. En effet, ce petit pays consomme huit fois plus de vin que les Etats-Unis, pour une production dix fois plus petite! C'est dire que les Uruguayens boivent leur vin et n'en exportent guère, sinon un peu au Brésil. La viticulture uruguayenne ne remonte qu'à la fin du siècle dernier, où la vigne fut introduite dans la région de Montevideo. Elle s'étend, de nos jours, sur les collines basses et les plaines méridionales du pays. Les régions viticoles les plus importantes sont d'abord Canelones, puis Montevideo et enfin San José, Colonia, Paysandu, Florida et Maldonado. Le climat tempéré et clément convient bien à la culture de la vigne.

Le cépage le plus répandu en Uruguay, appelé « Harriague », n'est sans doute rien d'autre que le Tannat, originaire des Hautes-Pyrénées françaises, où il produit le vigoureux Madiran. Il donne ici un vin rouge d'assez bonne qualité, mais les meilleurs vins d'Uruguay sont issus de l'Alicante, du Carignan, du Grenache et du Cinsault. On rencontre aussi le Cabernet, les cépages Berbera et Nebbiolo, importés d'Italie ainsi que le Vidiella, d'origine inconnue. Les vins blancs proviennent surtout du Sémillon et du Pinot blanc. De l'Isabella américain et de quelques hybrides*, on ne tire que des vins communs.

On trouve en Uruguay des vins *tintos* (rouges), *rosados* (rosés) ou *blancos* (blancs), ordinaires ou fins. Mais il n'existe aucune classification méthodique. Tout au plus préfère-t-on en Uruguay les vins portant l'étiquette « Gran Reserva », plus fins que les autres, ou ceux qui ont une appellation d'origine de leur lieu de production, ou encore ceux qui indiquent le nom des cépages dont ils sont issus.

L'Uruguay produit aussi des vins de liqueur, du type Xérès ou Porto, et des vins mousseux, qui sont souvent étiquetés « Champagne ». Le « Vino seco », très populaire, est fabriqué avec un mélange de vin blanc et de vin rouge auquel on ajoute de l'eau-de-vie de vin; la mixture est ensuite mise à madériser au soleil...

Il existe de grandes coopératives, les *bodegueros,* équipées de moyens modernes de pressurage* et de vinification, ainsi que des écoles, chargées d'inculquer des connaissances vinicoles et qui envoient d'ailleurs des étudiants se perfectionner à l'étranger, surtout en Italie et en France.

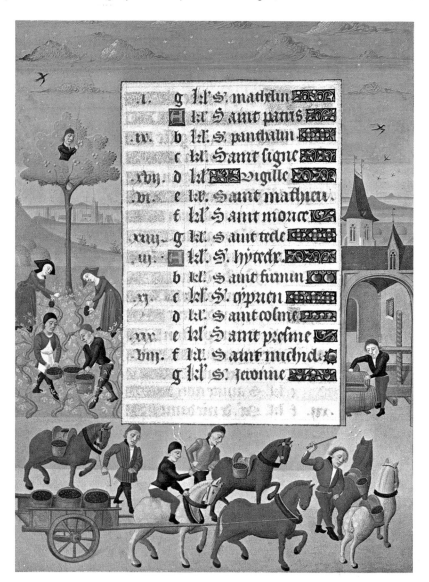

Septembre, mois des vendanges et du gaulage des noix. Miniature du XVᵉ s. Musée Condé, Chantilly. Phot. Giraudon.

Valais. C'est la « Californie de la Suisse ». Le vignoble occupe la haute vallée du Rhône, de Martigny, au pied du massif du Mont-Blanc, jusqu'au nord du tunnel du Simplon, sur une superficie de plus de 5 000 ha, presque tous en coteaux. La vigne existe dans le Valais depuis l'époque romaine, et le vignoble actuel est le résultat de la ténacité d'un peuple vaillant, qui a su mettre en valeur, au cours des siècles, des terres ingrates, accrochées au flanc de la montagne. Des murets, continuellement entretenus, maintiennent les sols recouverts de graviers et de schistes concassés. L'eau des montagnes a été amenée par des canaux, ou « bisses », pour irriguer les vignobles, car il pleut très peu dans le Valais, où le climat, quasi méditerranéen, permet de cultiver, avec la vigne reine, de magnifiques vergers. Les vieux cépages d'autrefois ont été remplacés par des cépages parfaitement adaptés au sol et au climat de cette vallée heureuse.

Les vins blancs sont nombreux et fort différents, mais le roi incontesté est le Fendant, issu du Chasselas (ce cépage aurait été rapporté, dans sa Suisse natale, par un général au service de Louis XV). « Fendant » est une appellation réservée uniquement aux vins de Chasselas produits dans le Valais. Le Fendant est un vin sec, sans sucre résiduel, équilibré, fruité, au bouquet très plaisant, assez capiteux, surtout en années chaudes.

Le Johannisberg, issu du Sylvaner, ou Plant du Rhin, occupe la deuxième place parmi les vins blancs. Plus chaleureux que le Fendant, c'est un vin robuste et distingué, finement bouqueté. Comme le Fendant, il ne doit pas vieillir. Il porte le nom du Château de Johannisberg*, propriété des princes de Metternich à Geisenheim, d'où le cépage fut importé.

A côté de ces deux champions, il existe aussi d'autres excellents vins, mais produits en faible quantité. Le Pinot gris (ou Malvoisie), vendangé tard, donne un vin de dessert, savoureux et moelleux, à la robe d'or et à l'arôme persistant. L'Hermitage est un vin corsé et puissant qui vieillit fort bien. D'autres vins encore, typiques du Valais, jouissent d'une vieille renommée : l'Arvine, viril, nerveux, parfois un peu mordant et de belle longévité ; l'Amigne, plus délicat, discrètement bouqueté ; l'Humagne, corsé et vivace, un peu âpre, mais racé (malheureusement en voie de disparition, malgré sa réputation de « vin des accouchées »).

N'oublions pas non plus deux vins extrêmement rares que d'heureux élus peuvent, parfois, déguster localement : le Payen, issu du Savagnin, et surtout le « vin du Glacier », très original, issu d'un vieux cépage, la Rèze, et provenant du val d'Anniviers.

Vieilli en petits fûts de mélèze de 37 l, spécial et surprenant, avec une certaine amertume déroutante, le vin du Glacier plaît rarement à la première dégustation. Le meilleur vin rouge du Valais, la « Dôle », mérite une mention toute spéciale. Issue du Gamay et du Pinot noir, la Dôle est sûrement le meilleur vin rouge de la Suisse. Corsée, souple et de bonne garde dans sa belle robe rubis foncé, elle évoque un peu le Bourgogne et parfois même la Côte-Rôtie. La qualité de la Dôle est contrôlée sévèrement : le vin qui ne répond pas aux exigences est déclassé en Goron, plus léger et fort plaisant, très demandé dans le canton et consommé presque entièrement sur place.

Valdepeñas. Patrie de Don Quichotte de la Manche, cette région, centre viticole important du centre de l'Espagne, est située au sud de Madrid, près de la ville de Ciudad Real, dans l'ancienne province de Nouvelle-Castille. Bien que son nom signifie « vallée des pierres », elle est plus une large plaine qu'une vallée, et son sol, quoique aride, n'est pas particulièrement pierreux. Le vignoble, étendu, produit un très agréable vin rouge, léger et peu coloré, qui se boit dans sa jeunesse, surtout à Madrid, comme *vino corriente* — comme « vin ordinaire ». Bon marché, ce vin est servi le plus souvent en carafe. Le vin blanc, d'une teinte dorée, corsé et assez commun, est beaucoup moins agréable.

Les vins de Valdepeñas, qu'ils soient rouges ou blancs, sont rarement mis en bouteilles ou exportés. C'est à Madrid qu'il faut les découvrir.

Dans le Valais, les vignes s'étendent sur les coteaux de Chamoson; à l'arrière-plan, la chaîne des Diablerets. Phot. Leo Aarons.

Valençay. Cette appellation du Val de Loire s'applique à des vins blancs, rouges et rosés auxquels l'arrêté du 10 août 1970 a accordé le label V. D. Q. S.*.

Ces vins sont récoltés sur le territoire de quatorze communes du département de l'Indre et sur celui de Selles-sur-Cher, dans le département de Loir-et-Cher. Les vins rouges et rosés proviennent des cépages principaux (75 p. 100 au minimum) : Cabernet franc, Cabernet-Sauvignon, Cot, Gamay, Pinot noir, avec en cépages secondaires, le Gascon, le Pineau d'Aunis, le Gamay de Chaudenay et le Groslot. Ils sont frais, légers et bien bouquetés.

Les vins blancs sont issus, pour 60 p. 100 au minimum, de l'Arbois, du Chardonnay, du Sauvignon et, en cépages accessoires, du Pineau de la Loire et du Romorantin.

Ce sont d'agréables vins de terroir, légers, avec un bouquet particulier.

Les vins rouges titrent 9°, les blancs et les rosés 9,5°.

Ils conviennent à merveille sur les délicieux fromages de chèvre de la région.

Valpolicella. L'aire de production de cette appellation contrôlée (D. O. C.) d'Italie s'étend sur vingt communes au nord de Vérone, mais la mention « classico » est réservée aux plus anciens vignobles : Negrar, Marano, Fumane, Sant'Ambrogio et San Pietro Incariano. Ce vin est issu des mêmes cépages que le Bardolino* (Corvina, Negrara et Molinara). Le Valpolicella de qualité légère (11°) est consommé en carafe dans sa première année. Le meilleur — Valpolicella superiore — est mis en bouteilles après dix-huit mois de fût, titre 12° au moins, mais doit être dégusté généralement avant sa cinquième année. C'est un vin velouté, vif, fruité, léger et peu corsé, mais qui a beaucoup de finesse et de distinction.

Valtellina *(Valteline),* région viticole du nord de l'Italie, près de la frontière suisse, dont les vins rouges d'appellation contrôlée (D. O. C.) sont parmi les meilleurs d'Italie. — Cette région occupe la haute vallée de l'Adda, située entre des montagnes aux cimes neigeuses, mais ouverte au soleil du midi. De Castione à Teglio, les vignes exposées au sud s'étagent sur des bandes étroites de terrain, arrachées aux flancs rocheux de la montagne et cultivées déjà à l'époque romaine. La terre de ces vignobles étagés, mélange de silice et d'argile, a bien souvent été apportée à dos d'homme depuis le fond de la vallée. Le vin de la Valtellina a, de tout temps, été très apprécié par la Suisse voisine, où il jouit toujours d'ailleurs de la même faveur sous le nom de « Veltliner ». Jadis, il était expédié vers le canton suisse des Grisons en petits

tonneaux montés sur des chariots, traînés par des chevaux, et, en hiver, sur des traîneaux. Partant de Chiavenna ou de Tirano, il franchissait ainsi les cols de Maloja ou de Bernina, parcourant un long trajet dans des conditions de froid intense, ce qui favorisait sa décantation. Puis il vieillissait admirablement dans les caves de la haute Engadine, qui, même en plein été, restent toujours fraîches.

C'est sous l'impulsion de la maison Nino Negri qu'on tendit de plus en plus, après 1900, à embouteiller le vin de la Valtellina dans la région même de production plutôt que de le vendre en vrac. Une des caves de Nino Negri occupe les fondations d'un château construit en 1432 par Philippe Maria Visconti, comte de Pavie et seigneur de Milan, et une autre est située sous un ancien couvent datant de 1300; le vignoble Nino Negri, avec ses 40 ha, est le plus vaste de la région; le reste est morcelé entre plusieurs petits producteurs.

L'aire de production s'étend sur dix-neuf communes près de Sondrio pour le « Valtellina » courant, titrant 11°. L'appellation « Valtellina superiore » est réservée aux zones strictement délimitées de Sassella, Grumello, Inferno et Valgella, qui ont le droit, de plus, d'ajouter leur nom à celui de « Valtellina » : ces vins titrent 12° et doivent être âgés de deux ans au moins. Ils sont issus d'un cépage nommé localement « Chiavennasca », qui est, en réalité, le fameux Nebbiolo, qui fait les bons vins rouges du Piémont.

Les vins de la Valtellina ont beaucoup de personnalité. D'une couleur de pourpre foncée, presque noire, ils sont puissants et vigoureux. Il ne faut surtout pas les boire jeunes, car ils développent peu à peu leurs belles qualités au cours des années de bouteille. Leur bouquet caractéristique, persistant et accentué, et leur saveur particulière, rappelant délicatement la noisette, s'épanouissent avec le vieillissement, en même temps que s'estompe l'austérité de leur jeunesse.

C'est aussi à Nino Negri que la Valtellina doit le renouveau d'une tradition qui était en train de s'éteindre : celle de la production de « Sfursat », vin d'un type très particulier. Élaboré à partir de raisins sélectionnés, séchés et vinifiés vers la fin de janvier, le Sfursat est un vin corsé qui accompagne admirablement les plats relevés et les gibiers.

Il se prête à un long vieillissement en fût de chêne et se transforme avec le temps en un véritable vin de dessert, riche et somptueux, titrant de 15° à 16°. D'une couleur particulière, tirant sur l'orange, il est moelleux, rond et plein et se loge en bouteilles numérotées, étant donné sa rareté.

Vaud. Les 3 200 ha de vignes de ce canton de Suisse en font le deuxième canton viticole du pays, après celui du Valais.

Le vignoble s'étire, depuis le Valais, en longeant le Rhône, puis s'étend sur la rive nord du lac de Genève. On y trouve trois régions viticoles différentes : le *Chablais,* entre Martigny et Montreux; *Lavaux,* sur les rives du lac, entre Lausanne et Montreux; la *Côte,* à l'ouest de Lausanne. Une quatrième région, de moindre importance, les *Côtes de l'Orbe,* se trouve tout au nord du canton, vers Neuchâtel.

D'une façon générale, le canton de Vaud produit des vins blancs, issus du Chasselas, sous l'appellation générique « Dorin », et des vins rouges qui portent le nom de « Salvagnin » (du nom d'un vieux cépage). Les vins du canton de Vaud sont commercialisés avec l'indication de la commune de provenance.

Bien que la production de Salvagnin soit en augmentation depuis ces dernières années, c'est plutôt le vin blanc qui est produit dans le canton de Vaud.

La région de *Lavaux,* qui s'étend sur une quinzaine de kilomètres, occupe presque exactement le centre du canton de Vaud. On y cultivait déjà la vigne vraisemblablement dès l'époque romaine, mais il est certain, en tout cas, que son vignoble a dû son impulsion, vers 1100, aux moines cisterciens qui devinrent les propriétaires des vignobles situés entre Lutry et Pully.

La vigne s'accroche dans les creux de rochers et surplombe le lac du haut de multiples terrasses. Tout le travail de la vigne est fait par l'homme, l'aide des machines étant impossible dans un vignoble aussi accidenté.

Le cru* le plus renommé est Dézaley, produisant un des meilleurs vins blancs de Suisse : les Dorins de Dézaley sont des vins secs et dorés, riches et racés, avec une légère amertume caractéristique. Mais il existe d'autres crus très appréciés : Rivaz, Epesses, Villette, Saint-Saphorin (dit Saint-Saph), etc.

Les vignobles des coteaux de la *Côte,* la plus importante région viticole du canton de Vaud, sont installés sur des pentes plus douces. Les vins blancs sont, certes, moins riches et corsés que ceux de Lavaux, mais ils sont frais, légers et bouquetés.

La commercialisation des vins de la Côte a été favorisée par l'implantation de grandes caves coopératives et d'importantes maisons de négoce, mais il reste encore de nombreux châteaux. Les crus les plus réputés sont ceux de Vinzel, du Mont, de Féchy, de Tartegnin, de Morges, de Luins.

Le *Chablais,* qui touche au Valais, réalise la transition entre les deux cantons. Yvorne et Aigle, en particulier, ont une grande réputation, comme d'ailleurs les crus de Bex, d'Ollon et de Villeneuve. Les Dorins du Chablais sont moins secs et moins corsés que les Fendants du Valais, mais ils sont racés et fins, avec une saveur nette de pierre à fusil. Dans l'ensemble, d'ailleurs, les vins vaudois sont réputés moins tendres que les vins du Valais et moins vifs que les vins de Genève, nuances plus perceptibles jadis, avant les progrès de l'œnologie; les vignerons vaudois disaient, paraît-il, que les vins de Genève étaient raides comme la face nord de l'Eiger, ce à quoi les Genevois répondaient que les vins vaudois étaient plats comme des pages de psautier... Les vins rouges du canton de Vaud ne peuvent porter l'appellation « Salvagnin » qu'à condition d'être issus de cépages nobles Pinot et Gamay et d'avoir subi un examen de qualité. Ce sont des vins élégants, à la robe claire, corsés et chaleureux. Certains propriétaires présentent aussi des vins provenant uniquement du Pinot noir qui se révèlent de grande classe.

Les vins rouges qui n'ont pas droit à l'appellation « Salvagnin », vendus sous divers noms commerciaux, sont très agréables dans leur jeunesse, servis frais comme des Beaujolais.

velouté. Un vin velouté flatte le palais par une sensation de douceur caressante qui fait penser à celle qu'on ressent en touchant du velours. C'est un vin toujours peu acide et assez riche en glycérine*, qui procure une telle sensation de douceur, si nettement éprouvée, que même un profane dira : « C'est du velours! »

vendange, moment crucial où le vigneron, après s'être courbé durant un an sur sa vigne, va commencer la glorieuse suite de travaux qui donnera naissance à son vin. — Grâce à la généralisation du contrôle de maturation*, le vigneron est désormais délivré du souci de décider lui-même de l'instant précis de la vendange. Le contrôle de maturation permet aussi de déterminer le compromis le plus heureux entre les dates de maturité des différents cépages, lorsque plusieurs cépages sont associés (régions du Midi, Bordelais). La date de la vendange dépend du type de vin qu'on désire obtenir : s'il s'agit d'un vin sec, le raisin sera récolté avant la maturité poussée, afin de garder une agréable acidité; les vins moelleux et liquoreux proviendront, eux, de raisins récoltés à surmaturité avec ou sans atteinte de la pourriture* noble.

Le gros problème actuel est celui de la main-d'œuvre, d'une acuité parfois tragique. D'année en année, ce problème devient plus ardu. Il y a bien la machine à vendanger, utilisée en Californie! Mais l'emploi de cet engin exige une taille rigoureuse de la vigne et ne convient, de toute

Vendanges en Champagne.
Phot. Perrin-Atlas-Photo.

façon, ni à nos vignobles ni à nos cépages. Ensuite, il faut transporter la vendange en la ménageant le plus possible et en évitant de blesser le précieux raisin : autant de problèmes, surtout pour les vignobles de coteaux, où l'on doit parfois utiliser le remonte-pente (Valais). Divers récipients sont employés : hotte, bât, brouette, benne (ou comporte), seau, bénaton. Le fer est toujours évité, à cause du danger des casses* ferriques ; les matériaux utilisés sont l'osier et le bois traditionnels ainsi que le moderne plastique.

Vendômois (Coteaux-du-). Cette appellation du Val de Loire s'appliquait, à sa naissance, en 1968, uniquement à des vins rosés. Depuis l'arrêté du 3 septembre 1977, elle s'est étendue aux vins blancs et rouges, qui peuvent donc, eux aussi, bénéficier du label V. D. Q. S.*.

Elle s'applique à trente-cinq communes de Loir-et-Cher, situées sur les deux rives du Loir, entre Vendôme et La Chartre.

Les vins rosés proviennent du Pineau d'Aunis comme cépage principal, avec, en cépage accessoire, le Gamay noir à jus blanc pour 30 p. 100 de l'encépagement. Ils sont fruités et agréablement désaltérants.

Les vins rouges proviennent du Pineau d'Aunis pour 30 p. 100 au minimum de l'encépagement, avec Gamay noir à jus blanc, Pinot noir, Cabernet franc et Cabernet-Sauvignon en cépages accessoires. Colorés, chaleureux et bouquetés, ils ne sont pas sans rappeler leurs voisins des Coteaux du Loir.

Les vins blancs, frais et fruités, sont issus du Chenin blanc, avec 20 p. 100 au maximum de Chardonnay en cépage accessoire. Les vins originaires de Montoire, Lavardin et Troo jouissent d'une gentille renommée locale.

véraison, nom donné dans le Midi au travail de maturation de la grappe de raisin. — A la phase de véraison, le grain est au maximum de son poids et de son volume, mais il n'est pas encore assez mûr pour être cueilli : la vendange ne se fait qu'à maturité complète. Entre la véraison et la maturité, l'aspect extérieur du grain de raisin ne change guère ; aussi, avant l'institution du contrôle de maturation*, déterminer la date optimale de la vendange

Véraison : état de la grappe au moment où elle commence à mûrir. Phot. M.

était une décision parfois hasardeuse. A partir de la véraison, le grain de raisin devient un véritable organe de réserve, qui s'emplit de tout le sucre qu'il peut absorber, en même temps que diminue l'acidité.

Vérargues (Coteaux-de-). Cette appellation des Coteaux-du-Languedoc, qui a droit au label V. D. Q. S.*, s'applique à des vins récoltés sur les communes de Beaulieu, Boisseron, Lunel, Lunel-Viel, Restinclières, Saint-Geniès-des-Mourgues, Saint-Sériès, Saturargues et Vérargues.

Les vins rouges et rosés, titrant 11,5⁰, sont issus du même encépagement que ceux de Montpeyroux* et de Saint-Saturnin*. Ils doivent provenir de vignes à taille courte et être vinifiés de façon soignée, à partir de raisins récoltés à parfaite maturité. L'appellation légale est « Coteaux-du-Languedoc-Coteaux-de-Vérargues » ou « Coteaux-de-Vérargues ». Elle peut, éventuellement, se replier sur celle de « Coteaux-du-Languedoc » simple lorsque les vins ne répondent pas aux normes de l'appellation.

Verdot. Ce cépage rouge de Gironde fut jadis très cultivé, mais sa vogue diminua à partir de la seconde moitié du XIXe siècle. C'était le cépage des terrains fertiles, gras et frais bordant la Gironde, la Garonne et la Dordogne; c'était, par excellence, le cépage des « palus* ».

Actuellement, on le cultive encore en Médoc, dans les graves argileuses des bas de pente, où il trouve l'humidité nécessaire. De maturité tardive, le raisin est vendangé très tard, car ses grains, très noirs, à peau dure, ne craignent pas la pourriture. Il donne un vin solide, très coloré et tannique, corsé, riche en alcool et assez acide. Assez long à exprimer son bouquet, ce vin est apte à se conserver longtemps (c'est lui, jadis, qui fournissait la plus grande partie des vins dits « de cargaison », qui se bonifiaient dans les voyages au long cours). Il s'allie très bien aux Cabernets, surtout dans les grandes années très chaudes, car, en apportant l'acidité nécessaire, il améliore l'équilibre entre alcool et acidité et apporte à l'ensemble couleur et fraîcheur.

verre. Le choix du verre joue un rôle important dans la dégustation d'un vin. Chaque importante région viticole française a créé un verre, de forme spéciale, destiné à mettre son vin en valeur (verres à Bourgogne rouge et blanc, à Bordeaux rouge et blanc, à Vouvray, à vin d'Alsace, etc.). Fait avant tout pour contenir le vin et non pour décorer la table — ce qu'on a parfois tendance à oublier —, le verre doit être de forme pure et légère. Les verres à facettes taillées, à ornements divers nuisent à la dégustation. Il en est de même du verre coloré, qui prive l'œnophile de sa première joie : contempler la couleur de son vin. Aussi précieux soient-ils, de tels verres doivent être éliminés de la table du gourmet. Le cristal, d'une transparence absolue et qui renvoie parfaitement la lumière, est la seule matière digne de contenir un grand vin.

Le verre doit être assez vaste pour qu'il ne soit jamais nécessaire de le remplir à ras bord et qu'il permette au gourmet, sans risque de projections, d'effectuer aisément

Verres du XVIIe siècle. De gauche à droite : verre coloré, Allemagne; verrerie française; verre filigrané des Pays-Bas; verre façon Venise, Flandres. Musée des Arts décoratifs, Paris. Phot. Lauros et Lauros-Giraudon.

le mouvement giratoire qui révélera toutes les subtilités du bouquet. Tout est question d'harmonie et de rapport entre le volume du liquide et sa surface.

L'ouverture du verre, elle aussi, a son importance : elle doit être légèrement rétrécie, afin de permettre une certaine concentration des parfums, qu'un verre trop largement ouvert laisserait échapper. La coupe à Champagne est une hérésie, puisque sa surface, bien trop large, laisse fuir toutes les bulles en même temps que l'arôme subtil et fin du Champagne : elle rend irrémédiablement plat et fade le meilleur vin. Le seul verre digne de ce seigneur est la flûte, si élégante, ou le « verre tulipe », à calice assez fermé.

Le verre doit être fin, afin qu'il ne s'interpose pas désagréablement entre le vin et la bouche du dégustateur. Rappelons-le : le verre est là uniquement pour mettre le vin en valeur; il doit être adapté à sa fonction au point de se faire complètement oublier.

Le pied est indispensable. Il contribue à l'élégance du verre, mais, là encore, la mesure est nécessaire : ni pied pataud, ni échasse. Le pied de section ronde est fort commode : il permet au gourmet de le saisir facilement, de l'avoir bien en main pour faire doucement tourner le vin et apprécier son bouquet.

vert. Un vin provenant de vendanges insuffisamment mûres contient une acidité anormale : on dit alors qu'il est « vert ». Lorsqu'il ne s'agit que d'une pointe de verdeur, cette acidité n'est pas désagréable, d'autant plus qu'elle s'arrangera avec l'âge et deviendra fraîcheur. Un vin très jeune, pas encore fait, présente souvent un peu de verdeur, même s'il provient de vendanges saines.

vert du Portugal (Vin). C'est le célèbre *Vinho verde* du Portugal. Le mot *verde* ne désigne pas la couleur du vin, mais un goût spécial, un goût de jeunesse : il y a des *Vinhos verdes* rouges et des *Vinhos verdes* blancs. La production des vins rouges représente environ sept fois celle des blancs (presque 3 millions d'hectolitres en tout). La région qui produit les Vins verts est située dans la partie septentrionale du Portugal, entre le Minho et le Douro, dans les secteurs de Moncao, Lima, Braga, Basto, Amarante et Penafiel. Chacun de ces secteurs a un encépagement traditionnel qui lui est particulier, mais les cépages les plus rencontrés sont les cépages rouges : Vinhao, Borracal, Espadeiro, Azal Tinto; les cépages blancs, fort nombreux, sont dominés par l'Azal blanco et le Dourado. Les Vins verts sont très strictement contrôlés et doivent répondre à des

normes précises de production. Connus depuis fort longtemps, ils étaient déjà soumis, dès le XVIIIe siècle, à une étroite réglementation. Celle-ci porte d'abord sur le mode de culture, très particulier.

La vigne est cultivée en treille, en espalier, sur des tuteurs vivants, appelés *enforcados*, qui sont généralement des châtaigniers ou des chênes. Elle atteint de 1,50 m à 4 ou 5 m. Elle n'est jamais cultivée en vignobles étendus, mais uniquement en bordure de champ, de chemin, dans les espaces morts des exploitations agricoles. La taille est appliquée aussi aux *enforcados*, qui ont très peu de branches, afin de ne pas donner d'ombre à la vigne. Le vin ne peut s'appeler *Vinho verde* que s'il provient des vignes cultivées par ces méthodes. Les travaux de la vigne sont difficilement effectués avec ce mode de culture : il faut maintes et maintes fois utiliser des échelles de trente échelons!

Aussi, peu à peu, les traditionnelles « ramadas » (treillis) des pergolas, qui couvrent les chemins et bordent les petites propriétés, sont remplacées par les « cruzetas » (en forme de croix). Cette conduite plus moderne de la vigne facilite la mécanisation; les caractéristiques du vin sont les mêmes, mais la qualité finale s'avère meilleure.

La vinification est elle-même particulière. Due à des levures régionales naturelles, elle est contrôlée par le viticulteur de façon à laisser une grande quantité d'acide* malique dans le vin. Cet acide malique provoquera par la suite une fermentation* malolactique intense, qui donnera au vin son agréable et si spécial pétillement. Le vin est mis en bouteilles précocement, vers février-mars. On obtient alors des vins très désaltérants, qui picotent agréablement, faiblement alcooliques et ayant une acidité assez élevée. Les blancs sont légers et clairs; ils font merveille sur les hors-d'œuvre, les poissons, et chaque fois qu'on a soif. Les rouges, plus corsés, ont une jolie couleur vive et ne sont pas sans rappeler notre Beaujolais; ils s'accordent fort bien avec les viandes rouges.

vieux. Il n'y a guère qu'en matière de vin que le terme *vieux* ne prend pas un sens péjoratif et vaguement apitoyé. En effet, le vin vieux est le roi de la cave. Si les gourmets traitent les vins jeunes avec familiarité, ils éprouvent respect et vénération pour la vieille bouteille. Il est inutile de discuter des mérites comparés des vins jeunes et des vins vieux, puisqu'ils sont essentiellement différents. En général, les vins vieux ont de cinq à quinze ans. C'est dans cette période qu'on boit les grands blancs et les grands rouges de Bourgogne, les vins moelleux de la Loire et du Bor-

delais, les Monbazillacs, les grands rouges de Gironde, les Côtes-du-Rhône blancs et rouges et les vins jaunes*. Parmi ces élus, des vétérans atteindront en beauté quinze ans, vingt ans et plus : le vin jaune toujours, les autres en années riches seulement.

Si le vin jeune se caractérise par son fruit et sa fraîcheur, le vin vieux a acquis bouquet et saveur ineffables, subtilité aussi. Lorsque le vin a perdu par l'âge une partie de ses charmes, on ne dit plus qu'il est vieux, mais qu'il « vieillarde ». Enfin, au stade suprême de vieillissement, on le dit « sénile ». Sa beauté et son charme sont alors définitivement évanouis, car il a subi des modifications profondes : oxydation, dépôts de matières colorantes et de tartre, perte du bouquet.

Notons que les dispositions communautaires ont réglementé, désormais, l'emploi du mot « vieux » sur une étiquette. La mention « vin vieux » est réservée aux vins* de qualité produits dans une région déterminée ayant subi un vieillissement dont la durée doit être fixée par l'Etat membre producteur.

vif. Un vin vif ne laisse pas ignorer qu'il est bien vivant et jouit d'une éclatante santé. Juvénile, brillant, il est stimulant au palais grâce à son acidité* agréable, mais jamais importune.

Villaudric. V. FRONTONNAIS (CÔTES-DU-).

vin chaud. Les mérites de cette préparation sont connus dans toutes nos provinces.

Pendant l'hiver, on prépare ce « remontant », qui est souverain, dit-on, dans les cas de rhume et de grippe. Un bon vin chaud se prépare de la façon suivante : sucre, un ou deux clous de girofle, cannelle, écorce d'orange ou zeste de citron, le tout chauffé à petit feu, avec un peu d'eau pendant un temps plus ou moins long. Lorsqu'on estime suffisante la cuisson des différents éléments (généralement au bout de 7 à 10 minutes), on incorpore à la préparation un bon vin de table ou, mieux encore, un vin de Bordeaux, et on amène le tout à une ébullition vive. Si le degré du vin le permet, en approchant une flamme, on enflamme les vapeurs qui se dégagent.

vin (composition du). Elle est très complexe. Soixante éléments, au moins, sont connus jusqu'à ce jour. Les principaux sont l'alcool*, les acides, les tanins*, les matières colorantes* et pectiques (gomme). On trouve aussi des sels (phosphates de potassium, de calcium, de fer; sulfate de potassium; etc.), des métalloïdes (chlore, fluor, iode, silicium, zinc, cuivre), des vitamines (B et C surtout).

On trouve enfin de l'eau dans la proportion de 75 à 85 p. 100, ce qui revient à dire plaisamment que l'amateur de vin est un buveur d'eau qui s'ignore.

vin (définition du). Elle nous est donnée par l'article premier du décret du 3 septembre 1907 : « Aucune boisson ne peut être détenue ou transportée en vue de la vente, mise en vente ou vendue sous le

Foudres dans une cave de vieillissement de Côtes-du-Rhône. Phot. M.

nom de vin que si elle provient exclusivement de la fermentation du raisin frais ou du jus de raisin frais. » Cette définition légale française exclut, il va sans dire, les boissons préparées avec des fruits autres que le raisin. Mais elle exclut aussi les vins préparés avec des raisins secs — ce qui est plus important. De tels vins étaient, en effet, préparés par les fraudeurs. Toutefois, des vins de raisins secs sont encore préparés en Grèce et en Italie.

La définition communautaire du vin se substitue désormais à notre définition nationale : elle ne diffère de celle-ci que par sa référence au seul moût* de raisin, à l'exclusion du jus de raisin.

vins (catégories de). La réglementation française distinguait jadis les vins de coupage*, les vins importés, les vins à appellation* d'origine simple, les vins à appellation* d'origine contrôlée (A. O. C.), les vins* délimités de qualité supérieure (V. D. Q. S.) et les vins de provenance déterminée (comprenant les vins de canton et les vins de pays*).

Les différentes catégories de vins ont dû être reconsidérées en fonction de la réglementation communautaire. On en distingue donc trois désormais :

— *Les vins de table*. La définition de ces vins et les manipulations dont ils peuvent faire l'objet sont prévues, d'une part, par rapport à la réglementation communautaire et, d'autre part, par rapport à la réglementation nationale non abrogée. On distingue deux catégories parmi les vins de table :

● les vins de table admis au bénéfice d'une indication géographique (cette indication peut être accordée à la suite de diverses procédures : les vins doivent être obtenus à partir de certains cépages désignés et provenir d'un territoire délimité. Ces conditions sont satisfaites par les vins qu'on appelle désormais « vins de pays »);

● les vins de table non admis au bénéfice d'une indication géographique (ce sont les vins de table autres que les vins de pays. Ils peuvent, notamment, être issus de coupages*. Jadis, la réglementation nationale, si elle autorisait le coupage des vins nationaux entre eux, interdisait le coupage des vins importés de l'étranger soit entre eux, soit avec les vins nationaux).

Désormais, le coupage des vins de table entre eux est permis aux termes de la réglementation communautaire.

— *Les vins* de qualité produits dans des régions déterminées* (V. Q. P. R. D.). Ce sont, pour la France, les vins à appellation* d'origine contrôlée et les vins* délimités de qualité supérieure.

— *Les vins importés*. Ce vocable ne s'applique qu'aux vins qui proviennent des pays tiers. Leur degré minimal, qui était jadis fixé à 9,5° par la réglementation française, se trouve ramené à 8,5° par les règlements C. E. E. Leur acidité* totale ne peut être inférieure à 4,5 g par litre, exprimée en acide* tartrique. D'autres exigences complémentaires concernent, notamment, les caractéristiques des vins importés, l'acidité* volatile et la teneur en anhydride* sulfureux. Ces vins ne peuvent, sur le territoire de la Communauté, faire l'objet d'un coupage soit entre eux, soit avec des vins produits dans la Communauté.

vins délimités de qualité supérieure (V. D. Q. S.). Ce sont des vins régionaux reconnus par la loi du 18 décembre 1949, provenant de terroirs viticoles qui produisent depuis des siècles des vins ayant des caractéristiques bien particulières. Afin de garantir à la fois l'origine et la qualité au consommateur, les conditions de production des V. D. Q. S. sont strictement définies. Ces conditions tiennent compte des usages locaux, loyaux et constants en ce qui concerne le terroir de production (délimité de façon précise, parcelle par parcelle), la liste des cépages fixés limitativement, le degré alcoolique minimal, le rendement à l'hectare, les méthodes culturales et les procédés de vinification.

Les vins classés sous ces appellations sont donc strictement conformes aux conditions et correspondent au type de l'appellation dont ils font partie.

De plus, les organisations de viticulteurs ont demandé aux pouvoirs publics l'institution d'une analyse des vins, suivie d'une dégustation à l'aveugle, faite par des spécialistes. Ce n'est que si l'analyse et la dégustation sont probantes que le vin reçoit son label.

Les V. D. Q. S. sont donc des vins d'excellente qualité, puisqu'ils occupent la seconde place parmi les meilleurs vins de France, après les appellations* d'origine contrôlées. Nombre d'entre eux ont d'ailleurs accédé à l'appellation contrôlée, tels l'Irouléguy, les Coteaux-du-Tricastin, les Côtes-de-Provence, les Côtes-du-Ventoux, etc. Pour devenir V. D. Q. S., les vins doivent obligatoirement, auparavant, avoir obtenu le bénéfice de la dénomination « vin de pays » (loi du 12 déc. 1973).

vins de qualité produits dans des régions déterminées (V. Q. P. R. D.), appellation générale, s'appliquant à certains vins produits dans les pays du Marché commun, sur des terroirs délimités légalement. En France, les vins à appellation* d'origine contrôlée (A. O. C.) et les vins* délimités de qualité supérieure (V. D. Q. S.) entrent dans cette catégorie.

Lorsque les V. Q. P. R. D. de la Communauté

sont introduits en France en vue de leur vente, ils doivent être accompagnés, pour les vins allemands, d'un certificat de qualité délivré par l'autorité administrative compétente ou, pour les vins italiens, d'un certificat d'origine délivré par les organismes désignés par les règlements de la C.E.E. Les vins luxembourgeois doivent porter la marque nationale du vin luxembourgeois. Pour les vins français A.O.C. ou V.D.Q.S. expédiés hors de France, l'acquit-à-caution constitue le certificat d'origine exigé lors des échanges intracommunautaires.

Il est prévu par la réglementation communautaire que le sigle V.Q.P.R.D. doit obligatoirement figurer sur l'étiquette; toutefois, pour les vins français, le sigle est facultatif, étant donné que les mentions « appellation contrôlée » ou « vin délimité de qualité supérieure » sont obligatoires, en vertu du droit national.

Vins fins de la Côte de Nuits. V. CÔTES-DE-NUITS-VILLAGES.

Vins fins des Hautes Côtes de Nuits. V. HAUTES CÔTES DE NUITS.

vinaigre. Le vinaigre de vin, connu depuis la haute antiquité, doit beaucoup aux travaux de Pasteur, qui ont permis d'en rationaliser la fabrication. C'est un produit alimentaire de qualité, qui n'a rien à voir avec le médiocre vinaigre d'alcool.

Les vins légers et acides produits autrefois en abondance dans l'Orléanais sont à la base de sa préparation, qui a rendu célèbre la ville d'Orléans. Le vin est mis dans des fûts de chêne de 230 litres, à moitié remplis, où une circulation d'air est prévue. Chaque semaine, on retire par siphonnement 10 litres de vinaigre que l'on remplace par la même quantité de vin, en prenant garde de ne pas noyer la « mère du vinaigre », formée des bactéries de *Mycoderma* *aceti*, qui ont besoin d'oxygène pour vivre.

Le vinaigre obtenu possède un bouquet particulier et contient les acides* organiques libres du vin (malique, tartrique, succinique).

L'acidité* totale du vinaigre de vin n'était pas précisée dans la réglementation française. La réglementation communautaire précise qu'elle ne peut, désormais, être inférieure à 60 g par litre, exprimée en acide acétique.

viné (vin). Cette dénomination s'appliquait jadis, d'une façon générale, aux vins additionnés d'alcool (nos vins doux naturels, les vins de liqueur étaient donc considérés comme « vins vinés »).

Dans la réglementation communautaire, cette dénomination ne s'applique plus, désormais, qu'à un « produit ayant un titre alcoométrique acquis non inférieur à 18⁰ et non supérieur à 24⁰ obtenu par addition, à un vin ne renfermant plus de sucre résiduel, d'un alcool non rectifié provenant de la distillation du vin et présentant un titre alcoométrique d'au moins 85⁰ ». Ce vin viné ne peut être livré à la consommation directe et ne peut circuler qu'à destination de la distillerie ou de la vinaigrerie.

vineux, vinosité, termes qui s'appliquent aux vins riches en alcool. — Parler d'un « vin vineux » peut sembler quelque peu comique au profane. Pourtant, cette expression montre bien que le vin dont il s'agit possède un caractère de vin très affirmé, qu'il est puissant en odeur, comme en saveur.

Vino santo, vin de dessert italien, doré et très doux, produit surtout en Toscane, mais parfois aussi dans le Trentin. — Plusieurs cépages peuvent être utilisés, mais le Vino santo se prépare généralement avec le Trebbiano.

Les grappes sont soumises au passerillage*, soit sur pied, soit dans des locaux, de façon à obtenir des moûts* très concentrés, très riches en sucre.

La Grèce produit aussi un Vino santo provenant de l'île de Santorin.

Vintage, vin de Porto, produit en année exceptionnelle, mis en bouteilles après deux à trois ans de fût et sans mélange. — Seules les grandes années donnent naissance aux Vintages. Les Anglais, surtout, sont grands amateurs de ces vins et sont très fiers des trésors que recèlent leurs caves. Les années 1921, 1924, 1927, 1934, 1947, 1950, 1955, 1960, 1963, 1966, 1970 et 1974, entre autres, ont donné des vins millésimés : toutefois, jamais plus de 10 p. 100 de la récolte d'une grande année ne sont réservés aux Vintages. Après son temps d'affinage en fût, le vin est mis en bouteilles soigneusement bouchées, que l'on conserve couchées dans les caves. Le Porto va y vieillir lentement pendant au moins dix ans : durant ce temps, il va se dépouiller et pâlir en acquérant son bouquet à la fois vigoureux et fin; le flacon vénérable va s'incruster des dépôts et se poudrer de poussière respectable. Une étiquette contrôlée garantit l'authenticité du millésime*.

Le Vintage n'existait pas avant l'emploi de la bouteille, qui, seule, permet le vieillissement en récipient fermé.

Le XIX⁰ siècle raffola des Vintages, toujours réservés aux grandes occasions et sacrifiés avec beaucoup de cérémonie. On n'utilise pas le tire-bouchon pour ouvrir la précieuse bouteille. On se sert d'une pince spéciale, rougie au feu, qui permet de couper net le goulot.

Ce procédé évite le risque qu'un peu de moisissure ou d'humidité, dues au bouchon, vienne gâcher le goût du vin merveilleux (ce qui pourrait se produire quand le bouchon est pressé contre le goulot, en le retirant par le procédé classique). Après la cérémonie d'ouverture du flacon, le vin est ensuite transvasé, avec dévotion et d'infinies précautions, dans un décanter*, souvent ancien, parfois moderne, mais toujours luxueux, afin d'être aéré et décanté. Enfin vient l'heure de la dégustation du Vintage, Porto de grand prestige, le plus exquis de tous.

viril. Un vin viril est évidemment tout l'opposé d'un vin féminin. C'est un vin puissant, vigoureux, plein de force et de caractère. Le Madiran, le Châteauneuf-du-Pape, les vins de la Côte de Nuits sont des vins rouges virils; le Pouilly-Fuissé est le type des vins blancs virils.

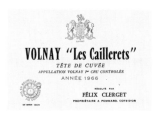

Volnay. Des documents certains font remonter la gloire du vin de Volnay à 1250 et Jullien* jugeait ce gentil seigneur de la Côte de Beaune « le plus agréable de toute la France ». Au Moyen Age, on raffolait de ce vin, dont la couleur était alors très claire, œil-de-perdrix. Les ducs de Bourgogne étaient très fiers de leurs vignes de Volnay, que Louis XI s'appropria en même temps qu'il annexait le duché de Bourgogne. Il devait, lui aussi, beaucoup apprécier le vin de Volnay, puisqu'il fit transporter à Plessis-lès-Tours tout le vin de la récolte de 1477.
Bien équilibrés, souples, légers, d'une rare distinction, avec un fugitif arôme de violette, les vins de Volnay sont tout en finesse, tout en délicatesse. Ils sont les plus fins de la Côte de Beaune, comme les Musignys, de leur côté, sont les plus fins de la Côte de Nuits. Ils ont une robe plus claire et vieillissent plus rapidement que leurs voisins de Pommard.
L'appellation « Volnay » ne s'applique qu'à des vins rouges; les blancs sont vendus sous le nom de « Meursault », commune contiguë.
Les vins rouges de l'appellation « Volnay-Santenots » ne sont pas récoltés sur le terroir de Volnay, mais sur celui de la commune de Meursault.
Quatorze crus de Volnay, classés en « Premiers crus », ont le droit d'ajouter leur nom à celui de Volnay; les plus connus sont Les Caillerets, Clos des Ducs, Les Champans, Les Brouillards, Les Fremiets, etc. (V. Annexes.)

voltigeurs, petites particules solides en suspension dans le vin, qui « voltigent » quand on remue ou quand on verse celui-ci. — Les voltigeurs sont constitués

par des cristaux de bitartrate de potassium, des débris de levures, de la matière colorante* insolubilisée. Il faut être indulgent devant leur présence, à condition que celle-ci ne se montre pas trop indésirable, et se dire que la limpidité* absolue d'un vin s'acquiert aux dépens de sa saveur.

Vosne-Romanée. Cette commune, bien que sa production totale soit relativement faible, est peut-être la plus remarquable des communes viticoles de France. C'est elle, en effet, qui possède les incomparables vins rouges, gloire de la Bourgogne, dont les noms sont synonymes de classe et de distinction : Romanée-Conti, Richebourg, Romanée, La Tâche, Romanée-Saint-Vivant, Echezeaux, Grands-Echezeaux, sept joyaux au riche collier de la Bourgogne!
Romanée-Conti est considéré comme le plus parfait de tous, mais ces sept grands crus* ont un indéniable air de famille. Leur robe est éclatante, leur bouquet pénétrant et subtil, leur suavité d'une exceptionnelle finesse.
Richebourg n'est pas le monopole d'un seul propriétaire, ce qui explique les différences entre des Richebourgs de la même année. Ils ont néanmoins en commun un velouté extraordinaire (le velouté est la qualité spécifique des vins de Vosne-Romanée, mais c'est dans le Richebourg qu'il est le plus prononcé). Ces vins de velours ont aussi une plénitude admirable et épanouissent un somptueux bouquet où se perçoit parfois la réglisse.
Grands-Echezeaux, lui aussi partagé entre plusieurs propriétaires, se trouve entre Vougeot et Vosne-Romanée : il prend sa vigueur charnue au premier terroir et son élégance racée au second. Sa délicatesse et sa finesse en font un vin de « dentelle », comme disent les Bourguignons.
Echezeaux donne des vins similaires, arrondis et équilibrés, à la fois charnus et délicats. On dit que leur nom, difficile à prononcer, fait que les Grands-Echezeaux et les Echezeaux sont ignorés de beaucoup de gens et que leur prix, par conséquent, est au-dessous de leur valeur réelle. Ces deux crus sont, en réalité, récoltés sur le terroir de la commune de Flagey, mais ont droit à l'appellation « Vosne-Romanée » et sont vendus sous ce nom lorsqu'ils n'atteignent pas leurs normes.
La Tâche appartient à la Société civile de la Romanée-Conti. C'est un vin à la belle robe chaude, tout en finesse et en nuance, avec un nez de truffe et de sous-bois, une étonnante richesse de goût où l'on découvre le musc et l'ambre.
Mais, à côté de ces sept grands, Vosne-Romanée possède encore des « Premiers crus » qui ont en commun, comme les pré-

Réunion des chevaliers du Tastevin dans le château de Vougeot. Phot. Serraillier-Rapho.

cédents, mais avec moins d'éblouissante perfection, élégance, équilibre et finesse du bouquet; citons La Grande-Rue, Les Suchots, Les Malconsorts, Les Beaux-Monts (dont le nom de cru doit toujours être précédé du nom de « Vosne-Roma-née » sur l'étiquette). [V. Annexes.]

Vougeot. Célèbre par son grand cru* de réputation mondiale, « le Clos Vougeot », la commune l'est aussi par son château pittoresque, propriété de la Confrérie des chevaliers du Tastevin, où se déroulent les chapitres de la Confrérie.
Vougeot présente la particularité d'avoir une superficie plus petite (concernant son appellation « Vougeot ») que celle de son climat* « Clos Vougeot ». Le Clos de Vougeot, en effet, occupe plus de 50 ha, alors que le reste de Vougeot n'en compte qu'une douzaine.
Si le Clos de Vougeot est le trésor de cette commune, les autres vignobles, classés « Premiers crus », n'en sont pas moins remarquables. Les Petits-Vougeots, les Cras donnent des vins bien bouquetés, charnus et ronds, avec beaucoup de délicatesse.
Le Clos-Blanc de Vougeot (ou Vigne-Blanche) est un excellent vin blanc, sec et fruité, qui évoque ceux d'Aloxe-Corton.

Vouvray. Enchâssé comme un précieux joyau sur la rive droite de la Loire, voici Vouvray, avec ses caves profondes creusées dans le tuffeau (précédées parfois de maisons troglodytiques) et ses vallées drapées de vignes coupant la falaise. Le vignoble s'étend sur huit communes : Vouvray, Rochecorbon, Vernou, Sainte-Radegonde, Noizay, Chançay, Reugny et une partie de Parçay-Meslay.
Pendant très longtemps, les vins de Vouvray ont été exportés en Hollande et en Belgique; là-bas, on les enrichissait de moûts* mutés au soufre et achetés à Malaga, puis on les remettait en fermentation et l'on obtenait ainsi des vins liquoreux dont on gardait soigneusement le secret de fabrication. Après le phylloxéra*, le Vouvray est parti à la conquête des bonnes tables de France, et l'on peut affirmer qu'il a réussi. Il est issu d'un seul cépage, le Pineau de la Loire. Il n'y a pas un Vouvray, mais des Vouvrays, car ce vin prend, pour nous séduire, de multiples visages, selon les années, l'exposition du vignoble, la vinification. Tantôt il est sec, léger, primesautier, ou puissant et corsé, tantôt il est moelleux, parfumé et même liquoreux, tantôt il nous rit au nez en moussant dans nos verres. Il est toujours d'une aimable élégance, d'une fraîcheur exquise et, de plus,

Vouvray vu du ciel.
Phot. Lauros-Beaujard.

d'une irrésistible séduction. N'a-t-on pas dit, d'ailleurs, qu'il est le vin « le plus spirituel de France » ?

Le vin tranquille doit titrer 11⁰ au minimum. Jeune, qu'il soit sec ou demi-sec, il donne déjà de grandes satisfactions. Mais ce serait une erreur de ne pas attendre le temps nécessaire pour que se révèle la splendeur du grand vin des années riches. Ce n'est d'ailleurs que dans ces grandes années que s'obtient le Vouvray liquoreux (mais, même en année médiocre, il y a malgré tout quelques barriques de « tête » de vin moelleux). Le Vouvray garde toujours son fruité et sa fraîcheur, ce qui n'est pas une des moindres qualités de ce vin étonnant, qui semble avoir trouvé le secret de l'éternelle jeunesse. Vigoureux, solide, couleur d'or et de topaze, il fond dans une harmonie absolue une extraordinaire richesse de parfums et de saveurs, où se découvrent l'acacia, le raisin frais, le coing,

l'amande. C'est bien là le « vin de taffetas » dont parlait Rabelais.

Le Vouvray a une tendance naturelle à mousser. On utilise cette qualité pour préparer des vins pétillants ou des vins mousseux, qui doivent titrer 9,5⁰ avant la seconde fermentation en bouteille. Les « Vouvrays pétillants » ajoutent un agrément de plus aux vins tranquilles dont ils proviennent. Délicatement fruités, souples et parfumés, ils ont une mousse légère et fine qui provient du sucre naturel resté dans le vin après la première fermentation. Les « Vouvrays mousseux », contrairement aux autres Mousseux, s'améliorent encore avec l'âge et se conservent très longtemps. Préparés par la méthode champenoise*, avec addition de sucre, ils ne sont pas une imitation du Champagne. Ce sont des vins d'une jolie couleur dorée, finement parfumés et qui ont gardé toute la grâce et la personnalité du vin tranquille*.

Washington, un des Etats producteurs de vin des Etats-Unis, qui se trouve à l'ouest du continent, sur le Pacifique, à la frontière canadienne. — La région côtière (presqu'île des Monts-Olympiques) est relativement froide et humide, et ne produit aucun vin quelque peu remarquable. Par contre, à l'est de l'Etat, la région intérieure possède un climat continental et jouit d'un été très long et très chaud. Cette région produit une grande quantité de vins de liqueur, très alcoolisés, et dans les vignobles irrigués autour de Yakimo, un peu de bons vins de table, issus des cépages Sylvaner, Riesling, Pinot noir, Pinot blanc, Carignan et de quelques cépages américains, tels le Concorde et le Delaware.

Wurtemberg *(Württemberg).* La production de ce vignoble d'Allemagne est, pour ainsi dire, inconnue en dehors de sa province d'origine. Les vignes s'étendent le long du Neckar et de ses affluents (Jagst, Kocher, Rems, Enz, Murr, Bottwar et Zaber), mais c'est entre Stuttgart et Heidelberg qu'on les rencontre surtout.
Jusqu'à la guerre de Trente Ans, le vignoble couvrait 40 000 ha. La viticulture du Wurtemberg ne s'est jamais remise des effets destructeurs de cette guerre : totalement abandonnée au siècle dernier, elle n'a guère repris vie que depuis 1920, sous l'impulsion de coopératives qui l'ont reprise en main. Le vignoble, de nos jours, couvre environ 6 375 ha.
Le climat du Wurtemberg est assez rude, et le vignoble est exposé aux gelées et aux averses destructrices. La ville de Stuttgart possède, à elle seule, un vignoble de 800 ha, où se trouvent les meilleurs crus* de la région. Un dicton français prétendait déjà, vers 1630, que, « si on ne cueilloit de Stuttgart le raisin, la ville iroit se noyer dans le vin », ce qui prouve l'ancienneté de la vocation viticole de ce terroir.
Les vignes rouges sont particulièrement florissantes, avec un cépage typique, le Trollinger, qui donne un agréable vin de table, rouge brique et assez corsé. Mais on cultive aussi le Burgunder, le Riesling rouge, le Lemberger rouge foncé, le Samtrot (ou rouge velours). Les cépages blancs classiques d'Allemagne (Sylvaner, Riesling, Traminer) donnent dans cette région des vins puissants et nerveux. On rencontre aussi, de plus en plus, sous l'influence des coopératives, des variétés nouvelles de cépages, mises au point pour s'adapter aux vicissitudes climatiques.
La spécialité du pays est le « Schillerwein », vin rosé très apprécié, dont le nom provient de celui de la famille du poète allemand Friedrich von Schiller, originaire de Marbach, une des communes viticoles du Wurtemberg. On obtient le Schillerwein par pressurage* de raisins rouges et blancs mélangés.
Le « Suser » est une autre spécialité du Wurtemberg : c'est un vin nouveau, qui n'a pas encore terminé sa fermentation, analogue à nos vins bourrus*.

Xérès. Vin espagnol, d'or pâle ou d'ambre, provenant d'une région délimitée du sud de l'Andalousie, entre Cadix et Séville, et située autour de la petite ville de Jerez de la Frontera, qui lui a donné son nom : « Xérès » est, en effet, le nom français du « Jerez » espagnol, comme « Sherry » est son nom anglais. Peu connu en France (mais adoré des Anglais), le Xérès-Jerez-Sherry est un très grand vin, qui peut être à la fois apéritif ou vin de dessert.
Les vins de Xérès, dont l'appellation d'origine est protégée par la loi, proviennent uniquement de raisins récoltés dans une zone viticole délimitée de la province de Cadix. Cette zone comprend les territoires des communes de Jerez de la Frontera, Puerto de Santa María, Sanlúcar de Barrameda, Chiclana, Puerto Real, Chipiona, Rota et Trebujena. La zone du Xérès supérieur s'étend à l'intérieur d'un triangle réunissant Jerez de la Frontera, Sanlúcar de Barrameda et Puerto de Santa María, et sur le territoire des communes voisines de Rota et de Chipiona. Le Manzanilla* est produit en bordure de l'Atlantique, près de Sanlúcar de Barrameda.
Ce qui détermine la qualité du vin est, plus que la situation géographique du vignoble, la nature du sol dont il provient, le meilleur étant l'*albariza,* sol de craie blanche et aride, analogue au sol de la Champagne et qui donne des vins d'une grande finesse, ayant un splendide bouquet.
Le cépage dominant est le fameux Palomino, d'où sont issus les meilleurs Finos et Amontillados (v. Montilla*). On cultive aussi une demi-douzaine de cépages secondaires et le Pedro Ximénez, dont les grappes sont séchées deux semaines au soleil au moment des vendanges, donnant ainsi un vin extrêmement fort et liquoreux, utilisé en plus ou moins grande proportion dans les assemblages* (on appelle ce vin spécial P. X., initiales de Pedro Ximénez).
Les vendanges, qui ont lieu très tôt en septembre, ont gardé tout le pittoresque d'autrefois. Les grappes sont pressées de douze à quatorze heures après avoir été exposées au soleil. Le moût* est alors emmené dans les *bodegas* où va se faire la vinification. Les fermentations durent jusqu'en décembre : c'est à ce moment que les experts décideront du sort du vin nouveau. Le vin léger et clair, avec un fin bouquet, deviendra « Fino » et « Amontillado » après addition d'eau-de-vie de vin jusqu'à ce qu'il titre 15,5⁰. Le vin plus

corsé, avec moins de bouquet, sera fortifié pour titrer 17⁰ ou 18⁰. C'est de lui que naîtront l'« Oloroso » et le « Cream Sherry ». Les différents vins sont alors stockés dans des *criaderas* distinctes. La criadera est une nursery pour vin, où le jeune Xérès est élevé durant un ou deux ans, ou même plus. Là va commencer, dans des tonneaux de chêne maintenus aux trois quarts pleins, la merveilleuse évolution du vin sous l'influence de levures* indigènes spéciales, analogues à celles qui donnent au Château-Chalon son étonnant caractère.

Le vin subit ensuite un savant et lent mûrissement, grâce à la méthode d'assemblages* subtils et de vieillissement appelée *solera :* les vins sont soignés dans des fûts de 480 l, alignés et superposés de façon impressionnante, sur trois ou quatre étages. Avec le temps, la couleur du Xérès qui vieillit en fût a tendance à foncer légèrement; le vin prend peu à peu son bouquet inimitable et sa saveur unique. Il devient aussi plus sec et, contrairement à tous les autres vins, plus riche en alcool. Ainsi, des Finos, des Manzanillas titrant 15,5⁰ accusent facilement 21⁰ après cinq ans de fût ou plus.

Le Fino est le plus pâle, le plus léger et le plus sec des Xérès. C'est aussi le plus délicat. Servi frais, c'est un splendide vin apéritif, au bouquet suave, le meilleur des Xérès selon les connaisseurs.

L'Amontillado, plus vieux et plus corsé, n'est pas aussi sec que le Fino; il est aussi plus coloré, légèrement ambré.

L'Oloroso a plus de corps que les précédents. Il a une saveur et un bouquet très prononcés. Sa couleur, plus foncée, va de l'or sombre à l'ambre. Très peu d'Olorosos sont vendus à l'état naturel de vins secs : ils sont généralement plus ou moins sucrés par l'addition de *vino dulce,* dont le meilleur est le fameux P. X., ou Pedro Ximénez. Il existe diverses variétés d'Olorosos à côté de l'Oloroso proprement dit :

● le Raya est un Xérès commun, de moindre qualité. De couleur vieil or, il est plus corsé et d'arôme moins délicat. Les Rayas ne sont pas exportés et constituent la classe inférieure des Olorosos;

● l'Amoroso est un Oloroso de couleur foncée et sucré;

● le Palo Cortado est le type intermédiaire entre le Fino et l'Oloroso, dont la définition varie, d'ailleurs, selon chaque *bodega.* Les vins de ce type possèdent l'arôme des Amontillados et la saveur des Olorosos : on peut dire qu'ils constituent la classe supérieure des Olorosos;

● le Cream Sherry est un Oloroso très doux, produit à Bristol, en Angleterre, et devenu aussi extrêmement populaire aux Etats-Unis. Pour répondre à la demande, ce vin est désormais produit en Espagne même. Mais le Cream Sherry, mis en bouteilles à Bristol et provenant de l'Oloroso, expédié en fût depuis Jerez, porte le nom de « Bristol Cream » ou « Bristol Milk » (le *milk* étant moins riche que le *cream*).

On sert la plupart des Xérès chambrés à la température de la pièce. Par contre, on rafraîchit l'Amontillado et il est même permis de frapper le Fino et le Manzanilla.

Y, nom d'un vin sec présenté par le Château d'Yquem, bien moins cher que le somptueux vin blanc liquoreux du même Château.

Yougoslavie. Ce pays étant situé à la même latitude que l'Italie, la vigne s'y rencontre un peu partout. L'origine du vignoble yougoslave est très lointaine, puisque la Dalmatie et l'Istrie produisaient déjà du vin sous l'influence grecque, et la Slovénie sous celle des Romains. Comme partout en Europe, la viticulture fut encouragée par les seigneurs féodaux et, surtout, par les moines pendant le Moyen Age, mais, durant des siècles, la Yougoslavie appartint aux Turcs, qui, bons musulmans, abandonnèrent la culture de la vigne...

Actuellement, les vignobles occupent 260 000 ha et produisent environ 6 millions d'hectolitres par an. Environ 12 p. 100 de la production est exportée vers l'Allemagne de l'Est, la Tchécoslovaquie, la Pologne et l'Italie : les vins blancs de Slovénie sont les plus recherchés à l'étranger, surtout ceux de Ljutomer, déjà célèbres jadis, quand Ljutomer faisait partie de la province autrichienne de Styrie.

On compte en Yougoslavie pas loin de trois cents variétés de raisins, mais les cépages traditionnels reculent peu à peu devant les cépages importés, plus valables au point de vue commercial. C'est le cas, par exemple, du cépage Prokupac, véritable plant national serbe, qui donne des vins courants, foncés et amers, peu prisés par l'étranger, et qui est remplacé, peu à peu, par le Gamay et le Cabernet importés. En général, le millésime* a très peu d'importance en Yougoslavie, car la plus grande partie du vin fait l'objet de coupages*.

Depuis la fin de la Seconde Guerre mondiale, les méthodes de vinification et de conservation des vins ont fait de beaux progrès, sous l'impulsion des grandes caves coopératives du nord et de l'est du pays. Qualité et origine sont désormais définies par des lois, ce qui se révèle indispensable étant donné l'augmentation des exportations de vins yougoslaves ces dernières années.

Les principaux centres viticoles de la Yougoslavie sont la Serbie et la Croatie, qui produisent, à elles seules, les deux tiers du vin yougoslave. Viennent ensuite la Slovénie, la Dalmatie, la Macédoine et, enfin, le Monténégro, qui est le plus petit producteur.

La *Serbie* cultive la vigne dans les vallées du Danube et de la Morava, sur les hauteurs de la Vojvodine et dans le sud. La vallée du Danube produit un vin blanc assez agréable, le Fruška Gora, et, autour de Smederevo, un vin de table, le Smederevska, et un vin de dessert, le Smederevska Malaga. La vallée de la Morava donne le Sićevačko, vin blanc récolté autour de Negotin et de Bagren, et le Župsko, spécialité d'Alexandrovac, qui est un vin blanc ou rosé très fin. Le Ružica est produit à la fois dans la vallée du Danube (c'est ici un agréable vin rosé) et dans celle de la Morava (c'est alors un vin rouge récolté autour de Negotin et de Bagren).

Enfin, la Vojvodine produit, près de Subotica, à la frontière hongroise, le Rizling (Riesling) de Kraljev Breg, qui n'est pas bien remarquable.

La plus grande partie des vins serbes rouges et rosés provient du cépage Prokupac, qui donne des rosés assez fermes, parfois savoureux, et des rouges riches et lourds, manquant de distinction.

Les Fruškas Goras, quant à eux, montrent un net progrès en qualité depuis ces derniers temps.

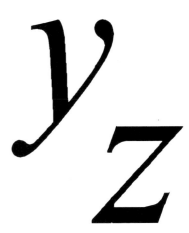

Vignoble slovène de Jeruzalem, en Yougoslavie. Phot. M.

La *Croatie* produit sur des terrains plats des vins sans prétention, assez agréables et légers, mais sans grand caractère, bien qu'ils soient en nette amélioration depuis ces dernières années. Les meilleurs crus* se trouvent dans la vallée de la Save, autour de Brod, Daruvar, Moslavina et Zagreb. Les vins de la vallée de la Save, un peu aigrelets, sont légers et ne manquent pas d'agrément : ce sont le Daruvar, l'Ivan Zelina et l'Okić-Plješivica. Autour de Karlovac se récoltent le Bermet et le Karlovačkï Rizling. Le vignoble croate commence à s'étendre sur les collines du nord-est, autour des principaux centres de Kutjevo, Slavonski Brod, Vukovar, Ilok, Erdut. Les vins blancs corsés que produit ce secteur, issus des cépages Traminer, Riesling, Sauvignon et Sémillon, gardent une trace de douceur et comptent parmi les meilleurs du pays.

La *Dalmatie* et l'*Istrie* sa voisine, toutes deux situées en bordure de l'Adriatique, sont continuellement balayées par le vent de mer *(bora)*. Pourtant, la vigne y pousse, donnant des vins blancs corsés et des vins rouges épais, tanniques et foncés, que les Dalmates eux-mêmes coupent avec de l'eau. Ces vins rouges proviennent, pour la plupart, du cépage indigène Mali Plavac et les meilleurs crus sont ceux de Pitovski Plaza, Zveta Nedelja, Vis, Lastovo, Postup et Dingač. Ces vins sont commercialisés soit sous le nom du cépage accompagné du nom d'origine, soit sous le seul nom d'origine.

Les vins blancs de Dalmatie sont lourds et colorés eux aussi. Le plus connu, le Grk, sec et ambré, a un nom imprononçable, mais il possède une originalité certaine : il est produit aux environs de Split et sur l'île de Korčula. Deux bons vins, tous deux agréablement fruités, sont récoltés autour de Mostar : le Blatina, vin rouge, et le Žilavka, vin blanc assez sec et corsé. La Dalmatie prépare aussi un vin de dessert, blanc ou rouge, doux et alcoolisé, le Prošek, obtenu avec des raisins presque secs ou du moût cuit, qui convient surtout aux Dalmatiens.

Un peu partout, on produit un vin rosé assez agréable, très populaire, le Ružika. Contrairement au nord et à l'est du pays, la Dalmatie ne possède pas de grandes coopératives : chaque lopin de terre, blotti entre les rochers des îles, est exploité par de petits vignerons.

L'Istrie cultive ses vignes un peu à la manière de l'Italie si proche : les vignes se mêlent à d'autres cultures, grimpent à l'assaut des arbres ou des treilles; on y trouve un vin délicieux, le Malvazya, issu de la Malvoisie, et des vins issus du Cabernet et des Pinots.

La *Slovénie* bénéficie de l'influence régulatrice de l'Adriatique, à l'ouest, et de la grande plaine du Danube, à l'est, qui tempèrent le climat alpin. Au Moyen Age, les vins de Styrie étaient déjà abondants et renommés et s'exportaient vers la Carinthie autrichienne. Le secteur viticole le plus important de Slovénie se trouve dans le bassin de la Drave, d'où provient le célèbre Ljutomer. Ce vin blanc est issu de différents cépages, tantôt du Riesling, tantôt du Sylvaner, ou du Sauvignon, ou du Traminer. Il peut aussi être issu d'un cépage local, le Šipon. Les vins sont donc très différents, en couleur et en saveur, selon le cépage dont ils proviennent, mais, en général, ils sont tous corsés et alcoolisés, avec un beau bouquet et un goût parfois trop net, pas assez subtil. Ils sont vendus à l'étranger sous l'appellation «Ljutomer», avec indication du nom du cépage. Les autres bons crus de ce secteur sont Ormož, Kapela, Radgona.

Il existe encore deux autres secteurs viticoles en Slovénie, mais moins intéressants que celui du bassin de la Drave : le bassin de la Save, renommé pour son vin rosé, le Cviček, rosé foncé, assez aigre, mais très recherché dans le pays; la côte adriatique, surtout réputée pour son vin rouge très corsé, le Kraški Teran, épais et riche en tanin*, qui passe pour avoir des vertus curatives.

La *Macédoine* jouit de conditions atmosphériques favorables; aussi la vigne est-elle cultivée un peu partout et jusque dans les zones forestières. L'occupation turque avait fait disparaître les vignobles pendant longtemps, et, à peine reconstitués, ils avaient été ravagés par le phylloxéra*. Depuis ces derniers temps, la Macédoine est devenue une importante région viticole; le gouvernement a fait de gros efforts pour restaurer le vignoble depuis la Seconde Guerre mondiale et on enregistre de grands progrès dans la qualité des vins.

Ces vins possèdent un caractère intermédiaire entre ceux de la Méditerranée et ceux de l'Europe centrale. Les vins rouges proviennent de divers cépages, dont le Prokupac national et le Kavadarka. Les vins blancs sont issus du Zilavartea et du Smederevka. La Macédoine produit aussi des vins rosés et une certaine quantité de vins de dessert.

Le *Monténégro* est un pays de hautes montagnes calcaires, au climat assez rude : la vigne est cultivée sur le littoral de l'Adriatique, au flanc des collines et dans les vallées.

Yquem (Château-d'). Les mots semblent impuissants à décrire ce vin merveilleux, roi des Sauternes et premier vin blanc liquoreux du monde. C'est une précieuse liqueur d'or liquide, au parfum délicat, d'une suavité incomparable, avec une onc-

Pour la carte de Yougoslavie v., p. 256, la carte *Europe centrale et Balkans.*

tuosité unique, la plus parfaite de tous les Sauternes.

Le domaine appartient depuis deux siècles à la famille de Lur-Saluces, qui veille avec vigilance sur sa haute destinée. Le Château-d'Yquem est toujours d'une qualité parfaite : il ne se récolte que 9 hl par hectare de ce nectar et, dans les années médiocres, le vin est déclassé et vendu sous l'appellation régionale. Lors du classement de 1855, seul « Château-d'Yquem » eut droit au titre de *Premier Grand Cru* parmi tous les Sauternes. Quoi d'étonnant? C'est une sorte de défi au modernisme que lance ce chef-d'œuvre unique qu'est le Château-d'Yquem, quand on pense qu'un cep de vigne ne permet d'obtenir qu'un seul verre de vin par an.

Zwicker, nom qui désigne un vin de coupage* d'Alsace (il ne s'agit ni d'un cépage ni d'un cru). — C'est un vin blanc obtenu par un mélange de vins issus de cépages courants ou, le plus souvent, de cépages courants auxquels on ajoute un cépage noble.

Le cépage de base est généralement le Chasselas, auquel on ajoute souvent du Sylvaner. Mais il ne faut pas croire que le Zwicker est de qualité médiocre parce qu'il provient de coupage. Les syndicats viticoles locaux jugent sévèrement ces vins de coupage et veillent à ce que le résultat final soit réussi et de qualité.

Le Zwicker est un beau vin de carafe* souple, léger, mais sans grand caractère, et qui se boit facilement.

Il n'a pas droit à l'A.O.C., contrairement à son cousin l'Edelzwicker*, mélange, lui, de vins issus uniquement des cépages nobles autorisés et qui a droit à l'A.O.C. « Alsace » ou « Alsace Edelzwicker ».

Le domaine et les vignes du Château d'Yquem. Phot. M.

Double page suivante :
« les Vendanges »,
tenture de la fin du XVe s.,
provenant des ateliers des
Pays-Bas bourguignons.
Musée de Cluny, Paris.
Phot. Lauros-Giraudon.

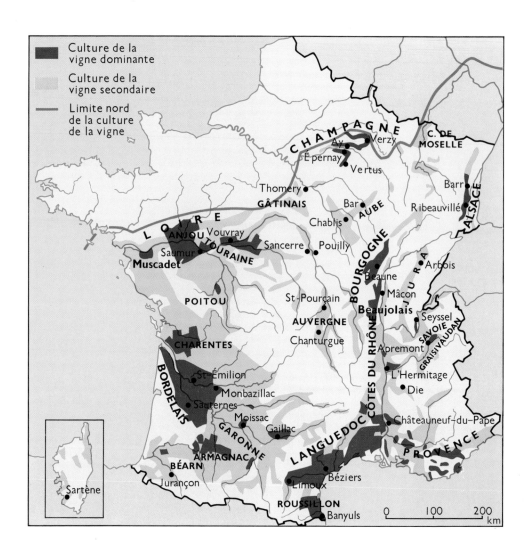

**REGIONS
VITICOLES
DE FRANCE**

VOCABULAIRE DE L'ŒNOPHILE

acerbe, acescence, acidité, agressif, aigre, aigu, amaigri, amer, ample

anguleux (v. *âpre, astringent*), âpre, ardent (v. *chaud*), aromatique, arôme

astringent, austère

bouchonné, bouquet, brillant

capiteux, chair, charpenté, chaud, complet, corps (v. *corsé*), corsé, coulant

court, croupi (v. *moisi*)

décharné, décoloré, dentelle, dépouillé, déséquilibré (v. *équilibré*), distingué

doux, droit de goût (v. *franc*), dur

élégant, enveloppé, épais (v. *âpre, astringent*), épanoui, équilibré, étoffé (v. *corsé*), évent

faible, fatigué, féminin, ferme, fin, fondu, fourré, foxé (v. *renarder*), frais, franc, fruité, fumet, fûte (v. *moisi*)

généreux, glissant (v. *coulant*), gouleyant, gras, grêle (goût de), grêle (v. *mince*)

harmonieux (v. *équilibré*)

jeune

léger, limpidité, louche, lourd, loyal

mâche (v. *astringent*), mâché (v. *évent*), madérisé, maigre (v. *mince*), mince

moelleux, moisi, mou, musqué

nervosité

persistance, pinçant, piqué (v. *acidité volatile*), plein, pointu (v. *pinçant*)

primeur

racé, renarder, robe, robuste, rondeur

sec, séché, sénile (v. *vieux*), sévère (v. *austère*), séveux, solide (v. *robuste*)

souple, suave

tendre, tenue, terroir (goût de), tuilé

velouté, vert, vieillarde (v. *vieux*), vieux, vif, vigoureux (v. *robuste*), vineux, vinosité, viril

Le lecteur trouvera la définition de chacun des mots cités ci-dessus à l'ordre alphabétique de ce dictionnaire.

310

Les bons millésimes et les grands millésimes des principaux vignobles

Les bons millésimes sont en romain, les grands en *italique grasse*

ALSACE
1971 1973 1975 *1976* 1979 1981 1982 *1983 1985*

ANJOU ET TOURAINE
1949 1955 1959 1961 1962 *1969 1970* 1971 1975 *1976* 1978 1979 1981 *1982 1983* 1984 *1985*

CRUS DU BEAUJOLAIS
1981 *1983 1985*

BORDEAUX BLANCS
1949 1955 1959 1961 1962 1966 *1967* 1970 1971 1973 1974 *1975 1976* 1978 1979 1981 1982 *1983* 1985

BORDEAUX ROUGES
1949 1955 1959 *1961 1962* 1964 *1966* 1967 *1970 1971* 1973 *1975 1976 1978 1979 1981 1982 1983 1985*

BOURGOGNES BLANCS
1955 1959 *1961* 1962 1964 1966 1967 *1969 1970 1971 1973* 1974 1975 *1976* 1977 *1978 1979* 1980 1981 *1982 1983* 1984 *1985*

BOURGOGNES ROUGES
1949 1955 1959 1961 1962 *1964 1966* 1967 *1969* 1970 *1971* 1974 *1976 1978* 1979 1981 1982 *1983 1985*

CHAMPAGNE
Les millésimes sont les meilleures années, parmi elles, *1979 1981 1982 1983.* Les champagnes sans année sont généralement des assemblages suivis par chaque maison.

COTES-DU-RHONE
1949 1955 1959 *1961 1962* 1964 *1966 1967* 1969 *1970 1971 1975 1976 1978 1979* 1980 1981 1982 1983 1985

POUILLY-SUR-LOIRE, SANCERRE
1982 1983 1984 1985

Les éléments de ce tableau ont été obligeamment communiqués par la Compagnie des courtiers-jurés piqueurs de vins de Paris.

CRUS DU BORDELAIS

Classification des crus du Médoc

La classification officielle, datant de 1855, avait toujours été en usage depuis son institution (v. classification* de 1855). Mais l'arrêté du 21 juin 1973 a mis en vigueur un nouveau classement pour les Premiers crus du Médoc. En vertu de cet arrêté, les Premiers crus, *classés par ordre alphabétique,* admettent désormais Mouton-Rothschild dans leur rang.
Pour les autres crus classés en 1855 dans les Deuxièmes, Troisièmes, Quatrièmes et Cinquièmes crus, aucun changement n'est intervenu : ces crus sont répertoriés non par ordre alphabétique ou géographique, mais par *ordre de mérite.*

PREMIERS CRUS

Châteaux	Communes
Lafite-Rothschild	Pauillac
Latour	Pauillac
Margaux	Margaux
Mouton-Rothschild	Pauillac

DEUXIEMES CRUS

Châteaux	Communes
Rausan-Segla	Margaux
Rausan-Gassies	Margaux
Léoville-Las-Cases	Saint-Julien
Léoville-Poyferré	Saint-Julien
Léoville-Barton	Saint-Julien
Durfort-Vivens	Margaux
Lascombes	Margaux
Gruaud-Larose	Saint-Julien
Brane-Cantenac	Cantenac
Pichon-Longueville	Pauillac
Pichon-Longueville (Comtesse-de-Lalande)	Pauillac
Ducru-Beaucaillou	Saint-Julien
Cos d'Estournel	Saint-Estèphe
Montrose	Saint-Estèphe

TROISIEMES CRUS

Châteaux	Communes
Kirwan	Cantenac
Issan	Cantenac
Lagrange	Saint-Julien
Langoa	Saint-Julien
Giscours	Labarde
Malescot-Saint-Exupéry	Margaux
Cantenac-Brown	Cantenac
Palmer	Cantenac
La Lagune	Ludon
Desmirail	Margaux
Calon-Ségur	Saint-Estèphe
Ferrière	Margaux
Marquis d'Alesme-Becker	Margaux
Boyd-Cantenac	Margaux

QUATRIEMES CRUS

Châteaux	Communes
Saint-Pierre-Sevaistre	Saint-Julien
Saint-Pierre-Bontemps	Saint-Julien
Branaire-Ducru	Saint-Julien
Talbot	Saint-Julien
Duhart-Milon	Pauillac
Pouget	Cantenac
La Tour-Carnet	Saint-Laurent
Rochet	Saint-Estèphe
Beychevelle	Saint-Julien
Le Prieuré	Cantenac
Marquis-de-Terme	Margaux

CINQUIEMES CRUS

Châteaux	Communes
Pontet-Canet	Pauillac
Batailley	Pauillac
Haut-Batailley	Pauillac
Grand-Puy-Lacoste	Pauillac
Grand-Puy-Ducasse	Pauillac
Lynch-Bages	Pauillac
Lynch-Moussas	Pauillac
Dauzac	Labarde
Mouton-Baron-Philippe (appelé Mouton-d'Armailhacq avant 1956)	Pauillac
Le Tertre	Arsac
Haut-Bages-Libéral	Pauillac
Pedesclaux	Pauillac
Belgrave	Saint-Laurent
Camensac	Saint-Laurent
Cos-Labory	Saint-Estèphe
Clerc-Milon	Pauillac
Croizet-Bages	Pauillac
Cantemerle	Macau

Classification des crus de Sauternes et de Barsac

Les crus de Sauternes ont été classés officiellement en 1855, en même temps que ceux du Médoc (v. classification* de 1855).

GRAND PREMIER CRU

Château	Commune
Yquem	Sauternes

PREMIERS CRUS

Châteaux	Communes
La Tour-Blanche	Bommes
Lafaurie-Peyraguey	Bommes
Clos-Haut-Peyraguey	Bommes
Rayne-Vigneau	Bommes
Suduiraut	Preignac
Coutet	Barsac
Climens	Barsac
Guiraud	Sauternes
Rieussec	Fargues
Rabaud-Sigalas	Bommes
Rabaud-Promis	Bommes

DEUXIEMES CRUS

Châteaux	Communes
Myrat	Barsac
Doisy-Daëne	Barsac
Doisy-Védrines	Barsac
Arche	Sauternes
Filhot	Sauternes
Broustet	Barsac
Nairac	Barsac
Caillou	Barsac
Suau	Barsac
de Malle	Preignac
Romer	Fargues
Lamothe	Sauternes

Classification des crus de Saint-Emilion

Il a fallu attendre un siècle après la classification* de 1855 pour qu'un classement officiel des vins de Saint-Emilion soit réalisé. Après accord des producteurs et approbation de l'I.N.A.O.*, le décret du 7 octobre 1954 a établi un classement des crus selon leur qualité et leur réputation comme suit :
Saint-Emilion
Saint-Emilion Grand Cru
Saint-Emilion Grand Cru classé
Saint-Emilion Premier Grand Cru classé.
Le classement des crus de Saint-Emilion a été homologué par arrêté du ministre de l'Agriculture du 17 novembre 1969.
Il est admis que Château Ausone et Château Cheval-Blanc, bien que désignés comme d'autres par l'appellation « Premier Grand Cru classé », soient considérés comme étant d'une catégorie à part.

PREMIERS GRANDS CRUS CLASSES

A

Ausone — Cheval-Blanc

B

Beauséjour (Duffau)	Figeac
Beauséjour (Fagouet)	La Gaffelière
Belair	Magdelaine
Canon	Pavie
Clos Fourtet	Trottevieille

GRANDS CRUS CLASSES

L'Angélus	Corbin-Michotte	Haut-Corbin	Le Prieuré
L'Arrosée	Coutet	Haut-Sarpe	Matras
Baleau	Couvent-des-Jacobins	Jean-Faure	Mauvezin
Balestard-la-Tonnelle	Croque-Michotte	La Carte	Moulin-du-Cadet
Bellevue	Curé-Bon	La Clotte	L'Oratoire
Bergat	Dassault	La Clusière	Pavie-Decesse
Cadet-Bon	Faurie-de-Souchard	La Couspaude	Pavie-Macquin
Cadet-Piola	Fonplegade	La Dominique	Pavillon-Cadet
Canon-la-Gaffelière	Fonroque	Lamarzelle	Petit-Faurie-de-Soutard
Cap-de-Mourlin	Franc-Mayne	Laniote	Ripeau
(R. Capdemourlin)	Grand-Barrail-Lamarzelle-	Larcis-Ducasse	Saint-Georges-Côte-Pavie
Cap-de-Mourlin	Figeac	Larmande	Sansonnet
(J. Capdemourlin)	Grand-Corbin-	Laroze	Soutard
Chapelle-Madeleine	Despagne	Lasserre	Terte-Daugay
Chauvin	Grand-Corbin-Pécresse	La-Tour-du-Pin-Figeac (Bélivier)	Trimoulet
Clos des Jacobins	Grand-Mayne	La-Tour-du-Pin-Figeac (Moueix)	Trois-Moulins
Clos Saint-Martin	Grand-Pontet	La-Tour-Figeac	Troplong-Mondot
Clos de la Madeleine	Grandes-Murailles	Le Châtelet	Villemaurine
Corbin (Giraud)	Guadet-Saint-Julien	Le Couvent	Yon-Figeac

Classification des Graves

Les Châteaux des Graves avaient été négligés lors de la classification* de 1855, à l'exception du Château Haut-Brion, classé comme Premier cru en compagnie des Médocs. En 1953, l'Institut national des appellations d'origine a donné un classement officiel des crus de Graves, confirmé par un arrêté du 16 février 1959.

PREMIER CRU CLASSE EN 1855

Château	Commune
Haut-Brion	Pessac

CRUS CLASSES EN 1959

GRAVES BLANCS

Communes	Châteaux
Cadaujac	Bouscaut
Léognan	Domaine de Chevalier
Léognan	Carbonnieux
Léognan	Malartic-Lagravière
Léognan	Olivier
Martillac	Latour-Martillac
Talence	Laville-Haut-Brion
Villenave-d'Ornon	Couhins

GRAVES ROUGES

Communes	Châteaux
Cadaujac	Bouscaut
Léognan	Haut-Bailly
Léognan	Domaine de Chevalier
Léognan	Carbonnieux
Léognan	Fieuzal
Léognan	Malartic-Lagravière
Léognan	Olivier
Martillac	Latour-Martillac
Martillac	Smith-Haut-Lafitte
Pessac	Pape-Clément
Talence	La Mission-Haut-Brion
Talence	Latour-Haut-Brion

Classification des crus de Pomerol

Il n'existe pas de classement officiel des vins de Pomerol. Mais, officieusement, on a coutume de classer en premier le Château Pétrus et il semble que les principaux Châteaux se classent, plus ou moins, dans l'ordre suivant.

PREMIER GRAND CRU

Château Pétrus

PRINCIPAUX CRUS

Certan-Giraud	Clos de l'Eglise-Clinet	La Cabane	Domaine de Haut-Pignon
Certan-de-May	Nénin	Moulinet	Domaine de Cantereau
Gazin	Rouget	Plince	Mazeyres
La Conseillante	La Croix-de-Gay	De Sales	Taillefer
Lafleur	Clos l'Eglise	Bourgneuf	Bel-Air
Lafleur-Pétrus	Domaine de l'Eglise	Le Caillou	La Croix-Taillefer
L'Evangile	Clinet	L'Enclos	Ferrand
Petit-Village	Gombaude-Guillot	Gratte-Cap	Mazeyres
Trotanoy	Clos les Grands-Champs,	Domaine de Haut-Tropchaud	Clos Haut-Mazeyres
Vieux-Château-Certan	Château Guillot	La Violette	Clos des Templiers
Beauregard	Le Gay	Lafleur-Gazin	Haut-Maillet
La Croix	Vraye-Croix-de-Gay	Clos René	Franc-Maillet
Lagrange	La Commanderie	Vieux-Château-Tropchaud	Thibéaud-Maillet
La Pointe	Lacroix-Saint-Georges	Pignon de Gay	Gouprie
Latour-à-Pomerol	Clos du Clocher,	Clos Beauregard	Hautes-Rouzes
	Château Monregard-Lacroix		

CLIMATS DE BOURGOGNE

Il n'est pas possible de classer les vignobles de Bourgogne avec autant de précision que les Châteaux du Bordelais. En effet, en Côte-d'Or, à Chablis, la plupart des vignobles appartiennent à des propriétaires différents (plus de 60 propriétaires, par exemple, rien que pour le célèbre Clos de Vougeot !).
Bien avant le système moderne des appellations d'origine contrôlées, un travail extrêmement sérieux et complet de délimitation et de classification des crus avait été publié en 1861 par le « Comité d'agriculture de l'arrondissement de Beaune ».
La liste suivante est forcément bien incomplète : il existe 419 « climats » officiellement reconnus pour la Côte de Nuits et deux fois plus pour la Côte de Beaune ! Elle cite la plupart des noms de climats que l'amateur peut rencontrer, dans un ordre plus ou moins admis par la majorité des experts.

COTE DE NUITS

Communes	Climats	Communes	Climats	Communes	Climats
CHAMBOLLE-MUSIGNY			Cherbaudes		Les Procès
	MUSIGNY		Les Corbeaux		La Roncière
	BONNES-MARES (une partie)		Issarts		La Perrière
	Les Amoureuses		Clos Prieur (partie supérieure)		Les Chabœufs
	Les Charmes		Le Fonteny		Aux Cras
	Les Cras		Champonnet		Rue-de-Chaux
	Les Baudes		Au Closeau		Aux Chaignots
	Les Plantes		Craipillot		Aux Thorey
	Les Borniques		Champitennois (ou Petite-Chapelle)		Aux Rousselots
	Les Hauts-Doix		En Ergot		Aux Vignerondes
	La Colombe-d'Orveau		Clos du Chapitre		Les Poulettes
	Les Groseilles				Les Vallerots
	Les Fuées	**MOREY-SAINT-DENIS**			Aux Champs-Perdrix
	Les Chatelots		BONNES-MARES (une partie)		En la Perrière-Noblet
	Les Gruenchers		CLOS DE LA ROCHE		Aux Crots
	Les Lavrottes		CLOS SAINT-DENIS		Aux Damodes
	Derrière-la-Grange		CLOS DE TART		Les Argillats
	Les Noirots		CLOS DES LAMBRAYS		En la Chaîne-Corteau
	Les Sentiers		Les Ruchots		Aux Argillats
	Les Fousselottes		Les Sorbets	sur Prémeaux :	Clos de la Maréchale
	Aux Beaux-Bruns		Clos Sorbet		Clos les Arlots
	Les Combettes		Les Millandes		Clos des Forêts
	Aux Combottes		Le Clos des Ormes (une partie)		Clos des Corvées
			Monts-Luisants		Les Didiers
FIXIN			Meix-Rentiers		Les Corvées-Paget
	Clos de la Perrière		Les Bouchots		Le Clos Saint-Marc
	Les Hervelets		Clos Bussière		Clos des Argillières
	Clos du Chapitre		Aux Charmes		Clos des Grandes-Vignes
	Les Arvelets		Les Charnières		Aux Perdrix
	Clos Napoléon		Calouères		
	Les Meix-Bas		Côte-Rôtie	**VOSNE-ROMANEE**	
			Maison-Brûlée	**(et Flagey-Echezeaux)**	
GEVREY-CHAMBERTIN			Les Mauchamps		ROMANEE-CONTI
	CHAMBERTIN (cru exceptionnel)		Les Froichots		RICHEBOURG
	CHAMBERTIN-CLOS-DE-BEZE (cru		Les Fermières		LA TACHE
	exceptionnel)		Les Genévrières		ROMANEE
	LATRICIERES-CHAMBERTIN		Chabiots		ROMANEE-SAINT-VIVANT
	MAZOYERES-CHAMBERTIN		Les Chaffots		GRANDS-ECHEZEAUX
	CHARMES-CHAMBERTIN		Les Chénevery (une partie)		ECHEZEAUX
	MAZIS-CHAMBERTIN		Aux Cheseaux		Les Malconsorts
	RUCHOTTES-CHAMBERTIN		La Riotte		Les Gaudichots
	GRIOTTE-CHAMBERTIN		Les Gruenchers		La Grande-Rue
	CHAPELLE-CHAMBERTIN		Clos Baulet		Les Beaux-Monts
	Clos Saint-Jacques		Les Faconnières		Les Suchots
	Varoilles				Clos des Réas
	Aux Combottes	**NUITS-SAINT-GEORGES**			Aux Brûlées
	Bel-Air		Les Saint-Georges		Aux Petits-Monts
	Les Cazetiers		Les Vaucrains		Aux Reignots
	Combe-au-Moine		Les Cailles		La Chaume
	Poissenot		Les Porrets		
	Etournelles		Les Pruliers	**VOUGEOT**	
	Lavaut		Les Hauts-Pruliers		
	Les Goulots		Aux Boudots		CLOS-VOUGEOT
	Champeaux		Aux Murgers		Le Clos-Blanc-Vougeot
	La Perrière		La Richemone		Les Petits-Vougeots
					Les Cras

COTE DE BEAUNE

Communes	Climats	Communes	Climats	Communes	Climats
ALOXE-CORTON			Les Toussaints	**MONTHELIE**	
(Ladoix et parcelles de			Les Cent-Vignes		Sur la Velle
Pernand-Vergelesses)			Les Chouacheux		Les Vignes-Rondes
	CORTON		Les Vignes-Franches		Le Meix-Bataille
	CORTON-CHARLEMAGNE		Les Sizies		Les Riottes
	CHARLEMAGNE		Tiélandry		La Taupine
	CORTON-BRESSANDES		Pertuisots		Le Château-Gaillard
	CORTON-CLOS DU ROI		Les Aigrots		Le Cas-Rougeot
	CORTON-RENARDES		Les Avaux		Le Clos-Gauthey
	Les Vergennes-Corton		Les Bas-des-Teurons		Les Champs-Fulliot
	Le Rognet-Corton		Les Reversées		Duresse
	Clos de Corton		Les Seurey		
	Les Chaumes		Montée-Rouge		
	Les Fiètres		La Mignotte	**PERNAND-VERGELESSES**	
	Les Meix		Les Montrevenots		Ile des Vergelesses
	La Vigne-au-Saint		Les Blanches-Fleurs		Les Basses-Vergelesses
	Les Languettes		Les Epenottes		Creux de la Net
	Les Petits-Vercots		Les Chilènes		Les Fichots
	Boulmeau		Chaume-Gaufriot		En Caradeux
	Les Grèves				
	Les Pougets				
	Clos Boulmeau	**CHASSAGNE-MONTRACHET**		**POMMARD**	
	Les Perrières		MONTRACHET (une partie)		Les Rugiens-Bas
	Les Brunettes		BATARD-MONTRACHET (une partie)		Les Rugiens-Haut
	Les Sallières		CRIOTS-BATARD-MONTRACHET		Les Epenots
	Les Guérets		Les Grandes-Ruchottes		Les Petits-Epenots
	Les Chaillots		Les Ruchottes		Clos de la Commaraine
	Les Maréchaudes		Morgeot		Le Clos Blanc
	Les Genévrières		Les Caillerets		Les Arvelets
	Les Fournières		Les Boudriottes		Les Charmots
	Les Combes		Clos de la Boudriotte		Les Argillières
	La Boulotte		La Maltroie		Les Pézerolles
	Les Paulands		Clos Saint-Jean		Les Boucherottes
	Les Planchets		Les Champs Gain		Les Saussiles
	Les Vercots		La Romanée		Les Croix-Noires
	Suchot		Les Chaumées		Les Chaponnières
	Les Valozières		Les Macherelles		Les Fremiers
			Les Vergers		Les Bertins
			Les Brussonnes		Les Jarollières
AUXEY-DURESSES			Les Chénevottes		Les Poutures
	Les Duresses		En Remilly		Le Clos Micot
	Les Bas-des-Duresses		Dent-de-Chien		Clos du Verger
	Reugne		Vide-Bourse		Derrière-Saint-Jean
	Climat du Val (ou Clos du Val)		Blanchet-Dessus		La Platière
	Les Bretterins		Bois-de-Chassagne		La Refène
	Les Ecusseaux		La Grande Montagne		Les Chanlins-Bas
	Les Grands-Champs				Les Combes-Dessus
					La Chanière
BEAUNE		**MEURSAULT**			
	Les Grèves		Perrières et Clos des Perrières		
	Fèves		Les Charmes-Dessus	**PULIGNY-MONTRACHET**	
	Clos des Mouches		Les Charmes-Dessous		MONTRACHET (une partie)
	Les Bressandes		Les Genévrières-Dessus		BATARD-MONTRACHET (une partie)
	Les Marconnets		Les Genévrières-Dessous		CHEVALIER-MONTRACHET
	Clos du Roi		La Goutte-d'Or		BIENVENUE-BATARD-MONTRACHET
	Sur-les-Grèves		Le Porusot		Les Pucelles
	Les Cras		Les Bouchères		Le Cailleret
	Clos de la Mousse		Les Petures		Les Combettes
	Les Teurons		Les Cras		Les Chalumeaux
	Champimonts		Les Caillerets		Les Folatières
	En l'Orme		Les Santenots-Blancs		Clavoillens
	En Genêt		Les Santenots-du-Milieu		Le Champ-Canet
	Les Perrières	sur Blagny :	La Jennelotte		Le Refert
	A l'Ecu		La Pièce-Sous-le-Bois		Sous-le-Puits
	Aux Coucherias		Sous-le-Dos-d'Ane		Garenne
	Les Boucherottes				Hameau de Blagny →

Communes	Climats	Communes	Climats	Communes	Climats
SAINT-AUBIN			Beauregard		Les Narbantons
	Derrière-la-Tour		Beaurepaire		Petits-Godeaux
	En Créot		La Maladière		Aux Petits-Liards
	Bas-de-Vermarain		Le Passe-Temps		Aux Grands-Liards
	Les Champlots				Les Rouvrettes
	Sur-Gamay	**SAVIGNY-LES-BEAUNE**			
	La Chatenière		Aux Vergelesses	**VOLNAY**	
	Les Murgers-des-Dents-de-Chien		Les Marconnets		Les Caillerets
	En Remilly		La Dominode		Les Caillerets-Dessus
	Les Combes		Jarrons		Les Champans
	Le Charmois		Les Lavières		Clos des Ducs
	Village		Guettes		Les Mitans
	Les Castets		Gravains		Les Brouillards
	Derrière-chez-Edouard		Talmettes		L'Ormeau
	Le Puits		Charnières		Les Angles
	Sur-le-Sentier-du-Clou		Aux Clous		Les Pointes-d'Angle
	Les Frionnes		Fourneaux		Les Fremiets
			Aux Serpentières		Les Chevrets
SANTENAY			Les Hauts-Marconnets		Le Clos des Chênes
	Les Gravières		Les Hauts-Tarrons		La Barre
	La Comme		Redrescuts		La Bousse-d'Or
	Clos de Tavanne				

COTE CHALONNAISE

Communes	Climats		Climats		Climats
GIVRY			La Mouillère		Raboursay
	Clos Saint-Pierre		Les Bassets		Ecloseaux
	Clos Saint-Paul		Les Bonnevaux		Marisson
	Clos Salomon		Le Mont-Laurent		La Fosse
	Clos du Cellier-aux-Moines		Les Pasquiers		Chapitre
			Les Coères		Préau
MERCUREY			Les Thillonnés		Moulesne
	Clos du Roi		Les Chandits		Margoty
	Les Voyens		Les Chazelles		Grésigny
	Les Fourneaux		Le Vieux-Château		
	Les Montaigus		Les Vignes-du-Puits		
	Clos Marcilly		Les Bouchots		
			Les Vignes-sur-le-Clou	**CHABLIS**	
MONTAGNY			Les Vignes-Couland	**CHABLIS GRAND CRU**	
	Les Saint-Morille		Les Trouffières		Vaudésir
	Le Clou		Les Vignes du Soleil		Les Clos
	Les Vignes-Derrière		Les Morais		Grenouilles
	Les Resses		Les Perrières		Valmur
	Les Perthuis		Le Pallye		Blanchots
	Les Gouresses		Le Varignus		Preuses
	Les Bordes		Les Thilles		Bougros
	Les Las		La Vigne-Devant		
	Clos-Chaudron		La Corvée	**CHABLIS PREMIER CRU**	
	Les Combes		Les Vignes-Dessous		Monts-de-Milieu
	Sous-les-Roches		Les Marcques		Montée-de-Tonnerre
	Les Pidans		La Thi		Chapelot
	La Grande-Pièce		Les Mâles		Vaulorent
	Les Saintes-Catages		La Condemine		Vaucoupin
	Les Vignes-Saint-Pierre		Les Vignes-Longues		Côte de Fontenay
	Les Chacolets		Les Vignes-Blanches		Fourchaume
	Les Garchères		Cornevent		Les Forêts
	Les Champs-Toizeau				Butteaux
	Les Charmelottes	**RULLY**			Montmain
	Les Clouseaux		Vauvry		Vaillon
	Les Carlins		Mont-Palais		Sechet
	Le Breuil		Meix-Caillet		Chatain
	Les Champs-de-Coignée		Les Pierres		Beugnon
	Les Burnins		La Bressande		Melinots
	Les Montcuchots		Champ-Clou		Côte de Léchet
	Les Jardins		La Renarde		Les Lys
	Les Pandars		Pillot		Beauroy
	Les Beauchamps		Cloux		Troeme
	Les Crets		Raclot		Vosgros
					Vogiros

LISTE DES APPELLATIONS D'ORIGINE CONTROLEES FRANÇAISES
(A. O. C.)
R : vin rouge, **r** : vin rosé, **B** : vin blanc, **g** : vin gris, **j** : vin jaune, **p** : vin de paille

ALSACE

Alsace ou Vin d'Alsace	R	r	B
Alsace ou Vin d'Alsace suivie de			
Gewurztraminer			B
Riesling			B
Pinot Gris ou Tokay d'Alsace			B
Muscat			B
Pinot ou Klevner			B
Sylvaner			B
Chasselas ou Gutedel			B
Pinot noir	R		
Klevner de Heiligenstein			B
Vin d'Alsace Edelzwicker			B
Alsace Grand Cru			B
Alsace Grand Cru suivie d'un nom de lieu-dit			B
Crémant d'Alsace		r	B

BORDELAIS

Barsac			B
Blaye ou Blayais	R		B
Bordeaux	R		B
Bordeaux clairet		r	
Bordeaux-Côtes de Castillon	R		
Bordeaux-Côtes de Francs	R		B
Bordeaux-Haut-Benauge			B
Bordeaux mousseux		r	B
Bordeaux rosé		r	
Bordeaux supérieur	R		B
Bordeaux supérieur clairet		r	
Bordeaux supérieur-Côtes de Castillon	R		
Bordeaux supérieur rosé		r	
Bourg ou Bourgeais	R		B
Cadillac			B
Cérons			B
Côtes de Canon-Fronsac ou Canon-Fronsac	R		
Côtes de Bourg	R		B
Côtes de Blaye			B
Côtes de Bordeaux-Saint-Macaire			B
Entre-deux-Mers			B
Entre-deux-Mers-Haut-Benauge			B
Fronsac	R		
Graves	R		B
Graves supérieures			B
Graves de Vayres	R		B
Haut-Médoc	R		
Lalande-de-Pomerol	R		
Listrac	R		
Loupiac			B
Lussac-Saint-Emilion	R		
Margaux	R		
Médoc	R		
Montagne-Saint-Emilion	R		
Moulis ou Moulis-en-Médoc	R		
Néac	R		
Parsac-Saint-Emilion	R		
Pauillac	R		

Pomerol	R	
Premières Côtes de Blaye	R	B
Premières Côtes de Bordeaux	R	B
Premières Côtes de Bordeaux. *V. communes ou crus qui ont le droit d'ajouter leur nom à celui de l'appellation d'origine*	R	
Puisseguin-Saint-Emilion	R	
Sainte-Croix-du-Mont		B
Saint-Emilion	R	
Saint-Emilion Grand Cru	R	
Saint-Emilion Grand Cru classé	R	
Saint-Emilion Premier Grand Cru classé	R	
Saint-Estèphe	R	
Sainte-Foy-Bordeaux	R	B
Saint-Georges-Saint-Emilion	R	
Saint-Julien	R	
Sauternes		B

BOURGOGNE

Aloxe-Corton	R		B
Auxey-Duresse	R		B
Bâtard-Montrachet			B
Beaujolais	R	r	B
Beaujolais. *V. communes ou crus qui ont le droit d'ajouter leur nom à celui de l'appellation d'origine*	R	r	B
Beaujolais supérieur	R	r	B
Beaujolais-Villages	R	r	B
Beaune	R		B
Bienvenues-Bâtard-Montrachet			B
Blagny	R		
Bonnes-Mares	R		
Bourgogne	R		B
Bourgogne aligoté			B
Bourgogne clairet		r	
Bourgogne clairet-Hautes Côtes de Beaune		r	
Bourgogne clairet-Hautes Côtes de Nuits		r	
Bourgogne clairet-Marsannay		r	
Bourgogne grand ordinaire	R		B
Bourgogne grand ordinaire clairet		r	
Bourgogne grand ordinaire rosé		r	
Bourgogne-Hautes Côtes de Beaune	R		
Bourgogne-Hautes Côtes de Nuits	R		
Bourgogne-Irancy	R		
Bourgogne clairet-Irancy		r	
Bourgogne rosé-Irancy		r	
Bourgogne-Marsannay ou Bourgogne-Marsannay-la-Côte	R		

Bourgogne mousseux	R	r	B
Bourgogne ordinaire	R		B
Bourgogne ordinaire clairet		r	
Bourgogne ordinaire rosé		r	
Bourgogne passe-tout-grain	R	r	
Bourgogne rosé		r	
Bourgogne rosé-Hautes Côtes de Beaune		r	
Bourgogne rosé-Hautes Côtes de Nuits		r	
Bourgogne rosé-Marsannay		r	
Brouilly	R		
Chablis. *V. les communes productrices ayant droit à l'appellation*			B
Chablis Grand Cru			B
Chambertin	R		
Chambertin-Clos de Bèze	R		
Chambolle-Musigny	R		
Chapelle-Chambertin	R		
Charlemagne			B
Charmes-Chambertin	R		
Chassagne-Montrachet	R		B
Cheilly-lès-Maranges	R		B
Chenas	R		
Chevalier-Montrachet			B
Chiroubles	R		
Chorey-lès-Beaune	R		B
Clos de la Roche	R		
Clos de Tart	R		
Clos des Lambrays	R		
Clos-Vougeot	R		
Clos Saint-Denis	R		
Corton	R		B
Corton-Charlemagne			B
Côte de Beaune	R		B
Côte de Beaune précédée du nom de la commune d'origine	R		
Côte de Beaune-Villages	R		
Côte de Brouilly	R		
Côte de Nuits-Villages	R		B
Crémant de Bourgogne		r	B
Criots-Bâtard-Montrachet			B
Dezize-lès-Maranges	R		B
Echezeaux	R		
Fixin	R		B
Fleurie	R		
Gevrey-Chambertin	R		
Givry	R		B
Grands-Echezeaux	R		
Griotte-Chambertin	R		
Juliénas	R		
Ladoix	R		B
Latricières-Chambertin	R		
Mâcon	R	r	B
Mâcon-Villages			B
Mâcon supérieur	R	r	B
Mâcon. *V. communes ou crus qui ont le droit d'ajouter leur nom à celui de l'appellation d'origine*	R	r	B

Mazis-Chambertin	R			
Mazoyères-Chambertin	R			
Mercurey	R	B		
Meursault	R	B		
Montagny		B		
Monthélie	R	B		
Montrachet		B		
Morey-Saint-Denis	R	B		
Morgon	R			
Moulin-à-Vent	R			
Musigny	R	B		
Nuits ou Nuits-Saint-Georges	R	B		
Pernand-Vergelesses	R	B		
Petit-Chablis. *V. les communes productrices ayant droit à l'appellation*		B		
Pinot-Chardonnay-Mâcon		B		
Pommard	R			
Pouilly-Fuissé		B		
Pouilly-Loché		B		
Pouilly-Vinzelles		B		
Puligny-Montrachet	R	B		
Richebourg	R			
Romanée (La)	R			
Romanée-Conti	R			
Romanée-Saint-Vivant	R			
Ruchottes-Chambertin	R			
Rully	R	B		
Saint-Amour	R			
Saint-Aubin	R	B		
Saint-Romain	R	B		
Saint-Véran		B		
Sampigny-lès-Maranges	R	B		
Santenay	R	B		
Savigny ou Savigny-lès-Beaune	R	B		
Tâche (La)	R			
Vins fins de la Côte de Nuits	R	B		
Volnay	R			
Volnay-Santenots	R			
Vosne-Romanée	R			
Vougeot	R	B		

CHAMPAGNE

Champagne		r	B
Coteaux champenois	R	r	B
Rosé des Riceys		r	

COTES DU RHONE

Château-Grillet			B
Châteauneuf-du-Pape	R		B
Châtillon-en-Diois	R	r	B
Clairette de Die			B
Clairette de Die mousseux			B
Condrieu			B
Cornas	R		
Côte-Rôtie	R		
Coteaux du Tricastin	R	r	B
Côtes du Rhône	R	r	B
Côtes du Rhône.	R	r	B
V. communes ou crus qui ont le droit d'ajouter leur nom à celui de l'appellation d'origine			
Côtes du Rhône-Villages	R	r	B

Côtes du Ventoux	R	r	B			
Crozes-Hermitage ou Crozes-Ermitage	R		B			
Gigondas	R	r				
Hermitage ou Ermitage	R		B		p	
Lirac	R	r	B			
Saint-Joseph	R		B			
Saint-Péray			B			
Saint-Péray mousseux			B			
Tavel		r				

CORSE

Vin de Corse	R	r	B
Vin de Corse-Patrimonio	R	r	B
Vin de Corse-Coteaux d'Ajaccio ou Ajaccio	R	r	B
Vin de Corse-Sartène	R	r	B
Vin de Corse-Calvi	R	r	B
Vin de Corse-Coteaux du Cap Corse	R	r	B
Vin de Corse-Figari	R	r	B
Vin de Corse-Porto-Vecchio	R	r	B

JURA

Arbois	R	r	B	g	j	p
Arbois mousseux			B			
Arbois Pupillin	R	r	B		j	p
Château-Châlon					j	
Côtes du Jura	R	r	B	g	j	p
Côtes du Jura mousseux			B			
L'Etoile			B		j	p
L'Etoile mousseux			B			

LANGUEDOC-ROUSSILLON

Clairette de Bellegarde			B
Clairette du Languedoc			B
Collioure	R		
Côtes du Roussillon	R	r	B
Côtes du Roussillon-Villages Caramany	R		
Côtes du Roussillon-Villages-Latour-de-France	R		
Côtes du Roussillon-Villages	R		
Faugères	R	r	
Fitou	R		
Saint-Chinian	R	r	

PROVENCE

Bandol	R	r	B
Bellet	R	r	B
Cassis	R	r	B
Côtes de Provence	R	r	B
Palette	R	r	B
Vin de Bandol	R	r	B
Vin de Bellet	R	r	B

SAVOIE

Crépy		B
Mousseux de Savoie		B
Pétillant de Savoie		B
Roussette de Savoie		B
Roussette de Savoie. *V. communes ou crus qui ont le droit d'ajouter leur nom à celui de l'appellation d'origine*		B

Seyssel			B
Seyssel mousseux			B
Vin de Savoie	R	r	B
Vin de Savoie. *V. communes ou crus qui ont le droit d'ajouter leur nom à celui de l'appellation d'origine*	R	r	B
Vin de Savoie mousseux			B
Vin de Savoie pétillant			B
Vin de Savoie-Ayze mousseux			B
Vin de Savoie-Ayze pétillant			B

SUD-OUEST

Béarn	R	r	B
Bergerac	R	r	B
Bergerac sec			B
Blanquette de Limoux			B
Cahors	R		
Côtes de Bergerac	R		
Côtes de Bergerac moelleux			B
Côtes de Bergerac-			
Côtes de Saussignac			B
Côtes de Buzet	R	r	B
Côtes de Duras	R		B
Côtes du Frontonnais	R	r	
Côtes de Montravel			B
Gaillac	R	r	B
Gaillac Premières Côtes			B
Gaillac doux			B
Gaillac mousseux		r	B
Haut-Montravel			B
Irouléguy	R	r	B
Jurançon			B
Jurançon sec			B
Limoux nature			B
Madiran	R		
Monbazillac			B
Montravel			B
Pacherenc-du-Vic-Bihl			B
Pécharmant	R		
Rosette			B
Vin de Blanquette			B

VAL DE LOIRE

● *Nivernais et Berry*			
Blanc fumé de Pouilly			B
Pouilly fumé			B
Pouilly-sur-Loire			B
Menetou-Salon	R	r	B
Quincy			B
Reuilly	R	r	B
Sancerre	R	r	B
● *Touraine*			
Bourgueil	R	r	
Chinon	R	r	B
Coteaux du Loir	R	r	B
Jasnières			B
Montlouis			B
Montlouis pétillant			B
Montlouis mousseux			B
Saint-Nicolas-de-Bourgueil	R	r	
Touraine	R	r	B
Touraine-Amboise	R	r	B
Touraine-Azay-le-Rideau			B
Touraine-Mesland	R	r	B
Touraine pétillant	R	r	B
Touraine mousseux	R	r	B	→

Vouvray		B
Vouvray mousseux		B
Vouvray pétillant		B
● *Anjou*		
Anjou	R	B
Anjou-Coteaux de la Loire		B
Anjou-Gamay	R	
Anjou pétillant		r B
Anjou mousseux		r B
Bonnezeaux		B
Cabernet d'Anjou		r
Cabernet de Saumur		r
Coteaux de l'Aubance		B
Coteaux du Layon		B
Coteaux du Layon.		B

V. communes ou crus qui ont le droit d'ajouter leur nom à celui de l'appellation d'origine

Coteaux du Layon-Chaume	B
Coteaux de Saumur	B

Quarts-de-Chaume		B
Rosé d'Anjou		r
Rosé d'Anjou pétillant		r
Saumur	R	B
Saumur-Champigny	R	
Saumur pétillant		B
Saumur mousseux		r B
Savennières		B
Savennières-Coulée de Serrant		B
Savennières-Roche-aux-Moines		B

● *Sur l'aire des appellations Anjou, Saumur et Touraine*

Crémant de Loire	r B
Rosé de Loire	r

● *Pays nantais*

Muscadet	B
Muscadet des Coteaux de la Loire	B
Muscadet de Sèvre-et-Maine	B

VINS DOUX NATURELS

Banyuls	R r B
Banyuls Rancio	
Banyuls Grand Cru	R
Banyuls Grand Cru Rancio	
Frontignan	
Grand Roussillon	R r B
Grand Roussillon Rancio	
Maury	R r B
Maury Rancio	
Muscat de Beaumes-de-Venise	
Muscat de Frontignan	
Muscat de Lunel	
Muscat de Mireval	
Muscat de Rivesaltes	
Muscat de Saint-Jean-de-Minervois	
Rasteau	R r B
Rasteau Rancio	
Rivesaltes	R r B
Rivesaltes Rancio	
Vin de Frontignan	

Communes ou crus qui ont le droit d'ajouter leur nom à celui de l'appellation d'origine

BEAUJOLAIS

Les vins provenant des communes suivantes ont le droit d'adjoindre le nom de leur commune d'origine à celui de « Beaujolais ». Ils ont également droit à la dénomination « Beaujolais-Villages ».

● *Département du Rhône*

			● *Département de Saône-et-Loire*
	Beaujeu	Saint-Etienne-des-Ouillères	
	Régnié	Blacé	
Juliénas	Durette	Arbuissonnas	Leynes
Jullié	Cercié	Salles	Saint-Amour
Emeringes	Quincié	Saint-Julien-en-Montmélas	Bellevue
Chénas	Saint-Lager	Montmélas-Saint-Sorlin	La Chapelle-de-Guinchay
Fleurie	Odénas	Rivolet	Romanèche
Chiroubles	Charentay	Denicé	Pruzilly
Lancié	Saint-Etienne-la-Varenne	Les Ardillats	Chânes
Villié-Morgon	Vaux	Marchampt	Saint-Véran
Lantigné	Le Perréon	Vauxrenard	Saint-Symphorien-d'Ancelles

CHABLIS et PETIT CHABLIS

Les vins provenant des communes suivantes ont droit à l'appellation « Chablis » ou « Petit Chablis ».

Beine	Chichée	Ligny-le-Châtel	Préhy (associé à
Béru	Courgis	Lignorelles	Saint-Cyr-les-Colons)
Chablis	Fleys	Maligny	Rameau (hameau de Colan)
La Chapelle-Vaupelteigne	Fontenay	Poilly	Villy
Chemilly-sur-Serein			Viviers

PREMIERES-COTES-DE-BORDEAUX

Les vins rouges provenant des communes suivantes ont le droit d'ajouter le nom de leur commune d'origine à l'appellation « Premières-Côtes-de-Bordeaux ».

Bassens	Camblanes	Capian	Donzac
Carbon blanc	Quinsac	Lestiac	Cadillac
Lormont	Cambes	Paillet	Monprimblanc
Cenon	Saint-Caprais-de-Bordeaux	Villenave-de-Rions	Gabarnac
Floirac	Haux	Cardan	Semens
Bouliac	Tabanac	Rions	Verdelais
Carignan	Baurech	Laroque	Saint-Maixant
La Tresne	Le Tourne	Béguey	Sainte-Eulalie
Cenac	Langoiran	Omet	Saint-Germain-de-Graves
			Yvrac

MACON

Les *vins blancs* des communes suivantes de l'arrondissement de Mâcon ont le droit de faire suivre l'appellation « Mâcon » du nom de leur commune d'origine.

Azé	Chasselas	Loché	Saint-Gengoux-de-Scissé
Berzé-la-Ville	Chevagny-les-Chevrières	Lugny	Saint-Symphorien-d'Ancelles
Berzé-le-Châtel	Clessé	Milly-Lamartine	Saint-Véran
Bissy-la-Mâconnaise	Crèches-sur-Saône	Montbellet	Sologny
Burgy	Cruzilles	Péronne	Solutré-Pouilly
Bussières	Davayé	Pierreclos	Uchizy
Chaintres	Fuissé	Prissé	Vergisson
Chânes	Grévilly	Pruzilly	Verzé
La Chapelle-de-Guinchay	Hurigny	La-Roche-Vineuse	Vinzelles
Chardonnay	Igé	Romanèches-Thorins	Viré
Charnay-lès-Mâcon	Leynes	Saint-Amour-Bellevue	

Les vins rouges et rosés titrant 10^0 ont droit à la qualification « Mâcon supérieur », mais peuvent aussi faire suivre l'appellation « Mâcon » du nom de leur commune d'origine. Ces communes sont les mêmes que celles qui sont admises pour les vins blancs avec, en plus, les communes de :

Boyer	Champlieu	Laives	Nanton
Bresse-sur-Grosne	Etrigny	Mancey	Sennecey-le-Grand
Champagny-sous-Uxelles	Jugy	Montceaux-Ragny	Vers

COTES DU RHONE

Les vins provenant des communes suivantes ont le droit, sous certaines conditions, d'ajouter le nom de leur commune d'origine à l'appellation « Côtes-du-Rhône ».

● *Département de la Drôme*	Vinsobres	● *Département de Vaucluse*	Sablet
Rochegude	● *Département du Gard*	Cairanne	Séguret
Rousset-les-Vignes	Chusclan	Rasteau	Vacqueyras
Saint-Maurice-sur-Eygues	Laudun	Roaix	Valréas
Saint-Pantaléon-les-Vignes	Saint-Gervais		Visan

SAVOIE

Les vins provenant des crus suivants ont le droit d'ajouter le nom de leur cru d'origine à celui de l'appellation « Roussette de Savoie ».

Frangy	Marestel ou Marestel Altesse	Monterminod	Monthoux

Les vins provenant des crus suivants ont le droit d'ajouter le nom de leur cru d'origine à celui de l'appellation « Vin de Savoie ».

Abymes	Charpignat	Chignin	Ripaille
Apremont	Chautagne	Cruet	Saint-Jean-de-la-Porte
Arbin	Chignin-Bergeron	Marignan	Saint-Jeoire-Prieuré
Ayze	ou Bergeron	Montmélian	Sainte-Marie-d'Alloix

VAL DE LOIRE

Les vins blancs provenant des communes suivantes ont le droit d'ajouter le nom de leur commune d'origine à l'appellation « Coteaux du Layon ».

Beaulieu-sur-Layon			Saint-Aubin-de-Luigné
Faye-d'Anjou	Rablay-sur-Layon	Rochefort-sur-Loire	Saint-Lambert-du-Lattay

CRUS CLASSES DE PROVENCE

Domaines ou Châteaux	Communes	Domaines ou châteaux	Communes	Domaines ou châteaux	Communes
les Moulières	La Valette	Rimauresq	Pignans	Galoupet	La Londe
Mauvanne	Les Salins d'Hyères	Sainte-Roseline	Les Arcs	Brégançon	Bormes
Coteau du Perrage	Pierrefeu	Selle	Taradeau	Minuty	Gassin
la Source	La Londe	Clos Mireille	La Londe	la Grande-Loube	Hyères
Castel Roubine	Lorgues	Saint-Martin	Taradeau	Clos de la Bastide-Verte	La Garde
l'Aumerade	Hyères	la Croix	La Croix-Valmer	Noyer	Bormes
la Clapière	Hyères	Saint-Maur	Cogolin	Jas-d'Esclans	La Motte
Clos du Relais	Lorgues	Clos Cigonne	Le Pradet		

VINS DELIMITES DE QUALITE SUPERIEURE

(V.D.Q.S.) — R : vin rouge   **r :** vin rosé   **B :** vin blanc   **g :** vin gris

régions	types			départements

Languedoc-Roussillon

régions	types				départements
Cabardès ou Côtes du Cabardès et de l'Orbiel	R	r			Aude
Corbières	R	r	B		Aude
Corbières supérieures	R	r	B		Aude
Costières du Gard	R	r	B		Gard Hérault
Coteaux-du-Languedoc	R	r			Hérault Aude Gard
Coteaux-du-Languedoc suivi d'une appellation :					
La Clape	R	r			Aude
Quatourze	R	r			Aude
Saint-Georges d'Orques	R	r			Hérault
Saint-Christol	R	r			Hérault
Saint-Drézéry	R	r			Hérault
Coteaux-du-Languedoc-Cabrières ou Cabrières	R	r			Hérault
Coteaux-du-Languedoc-Méjanelle ou Coteaux-du-Languedoc-Coteaux-de-la-Méjanelle	R	r			Hérault
Coteaux de la Méjanelle	R	r	B		Hérault
Coteaux-du-Languedoc-Montpeyroux ou Montpeyroux	R	r			Hérault
Coteaux-du-Languedoc-Pic-Saint-Loup	R	r			Hérault
Pic-Saint-Loup	R	r	B		Hérault
Coteaux-du-Languedoc-Saint-Saturnin ou Saint-Saturnin	R	r			Hérault
Coteaux-du-Languedoc-Coteaux-de-Vérargues ou Coteaux-de-Vérargues	R	r			Hérault
Côtes de la Malepère	R	r			Aude
Minervois	R	r	B		Hérault Aude
Picpoul de Pinet			B		Hérault
Vin noble du Minervois			B		Hérault Aude

Lorraine

régions	types				départements
Côtes de Toul	R	r	B	g	Meurthe-et-Moselle
Vins de Moselle	R		B		Moselle

Provence et Côtes du Rhône

régions	types			départements
Coteaux d'Aix-en-Provence	R	r	B	Bouches-du-Rhône Var
Coteaux d'Aix-en-Provence-Coteaux des Baux-de-Provence	R	r	B	Bouches-du-Rhône
Coteaux de Pierrevert	R	r	B	Basses-Alpes
Côtes du Luberon	R	r	B	Vaucluse
Côtes du Vivarais	R	r	B	Ardèche Gard
Côtes du Vivarais suivi d'un nom de cru : Orgnac, Saint-Montant, Saint-Remèze	R	r	B	Ardèche
Haut-Comtat	R	r		Drôme

Sud-Ouest

régions	types			départements
Côtes de Saint-Mont	R	r	B	Gers Landes
Côtes du Marmandais	R	r	B	Lot-et-Garonne
Tursan	R	r	B	Landes Gers
Vin d'Entraygues et du Fel	R	r	B	Aveyron Cantal
Vin d'Estaing	R	r	B	Aveyron

Sud-Ouest

régions	types			départements
Vin de Lavilledieu	R		B	Tarn-et-Garonne
Vin de Marcillac	R	r		Aveyron

Savoie-Bugey-Bourgogne

régions	types			départements
Coteaux du Lyonnais	R	r	B	Rhône
Mousseux du Bugey			B	Ain
Pétillant du Bugey			B	Ain
Roussette du Bugey			B	Ain
Roussette du Bugey suivi d'un nom de cru : Anglefort, Arbignieu, Chanay, Lagnieu, Montagnieu, Virieu-le-Grand			B	Ain
Sauvignon de Saint-Bris			B	Yonne
Vin du Bugey	R	r	B	Ain
Vin du Bugey suivi d'un nom de cru : Virieu-le-Grand, Montagnieu, Manicle, Machuraz, Cerdon	R	r	B	Ain
Vin du Bugey Cerdon pétillant			B	Ain
Vin du Bugey Cerdon mousseux			B	Ain
Vin du Bugey mousseux			B	Ain
Vin du Bugey pétillant			B	Ain
Vin du Lyonnais	R	r	B	Rhône

Val de Loire

régions	types				départements
Châteaumeillant	R	r		g	Cher Indre
Cheverny	R	r	B		
et mousseux					Loir-et-Cher
Coteaux d'Ancenis suivi obligatoirement d'un nom de cépage : Pineau de la Loire, Chenin blanc, Malvoisie, Pinot Beurot, Gamay, Cabernet	R	r	B		Loire-Atlantique Maine-et-Loire
Coteaux du Vendômois		r			Loir-et-Cher
Côte Roannaise	R	r			Loire
Côtes d'Auvergne	R	r	B		Puy-de-Dôme
Côtes d'Auvergne suivi d'un nom de cru : Boudes, Chanturgue, Corent, Châteaugay, Madargues					
Côtes du Forez	R	r			Loire
Côtes de Gien	R	r	B		Loiret Nièvre
Gros-Plant ou Gros-Plant du pays nantais			B		Loire-Atlantique Maine-et-Loire Vendée
Valençay	R	r	B		Indre Loir-et-Cher
Vin des Coteaux du Giennois	R	r	B		Loiret Nièvre
Vins du Haut-Poitou	R	r	B		Vienne Deux-Sèvres
Vins de l'Orléanais	R	r	B		Loiret
Vins de Saint-Pourçain	R	r	B	g	Allier
Vins du Thouarsais	R	r	B		Deux-Sèvres

VINS DE PAYS

Les vins de pays à dénomination départementale sont produits sur l'ensemble des départements suivants :

Ain, Alpes-de-Haute-Provence, Alpes-Maritimes, Ardèche, Aude, Bouches-du-Rhône, Cher, Deux-Sèvres, Dordogne, Drôme, Gard, Gironde, Hautes-Alpes, Haute-Garonne, Hérault, Indre, Indre-et-Loire, Landes, Loire-Atlantique, Maine-et-Loire, Meuse, Nièvre, Puy-de-Dôme, Pyrénées-Atlantiques, Pyrénées-Orientales, Tarn-et-Garonne, Var, Vaucluse, Vendée, Vienne.

Les vins de pays à dénomination de zone sont récoltés sur les départements dont la liste suit (l'astérisque suivi d'un numéro désigne le numéro minéralogique officiel des autres départements sur lesquels s'étendent également les zones concernées).

07 département de l'Ardèche
Coteaux de l'Ardèche

11 département de l'Aude
Coteaux de la Cabrerisse
Coteaux de la Cité de Carcassonne
Coteaux de Miramont
Coteaux de Peyriac* (34)
Coteaux du Termenès
Côtes de Perignan
Cucugnan
Hauterive en Pays d'Aude
Haute Vallée de l'Aude
Val d'Orbieu
Val de Cesse
Coteaux de Narbonne
Côtes de Lastours
Vallée du Paradis
Coteaux Cathares
Coteaux du Lézignanais
Côtes de Prouilhes
Hauts de Badens
Coteaux du Littoral Audois
Val de Dagne

12 département de l'Aveyron
Gorges et Côtes de Millau

13 département des Bouches-du-Rhône
Petite Crau
Sables du Golfe du Lion*(30-34)

16 département de la Charente
Charentais*(17)

18 département du Cher
Coteaux du Cher et de l'Arnon

20 département de Corse
(2A : Haute-Corse et 2B : Corse-du-Sud)
L'île de Beauté

26 département de la Drôme
Coteaux des Baronnies
Comté de Grignan

30 département du Gard
Coteaux Cévenols
Coteaux Elaviens
Coteaux du Pont-du-Gard
Coteaux du Salavès
Coteaux du Vidourle
Mont Bouquet
Serre de Coiran
Uzège
Vistrenque
Vaunage
Coteaux de Cèze

32 département du Gers
Côtes du Condomois* (47)
Côtes de Gascogne
Côtes de Montestruc
Côtes du Brulhois* (82-47)

34 département de l'Hérault
Bessan
Caux
Cessenon
Collines de la Moure
Coteaux d'Ensérune
Coteaux de Laurens
La Bénovie
Coteaux du Libron
Coteaux de Murviel
Coteaux du Salagou
Côtes de Brian
Côtes de Thau
Côtes de Thongue
Gorges de l'Hérault
Haute Vallée de l'Orb
Vicomté d'Aumelas
Mont Baudile
Côtes du Ceressou
Cassan
Coteaux du Bérange
Coteaux de Fontcaude
Mont de la Grage
Littoral Orb-Hérault
Pézenas
Val de Montferrand

vins de pays

38 *département de l'Isère*
Balmes Dauphinoises* (73)
Coteaux du Grésivaudan* (73)
Collines Rhodaniennes* (07, 26, 42, 69)

42 *département de la Loire*
Urfé

44 *département de la Loire-Atlantique*
Pays de Retz
Marches de Bretagne* (49, 85)

46 *département du Lot*
Coteaux de Glanes
Coteaux du Quercy* (82)

47 *département du Lot-et-Garonne*
Agenais

66 *département des Pyrénées-Orientales*
Coteaux des Fenouillèdes
Pays Catalan
Val d'Agly
Côte Catalane

73 *département de Savoie*
Allobrogie* (74)

81 *département du Tarn*
Côtes du Tarn

82 *département du Tarn-et-Garonne*
Saint-Sardos* (32)
Coteaux et Terrasses de Montauban

83 *département du Var*
Les Maures
Coteaux Varois
Mont Caume
Argens

84 *département du Vaucluse*
Principauté d'Orange

85 *département de la Vendée*
Fiefs Vendéens

Les vins de pays de grande zone ayant une dénomination régionale. Il en existe trois à l'heure actuelle :

● vins de pays du Jardin de la France produits sur les départements suivants : Cher, Indre, Indre-et-Loire, Loire-Atlantique, Loir-et-Cher, Loiret, Maine-et-Loire ;

● vins de pays d'Oc produits sur les départements suivants :

Ardèche, Aude, Bouches-du-Rhône, Gard, Hérault, Pyrénées-Orientales, Var, Vaucluse ;

● vins de pays du Comté Tolosan produits sur les départements suivants : Ariège, Aveyron, Haute-Garonne, Gers, Landes, Lot, Lot-et-Garonne, Pyrénées-Atlantiques, Hautes-Pyrénées, Tarn, Tarn-et-Garonne.

DURÉE DE CONSERVATION

DES VINS DE FRANCE

Il est délicat de donner l'âge idéal de dégustation d'un vin et son âge limite de conservation, puisque son évolution dépend de son origine, de son année de naissance (millésime), de la façon dont il a été vinifié et conservé.

Tous les vins ne sont pas aptes au vieillissement : les vins dont on recherche le fruité sont à boire jeunes, puisqu'ils perdront l'arôme et le goût du fruit avec l'âge, et qu'ils n'acquerront pas pour autant le bouquet. Les vins dont la grande qualité est le bouquet devront, au contraire, être attendus le temps que ce bouquet se développe et se magnifie.

Le vin, ne l'oublions pas, est un être vivant qu'il faut surveiller sans cesse, afin de le déguster à son apogée.

C'est dans leur âge mûr que les grands vins révèlent leur rondeur, leur plénitude et le meilleur d'eux-mêmes ; dégustés trop tôt, ils ne nous offriront que l'astringence et la dureté de la jeunesse ; dégustés trop tard, que la décrépitude de la sénilité.

Les indications suivantes sont des indications générales qu'il faut savoir adapter, répétons-le, en fonction de l'origine du vin, de son millésime, et du lieu de conservation, etc.

ALSACE. Les vins d'Alsace, en règle générale, se dégustent assez jeunes, c'est-à-dire de 1 à 5 ans après la récolte. Toutefois, les vins de grandes années, issus de cépages corsés comme le Gewurztraminer, le Pinot gris et le Riesling, peuvent se conserver plus longtemps, de 3 à 8 ans.

BEAUJOLAIS. Son image de marque est le « vin de primeur ». Il doit donc se boire, en règle générale, dans l'année suivant la récolte au plus tard. Toutefois, les vins de « crus », certaines années, doivent attendre pour être dégustés et peuvent donc se conserver plus longtemps (de 2 à 5 ans).

BORDEAUX. Dans les grandes années, les crus rouges les plus renommés peuvent se conserver de 30 à 50 ans et plus. Dans l'ensemble, les Saint-Juliens, les Saint-Estèphes, les Pauillacs et les Margaux ont la plus belle longévité (de 15 à 30 ans), suivis par les Saint-Emilions (de 15 à 20 ans), les Pomerols et les Médocs (de 10 à 15 ans). Les Graves rouges, plus tendres, ne gagnent rien à être conservés plus de 5 à 10 ans.

Les grands vins blancs liquoreux peuvent se conserver très vieux, mais ils ne sont pas à l'abri de la madérisation ; il ne faut donc pas courir le risque de gâcher de

telles merveilles : les Sauternes, Barsac, Sainte-Croix-du-Mont peuvent se conserver de 10 à 20 ans, les Cérons de 8 à 10 ans. Les Bordeaux blancs secs, comme l'Entre-deux-Mers, se boivent dans les trois ans, alors que les Graves peuvent se faire attendre 10 ans.

BOURGOGNE. Les grands crus rouges de la Côte-d'Or peuvent se conserver de 10 à 25 ans, les appellations de la Côte de Nuits de 8 à 15 ans, celles de la Côte de Beaune de 6 à 12 ans. Les blancs ont une longévité moindre : de 8 à 15 ans pour le Montrachet et le Corton, de 5 à 10 ans pour le Meursault, de 3 à 8 ans pour le Chablis et le Pouilly-Fuissé, de 1 à 3 ans pour le Mâcon.

CHAMPAGNE. Certes, les grands Champagnes millésimés peuvent être conservés 10 ans et parfois plus, mais, en règle générale, le Champagne est au mieux de sa forme entre 3 et 5 ans, et les « Coteaux Champenois » entre 1 et 5 ans.

CORSE. Les vins de l'Ile ne tiennent guère au-delà de 3 ans, sauf le Patrimonio, qui peut aller jusqu'à 6 ans, ainsi que les vins doux naturels du cap Corse.

COTES DU RHONE. Les blancs et les rosés n'ont rien à gagner après 3 ans, car ils risquent la madérisation. Il faut donc mieux les boire jeunes et les conserver 2 ans au maximum, comme d'ailleurs les vins mousseux de Saint-Péray ou la Clairette de Die. Il en est de même pour les Côtes-du-Rhône-Villages rouges, à point entre 2 et 3 ans. Par contre, les grands crus s'attendent davantage : de 5 à 15 ans pour l'Hermitage et la Côte-Rôtie, de 5 à 10 ans pour le Châteauneuf-du-Pape et le Cornas.

JURA. Les merveilleux vins jaunes détiennent le record de longévité (de 6 à 100 ans!) ; les vins blancs peuvent se garder de 2 à 8 ans, les rouges de 5 à 10 ans, les rosés de 2 à 6 ans.

LANGUEDOC-ROUSSILLON. Les Corbières, les Costières-du-Gard, les Coteaux-du-Languedoc, les Minervois, tous vins rouges, se conservent de 2 à 3 ans, les Côtes-du-Roussillon de 2 à 5 ans et le Fitou de 3 à 6 ans. Les vins blancs et rosés n'ont rien à gagner au-delà de 1 à 2 ans et les Clairettes de 2 à 3 ans. Les vins de pays et les vins de table originaires de cette région viticole doivent être bus dans l'année pour ceux du Languedoc, mais peuvent se garder 2 ans pour ceux du Roussillon.

PROVENCE. Les vins blancs et rosés n'ont rien à gagner au-delà de 2 ans, sauf les rosés de Bandol et de Palette, qui tiennent jusqu'à 5 ans. Les Côtes-de-Provence rouges ne dépassent guère 5 ans, mais le Bandol, le Cassis, le Palette tiennent allégrement de 5 à 10 ans en se bonifiant.

SAVOIE. Tous les vins de Savoie, blancs ou rouges, ne vont pas au-delà de 5 ans, et c'est à partir de 2 ans qu'on les apprécie le mieux.

SUD-OUEST. Le Monbazillac peut se conserver de 20 à 30 ans, le Bergerac blanc et rouge 10 ans, le Pécharmant 15 ans.
Le Gaillac se garde de 1 à 5 ans, sauf le Gaillac-Premières-Côtes et le Gaillac mousseux méthode champenoise, qui peuvent aller jusqu'à 10 ans. Le Madiran est de très longue garde (de 10 à 20 ans), comme le Pacherenc-de-Vic-Bihl (de 5 à 10 ans), le Jurançon moelleux (de 5 à 15 ans). Le

Cahors demande de 5 à 15 ans pour s'épanouir (mais on réclame de plus en plus des « Cahors jeunes », qu'on peut apprécier au bout de 2 ans).

VAL DE LOIRE. Les vignobles qui s'échelonnent en suivant le cours de la Loire sont très divers. La durée de la conservation des vins est variable suivant le groupe viticole auquel ils appartiennent.

Région du Centre. Elle est caractérisée par des vins qui se boivent jeunes. Les vins blancs et rosés de Sancerre, de Menetou-Salon, de Reuilly, de Pouilly-sur-Loire, de Châteaumeillant, de Saint-Pourçain-sur-Sioule se consomment entre 4 mois et 2 ans. Les rouges se conservent un peu plus longtemps, mais ne vont pas au-delà de 4 ans. Le Quincy est le plus résistant, puisqu'il peut aller jusqu'à 6 ans.

Touraine. Les vins rouges de Chinon, de Bourgueil, de Touraine-Amboise, de Touraine-Mesland sont d'assez bonne garde : entre 4 et 8 ans, mais, dans les grandes années, le Chinon et le Bourgueil tiennent de 10 à 20 ans. Par contre, les vins rosés se dégustent entre 18 mois et 2 ans. Les vins blancs sont de bonne garde eux aussi, puisqu'ils se gardent entre 4 et 10 ans, sauf les Vouvrays et les Montlouis, qui atteignent facilement entre 10 et 25 ans.

Anjou-Saumur. Les rosés sont les moins résistants : entre 1 et 3 ans ; les rouges et les blancs secs tiennent en général de 1 à 5 ans, l'Anjou blanc demi-sec de 1 à 10 ans. Dans les bonnes années, des vins rouges d'Anjou, de Saumur, de Champigny atteignent de 3 à 10 ans. Les grands vins blancs qui font la gloire de cette région, ceux des Coteaux de l'Aubance, du Layon, de la Loire, de Saumur, s'apprécient entre 4 et 20 ans, mais dans les grandes années vont facilement jusqu'à 30 ans et plus. Les crus de Bonnezeaux, de Savennières et le Quarts-de-Chaume peuvent bonifier en bouteille jusqu'à devenir même centenaires.

Pays nantais. Tous les vins qu'il produit, Muscadet, Gros-Plant, Coteaux-d'Ancenis, se gardent de 18 mois à 2 ans.

LES VINS DOUX NATURELS. Le Rivesaltes, le Grand-Roussillon se gardent de 6 à 10 ans, le Maury et le Banyuls de 6 à 15 ans (le Banyuls Grand Cru peut même aller jusqu'à 20 ans). Les Muscats de Frontignan et de Lunel se conservent entre 5 et 15 ans, alors que le Muscat de Rivesaltes s'apprécie entre 2 et 3 ans.

ACCORD DES VINS ET DES METS

Savoir choisir et déguster un vin, c'est déjà occuper une place d'honneur dans la hiérarchie des fins gourmets ; savoir adapter ce vin à un plat, c'est encore mieux. Le comble de l'art, c'est aussi de verser le vin dans le verre qui lui convient, à la température voulue, et, surtout, lorsqu'on sert plusieurs vins dans un repas, de savoir mettre chaque vin à sa place, sans qu'il nuise à celui qui va suivre.

Certes, il ne s'agit pas d'enfermer la gastronomie dans un carcan de principes immuables, mais certaines règles, établies au cours de longs siècles d'expériences gustatives, demandent à être respectées. Compagnons de toujours, les vins et les mets doivent être unis par des mariages d'amour, pour offrir le meilleur d'eux-mêmes.

Mais, pour jouir des raffinements d'un repas parfait, où plats et vins se valorisent, le dégustateur averti n'oublie pas qu'il doit être lui aussi en condition. S'il veut être en état de grâce, il sait qu'il doit éviter les apéritifs trop alcoolisés, qui, selon la boutade d'un gastronome, « ouvrent l'appétit comme une fausse clé ouvre une serrure, c'est-à-dire en l'abîmant ». L'alcool s'impose brutalement aux papilles, les anesthésie et nuit à la subtilité de la dégustation, des vins comme des mets. Il est bien préférable d'adopter un vin blanc frais, un Champagne léger, qui, au contraire, mettront papilles et estomac en condition.

LE SERVICE DU VIN

L'ordre des vins. Il faut toujours « remonter la gamme », c'est-à-dire aller du plus léger au plus corsé.

En général, les vins blancs doivent précéder les vins rouges.

Une autre règle veut également que l'on boive les vins jeunes avant les plus vieux. Cette règle, toutefois, doit être appliquée avec prudence et pas trop systématiquement : mieux vaut, en effet, mettre un vin d'année légère avant celui d'une année puissante, même si le premier est le plus vieux. Il est dangereux, parfois, de servir de très vieilles bouteilles en fin de repas si l'on a présenté, juste avant, un vin en pleine maturité. L'essentiel, en cette matière, reste le plaisir de la dégustation.

Les verres (v. VERRE). Le mieux, évidemment, serait d'adopter le type spécial de verre créé pour chaque importante région viticole française et destiné à mettre le mieux son vin en valeur. Il est difficile de pouvoir se constituer une telle collection ! Dans l'ensemble, le type « verre à Bordeaux » peut convenir dans tous les cas, faute de mieux.

La température des vins (v. TEMPÉRATURE). Rappelons que c'est un des plus importants facteurs d'une bonne dégustation. Deux excès redoutables sont à craindre : tiédir le vin rouge et glacer le vin blanc. Les privilégiés qui possèdent une cave* fraîche, cette rareté de l'habitat moderne, résolvent beaucoup plus facilement ce problème de la température de service des vins.

La décantation (v. DÉCANTATION). Elle a, rappelons-le, autant de partisans que d'adversaires. Le mieux finalement, semble-t-il, est de monter le vin de la cave deux heures avant la dégustation, de le déboucher et, surtout, de le verser dans les verres avec d'infinies précautions, presque religieusement.

LES METS ET LEURS VINS

L'époque est bien finie — et c'est tant mieux pour la santé — des repas interminables, aux multiples services, accompagnés chacun d'un vin différent. On mange plus simplement, et moins copieusement, et on a réduit désormais le service des vins à deux ou trois vins au maximum, quand ce n'est pas à un seul vin pour tout le repas.

Il est de plus en plus courant de recourir à ces deux solutions de facilité que sont le Champagne et le rosé tout au long du repas : solution de facilité fastueuse ou snob quand il s'agit du Champagne, banale quand il s'agit du rosé.

C'est se priver de bien des joies : recherche des crus, contemplation d'une cave bien garnie, réjouissance à l'idée de réaliser l'accord parfait entre un vin et un mets...

Potages, hors-d'œuvre, charcuterie, triperie.

● *Potages et soupes.* Jadis, la grande école culinaire recommandait de les accompagner de vins de liqueur comme le Madère, le Xérès, le Porto, le Marsala, le Frontignan, le Banyuls, etc. Il est vrai qu'il s'agissait alors de plats de très grande cuisine. On recommande, de nos jours, simplement un vin de carafe, rouge léger ou rosé.

● *Hors-d'œuvre.* Avec les hors-d'œuvre à la vinaigrette, aucun vin ne peut être recommandé, le vinaigre les tuant tous.

● *Charcuterie.* Les salaisons diverses, les saucisses sèches, les andouilles, les saucissons sont le domaine des vins légers et glissants, des petits vins sympathiques, mais non dépourvus de caractère, afin de supporter la compagnie de ces mets rustiques et de haut goût. Les vins rouges légers de Bordeaux, du Sud-Ouest et du Languedoc-Roussillon, les Bourgognes jeunes, les Beaujolais leur conviennent, comme aussi les vins blancs de Bordeaux, de Chablis, du Val de Loire, d'Alsace, de Savoie et du Bugey, sans oublier le rosé de Provence.

● *Triperie.* Les tripes et le gras-double réclament des vins rouges rustiques et gouleyants : Bordeaux supérieur, Beaujolais, vin de Loire.
La tête de veau, à côté de ces vins rouges rustiques précédents, admet les vins blancs secs : Bordeaux, Mâcon blanc, Beaujolais blanc, Gros-Plant, Quincy, Saumur. Il en est de même de la fraise, du mou, du pied et de la langue de veau.
Le foie de veau poêlé, grillé ou en cocotte s'accommode de tous les vins rouges de diverses régions.
Cervelle et amourettes réclament des vins rouges légers ou des vins blancs.
Les rognons grillés ou en brochettes, les rognons à la sauce moutarde vont très bien avec des vins rouges de crus, qu'ils soient de Bordeaux, de Bourgogne, des Côtes du Rhône ou du Val de Loire. Les rognons sautés et flambés ou en sauce au vin, réclament des vins rouges assez corsés dans les Bordeaux, les Bourgognes, les Côtes-du-Rhône et les vins de crus de Provence (Bandol, Cassis, Bellet, Palette).
Quant aux ris de veau, le vin qui les accompagne dépend de la préparation de la sauce : vins rouges légers, mais surtout blancs de crus (Graves, Meursault, Montrachet, Pouilly-Fuissé, Vouvray, Anjou, Saumur, Riesling). Préparés plus simplement (brochettes ou escalopes meunières ou panées), les ris de veau s'accommodent plutôt du voisinage de bons vins rouges : Bordeaux de crus, Côte-de-Beaune, Beaujolais de crus, Hermitage, Cornas, Côte-Rôtie.

Foie gras et entrées

● *Foie gras.* Il mérite une place à part, puisqu'il est le grand seigneur de notre gastronomie.
Il vaut mieux le déguster au début du repas, quand le palais, encore vierge, est conditionné pour en apprécier la subtile délicatesse. Beaucoup de vins conviennent au foie gras..., à condition qu'ils soient grands. Le Champagne et les vins de méthode champenoise, tels le Vouvray et la Blanquette de Limoux, font merveille, comme aussi les grands vins blancs secs (Graves, Montrachet, Savennières, Coulée-de-Serrant, Riesling, Condrieu, Château-Grillet).
Les vins rouges de grands crus conviennent fort bien, qu'ils soient de Bordeaux, de Bourgogne ou des Côtes du Rhône.
Les vins généreux, tels le Banyuls, le Muscat de Frontignan, le Porto, le Xérès, le Madère, révèlent, certes, une subtile harmonie, mais le triomphe appartient aux vins liquoreux, qui réalisent un éblouissant feu d'artifice de bouquets et de saveurs : Sauternes, Monbazillac, Jurançon, Vouvray, Montlouis, Coteaux-du-Layon, Quarts-de-Chaume, Gewurztraminer.

● *Entrées.* Les entrées fines (quenelles, bouchées à la reine, vol-au-vent) demandent des vins rouges légers, d'année légère, des vins blancs secs et demi-secs, d'année légère également, ainsi que toute la gamme des rosés de France.
Les entrées chaudes, avec une sauce plus relevée (quenelles Nantua, par exemple), s'accompagnent mieux de vins blancs secs assez corsés.
Les entrées parfumées à la truffe, ce diamant noir de la cuisine, exigent un vin rouge assez aromatique, car il faut compter avec la note dominante donnée par la truffe : Côte-de-Nuits, Côte-de-Beaune, Médoc, Pomerol, Cornas, Côte-Rôtie, Hermitage.
Les préparations au fromage ne demandent pas de très grands crus : les vins rouges ou blancs secs, jeunes et d'année légère, leur conviennent fort bien.
Les beignets salés ne posent pas de problèmes : s'ils sont à la viande, on boira des vins rouges légers ; s'ils sont faits de poisson ou de crustacés, des vins blancs secs ; les rosés vont bien sur les uns ou les autres.
Quant aux entrées de caractère régional, il va de soi qu'on les servira de préférence avec un vin originaire de la région : ainsi les blancs ou rosés du Pays basque avec la piperade, les vins blancs ou rosés du Midi avec la pissaladière, les Côtes-de-Toul ou les vins de Moselle avec la quiche lorraine, les vins blancs d'Alsace avec la tarte à l'oignon.

Coquillages et fruits de mer

Lorsqu'ils sont consommés *crus*, il est bon de se plier à la règle, quasi immuable, de les accompagner d'un vin blanc sec. Lorsqu'ils sont dégustés sur leur lieu d'origine, le vin de la région prévaudra : Muscadet et Gros-Plant en Bretagne, Cassis ou Palette blanc de blanc en Provence, Graves ou Entre-deux-Mers en Guyenne.

Consommés *cuits* (c'est surtout le cas des moules), ils se marient avec tous les vins blancs secs (moules marinières, par exemple), mais s'il s'agit de moules à la crème ou en sauce poulette, d'huîtres au Champagne, des vins moelleux et délicats donnent un accord plus recherché.

Coquillages et fruits de mer en salade ne demandent pas plus qu'un vin de carafe ou un vin de pays blanc ou rosé.

Poissons et crustacés

Le véritable raffinement consiste à appliquer le conseil gastronomique « à poisson de rivière, vin de rivage ; à poisson de mer, vin de littoral ». Les mêmes vins conviennent aux poissons comme aux crustacés dans la majorité des cas : c'est le mode de préparation, la nature de la sauce qui conditionnent le choix du vin. S'il s'agit de crustacés ou de poissons *grillés* ou *à la nage*, tous les vins blancs secs d'année nerveuse les accompagnent bien.

Par contre, s'il s'agit d'un poisson poché au vin rouge, le même vin que celui du court-bouillon sera utilisé, ou encore un vin rouge léger, d'une petite année, de Bordeaux, de Bourgueil ou de Chinon.

Les poissons ou crustacés en *sauces douces* (sauce crème, mousseline, beurre blanc) demandent un vin blanc sec ou moelleux, selon le goût, mais le moelleux réalise un accord plus raffiné.

Lorsqu'ils sont préparés en *sauces relevées* (américaine, Nantua), ils réclament des vins blancs très puissants et corsés, comme les vins jaunes du Jura, le Tokay d'Alsace, le Châteauneuf-du-Pape blanc ou encore un Champagne d'année riche. On peut aussi, plus simplement, se contenter d'un vin rosé de Provence, de Tavel, de Pinot rosé de Bourgogne ou d'Alsace.

Les *fritures* ne font jamais aussi bon ménage qu'avec le petit vin blanc de la région où on les déguste, comme d'ailleurs les préparations régionales de poisson : quoi de mieux qu'un vin de Provence blanc ou rosé sur bouillabaisse, bourride, soupe de poisson et qu'un Pouilly-Fuissé, un Chablis ou un Mâcon sur une pauchouse ?

Quant aux poissons *fumés* ou *marinés*, ils demandent des vins blancs secs, d'autant plus corsés que la marinade ou la fumure est assez forte (l'Aquavit glacée, la Vodka ou le Genièvre peuvent remplacer avantageusement le vin s'il s'agit de produits nordiques). Il en est de même pour les *œufs de poisson* et le *caviar* (le caviar s'allie aussi parfaitement avec le Champagne).

Viandes rôties ou grillées

On choisira des vins différents, selon qu'il s'agit de viandes blanches ou de viandes rouges.

● *Pour les volailles,* un vin rouge léger, délicat, d'année légère, qu'il soit de Bordeaux ou de Loire, convient particulièrement (comme d'ailleurs le Bouzy de Champagne, le Palette, le Côte-de-Beaune ou le Côte-Chalonnaise), surtout sur le pigeon, le poulet ou la dinde. Les mêmes vins, mais plus corsés, accompagnent les volailles à chair plus grasse ou plus forte, comme le canard ou l'oie.

● *L'agneau de lait* demande des vins rouges fins, mais peu corsés : Margaux en Bordeaux, Volnay en Bourgogne, Saint-Amour en Beaujolais, par exemple ; lorsqu'il est préparé aux herbes, on choisira des vins de même style, mais plus aromatiques, plus épanouis ; si les herbes dominent, un vin méridional s'impose alors (Corbières, Minervois, Provence).

● *Le veau et le porc* ont pour accompagnement des vins rouges pas trop corsés, mais le porc supporte aussi fort bien la galante compagnie des vins blancs secs un peu corsés (Graves, Pouilly-Fuissé, Pinot gris, Palette blanc).

● *Les viandes rouges,* de mouton, de bœuf, voire de cheval, demandent de beaux vins rouges dans leur plénitude, riches et bouquetés. Les vins de Bordeaux, et particulièrement le Pauillac, sont renommés pour l'agneau rouge et le mouton, mais le Côte-de-Nuits, le Côte-de-Beaune, les Côtes-du-Rhône septentrionaux, le Chinon, le Bourgueil, le Palette, l'Arbois rouge sont loin d'être à dédaigner.

Viandes en sauce ou farcies

● *La volaille pochée,* poule au pot par exemple, demande un vin rouge rustique et jeune (Irouléguy, Cahors, Madiran).

● *Les volailles en sauce à la crème,* si elles s'accompagnent classiquement de Champagne ou de vins blancs secs (voire de vin rouge léger pour les inconditionnels du vin rouge), s'accordent surtout à merveille avec les vins blancs liquoreux, qu'ils soient de Bordeaux, d'Anjou ou d'Alsace.

● *Pour le coq au vin,* préparé au vin blanc comme au vin rouge, la meilleure règle reste de l'accompagner du vin de même appellation que celui de la cuisson.

● *Pour la volaille farcie*, c'est l'assaisonnement de la farce qui conditionnera le vin rouge d'accompagnement : plus ou moins corsé, selon que la farce est plus ou moins relevée.

● *Le veau* demande, en général, des vins rouges légers ou des vins rosés (escalopes viennoises ou milanaises, côtes à la crème, blanquette de veau, veau Marengo, ossobucco, etc.). Blanquette et préparation à la crème vont très bien aussi avec des vins blancs secs ou moelleux. Quant au veau farci (poitrine ou épaule farcie, paupiettes, veau Orloff), les vins seront d'autant plus corsés que la farce sera relevée. La selle de veau Orloff, plat de grande cuisine, demande la compagnie de grands crus dans les belles années.

● *Le mouton* (ragoût, navarin, haricot de mouton) demande des vins corsés et de caractère assez rustique : vins rouges de Provence et du Sud-Ouest, Côtes-du-Rhône, Canon-Fronsac. Les pièces marinées (gigot en chevreuil) réclament les mêmes vins qu'un gibier.
Par contre, l'*agneau de lait* en blanquette, plus délicat, s'il s'accommode de Beaujolais très jeune et très léger, réclame surtout des vins blancs moelleux ou demi-secs, d'année nerveuse.

● *Le porc* en ragoût demande, lui aussi, des vins corsés et rustiques.

Les légumes, les œufs

Ils sont un problème pour le fervent œnophile, car, en général, ni les légumes ni les œufs n'ont la réputation de faire chanter les vins !

● *Les légumes* accompagnent le plus souvent un plat de viande ou de poisson et n'ont alors rien à dire dans le choix du vin, puisque leur rôle est tout à fait secondaire.
Les légumes farcis (artichauts, aubergines, courgettes, tomates, poivrons) n'ont guère la réputation de faire valoir les vins. Seuls des vins de carafe, agréables, jeunes, servis frais, leur conviennent mais ils ne méritent surtout pas la compagnie d'un grand vin !

● *Les champignons*, par contre, ont une place à part dans la hiérarchie gastronomique légumière. Si les champignons de Paris se contentent de vins de carafe rouges légers ou rosés, de vins de café ou de vins du Midi, les champignons de forêt (cèpes, morilles, girolles, mousserons), très recherchés, se taillent une place indépendante dans les repas fins et, à ce titre, méritent « leurs » vins. Sautés au beurre, ils s'accompagnent d'un vin rouge de cru, mais assez léger. A la provençale, ils

exigent des vins rouges assez corsés à cause de l'ail : Canon-Fronsac, Passe-tout-grain, Morgon, Gigondas, Madiran. Les cèpes à la bordelaise, bien entendu, préfèrent un Bordeaux : Médoc, Saint-Emilion ou Pomerol, bien qu'un grand Château-neuf-du-Pape, un vieux Palette, un vieux Chinon, un Côte-de-Nuits s'associent aussi parfaitement au fumet des cèpes. Les champignons à la crème demandent des vins rouges légers, d'année légère, ou, mieux, des vins blancs secs ou moelleux ou un Champagne.

● *Les œufs*, quel que soit leur mode de préparation, s'accompagnent de préférence de vins de carafe. S'ils sont préparés à la crème, on peut alors choisir des vins blancs moelleux ou demi-secs.
Par contre, dans l'omelette ou les œufs brouillés aux truffes, c'est l'élément truffe qui domine le plat et qui conditionne le choix du vin ; on peut alors choisir de bons vins rouges assez corsés : crus de Bordeaux, Côte-de-Beaune, Côte-Rôtie, Gigondas.

Le gibier

● *Le gibier à plume*, qu'il soit rôti, grillé ou cuit à l'étouffée, lorsqu'il est consommé *frais* et non faisandé, s'accompagne de vins rouges peu corsés, choisis parmi les crus de Bordeaux, de Bourgogne, du Val de Loire, de l'Arbois ; vin jaune et Champagne lui conviennent très bien aussi. Lorsqu'il est *faisandé*, il réclame des vins corsés, choisis en année riche. Préparé avec farce, en sauce ou en salmis, il demande des vins plus corsés, provenant de terroir riche et d'année généreuse.

● *Le gibier à poil*, rôti ou grillé, exige de grands vins, des Bordeaux d'années riches, les grands crus de Bourgogne (surtout ceux de la Côte de Nuits), les grands Côtes-du-Rhône : Saint-Joseph, Cornas, Châteauneuf-du-Pape. On peut, néanmoins, accompagner ce gibier de Champagne, à condition qu'il s'agisse de Blanc de Noirs et d'années corsées.
Les gibiers en sauce ou en civet réclament les mêmes très grands vins généreux et de grandes années : un Banyuls Grand Cru peut même leur convenir.
Les vins rouges de la Loire, Chinon, Bourgueil, Saumur, Champigny, ne sont pas, en principe, des vins convenant au gibier à poil, sauf dans des années d'une richesse exceptionnelle.

Plats régionaux et spéciaux

Le *canard au sang* demande de très grands vins, très puissants, alors que le *canard aux navets* se contente de vins rouges légers et que le *canard aux olives* se satisfait de vin rouge assez corsé et de bonne année, provenant du Bordelais, de la Côte-d'Or et des Côtes du Rhône.

Le *canard à l'orange* est l'un des plus féroces ennemis du vin : peut-être est-ce le vin jaune du Jura qui arrive le mieux à triompher de l'épreuve, quoique les vins rosés très secs, le rosé de Cabernet, le Champagne corsé réussissent aussi, assez bien, à surmonter la sauce...

Les *spécialités régionales* réclament, évidemment, leur vin d'origine. Ainsi le confit d'oie ou de canard se savoure avec un vieux Madiran, un Cahors, un riche Bordeaux rouge, mais se marie encore mieux avec les grands vins blancs liquoreux du Sud-Ouest. Le cassoulet ne se conçoit qu'accompagné de vins rouges généreux et puissants de Cahors, de Madiran ou des Corbières. La choucroute s'épanouit en compagnie des vins blancs d'Alsace ou snobe avec le Champagne.

Les *préparations exotiques*, accompagnées de bananes, d'ananas, de noix de coco, etc., sont périlleuses pour les vins rouges, et seuls les vins rouges légers, sans prétention, s'en tirent sans trop de mal. Le couscous et les plats orientaux (chiche kebab, Chachlick, etc.) réclament les vins rouges corsés du Midi. Les plats au curry et la cuisine chinoise s'accompagnent plutôt de vins rosés et secs.

Les fromages

Contrairement à l'opinion générale, les fromages ne font pas toujours valoir les vins, surtout lorsqu'il s'agit de fromages fermentés. Un fromage trop fort peut même masquer totalement la finesse d'un vin.

● *Les pâtes cuites* (hollande, port-salut, gruyère) demandent des vins rouges délicats, tels que Graves et Médoc en Bordeaux, Beaune, Musigny, Volnay en Bourgognes, Chinon, Bourgueil, Saumur, Champigny en vins de Loire, Bouzy en Champagne.

● *Les pâtes fermentées* (camembert, brie, munster) s'accompagnent, elles, de vins rouges corsés, comme Pomerol, Canon-Fronsac en Bordeaux, Côtes-de-Nuits, Pommard, Morgon en Bourgognes, Cornas, Hermitage, Châteauneuf-du-Pape en Côtes-du-Rhône, Bandol et même Banyuls en vins du Midi.

● *Les fourmes* (Cantal) sont valorisées à la fois par les vins blancs secs (Sancerre, Pouilly-Fuissé, Chablis, Riesling) et les vins rouges légers sans prétention (Côtes-d'Auvergne, vins de l'Orléanais, Beaujolais, Bordeaux supérieur).

● *Les fromages à pâte persillée* (roquefort et les divers « bleus ») ne sont jamais aussi bons qu'avec des vins blancs liquoreux (Sauternes, Barsac, Monbazillac); les vins blancs secs, corsés, leur conviennent toutefois (Graves, Pouilly-Fuissé, Rully, Chassagne-Montrachet), ainsi que les vins rouges chaleureux (Saint-Emilion, Corton, Pommard, Hermitage, Côte-Rôtie), sans oublier le Banyuls.

● *Les fromages de chèvre* s'accompagnent, de manière idéale, des vins blancs secs du Val de Loire (Sancerre, Quincy, Savennières, Pouilly fumé, etc.), mais admettent les vins rouges légers (Givry, Beaujolais, Bordeaux supérieur) et tous les petits vins régionaux, blancs, rouges ou rosés, du même pays que le fromage.

Les desserts

Choisir un vin pour le dessert est, sans doute, ce qu'il y a de plus délicat. La saveur sucrée n'est pas propre à faire valoir un vin et, de plus, le vin du dessert vient après d'autres et le palais des dégustateurs est peut-être saturé. Le chocolat massacre tous les vins sans exception; les desserts fortement aromatisés à l'orange, à la mandarine, au citron ne sont guère plus tendres.

Pour choisir un vin de dessert, il faut donc tenir compte de la nature du dessert, certes, mais aussi des vins précédents, ce qui complique la tâche.

Le Champagne au dessert est traditionnel. Il faut admettre qu'il convient très bien, à condition d'être choisi demi-sec pour la fin du repas, alors que le brut est réservé à l'apéritif. Mais d'autres vins effervescents sont également délicieux : la Clairette de Die, le Gaillac pétillant, la Blanquette de Limoux, les Vouvray et Montlouis pétillants. Les vins blancs liquoreux ou moelleux font merveille, à condition que le dessert choisi soit peu sucré (pithiviers, gâteau aux amandes, sorbet, glace). Le danger est de masquer la finesse du vin par l'excès de sucre. Les vins doux naturels permettent de terminer un beau repas en apothéose. Par leur puissance chaleureuse, ils dominent tous les mets et terminent en point d'orgue la gamme des vins dégustés. C'est sur leur note finale que s'établit le mieux l'euphorie de la fin d'un repas réussi.

L'ANNÉE DU VIGNERON

Contrairement à ce que pensent certains profanes, le travail de la vigne et du vin ne se résume pas, à peu de chose près, à la grande fête folklorique des vendanges, suivie de la joyeuse naissance du vin nouveau ! C'est toute l'année que le vigneron travaille — et durement.

L'emploi du temps ci-après est un résumé de l'activité annuelle du vigneron : il varie, bien sûr, selon les régions viticoles, les traditions régionales et les techniques utilisées. Œuvre d'art, certes, le vin est, avant tout, œuvre d'homme qui requiert une attention et une présence quotidienne.

JANVIER

Vigne. C'est le moment de la taille de la vigne. Jadis, elle commençait traditionnellement à la Saint-Vincent, le 22 janvier, mais, de nos jours, elle débute plus tôt, dès décembre.

Vin. Ouillage des fûts de vin nouveau. Mise en bouteilles du vin plus ancien, si le temps est beau et sec.

FEVRIER

Vigne. Fin de la taille des vignes. Prélèvement éventuel des greffons, qui sont conservés dans du sable.

Vin. Par temps clair et sec, à la nouvelle lune (et si possible quand souffle le vent du nord), c'est le moment délicat du soutirage, c'est-à-dire la séparation du vin clair de ses dépôts et le transvasement dans des fûts propres. On procède également à l'assemblage des cuvées.

MARS

Vigne. Fin de la taille des vignes qui a pu être retardée par les intempéries. Premier labour, qui permet de « débutter » la base des ceps. Vers le 15 mars, la mise en végétation commence, la sève monte et les bourgeons s'éveillent à la vie.

Vin. La fermentation secondaire du vin commence en même temps que la montée de la sève dans la vigne.
Terminer le premier soutirage, commencé en février, avant la fin de mars. Ouiller les fûts. Finir la mise en bouteilles des vins plus anciens.

AVRIL

Vigne. Grande toilette de printemps du vignoble : nettoyer le sol, brûler les sarments coupés et les brindilles, remplacer les piquets en mauvais état, planter de nouvelles vignes, etc.

Vin. Surveiller les fûts et ouiller soigneusement.

MAI

Vigne. Second labour, pour éliminer les mauvaises herbes. Commencer les pulvérisations contre le mildiou et l'oïdium.
C'est le mois des insomnies pour le vigneron, car le risque de gelée blanche est très important, surtout dans certains vignobles. Il faut souvent allumer, la nuit, les poêles et les chaufferettes pour réchauffer la vigne.

Vin. Commencer le deuxième soutirage, pour séparer le vin de la lie, vers la fin du mois.

JUIN

Vigne. La floraison de la vigne commence dès le début de juin. Après la floraison, lier les sarments aux fils de fer. Continuer les traitements contre l'oïdium.

Vin. Terminer le deuxième soutirage du vin de la dernière vendange. Effectuer aussi un soutirage des vins plus anciens, surveiller les fûts et les ouiller soigneusement, car, par température estivale, l'évaporation s'accentue à travers les douves.

JUILLET

Vigne. Les vacances commencent... pas pour le vigneron. Il doit continuer à soigner la vigne, tailler les sarments trop longs, traiter à la bouillie bordeiaise, lutter contre les mauvaises herbes.

Vin. Veiller à la température de la cave, dont il faut maintenir la fraîcheur. Brûler des mèches de soufre.

AOUT

Vigne. L'entretien de la vigne ne laisse pas de répit : il faut continuer à arracher les mauvaises herbes, lier les sarments, traiter de nouveau si le temps a été pluvieux.

Vin. Inspection générale du matériel qui servira à la vendange ; nettoyage des cuves, des fûts, etc. ; vernissage des pièces métalliques contre la rouille.

SEPTEMBRE

Vigne. La vendange approche. Il faut continuer à surveiller et à soigner la vigne, la protéger des oiseaux maraudeurs, en attendant la proclamation officielle de la date des vendanges, qui a lieu, en général, vers la troisième ou quatrième semaine du mois.

Vin. Vérifier de nouveau la propreté absolue des cuves. Emplir tonneaux et cuves avec de l'eau pour faire gonfler le bois.

OCTOBRE

Vigne. La vendange bat son plein au début du mois. Dès qu'elle est terminée, il faut fumer le sol et, si nécessaire, le défoncer en vue de nouvelles plantations.

Vin. Le vin nouveau est en pleine fermentation, il doit être continuellement surveillé. On effectue le dernier soutirage du vin des vendanges précédentes et on transporte les barriques à l'emplacement qui leur est réservé, afin de laisser la place au vin nouveau. Dès que celui-ci a fini sa fermentation, le décuver et le transvaser dans des tonneaux.

NOVEMBRE

Vigne. Effectuer une taille de propreté pour la débarrasser des longs sarments. Fumer le sol. Labourer; butter les ceps afin de les protéger du gel.

Vin. Clarifier par collage afin d'éliminer les impuretés en suspension. Parfois, on peut déjà procéder à un soutirage du vin nouveau si l'année a été bonne et la vendange bien mûre; sinon, il faut encore laisser le vin sur ses lies.

DECEMBRE

Vigne. Vérifier les murets et l'état des terres si de grosses pluies d'automne sont tombées : dans les vignobles en pente, il est parfois nécessaire de remonter la terre jusqu'au sommet; les parcelles ravinées doivent être remises en état, les ceps buttés de nouveau. Commencer la taille de la vigne, qui est possible dès le 15 décembre.

Vin. Ouiller les fûts; par beau temps sec, commencer la mise en bouteilles du vin de la vendange de l'année précédente.

Ce schéma annuel de la vie d'un vigneron n'est qu'un bien petit raccourci de toutes ses occupations.
Quand il lui reste du temps (!), le vigneron doit aussi commander et entreposer les produits de traitements et les engrais, entretenir les outils et les machines agricoles, et veiller continuellement au bon état et au remplacement du matériel vinaire.
Si de nouvelles plantations sont nécessaires, il lui faut défoncer le sol, planter, surveiller les nouvelles vignes. En vue de la vente, il doit étiqueter les bouteilles, procéder à la mise en caisses, veiller aux expéditions. Comme il est généralement jovial, hospitalier et chaleureux, il donne volontiers de son temps si précieux pour recevoir ses clients, qui sont aussi ses amis. Enfin, plus que tout autre peut-être, le vigneron est submergé par la paperasserie, les déclarations, les tracasseries administratives...

PHOTOCOMPOSITION M.C.P. - FLEURY-LES-AUBRAIS.

Achevé d'imprimer par l'imprimerie Carlino, à Bologne.
Dépôt légal : octobre 1984 - N° de Série éditeur 14148.
Imprimé en Italie *(Printed in Italy)* - 506305 - Août 1987.